AFGESCHREVEN

DE LAATSTE MAN IN DE TOREN

ARAVIND ADIGA BIJ DE BEZIGE BIJ

De Witte Tijger
Tussen de aanslagen

ARAVIND ADIGA

De laatste man in de toren

Vertaald door Arjaan van Nimwegen

2011

DE BEZIGE BIJ

AMSTERDAM

De vertaler ontving voor deze vertaling een werkbeurs
van het Nederlands Letterenfonds

Aan mijn medeforensen op de stadslijn Santa Cruz-Churchgate

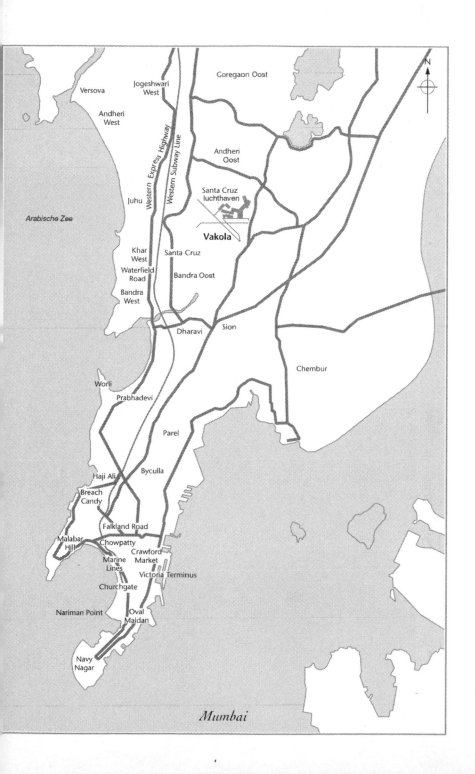

AANTEKENING OVER GELD

Een lakh is 100.000 rupee, overeenkomend met ongeveer 1.550 euro. Een crore is 10.000.000 rupee, overeenkomend met ongeveer 155.000 euro.

Meneer Shahs bod aan de leden van de Vishram Corporatie zou dus een voordeel opleveren van rond de 230.000 euro per gezin.

Het gemiddelde jaarinkomen per hoofd van de bevolking in India in 2008-2009 was 37.490 rupee, ongeveer 560 euro.

PLATTEGROND VISHRAM CORPORATIE (TOREN A) VAKOLA, SANTA CRUZ (OOST), MUMBAI-400055

Benedenverdieping:

oA privévertrek bewakingsman.

oB toegewezen aan de secretaris van de corporatie voor officiële werkzaamheden, met een alkoof waar de schoonmaakster haar bezem, ontsmettingsmiddelen en zwabber kan opslaan.

oC Felicia Saldanha, 49, en haar dochter Radhika, 20. De heer Saldanha, ingenieur, werkt naar verluidt in Vizag.

Eerste verdieping:

1A Suresh Nagpal, 54, houthandelaar, en zijn vrouw Mohini, 53.

1B Georgina Rego, 48, maatschappelijk werkster, en haar zoon Sunil, 14, en dochter Sarah, 11.

1C C.L. Abichandani, hardware-expert, 56, zijn vrouw Kamini, 52, en dochters Kavita, 18, en Roopa, 21.

Tweede verdieping:

2A Albert Pinto, 67, gepensioneerd boekhouder bij de Britannia Biscuit Company, en zijn vrouw Shelley, 64.

2B Deepak Vij, 57, zakenman, zijn vrouw Shruti, 43, en dochter Shobha, 21.

2C Ramesh Ajwani, vastgoedmakelaar, 50, zijn vrouw Rukmini, 47, en zoons Rajeev, 13, en Raghav, 10.

Derde verdieping:

3A   Yogesh A. Murthy (bekend als 'Masterji'), gepensioneerd leraar, 61, woont inmiddels alleen na het recente overlijden van
zijn vrouw Purnima.

3B   verhuurd aan juffrouw Meenakshi, mogelijk journaliste, al-
leenstaand, rond de 25 jaar. Eigenaar: Shiv Hiranandani (bekend als 'Import-Export'), woonachtig in Khar West.

3C   Sanjiv Puri, 54, boekhouder, zijn vrouw Sangeeta, 52, en zoon
Ramesh, 18, lijdend aan het syndroom van Down.

Vierde verdieping:

4A   Ashvin Kothari, 55, secretaris van de corporatie. Beroep onbekend, zijn vrouw Renuka, 49, en zoon Siddharth (bekend
als 'Tinku'), 10.

4B   George Lobo, 45, gerespecteerd apotheker, zijn vrouw Car-
mina, 40, en dochter Selma, 19.

4C   Ibrahim Kudwa, 49, eigenaar internetwinkel, zijn vrouw
Mumtaz, 33, en kinderen Mohammad, 10, en Mariam, 2.

Vijfde verdieping:

5A   verhuurd aan de heer Narayanswami, 35, werkzaam bij een
verzekeringsmaatschappij in het financieel centrum Bandra-
Kurla. Vrouw naar verluidt in Hyderabad. (Eigenaar de heer
Pais woont in Abu Dhabi.)

5B   Sudeep Ganguly, 43, eigenaar van een kantoorboekhandel in
Bandra (Oost), zijn vrouw Sharmila, 41, en zoon Anand, 11.

5C   onbewoond op verzoek van de eigenaar, de heer Sean Costello, na de zelfmoord van zijn zoon Ferdinand die van het
dakterras van de flat is gesprongen. De eigenaar werkt op dit
moment in Qatar als kok bij een Amerikaans fastfood-bedrijf.

Andere vaste bezoekers:

Mary, 34, de 'khachada-wali' of schoonmaakster, en Ram Khare, 56, de beveiligingsman. In de meeste gezinnen zijn dienstmeisjes en koks werkzaam.

Als u navraag doet naar de Vishram Corporatie, dan zult u meteen te horen krijgen dat die *pucca* is – absoluut, onomstreden pucca. Het is van belang dat te noteren, want die hele wijk – de teennagel van Santa Cruz, Vakola geheten – heeft iets wat niet helemaal pucca is. Op een plattegrond van Santa Cruz is Vakola een kluwen van tweeslachtige plekken die zich als poliepen aan de binnenlandse luchthaven hebben gehecht, op grondniveau blijken de poliepen sloppenbuurten die zich in alle richtingen uitstrekken vanaf de Vishram Corporatie.

Bij iedere verkiezing, als Mumbai haar inventaris opmaakt, melden de kranten dat een kwart van de sloppenwijken van de stad hier ligt, in de omgeving van het vliegveld, en vele oudere Bombaywallahs zijn ervan overtuigd dat *alles* in of rondom Vakola slopperig moet zijn. (Ze weten niet eens precies hoe je het moet uitspreken: va-KHO-la of VAA-k'-la?) In zo'n twijfelachtige buurt rijst de Vishram Corporatie op als een slagschip van middenklasse-eerbiedwaardigheid, gereed om te vuren op iedereen die het pucca-schap van de plaatselijke burgerij waagt aan te tasten. Jarenlang was het het enige goede flatgebouw; het werd gebouwd als een experiment om de buurt te verbeteren aan het eind van de jaren vijftig, toen Vakola nog een half moeras was, een paar kraakheldere herenhuizen te midden van mangroven en malariawolken. Wilde zwijnen en bendes *dacoits* slopen naar verluidt tussen de banyanbomen, en riksja's en taxi's weigerden hier na zonsondergang te snorren. Uit dankbaarheid tegenover de pioniers van de Vishram Corporatie, die bandieten en malariamuggen uitdaagden, de zandwegen trotseerden met hun Fiats en Bajaj-scooters, die de banyanbomen omhakten, dikke muren om de terreinen optrokken en er Engelse bordjes ophingen, hebben de plaatselijke politici verordonneerd dat de onbestrate weg die vanaf de hoofdweg naar het toegangshek van het gebouw slingert, 'Vishram Society Lane' zou heten. De mangroven zijn al lang verdwenen. Andere middenklassenpanden zijn nu verrezen – de beste ervan is, volgens plaatselijke vastgoedmakelaars, Gold Coin Society, maar de reputatie van Marigold, Hibiscus en White Rose groeit gestaag – en door de recente verrijking met het Grand Hyatt Hotel, vijf sterren, staat het gebied op het punt om definitief te rijpen tot een middenklassenwijk. Toch zou dit alles niet mogelijk geweest zijn zonder de Vishram Corporatie, en over dit grootmoederlijk flatgebouw wordt in de hele buurt met eerbied gesproken.

Strikt genomen zijn er twee afzonderlijke corporaties binnen dezelfde ringmuur. Vishram Corporatie Toren B, gebouwd tijdens de late jaren zeventig, staat in de zuidoostelijke hoek van de oorspronkelijke kavel. Het zeven verdiepingen hoge flatgebouw is meer in trek bij kopers en huurders, en veel jonge zakenmensen die werk hebben gevonden in het nabijgelegen financiële complex van Bandra-Kurla wonen hier met hun gezinnen.

Toren A is wat de buurtbewoners beschouwen als de 'Vishram Corporatie'. Hij staat in het midden van het complex, zes verdiepingen hoog, een marmeren steen, ingemetseld in de post van het hek, vermeldt in verweerde letters:

DEZE PLAQUETTE WERD ONTHULD DOOR SHRI KRISHNA MENON, EERBIEDWAARDIG MINISTER VAN DEFENSIE VAN INDIA, OP DE 14ᴰᴱ NOVEMBER 1959, DE GEBOORTEDAG VAN ONZE GELIEFDE EERSTE MINISTER PANDIT JAWAHARLAL NEHRU...

Hier wordt het vaag, je moet gaan knielen en goed kijken om de laatste regels te onderscheiden:

...HEEFT MENON GEVRAAGD ZIJN DIEPE HOOP UIT TE DRUK-
KEN DAT DE VISHRAM CORPORATIE MOGE DIENEN ALS EEN
VOORBEELD VAN 'GOEDE WOONVOORZIENING VOOR GOEDE
INDIËRS'.

AANGEBRACHT DOOR:

LEDEN VAN DE VISHRAM CORPORATIE COÖPERATIEVE
BEWONERSCORPORATIE
VOLLEDIG GEREGISTREERD EN ERKEND DOOR
DE STAD BOMBAY
14-11-1959

De gevel van deze toren, ooit roze, is nu van een door regenwater gevlekt en door zwam aangevreten grijs, hoewel aders van het oorspronkelijke roze zich laten zien op alle plekken waar de dakbedekking de moesson heeft tegengehouden. Elk appartement heeft ijzeren tralies voor de ramen, geraniums, jasmijn en cactusstekels wringen zich door de roestige metalen vierkanten. Weelderige varens, groen en roodachtig groen, verbergen de hoeken van enkele ramen, waardoor ze eruitzien als toegangen tot kleine grotten.

De meer ondernemende bewoners hebben geld gestoken in de verbetering van de slonzige buitenkant – handen hebben rondom wat ramen geschrobd en zo aureolen op de gevel geschapen en daarmee een nog complexere lappendeken van roze, schimmelgrijs, zwart, betongrijs, roestbruin, varengroen en bloemig rood, waaraan rond het midden van de dag nog wordt bijgedragen door de dessins van beddenlakens en sari's die over de tralies en balkons te drogen worden gehangen. Vishram heeft, als ouderwets flatgebouw, geen hal, je loopt de donkere, vierkante ingang binnen en slaat links af (als je mevrouw Saldanha van oC bent of wilt bezoeken), of beklimt de smoezelige trap naar de appartementen op de hogere verdiepingen. (Er is een Otis-lift aanwezig, maar die is onbetrouwbaar.) De muur langs het trappenhuis, met gaten in de vorm van achtpuntige sterren, lijkt op het scherm van de vrouwen-*zenana* in een oude *haveli*, en insinueert geheime, zelfs sinistere zaken die zich daarbinnen afspelen.

Langs de muur om het terrein staat een tiental scooters en motoren geparkeerd, drie Maruti-Suzuki's, twee Tata Indica's, een gehavende Qualis en een paar kinderfietsjes. Het opvallendste element van het terrein is een gepolijst, zwart stenen kruis van een meter hoog in een schrijn van geglazuurde blauwe en witte tegels en overdekt met verwelkende bloemen en bloemkransen – een herinnering aan het feit dat het pand oorspronkelijk bedoeld was voor rooms-katholieken. Hindoes werden eind jaren zestig toegelaten en in de jaren tachtig ook het betere soort moslim – Bohra, Ismaili, die gestudeerd hadden. Vishram is nu volledig 'kosmopolitisch' (d.w.z. etnisch en religieus gemengd). Diagonaal tegenover het zwarte kruis staat het wachthokje, op de muur waarvan Ram Khare, de Hindoe-bewakingsman, in rood een leus heeft gesjabloneerd, afkomstig uit de Bhagavad Gita:

Ik ben nooit geboren en ik zal nooit sterven; ik kwets niet en kan niet gekwetst worden; ik ben onoverwinnelijk, onsterfelijk, onverwoestbaar.

Uit het open raam van het wachthokje steekt een blauw registratieboek. Aan het dak hangt een bordje:

ALLE BEZOEKERS DIENEN HET REGISTER TE TEKENEN EN
HUN JUISTE ADRES EN MOBIELE NUMMER TE VERSCHAFFEN
ALVORENS BINNEN TE TREDEN

OP ORDERS VAN
DE SECRETARIS
VISHRAM COÖPERATIEVE BEWONERSCORPORATIE

Naast het wachthokje is een banyanboom door de buitenmuur gegroeid. De stam van de boom, donkerbruin geschilderd en vol vuile vlekken, net als de rest van de muur, steekt uit het metselwerk naar voren als een gecamoufleerde luipaard. De omvang ervan naast Ram Khares hokje verleent het een uitstraling van stevigheid en betrouwbaarheid die het misschien niet verdient.

Aan de buitenmuur, opgetrokken achter een goot, hangen twee stoffige borden:

BEZOEK INTERNETCAFÉ SPEED-TEK.

EIGENAAR IBRAHIM KUDWA

RENAISSANCE VASTGOED. EERLIJK EN BETROUWBAAR.

BIJ DE MARKT VAN VAKOLA

Door de avondlijke cricketpartijtjes van de kinderen van Vishram is het grootste deel van het terrein verstoken van bloeiende planten, hoewel bij de achtermuur een bosje hibiscusplanten bloeit, die daar waren geplant ter verhulling van de stank van rauw vlees vanuit een rundvleesslagerij ergens achter de corporatie. 's Nachts flitsen donkere vormen over de schemerige Vishram Society Lane; ratten en borstelratten schieten als weggestoten biljartballen door de nauwe steeg, dol geworden van de geheimzinnige lucht van vers bloed.

Op zondagmorgen hangt er het aroma van versgebakken waren. Mangaloreaanse winkels leveren aan de christelijke leden van Vishram en andere nette corporaties. Op de ochtend van de sabbat drommen dames in lange, gedessineerde japonnen en meisjes met gepoederde gezichten en zijden rokjes na hun bezoek aan de St. Anthony-kerk in die winkels samen om brood en *sunna's* te kopen. Kort daarna golft het aroma van kokende bouillon en gekruide kip vanuit de geopende ramen van Vishram Society door de buurt. Op zo'n moment van voldoening zou de geest van eerste minister Nehru, mocht die nog boven het gebouw zweven, tevreden mogen zijn.

19

Toch zullen de bewoners van Vishram de eersten zijn om erop te wijzen dat deze corporatie bepaald geen paradijs is. Een gemeenschap kenmerkt zich door de luxe waar ze niet buiten kan. Die in Vishram moet het zelfs stellen zonder de meest fundamentele luxe: zelfbedrog. Tegenover elke belangstellende buitenstaander zullen ze openhartig de vernederingen des levens in hun corporatie erkennen – in hun oprechte frustratie overdrijven ze die mogelijk zelfs.

Nummer één. Zoals de meeste flatgebouwen in Vakola heeft de corporatie niet vierentwintig uur per dag stromend water. Aangezien het aan de armere, oostelijke kant van het spoor ligt, geniet Vakola maar twee keer per dag de gemeentelijke zegeningen: de kranen verschaffen water van vier tot zes 's morgens en van halfacht tot negen 's avonds. De bewoners hebben opslagtanks boven hun badkamers geplaatst, maar die kunnen maar een beperkte hoeveelheid opslaan (grotere tanks bedreigen de stabiliteit van een dergelijk antiek gebouw). Rond vijf uur 's middags staan de kranen gewoonlijk droog. Dan komen de bewoners naar buiten om te praten. Een paar minuten na half acht maakt het herlevende vaatstelsel van de Vishram Corporatie een eind aan alle gesprekken, water stroomt onder hoge druk door de buizen, en keukens en badkamers zijn dichtbevolkt. De bewoners weten dat het wassen, baden en koken in de avond allemaal in deze anderhalf uur moeten plaatsvinden, als de druk op de kranen het hoogst is, net als de bijkomstige werkzaamheden die afhankelijk zijn van de beschikbaarheid van stromend water. Als de kinderen van Vishram naspeuringen konden doen naar het tijdstip van hun verwekking, zouden ze ontdekken dat die gewoonlijk had plaatsgegrepen tussen halfzeven en kwart voor acht.

Het tweede probleem is er een waarom heel Santa Cruz, zelfs de goede gedeelten ten westen van het spoor, berucht is. 's Nachts is het een acuut probleem en 's zondags tussen zeven en acht 's morgens wordt het ook nijpend. Je doet je raam open en daar is hij: een Boeing 747 recht boven je flat. De bewoners houden vol dat na de eerste maand de uitdrukking 'geluidsvervuiling' niets meer voor je betekent – waarschijnlijk is dat juist – maar toch liggen de huurprijzen van de Vishram Corporatie en haar buren minstens een kwart lager, vanwege de nabijheid van het vliegveld.

Het laatste probleem, in wezen een existentieel probleem, wordt verwoord in een mededelingenbord achter glas:

MEDEDELING

VISHRAM COÖPERATIEVE BEWONERSCORPORATIE BV,

TOREN A

NOTULEN VAN DE BIJZONDERE VERGADERING OP ZATERDAG

28 APRIL

ONDERWERP: URGENTIE REPARARIES WORDT ERKEND

Aangezien er zelfs bij deze dringende kwestie niet voldoende leden aanwezig waren, moest de vergadering een halfuur worden uitgesteld. De uitgestelde vergadering begon om 19 uur 30.

PUNT 1 VAN DE AGENDA:

De heer Yogesh Murthy, 'Masterji' (3A), stelt voor de notulen van de vorige vergadering van gebouw A ongewijzigd goed te keuren, aangezien exemplaren van de notulen al zijn doorgegeven aan alle leden. Unaniem werd besloten genoemde notulen ongewijzigd goed te keuren.

PUNT 2 VAN DE AGENDA:

Bij aanvang sprak Masterji (3A, zie boven) zijn ernstige zorgen uit over de staat van het corporatiepand, en benadrukte de noodzaak om onmiddellijk de reparatiewerkzaamheden aan te vangen in het belang van de veiligheid van de leden en die van hun kinderen. De meesten van de aanwezige leden gaven uiting aan vergelijkbare...

...vergadering werd besloten rond 20 uur 30 met het uitspreken van dank aan de voorzitter.

Kopie (1) aan de leden van de Vishram Coöperatieve Bewonerscorporatie BV, Toren A

Kopie (2) aan de heer A. Kothari, secretaris van de Vishram CoöperatieDag Erika,

Hier zijn het binnenwerk en het omslag ter controle.ve Bewonerscorporatie BV, Toren A

Deze mededeling is bevestigd boven op vergelijkbare oudere mededelingen. Na meer dan vier decennia moessons, erosie, windaantasting, luchtvervuiling en de lichte maar niet aflatende trillingen veroorzaakt door laagvliegende vliegtuigen, maakt Toren A een redelijke kans om tijdens de volgende moesson totaal in te storten. En toch gelooft niemand, noch in de Vishram Corporatie noch in de wijdere omgeving, echt dat het gebouw zal omvallen.

Vishram is een gebouw als de mensen die erin wonen: middenklasse tot op het bot. Verbetering of mislukking, tot geen van die uitersten is het in staat. De mannen hebben bescheiden buikjes, dragen geruite polyester overhemden op witte *banians* en houden hun haar kort en onder de olie. De oudere vrouwen dragen sari's, *salwar-kameez* of rokken en de jongere dragen spijkerbroeken. Allemaal betalen ze belasting, geven aan goede doelen en brengen hun stem uit bij lokale en algemene verkiezingen.

Eén blik op Vishram in de avond, als de bewoners in plastic stoelen op het terrein zitten te babbelen en zich koelte toewuiven met de *Times of India*, en je weet: deze corporatie is – wat anders? – pucca.

BOEK EEN

HOE HET AANBOD WERD GEDAAN

11 MEI

Drie uur: de hitte bereikt haar jaarlijkse hoogtepunt.

Ram Khare, de bewaker, wuifde zich koelte toe met zijn geruite zakdoek, hardop lezend uit een beknopte versie van de Bhagavad Gita, op diverse plaatsen geschonden door de lange vingernagels waarmee hij erop drukte.

'...nooit over de daden van een man, zei de Heer Krishna, maar alleen over de vruchten van zijn daden, wordt...'

Een vlieg wreef in zijn pootjes naast het heilige boek, twee stokjes jasmijnwierook brandden onder een afbeelding van Heer Shiva en maskeerden slechts ten dele de rumgeur in het wachthokje.

Een lange man in een wit overhemd en een zwarte broek – handelsreiziger, nam Ram Khare aan – ging voor het hokje staan en schreef zijn gegevens in het register. De bezoeker legde zijn pen neer. 'Kan ik nu naar binnen?'

Ram Khare verplaatste een duim van zijn heilige samenvatting naar het bezoekersregister.

'U hebt die laatste kolom niet ingevuld.'

De bezoeker glimlachte, van een boventand was een hoekje af. Hij klikte zijn balpen weer tot leven en schreef in de kolom met de kop *Te bezoeken perso(o)n(en):*

Dhr secr.

Nadat hij, op aanwijzing van Ram Khare, na binnenkomst rechts af was geslagen, liep de bezoeker een kamertje binnen waarvan de deur openstond en waar een kale man aan een bureau zat met een vinger van zijn linkerhand boven een typemachine.

'...mededeling... aan... de... be-woo...ners... van Vi-shraaaam...'

Zijn andere hand hiel een sandwich vast boven een geschulpt papieren bordje, verlucht met kometen van mint-chutney. Hij beet in de sandwich en typte al etend met één vinger, hevig ademhalend en mompelend tussen de ademstoten in:

'...onderwerp... al-gemeen... wa-ter... onder-houd...'

De bezoeker klopte met de rug van zijn hand op de deur.

'Is hier een flat te huur?'

De man met de sandwich, meneer Kothari, secretaris van Vishram Toren A, pauzeerde met een vinger boven de oude Remington.

'Zeker,' zei hij. 'Gaat u zitten.'

Hij negeerde de bezoeker en ging door met typen, eten en mompelen. Er lagen drie gedrukte formulieren op zijn bureau, hij pakte er een op en las hardop voor:

'...vragenlijst van de gemeente. Zijn alle kinderen in de corporatie ingeënt tegen polio? Zo ja, gaarne inzage... zo niet, gaarne...'

Er lag een kleine hamer naast de typemachine. Met het poliobriefje in zijn ene hand en de hamer in de andere stond de secretaris op en liep naar het mededelingenbord en deed het glazen deurtje open. De bezoeker zag hoe hij het briefje op zijn plaats hield met een spijker en die vervolgens met drie korte tikken in het houten bord sloeg – tok, tok, tok – waarna hij het glazen deurtje weer sloot. De hamer keerde terug naar zijn plek naast de schrijfmachine.

Terug in zijn stoel pakte de secretaris het volgende papier.

'...klacht van mevrouw Rego. Reuzenwespen vallen aan... Waarom betaal ik maandelijks een onderhoudsbijdrage als de corporatie niet in staat is de hulp in te roepen van... Hij verfrommelde het.

Hij wilde weer gaan typen, toen hij zich de bezoeker herinnerde.

'Een flat te koop, zei u?' vroeg hij hoopvol.

'Te huur.'

'Goed. Waar doet u in?'

'Chemische producten.'

'Goed. Heel goed.'

De bezoeker, donkerhuidig, lang, rechtop zittend in een gestreken Oxford-overhemd en een katoenen broek met vouw, gaf de secretaris geen reden om te betwijfelen dat hij op een net terrein werkzaam was, zoals medicijnen en chemicaliën.

'Strikt genomen is er op dit moment niets beschikbaar,' bekende de secretaris, terwijl de twee mannen de trap beklommen. ('99 procent van de tijd doet de lift het.') 'Maar ik kan u in vertrouwen zeggen dat de eigenaar van 3B niet volkomen tevreden is met de *huidige situatie.*'

Een eczeem van blauwhuidige goden, baardige godmensen en christussen met stralenkrans overdekte de metalen deur van 3B – een testament van generaties van oecumenische huurders die elk een paar symbolen van hun geloof hadden toegevoegd zonder die van een ander te verwijderen – dus was het onmogelijk te weten of de huidige huurder hindoe was, christen of aanhanger van een hybride cultus die alleen in dit pand gepraktiseerd werd.

Vlak voor hij aanklopte hield de secretaris even in – zijn vuist zou terechtkomen op de sticker met het gezicht van Jezus. Hij verplaatste zijn hand om een van de weinige lege plekken op de deur te vinden en klopte behoedzaam. Na nog een keer kloppen gebruikte hij zijn loper.

De kastdeuren stonden wijd open, de vloer was een archipel van kranten en ondergoed – de secretaris moest uitleggen dat 3B op dit moment verhuurd was aan een hoogst onwelkome alleenstaande vrouw, werkzaam als journaliste. De vreemdeling keek naar de afbladderende grijze verf en de waterschadevlekken op de muur, de secretaris stond al klaar met het officiële zinnetje voor potentiële huurders – 'tijdens de moesson maakt het regenwater vlekken op de muren, maar het komt niet op de vloer'. Hij had officiële antwoorden klaar op alle gebruikelijke lastige vragen – hoeveel uur watervoorziening, hoeveel overlast van de vliegtuigen 's nachts, of de stroom wel eens 'haperde'.

De bezoeker stapte over uiteenlopend ondergoed en bevoelde de muren, krabde aan de bladderende verf en rook. Hij wendde zich tot de secretaris, haalde een roodgestreept notitieblok tevoorschijn en maakte met zijn tong een vinger nat.

'Ik wil graag de juridische geschiedenis van de Torens A en B.'

'De wat?'

'Een opsomming van de rechtszaken die zijn aangespannen, nog lopen of mogelijk in de toekomst kunnen volgen.'

'Er is onenigheid geweest tussen de gebroeders Abichandani over 1C, dat is waar. De kwestie is geschikt. We zijn hier niet dol op de rechtbank.'

'Goed. *Heel* goed. Zijn er "merkwaardige situaties"?'

'Merkwaardige situaties?'

'Ik bedoel: dreigende of lopende familieruzies, kwesties met het *pagdi*-stelsel, illegale onderverhuur, overdracht van bezit via informele methoden?'

'Dat gebeurt hier allemaal niet.'

'Moorden en zelfmoorden? Geweldpleging? Iets, wat dan ook, dat kan leiden tot ongeluk, slecht karma of negatieve energie in de *Vastu*-zin?'

'Hoort u eens...' Secretaris Kothari sloeg zijn armen over elkaar. De vreemdeling scheen de morele geschiedenis te willen weten van elke deurknop, klinknagel en spijker van de corporatie. 'Bent u van de politie?'

De bezoeker keek op van zijn notitieblok, hij leek verrast.

'We leven in een gevaarlijke tijd, niet?'

'Gevaarlijk,' gaf de secretaris toe. 'Bijzonder.'

'Terroristen. Bommen in treinen. Explosies.'

De secretaris knikte.

'Gezinnen vallen uiteen. Misdadigers infiltreren de politiek.'

'Nu begrijp ik het. Kunt u uw vragen nog eens herhalen?'

Toen hij weg was wilde de secretaris dolgraag doorgaan met typen, maar hij merkte dat hij te zenuwachtig was. Hij verkwikte zich op elke werkdag met twee klaargemaakte sandwiches die hij 's morgens gekocht had en in de laden van zijn bureau gestopt. Hij pakte de tweede sandwich uit en begon er voortijdig van te eten.

Hij dacht aan de afgebroken tand van de bezoeker.

Misschien zit die vent helemaal niet in de chemische producten. Misschien heeft hij niet eens een baan.

Maar zijn onrust moest voornamelijk van digestieve aard geweest zijn, want met elke hap die hij nam voelde hij zich beter.

Dankzij het register in het wachthokje kenden de bewoners van Vishram Toren A de basisgegevens van de vreemdelingen die op bezoek kwamen, wat niet gezegd kon worden van de mensen met wie ze er al twintig of dertig jaar woonden.

Laat in de ochtend stapte meneer Kothari (4A), hun secretaris, op zijn Bajaj-scooter en vertrok 'voor zaken'. Vroeg in de middag, als al de anderen nog aan het werk waren, reed hij terug, terwijl de achteruitkijkspiegel van zijn scooter een rechthoek zonlicht op de bovenkant van zijn borst weerspiegelde, als een certificaat van een schoon geweten. Uit zijn bewegingen hadden zijn buren opgemaakt dat er 'zaken' bestonden die iemands aanwezigheid niet langer dan twee of drie uur per dag eisten en die toch de basis vormden van een eerbiedwaardig bestaan. Dat was alles wat ze wisten van het leven van meneer Kothari buiten hun hekken. Als ze, zelfs langs hun neus weg, vroegen hoe hij genoeg had kunnen sparen om die Bajaj te kopen, antwoordde hij, alsof het een verklaring was: 'Het is geen Mercedes-Benz, hè? Het is maar een scooter.'

Hij was de meest luie secretaris die ze ooit hadden gehad, en daarmee was hij de beste secretaris die ze ooit hadden gehad. Als hem gevraagd werd om ruzies op te lossen, luisterde Kothari naar beide partijen, knikte en krabbelde meelevende aantekeningen op een kladje. *Uw zoon maakt 's avonds laat muziek en stoort de hele verdieping, dat is waar. Maar hij is muzikant, dat is waar.* Als de strijdende partijen zijn kantoortje verlieten, gooide hij het papier in de prullenbak. Jezus zij geloofd! Allah zij geloofd! SiddhiVinayak zij...! Enz. Mensen werden gedwongen zich aan te passen, tijdelijke compromissen werden gesloten.

Kothari borstelde zijn haar van oor tot oor om zijn kaalheid te verbergen, een handeling die wees op ijdelheid of domheid; toch had hij ogen als spleten onder sneeuwwitte wenkbrauwen en telkens als hij grijnsde gaven snorhaarachtige lachrimpels hem het uiterlijk van een roofzuchtige lynx. Zijn functie was onbezoldigd, toch smeekte hij letterlijk bij elke jaarlijkse algemene vergadering heel innemend om herkozen te worden, met zijn handen gevouwen in een *namaste*-gebaar. Niemand kon zeggen waarom deze vriendelijke kale zakenman zo graag urenlang in een armzalig secretariaat wilde zitten met zijn neus in mappen en brochures. Hij deed zelfs zo geheimzinnig dat je bang was dat hij op een dag zou oplossen tussen zijn papieren als een stuk Pears'-zeep. Wat zijn 'aard' was, was onbekend.

Mevrouw Puri (3C), die nog het meest leek op een vriend van de secretaris, hield vol dat er wel een 'aard' was. Als je lang genoeg met hem praatte, kwam je erachter dat hij bang was voor China, zich zorgen maakte om jihadi's in de stadstreinen, en vóór een nationaal identiteitsbewijs was om illegale immigranten uit Bangladesh te kunnen uitzetten, maar de meesten hadden hem nog nooit een mening horen uitspreken, tenzij die met de cricketsport te maken had. Sommigen hadden het gevoel dat hij altijd op zijn hoede was omdat hij als jongeman een misstap had begaan: men zei dat zijn vrouw zijn nicht was, of uit een andere gemeenschap afkomstig, of twee jaar ouder dan hij, of zelfs, zo zeiden kwaadaardigen, dat ze zijn zus was. Ze hadden één zoon, Tinku, een bekend speler van carrom en andere binnensporten, dik en wit van huid met een permanente imbeciele grijns op zijn gezicht geplakt – of hij echt achterlijk was of dat hij, net als zijn vader, zijn 'aard' verborg, was niet duidelijk.

De secretaris gooide het papier van zijn sandwich in de prullenbak. Zijn adem was nu een zindering van rauwe uien en curry-aardappels, hij ging weer aan zijn werk.

Hij berekende de jaarlijkse onderhoudsuitgaven aan de bewaker, Mary de schoonmaakster, de zeven-soorten-ongedierte-man die de invasies van wespen en honingbijen kwam bestrijden, en de jaarlijkse grote reparaties aan het dak en de muren van het pand. Al twee jaar had Kothari de onderhoudsrekening op 17,22 rupee per vierkante meter per bewoner per maand weten te houden, wat neerkwam op een jaarlijkse rekening van (gemiddeld) 14.694 rupee per bewoner, te betalen aan de corporatie in één of twee termijnen (de tweede termijn werd berekend op 18,33 rupee per vierkante meter). Dat hij in staat was de onderhoudsrekening gelijk te houden, ondanks de stijgende inflatiedruk in een stad als Mumbai, werd als zijn voornaamste prestatie als secretaris beschouwd, ook al fluisterden sommigen dat hem dat alleen lukte door helemaal niets te doen aan het onderhoud van de corporatie.

Hij boerde, keek op en zag Mary, de *khachada-wali*, die met haar bezem de gang had aangeveegd, buiten zijn kantoortje staan.

Mary, een stille, magere vrouw, nauwelijks anderhalve meter lang, had grote voortanden die vanuit haar holle wangen naar voren barstten. Bewoners beperkten hun gesprekken met haar tot een minimum.

'Die man die al die vragen stelde deed er wel lang over om te beslissen,' zei ze.

De secretaris boog zich weer over zijn cijfers. Maar Mary stond nog steeds in de deuropening.

'Ik bedoel, twee dagen achter elkaar dezelfde vragen stellen. Dat is nieuwsgierigheid.'

Nu keek de secretaris op.

'*Twee* dagen? Gisteren was hij hier niet.'

'Gisterochtend was u hier niet,' zei de dienstmeid. 'Toen was hij er ook.' Ze ging weer door met vegen.

'Wat wilde hij gisteren?'

'Hetzelfde als vandaag. Antwoord op hopen vragen.'

Meneer Kothari's knolvormige neus trok samen tot een donkere bes: hij fronste zijn wenkbrauwen. Hij stond op van zijn bureau en liep naar de drempel van zijn kantoor.

'Wie heeft hem gisteren nog meer gezien, behalve jij?'

Met een zakdoek tegen zijn neus wachtte hij tot Mary ophield met vegen, zodat hij het nog eens kon vragen.

Mevrouw Puri liep terug naar de Vishram Corporatie met haar achttienjarige zoon Ramu, die zich steeds omdraaide naar de straathond die achter hen aan was blijven lopen vanaf de groente- en fruitmarkt.

Mevrouw Puri, die enigszins kreupel liep onder haar gewicht, bleef staan en pakte haar zoon bij de hand.

'Oy, oy, oy, Ramu van me. Langzaam, toe. We willen niet dat je *daarin* valt.'

Voor de Vishram Corporatie had zich een diepe put geopenbaard. Hij verzwolg alles behalve de hoofden en nekken van de mannen die erin stonden te graven en zo nu en dan een modderige opgestoken arm. Mevrouw Puri duwde haar zoon ervan weg en keek erin. Om de halve meter veranderde de bodem benedenwaarts van kleur, van zwart naar donkerrood tot beendergrijs helemaal onderaan, waar ze oude betonnen buizen zag, gevlekt en onder de aangroeisels. Tussen de modderlagen waren wormachtige rood-met-gele einden draad te zien. Er stak een bordje uit de put, maar dat stond naar de verkeerde kant en mevrouw Puri moest helemaal om het gat heen lopen om te zien wat erop stond:

WERK IN UITVOERING

EXCUSES VOOR HET ONGEMAK

GEMEENTEBESTUUR BOMBAY

Ramu volgde haar, de hond volgde Ramu.

Mevrouw Puri zag dat de secretaris bij het wachthokje in het re-

gister stond te lezen met een hand omhoog tegen de vroege avondzon.

'Ram Khare, Ram Khare,' zei hij, en hij draaide het register om,
zodat het onder de neus van de bewaker lag. 'Die man staat vandaag vermeld, Ram Khare. Hier.' Hij tikte op de aantekening die de
nieuwsgierige bezoeker had gemaakt. 'Maar...' Hij sloeg de pagina
terug, 'gisteren staat hij hier niet genoemd.'

'Waar hebben we het over?' vroeg ze.

Ramu liep met de straathond naar het zwarte kruis, om te gaan
spelen tot zijn moeder hem zou roepen.

Toen de secretaris de man beschreef, zei ze: 'O ja. Die kwam gisteren. 's Morgens. Er was nog een andere man bij hem. Een dikke.
Ze stelden allemaal vragen. Ik heb er een paar beantwoord en gezegd dat ze maar met meneer Pinto moesten praten.'

De secretaris staarde de bewaker aan. Ram Khare kraste over het
register met zijn lange nagels.

'Als het hier niet geregistreerd staat,' zei hij, 'dan zijn die mannen
hier niet geweest.'

'Wat vroegen ze?'

'Of het hier goed is of slecht. Of de mensen in orde zijn. Ze wilden een flat huren, geloof ik.'

De dikke man met zijn gouden ringen had indruk gemaakt op
mevrouw Puri. Hij had rode lippen en zijn tanden waren zwart van
de *gutka*, zodat je zou denken dat hij van lage klasse was, maar hij
had beschaafde manieren, alsof hij van goede komaf was, tenzij hij
zich die in de loop der tijd eigen gemaakt had. De andere man, de
lange donkere, droeg een mooi wit overhemd en een zwarte broek,
precies zoals de secretaris hem beschreven had. Nee, hij had niks
over chemicaliën gezegd.

'Misschien moeten we ermee naar de politie,' zei de secretaris. 'Ik
snap niet waarom hij vandaag weer is gekomen. Er zijn inbraken
geweest bij het station.'

Mevrouw Puri sloot uit dat er mogelijk gevaar dreigde.

'Het waren allebei nette mannen, beleefd, goed gekleed. Die dikke had zo veel gouden ringen aan zijn vingers.'

De secretaris draaide zich om, snauwde: 'Mannen met gouden ringen zijn de grootste dieven ter wereld. Waar hebt u al die jaren gezeten?' en hij liep weg.

Ze sloeg haar dikke armen over elkaar voor haar borst.

'Mevrouw Pinto,' riep ze, 'laat de secretaris alstublieft niet ontsnappen.'

Wat de bewoners hun 'sansad' noemden, hun parlement, was nu in zitting. Witte plastic stoelen waren rondom de ingang van Toren A opgesteld, pal voor de keuken van mevrouw Saldanha, een schikking die de gezetenen door een amandelvormige scheur in het groene keukengordijn een blik gunde op een klein tv-toestel. De eerste 'parlementsleden' namen plaats op de plastic stoelen, die bezet zouden blijven tot er weer water in het gebouw was.

Een kleine, trage, witharige man, door zijn leeftijd verfijnd tot een menselijke mus, ging in een stoel zitten met rechtstreeks zicht op de tv door het gescheurde gordijn van mevrouw Saldanha heen (de 'eerste stoel'). Meneer Pinto (2A), gepensioneerd boekhouder bij de Britannia Biscuit Company, had een zwakke bloedsomloop en hield zijn mond open als hij liep. Zijn vrouw, zo oud dat ze bijna blind was, liep met haar hand op zijn schouder, hoewel ze het binnenterrein goed genoeg kende om er zonder hulp van haar man de weg te weten. Op de meeste avonden kwamen ze als stel aanlopen, zij met haar blinde ogen en hij met zijn open mond, alsof ze zicht en adem van elkaar opzogen. Ze ging met zijn hulp naast haar man zitten.

'Er is u gevraagd om te wachten,' zei mevrouw Pinto, toen de secretaris probeerde om om het plastic-stoelen-parlement heen te sluipen naar zijn kantoor. Ze was de oudste vrouw in de corporatie, de secretaris moest wel stilhouden.

Mevrouw Puri haalde hem in.

'Kothari, is het waar wat ze zeggen dat de ochtendkat bij het afval van 3B gevonden heeft?'

Niet voor het eerst tijdens zijn ambtstermijn vervloekte de secretaris de ochtendkat. Die kat plunderde de afvalbakken die de bewoners 's morgens buiten de deur zetten zodat Mary ze kon ophalen, en gooide er al doende bonen, botten en whiskyflessen uit. Zo konden de bewoners van de flat uit het afval opmaken wie vegetariër was en wie alleen maar beweerde dat hij het was, wie het bij rum hield en wie bij gin en wie een pornoblad had gekocht op zijn vakantie in Singapore. Het hoofddoel van deze kat – volgens de een rood en uitgemergeld, volgens anderen zwart en glanzend – was ongetwijfeld ervoor zorgen dat er geen privacy in het gebouw bestond. Onlangs had het rode (of zwarte) geval mevrouw Puri een weerzinwekkende ontdekking laten doen toen het de vuilnisbak van 3B (de flat die Kothari aan de nieuwsgierige vreemdeling had getoond) omvergegooid had.

'Tegenwoordig is het onder jonge mensen gewoon dat een jongen en een meisje samenwonen zonder getrouwd te zijn,' zei hij. 'Uiteindelijk zegt de een dan tegen de ander: we gaan allebei onze eigen weg. Er bestaat binnen het moderne leven geen schaamtegevoel meer, en wat verwacht u dat ik daaraan doe?'

(Meneer Pinto, afgeleid door een beursverslag op tv, moest door zijn vrouw op de hoogte worden gesteld van het gespreksonderwerp. '...dat moderne meisje bij ons op de verdieping.')

Mevrouw Puri draaide zich naar links en riep: 'Ramu, heb je de hond eten gegeven?'

Ramu, die het zachte, bleke gezicht had dat samenhangt met het syndroom van Down, keek verbijsterd. Zijn moeder en hij hadden een kom met *channa* bij het zwarte kruis neergezet, om de zwerfdieren te voeren die bij de corporatie rondstruinden, hij keek waar de kom was. De hond had hem gevonden.

Nu wendde mevrouw Puri zich weer tot de secretaris om hem één ding duidelijk te maken: die moderne, schaamteloze levenswijze was niets voor haar.

'Ik heb een opgroeiende zoon.' Ze ging zachter praten. 'Ik wil niet dat hij bij het verkeerde soort mensen in de buurt woont. U moet *nu* Import-Export Hiranandani bellen.'

Dat meneer Hiranandani, eigenaar en oorspronkelijk bewoner van 3B, een slimme im- en exporteur van obscure goederen, bekend om de behendige wijze waarop hij fosfaten en peroxides door de douane wist te loodsen, naar een betere buurt (Khar West) was verhuisd was begrijpelijk: iedereen droomde daarvan. Welstandsverschillen tussen de leden bleven niet onopgemerkt – meneer Kudwa (4C) was vorig jaar met zijn gezin naar Ladakh geweest in plaats van het nabijgelegen Mahabaleshwar zoals alle anderen, en meneer Ajwani, de makelaar, bezat een Toyota Qualis – maar dat waren niet meer dan hobbeltjes en kuiltjes binnen de egaliserende sjofelheid van Vishram. Werkelijk onderscheid ontstond bij vertrek uit de corporatie. Ze hadden meneer Hiranandani vanuit hun ramen toegejuicht toen hij met zijn gezin naar Khar West vertrok, maar sindsdien had hij zich schandalig gedragen. Zonder de achtergrond van zijn huurster na te trekken had hij haar borg in ontvangst genomen en haar de sleutels van 3B overhandigd, zonder de secretaris of zijn buren te vragen of ze wel een ongehuwde vrouw – journaliste nog wel – op hun etage wilden. Mevrouw Puri was niet iemand die spioneerde – niet iemand die zou vragen wat er in de privacy binnen de vier muren van een buur gebeurde – maar als je op je drempel *struikelt* over de condooms, tja.

Tijdens het gesprek bewoog een stroompje rioolwater in hun richting.

Een pijp vanuit de keuken van mevrouw Saldanha op de benedenverdieping kwam uit op het open binnenterrein; hoewel ze er vaak op was aangesproken had ze haar gootsteen nooit op het hoofddriool laten aansluiten, dus zodra ze begon te koken, rispte het op aan hun voeten. In alle andere opzichten was mevrouw Saldanha een rustige, teruggetrokken vrouw – haar man, die 'in Vizag werkte', was in geen jaren in Vishram gesignaleerd – maar in zaken van water was ze onbeschaamd. Omdat ze beneden woonde, scheen ze langer water te hebben dan alle anderen, en ze maakte er schaamteloos gebruik van wanneer zij dat niet konden. Haar afvoersysteem onderstreepte haar waterarrogantie alleen maar.

Een glinsterende waterpaling, zijn donkere lijf inmiddels roodachtig van de aarde, schoof zijn neus in de richting van het parlement. Meneer Pinto tilde de voorste poten van de 'eerste stoel' op
en schoof uit het pad van de rioolpaling, en hij was vergeten.

'Hebt u iemand haar kamer binnen zien gaan?' vroeg de secretaris.

'Natuurlijk niet,' zei mevrouw Puri. 'Ik snuffel toch niet in het
leven van mijn buren?'

'Ram Khare heeft me niet verteld dat hij ooit een jongen 's nachts
het pand heeft zien binnengaan.'

'Wat betekent het dat Ram Khare niets gezien heeft?' protesteerde mevrouw Puri. 'Als er een heel leger binnenkwam, zou hij het
nog niet zien.'

De straathond was klaar met het knauwen van zijn channa en
rende op het parlement toe, liep door het rioolwater, gleed onder
de stoelen door en liep de trap op, alsof hij ze de oplossing van hun
crisis wilde wijzen.

De secretaris volgde de hond.

Zwaar hijgend, één hand op de leuning en de andere op haar heup,
beklom mevrouw Puri de trap. Door de stervormige gaten in de
muur zag ze meneer Pinto bij het zwarte kruis staan om Ramu in
de gaten te houden tot ze terug was.

Ze rook de hond op de tweede overloop. Donkergele ogen glansden in het schemerige trappenhuis, dunne poten met klodders droge modder lagen te trillen. Mevrouw Puri stapte over de ziekelijke
poten heen en liep naar de derde verdieping.

De secretaris stond bij de deur van Masterji met een vinger tegen
zijn lippen. Vanuit de open deur hoorden ze stemmen.

'...en mijn hand is dus...'

'Ja, Masterji.'

'Geef antwoord, jongens: Mijn hand is dus... wat?'

'De aarde.'

'Juist. Eindelijk.'

De tweewekelijkse 'aanvullende cursus' natuurwetenschappen was bezig. Mevrouw Puri ging naast de secretaris bij de deur staan, de enige deur in de Vishram Corporatie zonder religieuze symbolen.

'Dit is de aarde in de oneindige ruimte. De woonplaats van de Mens. Volgen we dat?'

Uit eerbied voor wetenschap en kennis stond de secretaris met gevouwen handen. Mevrouw Puri wrong zich langs hem heen naar de deur. Ze sloot een oog en gluurde naar binnen.

De woonkamer was donker, de gordijnen waren dicht, er scheen maar één tafellamp in de kamer.

Het silhouet van een enorme vuist, als het gebaar van een dictator, verscheen op de muur.

Naast de tafellamp stond een man schaduwen op de muur te maken. Vier kinderen op een bank keken naar de schaduwen die hij wierp, op de vloer zat er nog een.

'En mijn tweede vuist, die rondom de aarde draait, wat is dat?'

'De zon, Masterji.' Een van de jongens.

'Nee.'

'Nee?'

'Nee, nee, nee. De zon is dit. Kijk...' Een klik en de kamer was volledig donker. 'Aarde zonder zon.' Klik. 'Aarde met zon. Begrepen? Lamp: zon.'

'Ja, Masterji.'

'Allemaal tegelijk.'

'Ja, Masterji.' Drie stemmen.

'Allemaal.'

'Ja, Masterji.' Vier.

'Dus mijn tweede, dat wil zeggen, mijn bewegende vuist is...? Groot wit voorwerp dat je 's nachts boven je ziet.'

'Maan.'

'Juist. MAAN. De satelliet van de aarde. Hoeveel satellieten heeft de aarde?'

'Mogen we nu weg, Masterji?'

'Pas als we de zonsverduistering hebben gehad. En wat zit jij te schuifelen, Mohammad?'

'Anand knijpt me, Masterji.'

'Hou op met knijpen, Anand. Dit is natuurkunde, geen lolletje. Goed, hoeveel satellieten heeft...'

De jongen op de grond zei: 'Iets vragen, Masterji.'

'Ja?'

'Masterji, hoe ging dat toen de dinosauriërs uitstierven? Kunt u nog eens voordoen hoe die meteoor de aarde raakte?'

'En vertel nog eens over de opwarming van de aarde, Masterji.'

'Jij probeert mijn vraag te ontlopen door er zelf een te stellen. Denk je dat ik na vierendertig jaar lesgeven op school zulke trucjes niet doorzie?'

'Het is geen trucje, Masterji, het is een...'

'Genoeg voor vandaag. De les is afgelopen,' zei Masterji en hij klapte in zijn handen.

'We kunnen naar binnen,' fluisterde de secretaris. Mevrouw Puri duwde de deur open en deed het licht in de kamer aan.

De vier jongens die op de bank hadden gezeten – Sunil Rego (1B), Anand Ganguly (5B), Raghav Ajwani (2C) en Mohammad Kudwa (4C) – stonden op. Tinku Kothari (4A), de dikke zoon van de secretaris, krabbelde overeind van de vloer.

'Genoeg, jongens, naar huis!' Mevrouw Puri klapte in haar handen. 'Masterji moet zo gaan eten. De les is voorbij. Vooruit, weg.'

Hoewel alles heel waardig verlopen was, was het geen 'les' maar een 'aanvullende les' in natuurwetenschappen, bedoeld om een normaal schoolkind te bezorgen wat een steroïdeninjectie een volkomen gezonde sportman bezorgt.

Anand Ganguly pakte zijn cricketbat, die tegen de oude koelkast geleund stond, Mohammad Kudwa pakte zijn blauwe cricketpet, voorzien van de ster van India, van de glazen kast die vol stond met Masterji's zilveren trofeeën, medailles en onderscheidingen als uitmuntend leraar.

'Wat een verrassing, u hier,' zei Masterji. 'Ik krijg tegenwoordig zelden bezoek. Althans volwassen bezoek.'

Mevrouw Puri keek of het licht uit was in 3B – natuurlijk was het uit, jongelui met die levenswijze zijn nooit voor tienen thuis – en sloot de deur. Ze legde met gedempte stem het probleem met Masterji's buurvrouw uit, en wat de ochtendkat tussen haar afval had gevonden.

'Er is een jongen die met haar die kamer ingaat en uitkomt,' gaf Masterji toe. Hij wendde zich tot de secretaris. 'Maar ze werkt toch?'

'Journaliste.'

'Die mensen staan bekend om hun *van-dattem*-activiteiten,' zei mevrouw Puri.

'Ik heb haar alleen maar uit de verte gezien, maar ze leek me een fatsoenlijk meisje.'

Masterji praatte door, zijn stem won aan gezag door de echo's van 'zon, maan, zonsverduistering, natuurkunde', die er nog steeds in leken door te klinken.

'Toen deze flat er net stond, werden er geen hindoes toegelaten, dat is waar. Daarna mochten er geen moslims in, dat is waar. Toen ze die kans kregen, bleken het allemaal beste mensen. Nu moeten jonge mensen, ongehuwde meisjes, ook een kans krijgen. Het moet hier geen flatgebouw vol gepensioneerden en blinden worden. Als dat meisje en haar vriend iets ongepasts hebben gedaan, dan moeten we ze erop aanspreken. Maar...' Hij keek naar mevrouw Puri, '...met haar afval hebben we niets te maken.'

Mevrouw Puri deinsde terug. Dit soort taal zou ze van een ander niet accepteren.

Ze keek rond in de flat waar ze een tijd lang niet geweest was, nog steeds in de verwachting Purnima te zien, Masterji's rustige, efficiënte vrouw en een van haar beste vriendinnen in Vishram. Nu ze er niet meer was – al langer dan zes maanden dood – bespeurde mevrouw Puri tekenen van zuinigheid, zelfs van achterstallig onderhoud in huis. Een van de twee wandklokken was kapot. Een verbleekte rechthoek op de muur boven de lege tv-tafel vormde een nagedachtenis van de antieke Sanyo die Masterji na haar dood verkocht had, verworpen, als was het een uitspatting geweest. (*Wat een vergissing*, dacht mevrouw Puri. *Een weduwnaar zonder tv wordt gek.*) Watervlekken bloeiden op het plafond, de leidingen op de vierde verdieping lekten. Elk jaar in september had Purnima een man uit de sloppen betaald om de vlekken weg te schrobben en te witten. Dit jaar breidden ze zich ongeschrobd uit als een spookachtig getuigenis van haar afwezigheid.

Nu de kwestie van mevrouw Puri was afgewezen, voerde de secretaris zijn eigen, meer gerechtvaardigde zorg aan. Hij vertelde Masterji over de nieuwsgierige vreemdeling die twee keer naar de corporatie was gekomen. Moest dat gemeld worden aan de politie?

Masterji keek de secretaris strak aan. 'Wat kan zo'n man nu van ons stelen, Kothari?'

Hij liep naar de gootsteen in een hoek van de kamer – een spiegel erboven, een ingelijste plaat van Galilei ('Stichter van de Moderne Fysica') boven de spiegel – en draaide aan de kraan; er kwam een dun straaltje water uit.

'Zou hij *dit* van ons stelen? Onze leidingen?'

De aannemer die elk jaar het reservoir op het dak reinigde deed zijn werk slordig – het slib uit het reservoir verstopte de buizen in alle kamers die er recht onder lagen.

De secretaris antwoordde met een kalmerende glimlach. 'Als ik de loodgieter weer zie, stuur ik hem naar u toe, Masterji.'

De deur piepte open. Sunil Rego was teruggekomen.

De jongen liet zijn slippers op de drempel staan en kwam binnen met een lange, rechthoekige strook papier. Masterji zag de woorden bovenaan: INZAMELINGSACTIE TUBERCULOSEWEEK.

De moeder van de veertienjarige Sunil Rego was maatschappelijk werkster, een fantastische vrouw met linkse neigingen, binnen de corporatie bijgenaamd 'Het Slagschip'. Haar zoon ontwikkelde zich al tot een kanonneerbootje.

'Masterji, TB is een ziekte die we gezamenlijk kunnen uitroeien als we allemaal...'

De oude leraar schudde zijn hoofd. 'Ik leef van mijn pensioen, Sunil. Vraag maar iemand anders om een bijdrage.'

Masterji geneerde zich dat hij het had moeten zeggen waar de anderen bij waren en hij duwde de jongen misschien iets te hard de kamer uit.

Na het eten keek mevrouw Puri, die aan de eettafel Ramu's wasgoed stond op te vouwen, naar een tiental rijpe mango's. Haar man keek op tv naar een herhaling van een klassieke cricketwedstrijd tussen India en Australië. Hij had de mango's gekocht als traktatie voor Ramu, die lag te slapen onder zijn vliegtuigdekbed.

Ze sloot de deur achter zich, liep de trap op en duwde met haar linkerhand tegen de deur naar Masterji's flat. Haar rechterhand klemde drie mango's tegen haar borst.

De deur stond open, zoals ze verwacht had. Masterji lag met zijn voeten op het teakhouten tafeltje in de woonkamer en speelde met een veelkleurig stuk speelgoed dat ze pas na een volle seconde herkende.

'Een Rubik's Cube,' zei ze verrast. 'Die heb ik in geen jaren gezien.'

Hij hield hem omhoog zodat ze hem beter kon zien.

'Ik heb hem in een van die oude kasten gevonden. Ik denk dat hij van Gaurav is geweest. Hij doet 't.'

'Een verrassing, Masterji.' Ze onthulde de mango's in haar rechterhand.

Hij legde de Rubik's Cube neer op de teakhouten tafel.

'Dat had u niet moeten doen, Sangeeta.'

'Neem nou maar. U hebt onze kinderen dertig jaar lang les gegeven. Zal ik ze voor u snijden?'

Hij schudde zijn hoofd.

'Ik eet niet elke dag zoetigheid – één keer per week, en vandaag is het niet die dag.' Hij zou niet toegeven, dat wist ze.

'Wanneer gaat u Ronak opzoeken?'

'Morgen.' Hij glimlachte. 'Morgenmiddag. Ik ga met hem naar de Byculladierentuin.'

'Neem ze dan voor hem. Een cadeautje van zijn opa.'

'Nee,' zei hij. 'Die jongen moet niet verwend worden met mango's. U bent in alles veel te vrijgevig, Sangeeta. Ik heb gezien dat er nu een straathond op de trappen ligt. Hij lijkt me ziek – het stinkt ernaar. Ik hoop niet dat u hem de corporatie binnengehaald hebt, dat hebt u wel eens eerder gedaan.'

'O nee, Masterji,' zei ze, en ze klopte op de mango's in haar arm. 'Ik niet. Het zal mevrouw Rego wel weer geweest zijn.'

Hoewel ze Masterji de mango's niet echt gegeven had, had mevrouw Puri het gevoel dat ze als buur hetzelfde recht had verworven als waartoe de schenking zou hebben geleid, en ze liep naar zijn boekenplank.'

'Wordt u godsdienstig, Masterji?'

'Niks ervan,' zei hij.

Ze pakte een dunne pocket van de plank en toonde die als bewijsstuk, op het omslag stond een plaatje van de goddelijke arend Garuda die over de zeven oceanen vloog.

De Tocht van de Ziel na de Dood.

Ze las er hardop uit voor: 'In het eerste jaar dat de ziel buiten het lichaam verblijft, reist ze langzaam en op geringe hoogte, beladen met de zonden van haar...'

'De eerste sterfdag van Purnima is niet ver meer weg. Ze wilde dat ik over God zou lezen als zij er niet meer was...'

'Denkt u vaak aan haar, Masterji?'

Hij haalde zijn schouders op.

Voor hij met pensioen ging had Masterji gehoopt zijn verzameling detectives te herlezen en geschiedenisboeken over het oude Rome (Suetonius, *De twaalf Caesars*; Tacitus, *Annalen*; Plutarchus, *Befaamde Figuren in de Romeinse Republiek*) en over het oude Bombay (*Een korte Levensbeschrijving van Mountstuart Elphinstone, De Ontstaansfasen van de Stad Bombay, volledig geïllustreerd*). Er stond ook een *Franse Grammatica voor Gevorderden (voorzien van vragen en antwoorden)* op de plank, die hij had gekocht om zijn kinderen thuis les te kunnen geven. Maar aangezien de detectives binnen de hele corporatie in trek waren en de buren ze vaak leenden (en minder vaak teruggaven), zou hij binnenkort achterblijven met uitsluitend geschiedenis en buitenlandse grammatica.

Mevrouw Puri eiste een van de laatste Agatha Christies van de boekenplank op en glimlachte – er stonden ook nog een paar Erle Stanley Gardners, maar zo erg verveelde ze zich nu ook weer niet.

'Staat er "Agatha Christie Uitleenbibliotheek" op mijn deur?' vroeg Masterji. 'Als iedereen maar blijft lenen, houd ik geen boek meer over om te lezen.'

'Deze neem ik mee voor mijn man. Niet dat ik niet lees, Masterji, ik heb wat afgelezen in mijn studententijd.' Ze hief haar hand boven haar hoofd om aan te geven hoeveel. 'Maar waar haal ik nu de tijd vandaan, met die jongen die ik moet verzorgen? Volgende week breng ik het terug, beloofd.'

'Mooi.' Hij was weer met de kubus gaan spelen. 'Als u het maar terugbrengt. Welke is het?'

Mevrouw Puri draaide het omslag naar hem toe zodat hij de titel kon lezen:

Moord in de Oriënt-Expres

Yogesh Murthy, bekend als Masterji, was een van de eerste hindoes die toegelaten werden tot Vishram vanwege zijn nobele beroep en waardige gedrag. Hij was mager, besnord, van gemiddelde lengte: lichamelijke gezien een typische vertegenwoordiger van de vroegere generatie. Goed in talen (hij sprak er zes), gulhartig met boeken, gedreven wat onderwijs betreft. Een sieraad voor zijn corporatie.

De slingers van zijn afscheidsfeestje (waar *samosa* en *masala chai* werden geserveerd en drie generaties leerlingen aanwezig waren) waren vorig jaar mei nauwelijks verwijderd uit de aula van de St. Catherine-school of zijn vrouw kreeg te horen dat ze alvleesklierkanker had – er werd gespeculeerd dat het een bijwerking was van jaren middelen slikken tegen haar gewrichtsreuma. Ze stierf in oktober. Het was zijn tweede sterfgeval; een dochter, Sandhya, was meer dan een decennium geleden uit een trein gevallen. Op de debetzijde van de balans stond Gaurav, zijn enige nog levende kind, een bankier die nu was 'gehuisvest' in een mooie flat in het hartje van Zuid-Mumbai – Marine Lines – door zijn werkgever (die de zes maanden huur als borg voor zijn flat had betaald en zelfs, zo werd verteld, elke maand de helft van de huur betaalde). Dus in zekere zin was Masterji's verhaal afgelopen – carrière beëindigd met een afscheidsfeestje (met catering), vrouw overleden zonder al te veel geleden te hebben, en kind gemigreerd naar de gouden citadel van de binnenstad van Bombay. Wat moest hij met de rest van zijn tijd – het sigarettenpeukje aan jaren die een man nog heeft als hij al in de zestig is? Na het verlies van zijn vrouw was hij zichzelf en zijn huis blijven onderhouden, hij was doorgegaan met lesgeven aan kinderen, speurdersromans uitlenen, met het maken van avondwandelingetjes op het binnenterrein in het juiste tempo, en het kopen van groenten in passende hoeveelheden op de markt. Hij beheerste zijn behoeften en zorgen, en aanvaardde zijn lot met waardigheid, wat zijn aanzien verhoogde onder zijn buren, die allemaal, op wat voor wijze ook, en meestal inzake kinderen of echtgenoten, door het lot geslagen waren. Ze wisten dat zij klagers waren en dat hij, ook al had hij meer geleden dan hij verdiend had, zijn lot droeg.

12 MEI

'Oyoyoy, Ramu van me. Je bed uit, of mammie geeft je flink voor je billen. Kom, of het Lieve Eendje zegt: Ramu is een luilak.'

Mevrouw Puri lokte Ramu in een bad halfvol met warm (*nooit* heet) water, en liet hem een paar minuten spelen met zijn Lieve Eendje en Spiderman. Meneer Puri, boekhouder, ging een uur voordat Ramu wakker werd naar zijn werk met een metalen lunchbox die zijn vrouw voor hem had gevuld. Het was een lange tocht voor hem – auto, trein, overstappen in Dadar, daarna een groepstaxi van Victoria Terminus naar Nariman Point, vanwaar hij stipt om twaalf uur Ramu belde om te informeren naar de gezondheidstoestand van het Lieve Eendje die dag.

'Rum-pum-pum,' zei de blote, druipende jongen terwijl zij zijn bleke, donsbehaarde benen met een borstel schrobde. (Goed voor de bloedsomloop, volgens *Reader's Digest.*) 'Rum-pum-pum.' Er was een tijd geweest, nog niet zo lang geleden, dat hij zichzelf binnen een paar minuten waste en afdroogde – en ze had zelfs gedroomd dat hij zich nog eens zelf zou kunnen aankleden.

'We moesten vandaag maar eens een nieuw woord leren, Ramu. Hier, wat is dit voor woord in het boek van Masterji? Ex-pres. Zeg het eens.'

'Rum-pum-pum.'

Ramu stapte, inmiddels helemaal aangekleed, over de oude kranten op de vloer en liep de eetkamer in. De leefruimte van zesenzeventig vierkante meter van de familie Puri was een maalstroom van drukwerk. De banken waren bedolven onder tijdschriften, *India*

Today en *Femina*, zakenpapieren en leningaanvragen, energierekeningen, bankafschriften en Ramu's striptekenboeken. De deur van de koelkast in de eetkamer was een collage van liefdadige stickers (*Bestrijd de Opwarming van de Aarde, Een uur geen licht aan deze week*) en verkreukelde papiertjes bekrabbeld met al lang niet meer geldige mededelingen. In elke kamer stonden kasten waarvan de deuren het onverwacht begaven en boeken en kranten er met verwoestende kracht uitbarstten, als eitjes die uit de opengesneden buik van een vis gulpten. Om de paar weken gooide meneer Puri de tijdschriften door elkaar op zoek naar een bankcheque of een brief. 'Waarom ruimen we dit huis niet eens op!' riep hij dan. Maar de rotzooi groeide aan. Het omhulsel van rotzooi versterkte alleen maar het huiselijk karakter van de keurige bedden en de welvoorziene koelkast want (zoals buitenstaanders intuïtief begrepen) het smoezelige, vieze appartement vormde een grot van Aladdin aan privérijkdommen. De Puri's bezaten geen onroerend goed en maar weinig goud. Alles waarmee ze konden pronken had de vorm van papier, en de troost die uitging van de directe beschikbaarheid van dat alles, zoals zelfs meneer Puri's oeroude *Shankar's Weekly's*, tijdschriften vol spotprenten op premier Nehru, die hij van een vriend geleend had in de tijd dat hij ervan droomde om cartoonist te worden.

Terwijl zijn moeder op haar knieën de veters van zijn glimmende zwarte schoenen strikte, nieste Ramu. Onder hen, in 2C, bespoot mevrouw Ajwani, de vrouw van de makelaar, zichzelf overvloedig met synthetische deodorant. Toen de veters gestrikt waren spuugde mevrouw Puri op de schoenen en met een dikke wijsvinger poetste ze ze nog een laatste keer op, voordat ze Ramu naar het toilet loodste, zodat hij zijn knappe uiterlijk kon bewonderen. Op het moment dat Ramu voor de spiegel stond vulde de toiletpot zich met een gorgelend geluid, alsof een jaloerse duivel begon te vloeken. Recht erboven, in 4C, haalde Ibrahim Kudwa buitengewone toeren uit met zout water, met de bedoeling zijn zwakke maag te versterken. Mevrouw Puri sloeg terug met enig gegorgel van haarzelf. Ramu duwde zijn hoofd tegen haar buik en gniffelde tussen de vetrollen van zijn moeder.

'Dag, bewaker!' riep mevrouw Puri namens Ramu toen ze de corporatie uit liepen. Ram Khare, die in zijn samenvatting van de Bhagavad Gita las, zwaaide zonder op te zien.

Ramu had een hekel aan warmte, dus liet mevrouw Puri hem langs de rand van de steeg lopen, waar koningspalmen schaduw boden. De palmen waren een curiositeit, een botanisch experiment uitgevoerd door wijlen de heer Alvares, wiens landgoed vol ongebruikelijke bomen en planten door zijn erfgenamen was verkocht om plaats te maken voor de drie betonblokken met bloemennamen, 'Hibiscus', 'Marigold' en 'White Rose'.

Mevrouw Puri kriebelde aan het oor van haar zoon.

'Zeg eens "Mar-i-gold", Ramu. Je kon een heleboel dingen in het Engels zeggen, weet je nog? Mar-i...?'

'Rum-pum-pum.'

'Waar heb je dat geleerd, Ramu, dat "Rum-pum-pum"?'

Ze keek naar haar zoon. Achttien jaar oud. Hij groeide niet, hij pikte alleen voortdurend nieuwe dingen op, net als de stad waar hij woonde.

Toen ze dicht bij de kerk kwamen, begon Ramu te spelen met de gouden armbanden om de pols van zijn moeder.

De schoolbus stond voor de kerk op ze te wachten. Voor ze Ramu het trapje op hielp, voorzag mevrouw Puri hem van een zelfgemaakt bord: er stond een grote groene toeter op met een rode streep er schuin doorheen en de tekst: GEEN LAWAAI. Mevrouw Puri liet zijn klasgenoten nogmaals beloven, zoals elke morgen, om stil te zijn, en toen de bus wegreed zwaaide ze naar Ramu, die niet kon terugzwaaien (want hij hield het bordje met GEEN LAWAAI tegen zijn borst gedrukt), maar met zijn ogen vertelde hij zijn moeder wat hij haar te zeggen had.

Mevrouw Puri strompelde terug naar Vishram. Ze liep om een diepe bouwput voor het hek heen, die door arbeiders met schoppen werd volgegooid. Ze zag dat de tekst op het bord:

48

WERK IN UITVOERING

EXCUSES VOOR HET ONGEMAK

GEMEENTEBESTUUR BOMBAY

was doorgestreept en vervangen door:

ONGEMAK IN UITVOERING

EXCUSES VOOR HET WERK

GEMEENTEBESTUUR BOMBAY

Haar leeftijd had zich in mollige ringen afgezet rondom mevrouw Puri, maar haar lach kwam voort uit een slank meisje binnenin: een vrolijk, hoog, oplopend ivoren trapje van pret. De schoppen staakten hun werk, de mannen keken naar haar.

'Wie heeft die grap op dat bord geschreven?' vroeg ze. Ze gingen door met het dichtgooien van het gat.

'Ram Khare! Haal je neus eens uit dat boek. Wie heeft *dat* op het gemeentebord gezet?'

'Meneer Ibrahim Kudwa,' zei de bewaker zonder op te kijken. 'Hij vroeg me wat ik van de grap vond en ik zei: "Ik kan geen Engels lezen, meneer." Is het een goede grap?'

'Wij zijn machteloze mensen in een machteloze stad, Ram Khare, zoals Ibby vaak zegt. Grappen zijn ons enige wapen.'

'Zoals u zegt, mevrouw.' Khare sloeg een bladzijde om. 'Vanavond zal er trouwens geen watertoevoer zijn. Die mannen hebben tijdens het graven een waterleidingbuis geraakt en ze moeten het water voor een paar uur afsluiten. De secretaris zal een mededeling ophangen als hij terug is van zijn zaken.'

Mevrouw Puri veegde haar gezicht af met een zakdoek. Inademen. Uitademen. Ze wendde zich af van het wachthokje en keerde terug op haar schreden, het hek uit.

Door de waarschuwing over het water herinnerde ze zich Masterji's afgesloten kranen.

Elke goede corporatie overleeft op het doorgeven van gunsten,

49

het is iets als het kinderspelletje waarbij je iemand aantikt die 'hem' dan is. Als mevrouw Puri mannelijke hulp nodig had en haar man was naar zijn werk, kreeg ze hulp van de secretaris, die goed overweg kon met hamer en spijkers. Vorige week nog had hij een spijker in een muur geslagen voor een nieuwe waslijn voor haar natte kleding. Zij op haar beurt wist dat ze moest voorzien in Masterji's behoeften.

Toen bij haar zoon het syndroom van Down was vastgesteld had Sangeeta Puri het nog vóór haar moeder of zus aan haar directe buren verteld. Masterji, die het nieuws aanhoorde met een hand op de schouder van zijn vrouw, was gaan huilen. Ze herinnerde nog die tranen die langs zijn wangen liepen, een man die nog geen enkele dag gehuild had, zelfs niet bij een sterfgeval in zijn familie. Jarenlang had hij haar aanbevelingen uit medische tijdschriften doorgegeven om Ramu's 'achterstand' tot staan te brengen of zelfs om te keren. Alles wat ze had gedaan om Ramu's gevoelloze neuronen te prikkelen had ze eerst met Masterji besproken: consulten van specialisten met buitenlandse opleidingen, oliemassages, de nieuwste geestelijke en lichamelijke oefeningen, zware doses haaienleverolie of kabeljauwleverolie. Ondanks zijn algemeen bekende atheïsme had Masterji zelfs zijn goedkeuring gegeven aan tochten naar heilige schrijnen om goddelijke gunsten af te smeken over Ramu's trage hersenen.

Er was nog een kwestie. Zes maanden voor haar dood had Purnima mevrouw Puri vijfhonderd rupee geleend, die zij op haar beurt weer aan een familielid had geleend. Masterji had dat niet te horen gekregen van Purnima, die vaak haar financiële indiscreties (zoals hij ze zag) verborgen hield voor zijn woede.

En zo liep mevrouw Puri, weer geheel de vleesgeworden Verantwoordelijkheid, in de richting van de sloppen.

Historisch gezien bestonden er twee reacties van de bewoners van de Vishram Corporatie op de aanwezigheid van sloppen in Vakola. De ene was: iedere morgen de poort van Vishram uit lopen, je naar de hoofdweg begeven en net doen of er niet een andere wereld vlakbij bestond. De andere was de pragmatische benadering, toegepast door meneer Ajwani, de makelaar, en ook door mevrouw Puri. In de sloppen had ze vele mannen met talenten ontdekt, experts in kleine huishoudelijke klussen. Had ze daar niet ooit een loodgieter gezien?

Ze liep het modderpad af langs twee andere middenklassenflat-gebouwen – Silver Trophy en Gold Coin – de sloppen in, die zich van hieruit vertakten, oprukten over openbaar terrein dat toebehoorde aan de Luchthavenautoriteit van India en zich tanggewijs uitstrekten helemaal tot aan de rand van de landingsbaan, zodat de eerste aanblik die een bezoeker van Mumbai kreeg, heel goed die kon zijn van een jongen uit een van die keten die een vlieger opliet of een cricketbal sloeg die zijn vrienden wierpen.

Mevrouw Puri rook houtvuur en kerosine toen ze langs een rij eenkamer-hutten liep, allemaal met een openstaande zinken deur. Ervoor zaten vrouwen elkaars haar te kammen, te praten en de pannen met dampende rijst te bewaken, over de daken kuierde een haan. Waar had mevrouw Puri die loodgieter gezien? Twee reusachtige torens in aanbouw verderop langs de weg, overwoekerd door steigers – ze had ze niet eerder gezien –, maakten haar verwarring nog groter.

Plotseling een brullende motor: wit, buisvormig en glanzend als een opspringende zeeslang vloog een vliegtuig boven een kleine Tamiltempel. *Dat* was het herkenningspunt dat ze had willen terugvinden: die tempel. Ergens in die buurt had ze die loodgieter gevonden.

Een troep jongens speelde cricket bij de tempel, het gezicht van een demon-wachter, dat op de buitenmuur geschilderd was (zijn zwarte mond wijd genoeg open om alle boosdoeners ter wereld op te slokken) deed dienst als wicket.

Al die dierlijke kracht, al dat geschreeuw van de cricketers – o, het moederhart schrijnde. Die jongens met hun soepele leden en pezige ellebogen groeiden op tot mannen. En niet één ervan was ook maar *half* zo knap als haar Ramu.

'Mammie,' riep een van de cricketers. 'Mammie, daar is mevrouw tante Puri.'

Mary, de schoonmaakster van de Vishram Corporatie, stond op van een boomstronk op de binnenplaats van de tempel en veegde haar handen af aan haar rok.

'Dit is mijn zoon,' wees ze naar de cricketer. 'Timothy. Die is hier veel te veel aan het spelen.'

Binnen de corporatie was de verhouding tussen Mary en mevrouw Puri kil ('ja, het behoort *wel* tot je taak om die ochtendkat te vangen'), maar de afstand tot Vishram en de aanwezigheid van Mary's zoon veroorloofden een verlichting van de spanning tussen bazin en personeel.

'Leuke knul. Die wordt groot en sterk.' Mevrouw Puri glimlachte. 'Mary, die loodgieter die hier woont, die moet ik hebben voor wat klussen in Masterji's flat.'

'Mevrouw...'

'Er zijn problemen met zijn leidingen. En zijn plafond moet ook gereinigd worden. Ik ga alle deuren langs om het geld voor de loodgieter bij elkaar te krijgen.'

'Mevrouw, vandaag vindt u echt niemand. Vanwege het grote nieuws. Ze zijn allemaal gaan kijken bij de hut van de moslimman.'

'Wat voor groot nieuws, Mary?'

'Hebt u het niet gehoord, mevrouw?' Ze glimlachte. 'God heeft vandaag de sloppen bezocht.'

's Avonds werd het 'grote nieuws' bevestigd door Ritika, een oudstudiegenote van mevrouw Puri en bewoonster van Toren B, die het parlement kwam bezoeken.

Vanwege hun hogere gemiddelde inkomen en het gevoel dat ze 'in zekere zin moderner' waren, hielden de bewoners van Toren B afstand, gebruikten ze hun eigen toegangshek en vierden hun godsdienstige feesten afzonderlijk.

Ritika, die ook op school al een uitslover was, was de enige die ooit naar Toren A kwam, meestal om ergens over op te scheppen. Haar man, een arts die een kliniek bij de snelweg had, had zojuist met de oude moslimman in de sloppen gesproken, een patiënt van hem.

Mevrouw Puri vond het niet prettig dat Ritika zo veel aandacht kreeg – wie had wie verslagen in de debatteercompetitie op school? – maar ze ging op een plastic stoel tussen Ajwani de makelaar en Kothari de secretaris zitten luisteren.

Meneer J.J. Chacko, de baas van de Ultimex Group, had die moslimman Rs 81 lakh (8.100.000 rupee) geboden voor zijn hut met één slaapkamer. Hij lag iets verderop aan de weg van Vishram. Hadden ze gezien waar de twee nieuwe torens verrezen? Dat was de Confidence Group. J.J. Chacko was hun grote concurrent. Dus had hij het land recht tegenover de twee nieuwe flatgebouwen gekocht. Alles rondom de eenkamerhut was al in zijn bezit, die ene koppige moslim bleef maar *nee, nee, nee* zeggen, en dus had meneer Chacko hem overdonderd met dit astronomische bod, gebaseerd op God mag weten wat voor berekening.

'Wacht even, allemaal. Ik ga uitzoeken of dit waar is.'

Ramesh Ajwani, beminnelijk en donker, stond binnen Vishram bekend als een typische vertegenwoordiger van zijn stam, de vastgoedmakelaars. Zijn ethiek was onbetrouwbaar, zijn informatie allerminst. Hij was een kleine man in een blauw safaripak. Hij toetste in op zijn mobiel, ze wachtten, na een minuut piepte hij.

Ajwani keek naar het sms-bericht en zei: 'Klopt.'

Ze zuchtten.

Ook al bleven de bewoners van de Vishram Corporatie uit de sloppen weg, ze wisten van de veranderingen die daar plaatsvonden sinds het Bandra-Kurla Complex (BKC), het nieuwe financiële centrum van de stad, er vlakbij geopend was. Als een yogabeoefenaar vouwde Bombay zichzelf op en verplaatste zijn centrum van het zuiden, waar geen ruimte om te groeien was, naar dit moerasland bij het vliegveld. Elke maand werden er nieuwe financiële panden geopend in het BKC – American Express, ICICI Bank, HSBC, Citibank, noem maar op – en de winsten in hun kluizen smolten als boter op een bak-plaat en dropen de sloppen binnen en verrijkten sommigen en ver-schroeiden anderen van de sloppenbewoners. Sommige fortuinlijke huttenbezitters werden miljonair als een bank of projectontwikke-laar een uitzonderlijk bod op hun lapje grond deed, anderen werden vermorzeld – bulldozers reden rond, keten werden met de grond gelijkgemaakt, sloopprojecten van sloppenwijken werden doorge-voerd. Terwijl sommigen in rijkdom, anderen in ellende baadden, bereikten verhalen over goud en tranen de Vishram Corporatie als echo's van een ver slagveld. Hier, in de kring van plastic stoelen van hun parlement, leidden de bewoners een traag, geregeld leven, ze hadden de zekerheid dat hun eigendom en wettige overeenkomsten niet herroepen konden worden, en hun ambities beperkten zich tot een geduldige vooruitgang in het leven via universiteiten en sollicita-tiegesprekken in een grijs pak met stropdas. Het was niet hun karma om goud of tranen te kennen, zij waren respectabel.

'Zou het niet leuk zijn als iemand *ons* 81 lakh rupee gaf?' zei me-vrouw Puri toen Ritika buiten gehoorsafstand was.

Ajwani de makelaar, die door was gegaan met het toetsen op zijn mobiel, stopte ermee, keek op en glimlachte sardonisch. Toen ging hij door met toetsen indrukken.

De waarde van hun eigen flats was onzeker. De laatste verkoop-poging was al zeven jaar geleden, toen meneer Costello (5C) zijn flat op de vijfde te koop had gezet nadat zijn zoon van het dakterras was gesprongen. Niemand had de flat gekocht, hij was nog steeds afgesloten en de eigenaar was naar de Golf verhuisd.

'De armen in deze stad zijn nooit arm geweest, en nu...' Me-vrouw Puri draaide haar hoofd naar rechts – mevrouw Saldanha's dochter Radhika was hoogst onnadenkend haar moeders keuken binnengekomen en belemmerde het zicht van de parlementariërs op de tv – '...worden ze rijk. Gratis stroom in de sloppen en 24 uur per dag kabel. Alleen *wij* komen niet verder.'

'Uitkijken,' fluisterde meneer Pinto. 'Slagschip in zicht. Uitkij-ken.'

Mevrouw Rego – 'het Slagschip', vanwege haar ruime grijze rokken, ontzaglijke omvang en stentorstem – kwam thuis met haar kinderen.

Met een 'hallo oom, hallo tante', liepen Sunil en Sarah Rego de trap op. Hun moeder ging zonder een woord tegen de anderen tv zitten kijken.

'Hebt u gehoord over dat bod van 81 lakh, mevrouw Rego? Voor een eenkamerwoning in de sloppen?'

Het Slagschip zei niets.

'Zelfs een communiste als u moet dat interesseren,' zei mevrouw Puri met een glimlach.

Het Slagschip begon te praten zonder haar hoofd om te draaien.

'Wat is de definitie van een stervende stad, mevrouw Puri? Ik zal het u zeggen, omdat u het niet weet: een stad die je niet meer verrast. En dat is er van dit Bombay geworden. Laat mensen wat geld zien en ze springen en dansen en rennen naakt over straat. Die moslimman zal zijn geld nooit zien. Die projectontwikkelaars en bouwers zijn maffiosi. Onlangs hebben ze nog iemand van het gemeentebestuur doodgeschoten. Het stond in de krant.'

Meneer Pinto en zijn vrouw slopen weg als duiven voor de storm. Maar die stak niet meteen op.

Als om een bijdrage te leveren aan de sombere sfeer had de tv-presentator het over het watertekort dat vermoedelijk ernstiger zou worden tenzij de moessonregens eindelijk eens op tijd kwamen.

'Er komen te veel mensen naar de stad, dat is bekend,' zei mevrouw Puri. 'Iedereen wil zuigen aan onze...' Ze raakte haar borsten aan.

Het Slagschip wendde zich tot haar.

'En bent u vanuit de hemel in Bombay geland, mevrouw Puri? Uw familie komt toch uit Delhi?'

'Mijn ouders zijn in Delhi geboren, mevrouw Rego, maar ik ben hier geboren. In die tijd was er genoeg ruimte. Nu is het vol. De Shiv Sena heeft gelijk, er moeten geen mensen vanbuiten meer komen.'

'Zonder immigranten was deze stad tot stof vergaan. We worden bestuurd door fascisten, mevrouw Puri, maar alles hier is tweederangs, zelfs onze fascisten. Ze geven ons geen treinen, ze geven ons geen wegen. Het enige wat ze doen is hardwerkende immigranten in elkaar slaan.'

'Ik weet niet wat een fascist doet, maar wel wat een communist doet. Jullie houden niet van ontwikkelaars die mensen rijk maken, maar wel van de bedelaars die elke dag in Victoria Terminus uitstappen.'

'Ik ben christen, mevrouw Puri. Wij horen voor de armen te zorgen.'

Mevrouw Puri – ooit kampioene debatteren op het KC College – stond op het punt haar met haar antwoord uit te schakelen, maar Ramu liep naar zijn moeder toe en fluisterde in haar oor.

'Er is geen water in de leiding, Ramu,' zei ze. 'Geen water vanavond, lieverd. Dat had ik je toch gezegd?'

Ramu's onderlip schoof over zijn bovenlip en stulpte zich uit in de richting van zijn neus, zijn moeder wist dat dat een teken was dat hij nadacht. Hij wees naar de leidingen die langs de muren van de Vishram Corporatie omhoogliepen.

'Stil, Ramu. Mammie zit te praten met tante communist.'

'Ik ben geen communist en ik ben niemands tante, mevrouw Puri.'

Mevrouw Kothari, de vrouw van de secretaris, stak haar hoofd uit het raam en riep: 'Water!'

Dat was een onaangekondigde weldaad van de Gemeente, een zeldzame vriendelijkheid. Het geruzie eindigde, beide vrouwen moesten gehoorzamen aan een hogere eis – vers water.

Waar is Masterji? vroeg mevrouw Puri zich af, terwijl ze de trap op liep. Hij moest nu toch terug zijn van het bezoek aan zijn kleinzoon. Nadat ze Ramu in zijn avondbad gestopt had, zorgde ze voor een extra emmer water voor de oude man, voor het geval de Gemeente, nu ze onbedoeld water hadden gekregen, hen zou straffen door de ochtend-watervoorziening te schrappen. Tenslotte was dat de denkwijze van de mensen die Mumbai bestuurden.

Hoewel hij het idee dat de nieuwsgierige vreemdeling gevaar kon betekenen uit zijn hoofd had gezet, werd Masterji wakker met het besef dat hij een deel van de nacht over die man gedroomd had. In die droom, die hij nog minutenlang na het ontwaken scherp voor zich zag, had de vreemdeling (wiens gezicht eruitzag als een zwarte speelkaart) naar zwavel geroken, raadsels opgegeven aan de leden van de corporatie (inclusief Masterji), vleugels gekregen, gelachen en was hij een raam uit gevlogen, terwijl zij hem allemaal schreeuwend achternarenden en probeerden neer te slaan met een lange stok. Masterji piekerde over zijn droom, tot hij besefte dat een aantal van de beelden ontleend was aan het boek dat hij tot laat in de avond had gelezen. Hij pakte het op en ging door met lezen waar hij gebleven was.

De Tocht van de Ziel na de Dood
(Vikas Publications, Benaras)

In het eerste jaar dat de ziel buiten het lichaam verblijft, reist ze langzaam en op geringe hoogte, beladen met de zonden van haar werelds bestaan. Ze vliegt over groene akkers, geploegde akkers en kleine dammen en dijken. Ze heeft vleugels als die van een arend in deze fase van haar tocht. In het tweede jaar begint ze op te stijgen boven de oceanen. Deze vlucht zal het hele tweede jaar duren, en ook een deel van het derde jaar. Ze zal zien hoe de oceaan van kleur verandert, van blauw naar donkerblauw, tot ze bijna zwartachtig is. Het donker worden van de kleur van de oceaan zal de ziel waarschuwen dat het derde jaar van haar lange tocht aanstaande is...

Stel je met gesloten ogen een mensenziel voor met het gezicht van je vrouw – en met vleugels als van een arend... ja, ogen, neus, wangen als van je vrouw, een vleugelbreedte als van een arend, in de vlucht hangend boven de oceaan...

In totaal duurt de vlucht van de ziel na de dood zevenhonderd en zevenenzeventig jaar. De gebeden en vrome gedachten van familieleden en dierbaren in de wereld van de levenden zullen grote invloed hebben op het traject, de duur en de gerieflijkheid van deze reis...

Yogesh Murthy, bijgenaamd 'Masterji', 61 jaar oud, eminent emeritus leraar aan de St. Catherine High School, geeuwde en strekte zijn benen: *De Tocht van de Ziel na de Dood* landde op de teakhouten tafel.

Hij ging weer naar bed. Vroeger zouden de thee, het gepraat van zijn vrouw en het aroma van de bloemen in haar haar hem wakker hebben gemaakt. Hij snoof de lucht op, om jasmijngeur te ruiken.

Hai-ya! Hai-ya!

De kreten kwamen van beneden, ergens rechts. De twee zoons van Ajwani de makelaar begonnen hun ochtend met taekwondo-oefeningen in volledige uitrusting in hun woonkamer. Ajwani's zoons waren de sportkampioenen van de corporatie. De oudste, Rajeev, had vorig jaar een schitterende overwinning geboekt in de vechtsportcompetitie. Als teken van dankbaarheid van de corporatie werd hem gevraagd om zijn hand in kerosine te dopen en een getuigenis van zijn zegevierend lijf achter te laten op de voorgevel, waar het nog steeds zichtbaar was (althans dat meende iedereen), net boven het keukenraam van mevrouw Saldanha.

Van links klonk nu een luide stem die jongleerde met tweeklanken. 'Oy, oy, oyoyoyoy, Ramu van me, kom hier... Zo draaien, prinsje van me, ayay...' Wat zou Ramu als lunch meekrijgen naar school, vroeg Masterji zich gapend af en hij draaide zich op zijn zij.

Geluid uit de keuken. Hetzelfde geluid als Purnima altijd maakte als ze uien hakte. Op zijn tenen liep hij de keuken in om een geest te betrappen, als er een was. Een oude kalender tikte tegen de muur. Het was Purnima's privékalender, getooid met een afbeelding van de godin Lakshmi die een pot vol gouden munten omgooide, belangrijke data waren omcirkeld en van aantekeningen voorzien in haar eigen stenoschrift. Ze had hem geraadpleegd tot de dag dat ze in het ziekenhuis werd opgenomen (12 oktober, omcirkeld), daarom had hij hem bij het begin van het jaar niet vervangen door een nieuwe kalender.

Hij zou vandaag wat moeten wandelen met zijn kleinzoon. Ter voorbereiding bond hij een roze orthopedisch verband strak om zijn reumatische linkerknie voor hij zijn broek aantrok. Hij keerde terug naar zijn teakhouten tafel en pakte *De Tocht van de Ziel na de Dood* op.

Er werd gebeld: de ruigharige, bebaarde Ibrahim Kudwa, de internetcafé-eigenaar van 4C, met roos als stippels wijsheid verstrooid over de schouders van zijn groene kurta.

'Hebt u het bord gezien, Masterji?' Kudwa wees op het raam. 'In dat gat dat ze buiten gegraven hebben. Ik heb het bord veranderd van "ongemak in uitvoering, excuses voor het werk" in net andersom.' Kudwa sloeg zich tegen zijn voorhoofd. 'Sorry, ik heb het veranderd van "werk in uitvoering, excuses voor het ongemak" in net andersom. Ik dacht, dat wilt u wel weten.'

'Heel indrukwekkend,' zei Masterji en hij klopte zijn stralende buurman op de schouder. In de keuken begon de oude kalender weer tegen de muur te tikken en Masterji vergat zijn gast zelfs maar een kop thee aan te bieden.

Rond het middaguur was hij in de Byculladierentuin en voerde zijn kleinzoon aan de hand van kooi tot kooi. Ze hadden met z'n tweeën een leeuwin gezien, twee zwarte beren overdekt met vers gras, een alligator in smaragdkleurig water, olifanten, nijlpaarden, cobra's en pythons.

De jongen had vragen: hoe heet dat in het water? – waar gaapt die tijger naar? – waarom zijn de vogels geel? Masterji vond het leuk om de dieren namen te geven en voegde er een humoristisch verhaaltje aan toe om uit te leggen waarom ze allemaal hun geboorteland verlaten hadden en naar Mumbai waren gekomen. 'Denk je wel eens aan je grootmoeder?' vroeg hij van tijd tot tijd.

Ze hielden stil voor een rechthoekige kooi met tralies en een laag, zinken dak, er liep een dier van de ene kant naar de andere. De nietsnutten die naar de dierentuin waren gegaan, zelfs de gelieven, bleven bij de kooi staan. Een groen zeil tegen de bovenkant veroorzaakte een fluorescerende gloed waarin het donkere dier liep, opgewekt, alsof hij grinnikte, met zijn tong uit zijn bek, tot het rechtop ging staan op een rode stenen bank met guanovlekken en zijn kop ophief; het liet zich weer zakken, draaide zich om, liep naar de andere kant van de kooi en hief daar zijn kop voor hij weer terug liep. Het was smerig – het was majestueus: de grijze vacht, de donkere, hondachtige grijnzende snuit, de krachtige gestreepte achterste ledematen. Mannen en vrouwen keken ernaar. Misschien leek dit bastaardbeest wel op een van degenen, half-politicus, half-crimineel, die de stad bestuurden, gemeen en noodzakelijk.

'Hoe heet ie?'

Masterji kon het niet zeggen. De lettergrepen waren er, op het puntje van zijn tong. Maar als hij probeerde te praten, schoven ze de andere kant op, alsof ze magnetisch werden afgestoten. Hij haalde zijn schouders op.

Opeens leek de jongen bang, alsof de macht van zijn grootvader, die in het benoemen van de dieren lag, verdwenen was.

Om hem op te vrolijken kocht Masterji pinda's voor hem (hoewel zijn schoondochter had gezegd dat hij de jongen niets te eten mocht geven) en ze aten ze op het gras op. Masterji bedacht dat dit een gelukkige tijd in zijn leven was. De veldslagen waren voorbij, hitte en licht waren verminderd.

Voor het te laat is, dacht hij, terwijl hij met zijn vingers door het krulhaar van zijn kleinzoon streek, *moet ik die jongen alles vertellen over wat we hebben meegemaakt. Zijn grootmoeder en ik. Het leven in Bombay in de oude tijd. De oorlog van 1965 met Pakistan. De oorlog van 1971. De dag dat ze Indira Gandhi vermoordden. Zoveel meer.*

'Nog wat pinda's?' vroeg hij.

De jongen schudde zijn hoofd en keek zijn grootvader hoopvol aan.

Sonal, zijn schoondochter, stond bij het hek te wachten. Tijdens hun rit de stad in glimlachte ze terwijl hij praatte. Een halfuur later, in de flat van zijn zoon in Marine Lines, diende Sonal Masterji thee en slecht nieuws op: Gaurav, zijn zoon, had net een sms gestuurd. Hij zou niet voor middernacht thuiskomen. Drukke dag op de zaak. 'Waarom wacht je niet op hem?' stelde ze voor. 'Je kunt hier blijven slapen. Het is tenslotte je eigen huis...'

'Ik wacht wel,' zei hij. Hij trommelde met zijn vingers op de armleuningen. 'Ik wacht wel.'

'Denkt u veel aan haar, Masterji?' vroeg Sonal.

Zijn vingers trommelden sneller op de stoel en hij zei: 'Voortdurend.' Daarna barstten de woorden er gewoon uit.

'Gaurav zal nog wel weten toen zijn grootvader stierf in 1991, en ze naar Suratkal ging om de laatste rituelen uit te voeren met haar broers. Toen ze terugkwam in Mumbai, heeft ze dagenlang niets gezegd. Daarna bekende ze: "Ze hebben me opgesloten in een kamer en dwongen me een papier te ondertekenen." Haar eigen broers! Ze bedreigden haar net zo lang tot ze tekende dat ze het onroerend goed en het goud van haar vader aan hen afstond.'

Zelfs nu nog stokte zijn adem bij de herinnering. Hij was meteen naar een advocaat toe gegaan. Vierhonderd rupee aanbetaling, contant, als voorschot. Hij was thuisgekomen en had het met Purnima besproken.

'"We krijgen ze nooit achter de tralies," heb ik haar gezegd. "In dit land duurt het een eeuwigheid voor de rechtbank iets doet. Is het de verspilling van al dat geld waard?" Ze dacht erover na en zei: "Goed, laat het maar." Ik keek nog wel eens terug op dat incident en vroeg me dan af of ik voor die advocaat had moeten betalen. Maar telkens als ik er met haar over begon, deed ze alleen zo' – hij haalde zijn schouders op – 'en dan zei ze dat. Haar lievelingsuitspraak. "Een mens is als een geit aan een paal gebonden." Ze bedoelde dat we allemaal wat vrije wil hebben, maar niet te veel. Je moet jezelf niet al te hard beoordelen.'

'Wat is dat mooi. Ze was een geweldige vrouw, hè?' Sonal stond op. 'Sorry, ik moet even bij mijn vader gaan kijken.'

Haar vader, ooit een gerespecteerd bankier, leed nu aan alzheimer, hij woonde bij zijn dochter en schoonzoon en werd door hen gevoerd, gewassen en gekleed. Terwijl Sonal een andere kamer in glipte prees Masterji in stilte haar dochterlijke toewijding. Zo zeldzaam in tijden als deze. Hij klopte op zijn knie en probeerde op de naam te komen van dat gestreepte dier in de kooi. Ronak deed een dutje in zijn slaapkamer. Hij wilde erop komen voor de jongen wakker werd.

Sonal kwam de kamer van haar vader uit met een groot blauw boek dat ze voor Masterji op tafel legde.

'De jongen leest niet veel, hij speelt cricket.' Ze glimlachte. 'U kunt het maar beter zelf houden, want u bent dol op boeken.'

Masterji sloeg het blauwe boek open. *Geïllustreerde Geschiedenis der Natuurwetenschappen*. Een decennium geleden aangeschaft in de Strand Book Shop in de stad, in vlekkeloze staat tot zijn kleinzoon het twee weken geleden cadeau had gekregen.

Hij stond op uit zijn stoel met het boek. 'Ik ga nu maar terug.'

'Om deze tijd?' Sonal keek bedenkelijk. 'De trein zit tjokvol. Wacht nog een uurtje hier. Het is tenslotte uw thuis.'

'Ik ben toch geen buitenlander? Ik overleef het wel.'

'Weet u zeker dat u de trein wilt nemen om deze...' Er kwam een gegorgel uit de achterkamer en Sonal draaide zich in die richting. 'Momentje,' zei ze, 'mijn vader heeft weer aandacht nodig.'

'Ik ga weg,' riep Masterji toen hij zijn schoenen had aangetrokken. Hij bleef staan wachten op een antwoord van Sonal, sloot toen de deur achter zich en nam de lift naar beneden.

Met zijn blauwe boek in zijn hand liep hij langs de oude gebouwen van Marine Lines, een paar van de oudste van de stad, langs portieken waar nooit zonlicht doordrong en die op alle uren van de dag verlicht werden door gele elektrische peertjes, stenen randen die verwoest waren door jonge boompjes en heuvels als moederkoeken van rioolslib en donkere aarde, opgeworpen op natte straten. Langs het Marine Lines spoorwegstation wandelde hij naar Churchgate.

Hij probeerde niet te denken aan de *Geïllustreerde Geschiedenis der Natuurwetenschappen* in zijn hand. Was die flat zo klein dat ze er niet eens één boek van hem in kwijt konden? Die jongen zijn eigen grootvader – moeten ze me dan mijn cadeau terug in mijn handen drukken?

Hij opende het blauwe boek en zag een illustratie van Galilei. 'Hyena,' zei hij opeens en sloeg het boek dicht. Dat was het woord dat hij niet had kunnen vinden voor Ronak, het gestreepte dier in de kooi.

'Hyena. Mijn eigen schoondochter is een hyena voor me.'

Denk niet slecht over haar. Hij hoorde de stem van Purnima. Dat is je lelijkste gewoonte, zo had ze hem altijd gewaarschuwd. *Zoals jij kwaad wordt op mensen, ze tot karikaturen maakt, hun stemmen, gewoonten, ideeën belachelijk maakt, zoals je mensen van vlees en bloed verschrompelt tot vuurvliegjes die je in je handpalm houdt.* Ze wist zijn woede te sussen door zijn voorhoofd aan te raken (een keer hield ze er een glas ijskoud water tegenaan) of door hem op een boodschap uit te sturen. Wie was er nu om zijn woede te beteugelen?

Hij raakte zijn voorhoofd aan met de *Geïllustreerde Geschiedenis der Natuurwetenschappen* en dacht aan haar.

Het was donker tegen de tijd dat hij de Oval Maidan bereikte. De verlichte klok van de Rajabhaitoren, met zijn wijzerplaat vervaagd achter generaties vuil en verwaarlozing, leek een tweede maan, scherper omlijnd, rechtstreeks tot de mensen sprekend. Hij dacht aan zijn vrouw in deze open ruimte, hier voelde hij haar rust. Misschien was die rust het enige wat hij ooit had gehad, daarachter had hij een redelijk wezen geacteerd, een wijs man voor zijn leerlingen op St. Catherine en zijn buren.

Hij wilde niet naar huis. Hij wilde niet weer op dat bed gaan liggen.

Hij keek naar de klok. Na de dood van zijn vrouw was meneer Pinto naar hem toe gekomen en had hij gezegd: 'Voortaan eet u bij ons.' Drie keer per dag ging hij de trap af om aan te schuiven

63

aan de eettafel van de Pinto's, gedekt met een rood-met-wit geruit zeil dat ze uit Chicago hadden meegebracht. Ze hoefden niet aan te kondigen dat het eten klaar was. Hij hoorde het kletteren van het bestek, het schuiven van de stoelen, en met de helderziendheid die de honger verschaft kon hij door zijn vloer heen kijken en zien hoe Nina, het dienstmeisje van mevrouw Pinto, porseleinen schalen met dampende garnalencurry op tafel zette. Masterji was strikt vegetarisch opgevoed maar had in Bombay de smaak van vlees en vis leren kennen. Dat hij het menu van zijn vrouw van linzen en groenten had ingewisseld voor het vleesetersdieet van de Pinto's was het enige goede dat haar dood had opgeleverd, zo zei hij tot zichzelf. De Pinto's vroegen er niets voor terug, maar elke avond kwam hij van de markt met een handvol koriander of gember, die hij op hun tafel legde.

Voor hem stelden ze hun eten uit. Hij moest nu meteen een telefooncel vinden.

Er lag een losse pagina van de *Times of India* op de stoep. Een oud-leerling van hem, Noronha genaamd, schreef een column voor die krant, om die reden trapte hij er nooit op. Hij deed een plotse stap opzij om de krant te vermijden. Het plaveisel begon weg te glijden als zand. Zijn linkerknie bonsde, alles werd donkerder. Vlekjes schitterden in het donker, als mica in een plaat graniet. 'Je gaat flauwvallen,' leek een stem van ver weg te roepen, en hij reikte naar de stem voor steun; zijn hand raakte iets stevigs, een lantaarnpaal. Hij sloot zijn ogen en concentreerde zich om stil te blijven staan.

Hij leunde tegen de lantaarnpaal. In- en uitademen. Nu hoorde hij het geluid van houthakken ergens op de Oval Maidan. De bijlslagen vielen met metronomische regelmaat, als de urenwijzer van een staande klok, eronder hoorde hij het felle tikken van zijn eigen polshorloge, als spaanders die van het houtblok wegschoten. De twee geluiden versnelden, alsof ze een wedstrijd deden.

Het was bijna negen uur toen hij zich sterk genoeg voelde om de lantaarnpaal te verlaten.

Station Churchgate: de schaduwen van de hoge plafondventila-toren trilden als waterlelies, vertrapt onder honderden schoenen. Het was jaren geleden dat Masterji op het spitsuur de Western Line had genomen. De trein uit Santa Cruz reed net binnen. Hij wendde zijn gezicht af toen er een vrouwencompartiment langsgleed. Voor de trein stilstond begonnen er al passagiers in te springen, ze kwamen met een plof neer, vielen bijna om, kwamen overeind en vochten om een plaats. Geen centimeter groen kussen meer over tegen de tijd dat Masterji instapte. Wacht. In een hoek bespeurde hij een leeg stukje groen, maar een mannenhand hield hem tegen – o ja, hij wist het weer, de beruchte 'kaartmaffia' van de avondtrein. Ze hielden een plaats bezet voor een vriend die daar altijd zat om mee te spelen. Masterji hield zich overeind aan een stang. Met zijn ene hand opende hij het blauwe boek en sloeg de bladzijden om op zoek naar het stuk over Galilei. De ploeg van de kaartmaffia was voltallig en ze speelden hun partij die de vijf kwartier naar Bori-vali of Virar zou duren; op de achterkant van hun kaarten stonden de wijzers van een klok onder verschillende hoeken, waardoor ze de indruk wekten dat de tijd verwoed verstreek tijdens het delen. Marine Lines – Charni Road – Grant Road – Mumbai Central – El-phinstone Road. Boekhouders van middelbare leeftijd, beurshan-delaren, verzekeringsagenten stapten in bij elke halte. De mense-lijke massa in de trein trok samen als een buikspier.

Nu het ergste. De lichten in de trein gingen aan toen hij tot stil-stand kwam. Dadar Station. Voetstappen en geduw, in het sche-merige eersteklascompartiment vermenigvuldigden mensen zich als isotopen. Een dikke buik duwde tegen Masterji aan – wat kan een dikke buik keihard zijn! De lucht van andermans overhemd werd de lucht van zijn overhemd. Hij herinnerde zich een regel uit zijn college over *Hamlet*. De *duizend* natuurschokken die het vlees beërft? Shakespeare onderschatte de trauma's van het leven in Mumbai grotelijks.

De druk op hem nam af. Door de getraliede ramen van de rij-dende trein zag hij vuurwerk uiteenspatten in de lucht. Lichamen ontspanden zich, gezichten glansden in het licht vanbuiten. Vuur-pijlen schoten vanuit morsige gebouwen. Was het een godsdienstig feest? Hindoe of moslim of parsi of jain of rooms-katholiek? Of iets geheimzinnigers: het ongeorganiseerde samenvallen van pri-véfeestelijkheden – bruiloften, verlovingen, verjaardagen, andere vlambare vieringen achter elkaar?

In Bandra besefte hij dat hij nog maar één halte had en hij be-gon zich een weg naar de deur te banen. Ik moet er ook uit, ouwe. Geduld nou maar. Toen de trein stilstond, was hij een meter van de deur, hij werd van achteren opgeduwd en duwde degenen voor hem. Maar toen werd hij getroffen door een tegengolf: mannen die binnendrongen vanaf het perron. Degenen die er in Santa Cruz uit wilden worstelden, duwden, vloekten, weigerden op te geven, maar de grotere vertwijfeling van degenen die erin wilden zegevierde. De trein zette zich in beweging, Masterji had zijn halte gemist. 'Oom-pje, ik maak wel ruimte voor u,' zei een jongeman die zijn ellende had aangezien en hij schoof achteruit. 'Stap uit in Vile-Parle en neem dan de volgende trein terug.' Toen de trein langzamer begon te rijden, riep de massa forenzen uit één mond: 'Lopen!' En dit keer hield niets ze tegen, ze sleepten Masterji met zich mee het perron op. Hij nam de trein naar Churchgate terug en stapte uit in Santa Cruz waar het station zo afgeladen vol was dat hij de trap naar de uitgang tree voor tree moest beklimmen.

De menigte liet hem vrij in fel licht en een sterke geur. Op de loopbrug vanuit het station verkochten mannen onder kale gloei-lampen oranje en groene parfums in grote flessen, naast uitgestalde limoenen, tennisschoenen, sleutelhangers, portefeuilles, *chikoos*. Een jongen stopte hem een gesjabloneerde reclamefolder op geel papier in zijn handen toen hij de brug verliet.

Hij liet de folder vallen en liep de trap af, ontliep de eenarmige bedelaar en stapte een welkomstloper van fructose op. Op de markt bij het station wachtten mangoverkopers de terugkerende foren-zen op, elke rijpe, openbarstende mango was als een hartroerende verontschuldiging van de stad voor haar treinen. Masterji rook de mango's en aanvaardde de verontschuldiging.

In de buurt van de mangoverkopers werd Masterji gegroet door een man wiens hoofd en armen door een kartonnen bord staken met daarop de tekst 'Bestrijd zeven soorten ongedierte', met bijpassende illustraties eronder (kakkerlakken, bijen, maki's, mieren, termieten, luizen, muggen). Deze ongediertebestrijder kwam vaak naar Vishram om met een lange bamboestok een geïmproviseerd bijen- of wespennest tussen de dakbedekking te verwijderen. Hij stak zijn hand uit door het geïllustreerde kartonnen bord dat hij droeg en pakte de oude leraar bij zijn arm.

'Masterji. Iemand op de markt vroeg naar de Vishram Corporatie.'

'Wat vroeg hij?'

'Wat voor mensen er woonden, wat voor reputatie ze hadden, of ze ruzie met elkaar of met anderen maakten, hele reeksen vragen. Het was een lange vent, Masterji.'

'Droeg hij een wit overhemd en een zwarte broek?'

'Ja, ik geloof het wel. Ik heb hem gezegd dat elke corporatie waar een man als Masterji woont, een goede corporatie is.'

'Bedankt, vriend,' zei Masterji, die de naam van de ongediertebestrijder kwijt was.

Dus de secretaris had gelijk, er is iets aan de hand, dacht Masterji. Hij kreeg weer een visioen van de groene kooi in de dierentuin, hij rook iets vreemds, dierlijks. Misschien moesten ze morgen naar de politie.

Toen hij bij Vishram aankwam, zat het hek op het hangslot. Voorzichtig liep hij om het net dichtgegooide bouwgat heen en sloeg de zware ketting met het slot tegen het hek. 'Ram Khare!' riep hij. 'Ram Khare, ik ben het!'

De bewaker kwam uit zijn kamer aan de achterkant van het gebouw en maakte de ketting los. 'Het is al na tienen, Masterji. Een beetje geduld.'

Het trappenhuis stonk. Hij trof de straathond aan op de eerste overloop, zijn lichaam trilde, schuim om zijn bek. Kon het niemand wat schelen dat die hond wel ziek kon zijn? Het beest had zijn onderhuidse vetlaag verloren en zijn ribbenkast stak monsterlijk uit, als de muil van een ander beest dat hem aan het verslinden was. Masterji porde met zijn voet tussen de ribben van de hond. Toen hij niet bewoog, schopte hij. Hij jankte en schoot de trap af.

Hij wachtte een paar seconden of de hond terug zou komen en klom toen door naar de derde verdieping en toen hij de sleutel van zijn kamerdeur omdraaide hoorde hij een klik achter zich. De deur van 3B ging wijd open – licht, gelach, muziek – en een jongeman kwam naar buiten.

Juffrouw Meenakshi, de journaliste, met haar haar los en in haar nachtjapon, hield haar hand op de schouder van de jongeman toen die met een forse pas de gang op stapte, met het gevolg dat hij tegen de oude leraar aan botste. 'Sorry,' zei de jongen. 'Neem me niet kwalijk, meneer.'

Hij was een paar minuten geleden in bad geweest en Masterji rook de verse zeeplucht.

'Kun je niet uitkijken?' riep hij.

De jongen grijnsde.

Voor hij wist waar hij mee bezig was, had Masterji de grijnzer een duw gegeven. De jongen wankelde, sloeg met zijn hoofd tegen de deur van 3B en zakte op de grond.

Masterji keek toe hoe de jongen met een gebalde vuist overeind kwam. Voor een van de twee iets kon doen, begon het meisje te gillen.

13 MEI

Wat is Bombay?

Vanaf de dertiende verdieping geeft een raam antwoord: banyanboom, maidan, steen, tegel, toren, koepel, zee, havik, bloeiende *amalta's*, mist aan de horizon, gotische hersenschimmen opdoemend uit de mist (Victoria Terminus en het Gemeentekantoor).

Dharmen Shah kijkt naar de havik. Hij is voor het raam aan het zweven, door een geheimzinnige luchtstroom omhooggehouden – geklap van zonbeschenen vleugels – en dan zit hij op de vensterbank. In zijn klauwen een muis, of een groot stuk ervan. Ingewanden kieren uit grijs bont: een robijn in erts. Een seconde later een tweede havik op de vensterbank.

Shah opende het raam en leunde zo ver mogelijk naar buiten, de twee vogels vlogen om elkaar heen in een wraakzuchtige werveling. De dode muis was achtergelaten op de vensterbank, bloed en smurrie liepen eruit.

Shahs mond liep vol speeksel. De afgelopen twaalf uur had hij alleen een pak melkbiscuits gegeten.

Als troost masseerde hij zijn maag en liep naar het volgende raam. Hij nuttigde het uitzicht vanuit hier: het voetbalveld dat het grootste deel van de Cooperage besloeg, de groene Oval Maidan ernaast, de geveltop en de diepe, gewelfde toegangspoort van de universiteit, de Rajabhaitoren en het hooggerechtshof van Bombay. Tussen de kokospalmen en mangobomen brandden de rode bloesems van een *gulmohar* als liefdesbeten op een zomerdag.

Een stompe, goudberingde wijsvinger schetste rondom de Raja-bhaitoren en verplaatste hem helemaal naar het andere eind van de Oval Maidan. *Daar*: daar paste hij veel beter.

Shah keek omlaag. Op de straat recht onder zijn raam praatte een vrouw in een mobiel. Hij rekte zijn nek uit om te zien wat ze onder de gordel droeg.

'Zeker een meisje, hè Dharmen?'

Dokter Nayak kwam de kamer weer binnen met een röntgenfoto in zijn hand.

'Voor iets anders steek jij je nek niet uit het raam.'

De dokter draaide de röntgenfoto om en hield hem tegen het uitzicht op de stad.

Dharmen Shahs schedel gloeide. De röntgenfoto was nog geen uur geleden gemaakt in het ziekenhuis. Shah zag iets melkwits giechelen binnen in zijn schedel, een geest die door de wijd open kaak grijnsde. De dokter schoof de röntgenfoto weer in zijn map. Hij wees op de bank voor zijn gast en patiënt.

'Waarom denk je dat ik hier bij mij thuis een afspraak met je heb gemaakt na de tests? Ik heb er vanmorgen drie consulten voor afgezegd.'

Shah masseerde zijn buik met zijn handen en grijnsde. 'Onroerend goed.' Hij bleef bij het raam staan.

'Deze keer niet, Dharmen. Ik wilde dingen zeggen die je beter in huis kan zeggen dan in het ziekenhuis. In de hoop dat je deze keer misschien zou luisteren.'

'Zeer erkentelijk.'

'Elke keer dat ik je zie is het weer een beetje erger, Dharmen. Dat ding dat in je borstkas en je hoofd groeit. Chronische bronchitis. Elke keer weer erger. Je hebt ontstoken slijm in je longen en je aangezichtsholten. Het volgende stadium is dat je ademhalingsmoeilijkheden krijgt. Dan zullen we je misschien moeten opnemen. Wil je dat het zover komt?'

'En waarom *zou* het zover komen?' Shah klopte op het raam. 'Ondanks het feit dat ik me aan elke bloedtest, röntgenfoto en pil heb onderworpen die jij aanraadt. Nadat ik de avond ervoor honger geleden heb.'

Dokter Nayak, jeugdig en vierkant van kaak, was getooid met een zwarte snor boven een geitensik. Als hij grijnsde leek hij een beetje op een schoppenboer.

'Je bent een groot verwend kind, Dharmen. Je doet niet wat je arts zegt dat je moet doen en je denkt dat hij daar niet achter komt zolang jij komt opdraven voor bloedtests en röntgenfoto's. Ik waarschuw je al maanden. Dit loop je nu op in de bouwwereld. Al dat stof dat je inademt. De stress en de druk.'

'Ik loop al *vijfentwintig* jaar op bouwplaatsen rond, Nayak. Het probleem is pas een jaar of twee geleden begonnen.'

'Het komt door al die oude panden waar je in rondloopt. De panden die je sloopt. Ze gebruikten toen materialen die nu verboden zijn. Asbest, goedkope verf. Dat gaat in je longen zitten. En dan de plekken waar je graag werkt, die sloppenwijken.'

'Het heet daar Vakola.'

'Ik heb het gezien. Zwaar vervuild. Dieselolie in de lucht, stof. Je systeem verzwakt in de loop der tijd door de vervuiling.'

'En wat is dit dan?' Dharmen Shah trommelde op zijn buik. Hij kneep in zijn dikke onderarmen. 'Wat is dit dan? Is dit soms niet gezond?'

'Luister. Ik heb hier drie betaalde consulten voor afgezegd. Jij loopt koorts op, kuchjes, maagziekten. Je immuunsysteem verzwakt. Ga weg uit Bombay,' zei de dokter. 'Althans voor een deel van het jaar. Ga naar de Himalaya. Simla. Het buitenland. Het enige wat je hier niet met geld kunt kopen is schone lucht.'

De dikke man greep in zijn overhemdzakje. Hij streek een goedkoop gedrukte folder glad en gaf hem aan dokter Nayak.

De 'Koning' van de Voorstadbouwers, J.J. Chacko, directeur van de Ultimex Group, deed iedereen die hem volgde, vrienden en collega's, versteld staan toen hij een top-bouwterrein verwierf in Vakola, Santa Cruz (Oost) op een gewaagd bod, te weten de HOOGSTE PRIJS ooit betaald voor een ontwikkelingsproject in deze voorstad, ondanks de scherpe en gewaagde pogingen van diverse concurrenten om deze trofee binnen te slepen.

De heer Chacko onthulde exclusief aan de *Mumbai Real Estate News* dat er een architect uit Hong Kong, een land befaamd om zijn modernisme, zal worden ingeschakeld om de appartementen van wereldklasse te ontwerpen. De heer Chacko meent ook dat hij binnen enkele maanden een park en een winkelcentrum aan het complex zal toevoegen. Hotels, plaza's, tuinen en gelukkige gezinnen zullen volgen.

Het motto van de Ultimex Group luidt: 'Het Allerbeste' en ze rukt overal in de stad Mumbai op. In zijn persoonlijk leven is de heer Chacko, visionair van de Ultimex Group, geen bekende figuur, aangezien hij bij voorkeur de glamour van de uitgaanswereld van So-Bo (Zuid-Bombay) mijdt. Hij is 'lastig', 'verlegen' en 'een huisvader die van simpele genoegens houdt', aldus een persoonlijke vriend. Hij is flexibel in zijn ideeën en geslepen, als een man van de toekomst, hij is een groot filantroop, heeft dertien gouden medailles en plaquettes gewonnen, er zijn gedichten aan hem opgedragen en hij is onderscheiden voor zijn humanitaire prestaties op sociaal gebied.

Tevens is hij een hartstochtelijk schaker en carromspeler.

De dokter las de brochure, draaide hem om en las hem nogmaals.

'En?'

'Dat is dus J.J. Chacko, hoofd van de Ultimex Group. Hij heeft het hele gebied rondom het spoorwegstation Vakola in zijn zak. Heeft aan die kant al drie panden staan. Komt nu ook mijn kant uit. Weet je wat hij laatst heeft gedaan? 81 lakh betaald voor een eenkamerwoning in een slop. Alleen maar zodat iedereen over hem zou praten. Op mijn eigen gebied. Stuurt me zelfs deze folder per post.'

'En?'

Shah pakte het stuk papier weer terug, vouwde het op en stopte het weer in zijn zak. Hij klopte erop.

'Hoe kan ik nu met vakantie gaan als J.J. Chacko het niet doet?
Zegt *zijn* arts tegen hem dat hij het kalmer aan moet doen?'
Dokter Nayaks voorhoofd rimpelde zich.
'Het kan me niet schelen als *hij* zichzelf dood werkt. Maar jij
kunt niet meteen weer in een project stappen. Doe je dit voor Sa-
tish? Wat kan die meer wensen dan dat zijn vader nog lang te leven
heeft?'
Dharmen Shah trok met zijn vinger een streep op het raam.
'Er loopt een gouden lijn door deze stad, een lijn die mensen rijk
maakt.'
Nu zette hij er drie punten op.
'Daar heb je de luchthaven Santa Cruz, daar het Bandra-Kurla
Complex en daar de sloppen van Dharavi. Vanwaar een gouden
lijn? Het luchtverkeer groeit gigantisch. Meer vliegtuigen, meer bezoekers. Verder' – hij verschoof zijn vinger – 'breidt het financieel centrum van Bandra-Kurla zich elk uur uit. Dan is de regering
begonnen met de ontwikkeling van Dharavi. De grootste krottenwijk van Azië wordt de rijkste krottenwijk van Azië. Het borrelt
van het geld in dit gebied. Dagelijks komen er mensen aan die nergens kunnen wonen. Behalve' – hij zette in het midden een stip
op zijn gouden lijn – 'hier. Vakola. Het Fountainhead en Excelsior
zijn november dit jaar klaar. De meeste eenheden daarin heb ik al
verkocht. Maar het grote werk komt volgend jaar. Het Shanghai.'
Dokter Nayak, die had staan gapen, sloot zijn mond. Hij grinnikte.
'Weer *daarover*. Die stad wordt je dood, Dharmen.'
'Je had met me mee moeten gaan, Nayak. Wegen zo ver als het
oog strekt, wolkenkrabbers, alles schoon, mooi.' Shah sloeg tegen
het raam, het trilde. 'Die Chinezen barsten van de wilskracht. En
wij hebben hier nog geen tien minuten wilskracht gehad sinds de
onafhankelijkheid.'
De dokter gniffelde, stond op van zijn bank en liep naar het
raam. Hij rekte zich uit.
'De eerste keer dat een Indiase zakenman van middelbare leeftijd

Shanghai ervaart is wat de eerste sekservaring voor een puber is. Je kunt ons niet steeds met de Chinezen vergelijken, Dharmen.'

Shah draaide zich om en keek hem aan.

'Hoe kan het hier anders ooit beter worden? Kijk eens naar de treinen in deze stad. Kijk naar de wegen. De rechtbanken. Niets werkt, niets beweegt, het kost tien jaar om een brug te bouwen'

'Genoeg. Genoeg. Ontbijt je met ons, Dharmen? Vishala wil je graag bedanken. Jij hebt die zaak geregeld voor haar vriendin in Prabha Devi.' Nayak legde een hand op de schouder van de dikke man. 'Je begint bij haar in de smaak te vallen. Blijf. Ik zal een vierde consult voor je afzeggen.'

Dharmen Shah staarde uit het raam.

De haviken doken weer op. De strijd was nog bezig, door een plotselinge windvlaag werden ze tegen het gebouw geblazen, recht op het raam af en knalden ertegenaan voordat een andere luchtstroming ze weer verticaal optilde of ze langs een rotswand hingen.

'Die ellende,' zei dokter Nayak. 'Altijd stront op de ramen, de hele dag maar vechten. Iemand zou...' hij haalde een denkbeeldige trekker over '...en ze afmaken. Een voor een.'

Toetsend op zijn mobiel liep Shah de parkeerkelder door tot een spookachtige stem door de lage ruimte begon te weergalmen.

'Meneer de secretaris, leden van de Vishram Corporatie...'

Shah liet de mobiel in zijn zak glijden en liep behoedzaam door.

Een lange, donkere man in een wit overhemd en zwarte broek stond voor de open liftdeur in de kelder, keek in de halve spiegel die erin hing en hief zijn linkerhand.

'Meneer de secretaris, leden van de Vishram Corporatie, Toren A en B. Al uw *dromen* staan op het punt om uit te komen.'

De man voor de spiegel wijzigde de stand van zijn kaak, een afgebroken boventand was nu duidelijk zichtbaar in de spiegel.

'Meneer de secretaris, leden van...'

Een jongen in vuile kaki kleding met een theeblad in zijn hand porde hem van achter aan en vroeg of hij de lift in kon.

De man draaide zich snel om, zijn hand geheven. 'Raak me niet aan, zusterneuker.'

De theejongen deed een stap achteruit en nam het blad met de dansende theeglazen in zijn linkerhand.

Shah schraapte zijn keel.

'Shanmugham,' zei hij, 'laat die jongen toch de lift gebruiken.'

Met een 'ja, meneer' haastte de lange man zich naar een grijze Mercedes-Benz en deed het portier open voor zijn hoestende werkgever.

Op de Marine Drive.

Kokospalmen, gekromd onder de oceaanbries, en duiven in plotse vlucht vergrootten het gevoel van snelheid tijdens de lange, rechte rit over de avenue. Een satijnen vlek zonlicht glansde op Back Bay.

'Alles staat erin op de einddatum na, meneer,' zei Shanmugham en hij draaide zich om op zijn plek naast de chauffeur van de Mercedes-Benz om zijn baas een uitgeprinte pagina te laten zien. De chauffeur schakelde toen een rood licht hen eindelijk de pas afsneed.

'Ik heb het gisteravond woord voor woord doorgenomen, meneer. Ik heb elke komma gecontroleerd.'

Meneer Shah negeerde de brief, opende een blauw blikje en schepte de inhoud met een plastic lepeltje in zijn helderrode mond. Kleine, zwart geworden tanden – hij was er al een paar kwijt – kauwden op de *gutka*.

'Bekommer je niet om woorden, Shanmugham. Vertel wat over de mensen.'

'U hebt ze gezien, meneer.'

'Eén keer maar.'

'Betrouwbare mensen. Toren B is modern. Finance, high-tech, computers. Toren A is oud. Leraren, boekhouders, makelaars. Allebei betrouwbaar.'

'Leraren?' De dikke man kromp ineen. 'En verder, over die corporatie? Is er wel eens iets slechts gebeurd?'

'Eén zelfmoord, meneer. Jaren geleden. Een jongen is van het dak gesprongen. Dat hebben ze me niet verteld maar ik ben er via de buren achter gekomen.'

'Eén zelfmoord maar?'

'Jawel, meneer.'

'Dat red ik wel.'

Bij het verkeerslicht voor Malabar Hill lag een kat zonder kop op de weg; boven de nek was er alleen maar een klont roze brij met een bandenspoor erin gestempeld, een uitroepteken van bloed. Het ging de projectontwikkelaar aan het hart. In een wereld vol vrachtwagens en zwaar verkeer had het katje geen eerlijke kans gekregen. *Maar hoe zit het met jou, Dharmen,* vroeg het verbrijzelde dier, *jij bent de volgende, niet?*

Hij draaide het raampje omlaag en spuwde op het kadaver.

Hij droomde van een ontbijt. Acht stukken toast, diagonaal gesneden, opgestapeld op een porseleinen bord, een pot Kissan's Vruchtenmix-jam, een pot Kissan's marmelade, een fles Heinz tomatenketchup en, drijvend in een geschulpte kom water om hem zacht te houden, een ijsberg ambachtelijke boter.

De Mercedes reed Malabar Hill op, de oceaan schitterde links van Shanmugham.

De chauffeur schakelde terug en ze hielden halt tegenover een oud, vervallen herenhuis. Jonge boompjes hadden zich een weg gebaand door het fijne beeldhouwwerk van bladeren en bloemen van de negentiende-eeuwse kroonlijst, en een bord, op de voorgevel gespijkerd, vermeldde:

GEMEENTEBESTUUR MUMBAI

DIT GEBOUW IS GEVAARLIJK, WEGENS LOSZITTENDE STENEN
DIENEN PERSONEN HIER WEG TE BLIJVEN. TOEGANG VERBO-
DEN VOOR IEDEREEN.

Toen de auto erlangs optrok, weergalmde licht van de oceaan door het vervallen huis.

Shanmugham zag vier kolossale banyanbomen op het terrein van een groot appartementengebouw, hun luchtwortels klampten zich vast aan de muur om het terrein alsof ze vastgelijmd zaten: vier wapenschilden van het Huis van Shah.

De lift bracht hen naar de achtste verdieping.

'Na het ontbijt gaan we meteen naar de bouwplaats,' zei Shah tegen zijn assistent toen ze naar zijn appartement liepen. 'De aannemer vertelde me vanmorgen dat alles in orde was en dat ik niet hoefde te komen. Je weet wat dat betekent.'

Een medaillon van een gouden heer Ganesha rustte op de deurpost van het huis van de projectontwikkelaar.

De deur stond open. Twee zwarte leren schoenen waren buiten de deur achtergelaten.

De woonkamer bood een tafereel als uit een theaterkomedie. Voor een reusachtig bronzen beeld van de Dansende Nataraja zag Shah Giri, zijn huisbewaarder, naast twee mannen in kaki-uniformen, van wie er een van een glas koud water nipte. De andere man in uniform hield een hand op Satish, zijn zoon, en berispte de jongen met zijn wijsvinger, alsof hij een pantomime voor zijn vader opvoerde.

Het slijm in Shahs borstkas reutelde.

'Baas.' Giri, die een gehavende *banian* en blauwe *lungi* droeg, liep op hem af. 'Hij deed het weer. Hij was voor de school auto's aan het bewerken met spuitbussen, ze hebben hem gepakt en hierheen gebracht. Ik heb gezegd dat ze moesten wachten tot u...'

De politieman die Satish vasthield leek de hoogste in rang te zijn. Hij praatte. De ander bleef zijn koude water drinken.

'Eerst zagen we dat hij zo deed...'

De politieman maakte een cirkelbeweging om de spuithandeling aan te duiden. Shah luisterde. De vingers van zijn linkerhand wreven over de dikke gouden ring aan zijn rechterhand.

'Toen deed hij *dit*. Toen *dit*. Ze bespoten de eerste auto en toen gingen ze naar de volgende. Het is een bende en ze hebben allemaal een bendenaam. Uw zoon heet Soda Pop.'

'Soda Pop,' zei Shah.

De politieman die water had staan drinken knikte. '...Pop.'

De dikke, bleekhuidige Satish straalde onverschilligheid uit, alsof de zaak iemand anders betrof.

'Waarop agent Hamid, meneer,' de pratende politieman gebaarde in de richting van de zwijgende, 'die in de politiebus zat, die zei toen, is dat niet de zoon van projectontwikkelaar meneer Shah? Waarop wij, in het licht van de uitstekende relatie die ons bureau altijd met u heeft onderhouden, meenden... voor het in de kranten staat...'

Projectontwikkelaar meneer Shah had genoeg gehoord en wilde beslag leggen op zijn eigendom, met zijn vingers wenkte hij de jongen. De politieman hield hem niet tegen, hij slenterde naar zijn vader toe.

'En zijn vrienden? Die andere jongens die dat deden –' Shah maakte dezelfde cirkelbeweging. 'Wat gebeurt er met hen?'

'Ze moeten allemaal op het politiebureau komen. Hun ouders zullen hen moeten komen ophalen. We zullen hun namen uit de pers houden. *Deze* keer.'

Shah legde zijn hand op zijn hart. '*Zeer* erkentelijk.'

Giri liep opeens naar de studeerkamer van zijn baas. Een houten la schoof open en dicht. Giri had dit eerder gedaan en wist precies hoeveel hij in de envelop moest stoppen.

Hij overhandigde hem aan Shah die woog hoe zwaar hij was, akkoord ging en hem overhandigde aan de politieman die het gesprek gevoerd had: 'Voor *chai* en fris op jullie politiebureau, vriend. Ik weet dat het erg warm is deze dagen.'

Hoewel de envelop aanvaard was, was geen van beide politiemannen vertrokken. De spraakzame zei: 'Mijn dochter is binnenkort jarig, meneer. Ik heb een leuk weekend voor de boeg.'

'Ik zal haar een verjaardagstaart van de Taj sturen. Ze hebben een goede banketzaak. Hij komt binnenkort.'

'Meneer...' De stille politieman zei iets.

'Ja?'

'Nou, mijn dochter is ook binnenkort jarig.'

Giri liet de politiemannen glimlachend uit. Shah stond over de dikke gouden ringen aan zijn wijsvinger te wrijven. Zodra Giri de deur gesloten had, stootte meneer Shah de ring tegen de neus van zijn zoon.

'Soda Pop' deinsde achteruit, kneep zijn ogen dicht en hield zijn gezicht afgewend, alsof hij de kracht van de stomp wilde vasthouden.

Soda Pop stond te trillen; als hij kon, zo zei elk lichaamsdeel van hem, zou hij zich op zijn vader storten en hem ter plekke vermoorden.

Giri bracht hem naar zijn kamer. 'Kom, wassen, Baba. We gaan naar je kamer, warme melk drinken. Dat doen we.'

Terug in de woonkamer trof Giri zijn werkgever en Shanmugham aan beide zijden van de Dansende Nataraja aan, terwijl ze het witte ding bestudeerden dat naast het bronzen beeld op de houten tafel stond: een gipsen maquette van een gebouw die een onderknuppel van meneer Shahs kantoor twee dagen geleden bij hem thuis had afgeleverd.

'Gaat u nu met de jongen praten?' vroeg Giri. 'Zeg iets aardigs tegen hem.'

Shah streek met zijn hand langs de zijkant van het gipsmodel.

'Breng een schaal met toast, Giri. Nu meteen. En ook wat voor Shanmugham.'

Giri wierp een blik op Shanmugham toen hij naar de keuken liep. Hij keurde het af als er werknemers tijdens maaltijden aanwezig waren.

Shah bleef naar de gipsen maquette kijken. Zijn blik gleed naar de inscriptie eronder:

'Kijk, Shanmugham,' zei hij. 'Kijk nou toch. Zou het niet schitterend zijn als dit verrijst?'

Vanaf het moment dat de auto de brug bij Bandra op was gereden had Shah zijn ogen dicht gehouden. Hij voelde zijn hartslag versnellen. Zijn longen werden lichter. Het was of hij in geen jaren gehoest had.

De Mercedes kwam tot stilstand, hij hoorde hoe iemand het portier voor hem opende.

'Meneer.'

Hij stapte uit, waarbij hij Shanmughams handen vasthield. Hij had zijn ogen nog niet geopend, hij wilde het genot zo lang mogelijk uitstellen.

Hij kon ze allebei horen: het Confidence Excelsior en het Confidence Fountainhead. Ze rommelden, zoals de jongen in zijn moeders baarmoeder in de laatste maanden voor de verlossing.

Hij liep over bandensporen van vrachtwagens, hard geworden en gekarteld als gefossiliseerde wervelkolommen. Hij voelde verbrijzelde stukken graniet onder zijn voeten, die plaatsmaakten voor glad zand bezaaid met stukken baksteen. Het geluid om hem heen zwol aan.

Nu deed hij zijn ogen open.

Betonmolens stonden te draaien als kanonnen, gericht op de twee gebouwen. Vrouwen in kleurige sari's droegen troggen vol vochtige specie de verdiepingen van het Fountainhead op. Verder langs de weg zag hij het Excelsior, skeletachtiger nog, overdekt met netten en steigers, ribben van donkere houten balken stutten elke nog ongebouwde verdieping.

Er was een klein dorp opgeschoten rondom de bouw: migranten uit Noord-India, de arbeiders hadden hun oude huis herschapen. Koeien zwiepten vliegen weg, in een aluminium ketel kookte brouwsel over, een kleine schrijn voor een rode god. Shah hees zijn broek op en liep naar de koe toe, hij raakte driemaal zijn voorhoofd aan – dat bracht geluk – en daarna zijn eigen voorhoofd.

Een groep dagloners stond op hem te wachten.

'Hoe gaat het betongieten vandaag?'

'Heel goed, meneer.'

'Waarom staan jullie dan hier je tijd te verspillen?

Hij telde de mannen. Zes. Ze droegen *banians* en witte *dhoti's*, en hun lijven waren overdekt met bouwstof. De aannemer verantwoordelijk voor de bouw van het Fountainhead kwam aanhollen.

'Meneer, ze zeggen dat de warmte... ze willen weggaan en hun akkers bijhouden...'

Shah klakte met zijn tong.

'Laat ze het zelf maar zeggen.'

Een van de groep muiters, een kleine man met een nette scheiding, legde het uit.

'We kunnen niet werken onder deze omstandigheden, sahib, vergeeft u ons. We zullen het werk van vandaag keurig afmaken en vanavond weggaan. Vraag maar aan de aannemer. We zijn tot nu toe uw beste arbeiders geweest.'

Shah keek omhoog naar het Fountainhead en toen naar het Excelsior en verhief zijn blik naar de zon.

'Ik weet dat het warm is. De kokospalmen worden bruin. De koeien willen niet eens opstaan als je voer voor ze neerlegt. Ik weet dat het warm is. Maar we hebben nog maar een maand voor het begint te regenen en we moeten nu het betongieten afmaken. Zo niet, dan verlies ik anderhalve maand, twee maanden als de regens hevig zijn. En tijd is iets wat ik niet mag verliezen.'

Hij spuwde iets dik rozigs, met *gutka*-vlekken uit. Hij aaide de koe weer en praatte intussen door.

'Als jullie me zien denk je misschien: dat is een rijke man, wat weet die van de hitte? Laat ik jullie dit zeggen.'

Met een vinger van de hand waarmee hij de koe had staan strelen wees hij naar de mannen: 'Deze Dharmen Shah van jullie weet wat werken en in de hitte rondlopen betekent. Hij is opgegroeid in een dorp dat Krishnapur heet, in Gujarat. Toen hij naar Bombay kwam had hij maar twaalf rupee en tachtig paisa op zak, en hij kwam in de zomer. Hij ging met de trein, hij ging met de bus en toen hij geen geld voor de bus had, liep hij. Zijn *chappals* versleten en hij wikkelde bladeren om zijn voeten en liep door. En weet je wat hij aantrof toen hij deze stad binnen kwam?'

250, dacht Shanmugham. *Bied ze niet meer dan 250.*

'Goud.' Meneer Shah liet de muiters zijn vingers en al zijn ringen zien. 'En hoe warmer het wordt, hoe meer goud er in de lucht hangt. Ik zal jullie loon verhogen...' Hij kneep zijn vingers weer samen, ze tintelden toen hij zijn voorhoofd fronste, 'tot 300 rupee per dag de man. Dat is honderd rupee meer dan jullie nu krijgen, en meer dan je waar ook in Santa Cruz zult krijgen. Jullie zeggen dat jullie naar huis willen. Zou ik niet weten wat jullie daar willen doen? Je grond bewerken? Nee. Jullie gaan op een charpoy in de schaduw liggen roken, met een kind spelen. Als de zon ondergaat, gaan jullie drinken. Jullie geld raakt op, jullie komen terug op 15 juni als het regent en bedelen mij om werk. Doe je oren open: de aannemer zal zich elke arbeider herinneren die nu weggaat, nu de baas hem het meest nodig heeft. Niemand die niet voor Shah werkt als het warm is, zal voor hem werken als het koel is. Ik zal bussen door heel Maharashtra rondsturen om dorpelingen op te halen en hierheen te brengen. Het zal me misschien twee keer zoveel gaan kosten, maar ik doe het. Maar als je blijft werken, betaal ik je 300 rupee, dag na dag. Met zo veel geld kan een dagloner zijn lot bepalen. Ik gooi goud in de lucht. Wie grijpt het?'

De arbeiders keken elkaar aan: een golfje van besluiteloosheid, en toen zei degene met de keurige scheiding: 'Sahib, meent u wat u zei, 300 per dag? Zelfs de vrouwen?'

'Zelfs de vrouwen. Zelfs de kinderen.' Shah spuwde weer en likte zijn lippen af. 'Zelfs jullie honden en katten als ze bakstenen op hun kop stapelen en ze voor mij naar boven dragen.'

'We blijven voor u, sahib,' zei de arbeider.

En al leek geen van de mannen in *banians* en *dhoti's* er gelukkig mee, ze schenen geen kracht te hebben om zich te verzetten.

'Goed. Meteen aan het werk dan. Elke seconde die we verliezen komen de regens dichter bij Bombay.'

Toen ze buiten gehoorsafstand waren, fluisterde de aannemer: 'Gaat u de vrouwen echt hetzelfde betalen, meneer? 300?'

'Hoeveel geef je ze nu?'

'125. Als ze potig zijn 150.'

'Geef de vrouwen 200,' zei Shah. 'En de dikke 220. Maar de mannen krijgen 300, zoals ik zei.'

'En jij –' hij pookte een goudgeringde vinger in de borstkas van de aannemer. 'Als er de volgende keer iets mis is op de bouwplaats, kom dan niet aan met *alles is in orde, meneer*. Krijg je last van je mond als er één keer per jaar de waarheid uitkomt?'

'Neem me niet kwalijk, meneer,' zei de aannemer.

'Het zijn sociale dieren, moet je weten. Als er één klaagt, klagen ze allemaal. Zodra er problemen zijn, moet ik het weten.'

'Neem me niet kwalijk, meneer.'

Shah wandelde met Shanmugham van het Fountainhead naar zijn andere pand.

Shanmugham voelde zijn overhemd op zijn rug plakken. Het overhemd van zijn werkgever was ook nat, maar het leek hem of dat geen vochtvlekken waren maar gesmolten boter. De man die 's morgens ziek was geweest, blaakte nu opeens van gezondheid. Shanmugham kon hem nauwelijks bijhouden.

Ze waren bij een kampement van arbeiders tussen de twee bouwprojecten gekomen. Een onvolgroeide gulmoharboom stond daar met takken kriskras door elkaar, als een man die met zijn armen in de knoop zit doordat hij alle kanten tegelijk op wijst. In de schaduw druppelde een waterpomp. Aan één kant van de boom was een hoop zand opgeworpen met aan beide kanten gebroken stenen. Twee van de arbeiderskinderen hadden een autoband opgehangen aan een lage tak, waarop ze schommelden tot hun voeten zich in het zand groeven. Een ander had een bijl opgeraapt waarmee hij het zand aanviel, en telkens als zijn zwabberende slagen doel troffen niesde hij.

De projectontwikkelaar bleef staan bij de waterpomp om een bericht op zijn mobiel te lezen.

'Dat was van Giri.' Hij stopte de mobiel in zijn zak. 'Ik had het verjaardagsfeestje van Satish willen afzeggen, maar de uitnodigingen zijn al verstuurd. De jongen heeft beloofd er te zijn en zich te gedragen.'

'Jawel, meneer.'

'Jij hebt toch ook kinderen, Shanmugham?'

'Jawel, meneer. Twee zoons.'

'Ik hoop dat ze voor jou nooit zo'n vloek worden als die van mij voor mij is, Shanmugham.'

'Zal ik nu gaan, meneer? Naar de Vishram Corporatie – om het bod te doen?'

'Je wacht tot ik het zeg. De astroloog zal me bellen en de precieze tijd doorgeven. Dit wordt geen makkelijk project, Shanmugham. We moeten elke kans die we krijgen aangrijpen. Misschien helpen de sterren ons.'

Shah wees met zijn mobiel naar de overkant van de weg. Er kwam een vliegtuig over; hij wachtte tot het kabaal over was en zei: 'Wat een lef heeft hij, Shanmugham. Pal onder mijn neus koopt hij dat terrein.'

Aan de overkant van de weg, naast de bouwvallige bakstenen huizen met hun verroeste zinken daken, verzwaard met stenen, was een reusachtig bord verrezen.

ULTIMEX GROUP

KONDIGT MET TROTS DE TOEKOMSTIGE LOCATIE AAN VAN

'ULTIMEX MILANO'

EEN NIEUW WONINGCONCEPT

SUPER LUXE APPARTEMENTEN

'Weet je wanneer hij begint te bouwen?'

'Nog niets gehoord, meneer.'

'De mensen zullen me uitlachen als zijn project het eerst af is, Shanmugham.'

'Ja, meneer.'

Meneer Shah liep in zijn eentje naar het Excelsior. Het werk was hier achter op schema, dus Shanmugham wist dat zijn baas de komende paar uren genoeg te doen zou hebben.

Hij ging in de schaduw van de onvolgroeide boom zitten met zijn mobiel in zijn rechterhand.

De drie arbeiderskinderen zaten op de zandhoop met open mond naar hem te kijken.

Shanmugham toonde hen zijn gebalde vuist en zei: 'Meneer de secretaris, leden van de Vishram Corporatie, al uw dromen...'

Er liep een waterbuffel op het groepje kinderen af.

Shanmugham verliet de bouwplaats, at zijn lunch langs de hoofdweg, kwam terug en wachtte naast het zand. De kinderen kwamen terug om toe te kijken. Hij ging weer op ze oefenen. Hij haalde zijn blauwgeruite zakdoek tevoorschijn die zijn vrouw elke avond opgevouwen voor hem op de ontbijttafel legde, en veegde zijn gezicht af: slapen, neus en toen zijn nek, omlaag tot aan de eerste scherpe knobbel van zijn ruggengraat. Hij vouwde de zakdoek weer tot het vierkant dat zijn vrouw had gemaakt. Toen leunde hij voorover en liet de kinderen zijn afgebroken tand zien: Aaaaargh!

Ze renden weg.

Hij keerde terug naar de zandhoop. De waterbuffel scharrelde rond bij het zand, draaide zijn lange, gebogen horens heen en weer, een kraai kwam aanvliegen tussen de horens door, landde op de grond en zoog een worm rauw op uit een gat.

Iets na vijven stak Shanmugham zijn hand in zijn zak en rommelde: zijn mobiel had gepiept. Meneer Shah wuifde vanaf de derde verdieping van het Excelsior.

Het bericht van de astroloog in Matunga was binnengekomen.

Shanmugham liet zijn groepje toeschouwers op hun zandhoop

achter en rende weg van de bouwplaats, over het modderpad, langs Gold Coin en Silver Trophy Corporatie, langs een Tamiltempel waar jongens cricket aan het spelen waren (hij maakte een sprong om hun rode cricketbal te ontwijken) en bereikte hijgend de Vishram Corporatie, waar hij zijn handen op het wachthokje legde met de woorden: 'Ik wil jullie secretaris weer spreken.'

Ram Khare, die zich met zijn geruite zakdoek koelte had toegewuifd tijdens het reciteren uit zijn heilige samenvatting, keek op naar zijn bezoeker en liet de zakdoek vallen.

Hij liep helemaal mee met de bezoeker naar het kantoor van de secretaris en bleef buiten staan kijken hoe de man zijn handen aan beide zijden van de Remington-schrijfmachine plaatste en zei: 'Meneer de secretaris, ik moet u iets opbiechten. Ik ben niet degene die ik zei dat ik was toen ik u onlangs bezocht. Mijn naam is inderdaad Shanmugham, zoveel is waar. Maar ik kom als vertegenwoordiger van een van de grootste projectontwikkelingsmaatschappijen in Mumbai, namelijk de Confidence Group, en van de directeur ervan, de alom geachte heer Dharmen Shah. En laat ik u nu vertellen waarom ik u de vorige keer moest bedotten. Leest u eerst deze brief die ik met verschuldigde eerbied en respect op uw bureau leg. Terwijl u hem leest, wacht ik hier met mijn...'

Het fundament van de tweeëndertig jaar oude vriendschap tussen Masterji en meneer Pinto was het 'Geen-ruzie-boek' – een notitieboek waarin elke financiële transactie tussen hen nauwgezet was opgetekend. In juli 1975, de eerste keer dat ze samen hadden geluncht, had meneer Pinto, boekhouder bij de Britannia Biscuit Company, voorgesteld schriftelijk rekenschap af te leggen van de gebruikte versnaperingen en koffie. Masterji was zich ervan bewust dat kibbelarijen, voornamelijk over geld, zijn andere vriendschappen hadden verstoord, besloot dat hij deze moest redden, en ging akkoord.

Meneer Pinto voerde de laatste post in in het Geen-ruzie-boek – het zestiende exemplaar sinds het oorspronkelijke notitieblok uit '75.

'Vul het later maar in. Ik zie de ober.'

'Goed,' zei meneer Pinto. 'Maar ik krijg tweeënhalve rupee van u.'

'Tweeënhalf?'

'Voor die krant.'

'Welke?'

'De *Hindustan Times*. Die moest ik zaterdag van u kopen omdat u een column van een of andere leerling van u wilde lezen.'

'Onzin,' zei Masterji. 'Ik heb geen leerlingen die voor die krant schrijven.'

Meneer Pinto wist dat Masterji de *Hindustan Times* niet gekocht had. Na een leven van boekhouden boog hij allerlei zorgen om tot geldkwesties. Hij had in feite iets anders te berde willen brengen: het incident van de avond daarvoor. Masterji's gedrag, die forse duw die hij zonder goede reden de vriend van het moderne meisje had gegeven – haar gegil had mensen uit het hele pand naar de derde verdieping gelokt – was zo in strijd met zijn gewone 'aard', dat de mensen in Vishram de hele dag over het incident hadden gepraat, het opnieuw vertelden en opsmukten. Een man die binnen korte tijd zowel zijn baan als zijn vrouw kwijtraakt, is in een gevaarlijke positie, meenden sommigen. Ajwani, de makelaar, had zelfs de vraag opgeworpen of het wel veilig was om hun kinderen nog in een verduisterde kamer aan zijn hoede toe te vertrouwen. Mevrouw Puri's krachtige weerwoord ('– moest zich schamen!') had aan die praatjes een eind gemaakt.

Meneer Pinto wist dat het zijn plicht was om zijn vriend te vertellen wat ze over hem zeiden in de corporatie. Maar met zoiets kun je het beste aankomen na het eten, had hij besloten.

Hij stopte het Geen-ruzie-boek weg en bereidde zich voor op wat de Biryanikeizer van Bombay te bieden had.

Een goede biryani vraagt om spanning. Een vleugje mysterie. In Café Noorani bij Haji Ali komt de ober aanzetten met een schaal met een ovale berg dampende rijst vol gele en rode korrels, de kip zat ergens binnenin, maar je moest erin graven met een vork – dat aroma! – om die gemarineerde rode brokken te vinden.

En kijk dan eens – meneer Pinto prikte zijn vork in zijn bord – naar dit. Twee onbeduidende bruine stukken kip, naast de lauwe rijst. Geen groente te bespeuren.

De 'Biryanikeizer' was gevestigd tussen winkels waar kleurige zijden sari's verkocht werden, en dat droeg bij aan het besef van de ontbrekende spanning van het eten. Het was zondagavond en zondagavond was altijd biryani-avond voor de twee vrienden. In andere zaken waren ze conservatief, maar op biryani-avond waren ze roekeloos en elke week probeerden ze een nieuwe tent. Meneer Pinto had gezien dat er in de kranten veel geschreven werd over de 'Biryanikeizer van Bombay', de zaak werd zelfs ergens 'een van de tien best bewaarde geheimen van Mumbai' genoemd.

'Biryanikeizer van Bombay. Wat een oplichter, Masterji.'

Hij keek op toen hij geen reactie van zijn vriend hoorde. Hij zag dat Masterji naar het plafond van het restaurant staarde.

'Een rat?'

Masterji knikte.

'Waar?'

Het dak van de Biryanikeizer werd gesteund door houten dakspanten, en op een daarvan was een enorm knaagdier opgedoken.

'Boy!' riep Masterji. 'Kijk eens naar dat daar op die balk.'

De 'boy' – de ober van middelbare leeftijd – keek omhoog. Niet afgeleid door alle aandacht kroop de sluwe rat verder over de balk, als een luipaard op een tak. De 'boy' geeuwde.

Masterji schoof zijn nog niet eens half opgegeten biryani in de richting van de boy.

'Ik heb een vaste regel. Ik kan dit niet eten.'

Het was waar: Hij had een 'één-rat-regel': nooit een tweede keer naar een gelegenheid waar ooit maar één rat is waargenomen.

'U en uw regel.' Meneer Pinto schepte zich wat van de biryani van zijn vriend op.

'Ik hou er niet van om met dieren over mijn eten te concurreren. Kijk hem daar nou, net een Caesar.'

'Je moet wat soepel omgaan met je regels als je in Mumbai van het leven wilt genieten,' zei meneer Pinto kauwend. 'Een beetje maar. Zo nu en dan.'

Masterji kon zijn ogen niet van het keizerlijke knaagdier afhouden. Hij merkte niet eens dat hij met zijn arm een glas omstootte.

Toen de ober de scherven kwam oprapen, haalde meneer Pinto het Geen-ruzie-boek tevoorschijn en voegde aan het debetlijstje van Masterji toe: 'Boete voor gebroken glas bij (zogenaamde) Biryanikeizer. 10 rupee.'

Toen ze betaald hadden voor het eten en het gebroken glas liepen de twee terug naar de Vishram Corporatie.

'Ratten hebben in deze stad altijd mensen bestreden, meneer Pinto. In de negentiende eeuw waren hier epidemieën. Zelfs nu nog zijn ze talrijker dan wij: zes ratten op elk mens in Bombay. Ze kennen zo veel soorten en wij maar één. *Rattus norvegicus. Rattus rattus. Bandicota bengalensis.* We moeten zorgen dat ze de stad niet weer overnemen.'

Meneer Pinto zei niets. Weer wenste hij dat Masterji zijn Bajaj-scooter bij zich had, zodat ze niet met een volle maag hoefden terug te lopen. Hij gaf zijn vrouw Shelley er de schuld van. Na de dood van zijn vrouw had ze Masterji aangeraden een advies uit een artikel in *Reader's Digest* op te volgen en iets op te geven ter nagedachtenis aan de overledene.

'Bijvoorbeeld,' had ze gezegd, 'kunt u stoppen met brinjals te eten. Elke keer dat u dan zin hebt in een brinjal, denkt u aan Purnima.'

Masterji dacht erover na. 'Ik geef mijn scooter op.'

'Nee, nee,' protesteerde ze, 'dat is overdreven. Brinjals zijn genoeg.'

Masterji genoot van overdrijving: de scooter ging eruit.

Na een wandeling van een kwartier bereikten de twee oude mannen hun plaatselijke markt, een rij blauwe houten kraampjes, verlicht door witte neonbuizen of naakte gele peertjes, waar zij aan zij de meest uiteenlopende handel werd bedreven: een kippenstalletje dat naar kippenstront en rauw vlees rook, het kraampje van een suikerrietverkoper met een aureool van ruwe sucrose, een kopieerapparaat in een kantoorboekstalletje dat flitsen verblindend licht uitbraakte, en een kapperszaak waar het zelfs op dit uur nog druk was, en die stonk naar scheerschuim en roddels.

Eindelijk raapte meneer Pinto zijn moed bij elkaar.

'Masterji,' zei hij, 'als u zich eens liet onderzoeken in het Mahim Hinduja-ziekenhuis. Daar geven ze een complete check-up.'

'Check-up? Waarvoor?'

'Het begint met een D, Masterji.'

'Onzin. Ik heb mijn darmen volledig onder controle. Ik heb altijd een sterk onderlijf gehad.'

Meneer Pinto keek naar zijn schoenen en zei: 'Diabetes.'

'Meneer Pinto, ik drink niet veel, ik eet niet veel, ik heb zelfs geen televisie. Hoe kan *ik* nu diabetes krijgen?'

'U verliest uw zelfbeheersing. Laatst gebeurde dat nog met het vriendje van dat moderne meisje. Iedereen in de corporatie heeft het erover gehad. En u moet voortdurend naar de wc. We kunnen het beneden horen.'

'Schaamt u zich, meneer Pinto. Mij bespioneren. Ik ga naar de wc wanneer ik wil. We leven in een vrij land.'

In stilte liepen ze terug naar Vishram. Ram Khare, de bewaker, holde op ze af: 'Hebt u het nieuws al gehoord, meneer?'

'Welk nieuws?' vroeg meneer Pinto.

'De secretaris is nu in het kantoor van Ajwani, meneer – gaat u daar maar heen dan kunt u het nieuws zelf horen,' zei Khare. 'Er zit goud in voor u allemaal! Goud!'

'Hij drinkt weer,' fluisterde meneer Pinto. Ze lieten de raaskallende bewaker achter zich en liepen de trap op.

De oude boekhouder zei: 'Kom bij ons een glaasje drinken, Masterji.'

'Vanavond niet, meneer Pinto.'

'We hebben Amaretto. Van Tony gekregen. Laten we een glaasje nemen. Elk een glaasje.'

Meneer Pinto had een geweldige koffielikeur die zijn zoon Tony had meegebracht bij zijn laatste bezoek vanuit Amerika, en die alleen op bijzondere avonden genoten werd. Masterji begreep dat dit een soort verontschuldiging was, en hij raakte de schouder van zijn vriend aan voor hij de trap naar zijn eigen flat nam.

Vakola bij nacht: het rode neonkruis van de St. Anthony-kerk straalt boven de hoofdweg. Verkopers van *paani-puri bhelpuri* en *gulab jamuns* gedompeld in suikerstroop voeden de vloedgolven van vermoeide menselijke wezens die vanaf het station aan komen stromen. Plastic horloges, metalen sloten, kinderspeelgoed, sandalen en T-shirts wisselen de voedselverkoop af.

Aan de overkant van de weg zijn in het kantoor van Renaissance Vastgoed de lichten aan.

Vakola is geen voorstad waar vastgoedmakelaars rijk worden. Minstens vier stuks zijn alleen al langs de hoofdweg gevestigd. Daarvan is Renaissance de aantrekkelijkste: ruim, licht, en op de glazen deur is een afbeelding geschilderd van Heer Krishna die op zijn fluit speelt in de betoverde tuinen van Brindavan.

Binnen, aan zijn stalen bureau gezeten, keek Ramesh Ajwani op van de vastgoed-pagina van de *Times of India*. Mani, zijn assistent, had de glazen deur geopend voor een jonge vrouw.

Ajwani zette zijn halve bril af en gebaarde de bezoekster om plaats te nemen.

Wat prettig om in deze moderne tijd een jonge vrouw te zien die een sari goed weet te dragen, dacht hij.

Stralend hemelsblauw, misschien een beetje laag uitgesneden.

Hij merkte tot zijn genoegen dat haar Engels beter was dan het zijne.

Een flat met twee slaapkamers voor haarzelf, een werkende vrouw, ongehuwd, met beide ouders bij haar inwonend. Een verlengbaar huurcontract voor een jaar, huurprijs tussen de 15.000 en 20.000 rupee.

Zoals gewoonlijk telde Ajwani tien procent op bij het hoogste bedrag dat genoemd werd en dacht meteen aan een aantal flats die hij kon laten zien. Hij legde zijn handen op zijn tafel en boog zich over naar de vrouw.

'U denkt geloof ik dat ik een makelaar ben, juffrouw?'

Ajwani's donkere, pokdalige gezicht was zo ongewoon voor zijn achtergrond dat klanten hem vanzelf ten onrechte voor een Zuid-Indiër hielden, en dat voelde hij als gunstig, omdat Zuid-Indiërs, anders dan Sindhi's, bekendstaan als eerlijke menen. Hij was gedrongen, had een dikke nek, droeg blauwe of beige safaripakken en rook naar Johnson's babypoeder.

De vrouw in de hemelsblauwe sari keek op. 'Ja,' zei ze, 'bent u dat dan niet?'

'Dat ben ik *niet.*'

Evenwijdige gegraveerde lijnen liepen als gezichtskieuwen schuin boven Ajwani's wangen en gaven zijn grijns een lichte dreiging.

'Ik doe *niet* wat iedere andere makelaar in deze stad doet. Ik zal niet tegen u liegen. Ik zal niet zeggen dat een pand 'praktisch nieuw' is als het veertig jaar oud is, ik zal geen eigenaardigheden van de buren vergoelijken, of vocht en lekkages in het dak of de muren. Ik geloof in juiste informatie – voor mezelf en voor mijn klanten. Kijkt u even naar de muur. Daar ziet u mijn drie goden.'

De jonge vrouw zag een ingelijst portret van Sai Baba ten voeten uit en nog een van de god Balaji in zijn 24-karaats gouden kostuum in Tirupati.

'De derde is mijn belangrijkste god. Weet u hoe hij heet? Bekijkt u hem maar eens wat beter. Gaat u alstublieft naar de muur.'

De vrouw in de blauwe sari deed wat haar gezegd werd, tussen de godheden zag ze een uitgeprint lijstje.

KEN UW FEITEN

Een SHK (Slaapkamer Hal Keuken)
Twee SHK (Twee Slaapkamers Hal Keuken)
Drie BHK (Drie Slaapkamers Hal Keuken)
Borg: veelvoud van de huur – maximaal zes maanden

Sleutelgeld – is verplicht

GBV (Geen Bezwaar Verklaring van de secretaris van de corporatie) – moet worden afgegeven

Politieverklaring (van plaatselijk bureau) – wordt door makelaar aangevraagd

Pasfoto's (2x) – verplicht. Werkgeversverklaring – verplicht

Oppervlakteafmetingen, Inhoudsafmetingen, Kavelafmetingen – ken het verschil

Huurovereenkomst: Wie betaalt de legeskosten? Eerst beslissen

Type huurder: Gezin, Alleenstaande, Meerdere alleenstaanden, Indiaas burger afkomstig uit het buitenland, Niet-Indiaas burger – wat bent u?

Ze stond achter de makelaar en zag dat zijn rechtervoet, die uit zijn slipper was gegleden, in een duidelijke staat van opwinding de onderste la van zijn bureau open- en dichtschoof.

'Weet u hoe deze god heet, juffrouw? Zijn naam is "Informatie". Maak hem ook tot uw meester. Neemt u nu plaats, alstublieft.'

In afwachting tot ze weer op haar plaats zat, draaide hij een duo-fotolijstje om, zodat ze het kon zien.

'R en R, mijn twee jongens. Rajeev en Raghav. Net als ik: de R van Ramesh. En net als mijn makelaardij, de R van Renaissance. En u ziet dat ze allebei een taekwondotenue dragen. Conditie is mijn vierde god.'

De jongedame bewonderde de foto's en hij boog zich naar haar toe.

'Juffrouw Swathi, deze Ajwani van u is netjes, gelukkig, lelijk, grof, oprecht en heeft een kop als een maki.' Hij benadrukte elk bijvoeglijk naamwoord met zijn handen, overdekt met goedkope ringen. 'En dat zijn zijn deugden.'

De vrouw deed erg haar best om het te onderdrukken, sloeg toen haar hand tegen haar mond en gaf eraan toe. Ze schudde van de lach en de makelaar straalde.

'Ik maak ook graag mensen aan het lachen. Vooral jonge vrouwen. Hun lach is de zoet...'

Op dat moment ging de glazen deur van Renaissance Vastgoed open.

Secretaris Kothari kwam binnen met nog een man – lang, donker, gekleed als een handelsreiziger in een wit overhemd en zwarte broek.

'Wat is het, Kothari?' vroeg Ajwani. 'Ik zit met een klant.'

'Het is dringend,' zei de secretaris.

Ajwani zat te praten met een jonge vrouw in een hemelsblauwe sari die haar navel vrij liet. Op dit moment kon er niets dringender zijn.

'We zoeken naar een flat met twee slaapkamers voor haar ouders en haarzelf. Ik kom wel naar uw kantoor toe als we met ons werk klaar zijn, Kothari. En u, meneer, ik heb geen interesse in nog een verzekering, dank u zeer.'

'Ajwani, Ajwani.' De secretaris plantte zijn vuisten op de tafel. Zijn stem trilde. 'Al uw dromen staan op het punt om uit te komen, Ajwani.'

De man die eruitzag als een verzekeringsagent ging zitten en schoof een stuk papier over het gelamineerde tafelblad naar de makelaar.

Ajwani zette zijn halve bril op, pakte toen het papier op en begon te lezen.

Op een kruispunt van straten net achter de groente- en fruitmarkt stond een kleine hindoetempel. Bedelaars kropen eromheen, bruingevlekte geiten zwierven eromheen, mevrouw Puri bad.

Duw hem weg, God. Die steen die Ramu's geest blokkeert. Zo had ze het zich altijd voorgesteld: een grote kei had de geest van haar Ramu opgesloten in een grot. Zorg ten minste dat de steen niet verder naar achteren rolt en hem dieper de grot in duwt. Wie zal er voor hem zorgen als hij oud wordt?

Als het om plekken van eredienst in Mumbai ging, was mevrouw Puri een deskundige. Moslim, christelijk en hindoe, ze was bij allemaal geweest voor haar Ramu. Haji Ali, Mount Mary, SiddhiVinayak, Mahalakshmi, noem maar op, zij had er gebeden.

Ze gaf elk van de bedelaars die bij de tempel hurkten een rupee, en zorgde ervoor dat ze hun geld verdienden – 'Ramesh Puri. We noemen hem Ramu. Bid voor hem met al je kracht' – en ging naar de markt om verse groenten voor het avondeten te kopen.

Kromme groene stengels met gele bananen eraan hingen van de zoldering van de groentewinkels; glimmende plastic pakjes met instant Chinese noedels en maltpoeder glitterden naast de bananen als nouveau riche-neefjes. Twee katholieke priesters, van top tot teen in witte soutanes gehuld, stonden aan de toonbank van een van de winkels te luisteren naar de eigenaar die het prepaidsysteem voor mobiele telefonie van Reliance uitlegde. Mevrouw Puri luisterde mee. Reliance? O nee. Vodaphone had hier een veel betere ontvangst. Ze stond op het punt de twee heilige mannen te behoeden voor zwendel, toen: 'Goeienavond, Sangeeta-ji.'

Ibrahim Kudwa (4A) passeerde haar op zijn Honda Activa-scooter en zwaaide. Zijn vrouw had haar armen om zijn middel geslagen en zijn tienjarige zoon Mohammad zat voor hem in zijn witte vechtsporttenue (GOJU-RU TAEKWONDO). In zijn omvangrijke, opbollende witte *kurta* zag Kudwa er uit als een gebleekte kangoeroe die zijn hele familie in zijn buidel vervoerde.

Mevrouw Puri voelde zich lichter. Ze was jaloers op Kudwa's gelukkige gezinsleven – net zoals ze wist dat hij heimelijk jaloers was op Ajwani met zijn Toyota Qualis, net zoals Ajwani waarschijnlijk jaloers was op iemand anders, en die keten van jaloezie verbond hen en liet elk van hen zien wat er aan zijn leven ontbrak, maar het bood hun ook de troost dat het geluk naast de deur bestond, in het leven van een buurman, onderdeel van dezelfde corporatie.

Ze kwam terug in Vishram met brinjals en bieten.

De secretaris en meneer Ajwani stonden met gevouwen handen bij het zwarte kruis. Een man in een wit overhemd en een zwarte broek – ze herkende hem als een van de twee die die dag vragen waren komen stellen – zat achter hen op een mobiel te toetsen.

'Mevrouw Puri.' De stem van de secretaris trilde. 'Snel. Naar uw kamer. Uw man wil het u zelf vertellen.'

Haar hart kromp samen. God, wat hebt u mijn gezin nu weer aangedaan? Wat voor nieuwe gruwel?

Mevrouw Rego stond dwars voor de ingang van de corporatie. 'Het is een illusie, mevrouw Puri. Dat moet u wel begrijpen. Dat geld komt nooit.'

'Laat me erdoor.' Mevrouw Puri duwde het Slagschip bijna opzij. Ze rende de trap op naar haar Ramu. Haar huisdeur stond open. Haar man en de jongen zaten samen in het donker.

'Wij allemaal... allemaal... allemaal in dit flatgebouw...' zei meneer Puri toen ze het licht aanknipte.

'Ja?' fluisterde ze. Ze streelde met haar hand over Ramu's voorhoofd. 'Ja?'

'We hebben onze belasting betaald en elkaar geholpen en we zijn naar SiddhiVinayak gegaan en naar de Mount Mary-kerk en de Mahim-kerk...'

'Ja?'

'...en nu worden wij allemaal in dit gebouw, alle goede mensen die wij zijn, gezegend door Gods hand.'

En toen vertelde haar man haar waarom de secretaris, Ajwani, en de vreemde man bij het zwarte kruis stonden en waarom het Slagschip de ingang probeerde te blokkeren.

Rum-pum-pum. Ramu voelde de opwinding en liep om zijn ouders heen. Rum-pum-pum-pum-pum-pum-pum.

Meneer Puri keek naar zijn vrouw. 'Nou? Wat dacht je ervan?'

'Als dit echt waar is,' zei ze, 'zou het het eerste wonder in mijn leven zijn.'

In de afgelopen drie decennia waren de bewoners van Vishram Corporatie 3A (Murthy) en 2A (Pinto) vier mensen met dezelfde slaapgewoonten geworden. Als een van de echtparen vroeg naar bed ging, zette het andere echtpaar de televisie uit en ging naar bed. Als het ene echtpaar besloot tot laat in de avond mee te zingen met Lata Mangeshkar, zong het andere echtpaar ook tot laat in de avond mee met Lata Mangeshkar.

Vanavond genoot meneer Pinto een periode van slapeloosheid. Hij staarde naar zijn plafond. Dertig jaar lang was dat plafond – met de kroonluchter in het midden als een lichtgevende bron van intelligentie – een afbeelding geweest van de geest van zijn buurman en vriend.

'Waarom loopt hij zoveel rond, Shelley? Het is al na tienen.'

Mevrouw Pinto lag naast hem. Omdat ze bijna blind was ging ze niet mee met haar man en Masterji op hun biryani-uitjes.

'Maak je geen zorgen,' zei ze.

'Weet je zeker dat hij diabetes heeft? Hij is nog niet naar een dokter geweest.'

Mevrouw Pinto, die de kroonluchter niet kon zien, concentreerde zich op de voetstappen die van de ene kant van de kamer naar de andere liepen, dan stopten (even pauzeren bij het raam) waarna ze omkeerden.

'Het is geen diabetes, meneer Pinto.'

'Wat dan wel?'

Mevrouw Pinto begreep meer van mannen. Op haar leeftijd is het lichaam een automatische machine geworden die met voorspelbare zenuwtics, korte herhaalde bewegingen functioneert, maar de geest is nog steeds in staat tot al zijn zonderlinge sprongen. Uit het patroon van de voetstappen raadde ze hoe het werkelijk zat met die man daarboven.

'De avonden moeten vreselijk zijn.'

Zo veel maanden alleen, zonder een hand om in het donker aan te raken.

Mevrouw Pinto draaide zich om in bed, zodat ze niet hoefde te luisteren.

'Hij is niet de enige die rondloopt,' zei haar man. 'Hoor je dat? Er is iets gaande in de flat.'

In de slaapkamer hing een lichtgevend portret van de Heer Balaji in Tirupati, de lievelingsgodheid van zijn vrouw, aan een haakje aan de muur. Naast het portret van de god stond een halfautomatische wasmachine, en een katoenen matras voor gasten, opgerold als een gestreepte roze aardworm, was op een stoeltje naast de machine gelegd. Een vierkant raam met ijzeren tralies keek uit op het zwarte kruis in de tuin.

Langs de muren ingebouwde kastdeuren, maar het waren nepkasten, bedoeld als imitatie van het huis van iemand met meer geld – achter de deuren bevonden zich zes groenmetalen Godrejalmira's, waarin Purnima alles had opgeslagen, vanaf haar bruidssieraden tot de boeken waarin ze de huishouduitgaven bijhield. Masterji had alleen mogen toekijken als ze zocht in een dikke sleutelbos tot ze de juiste vond, een almira opende en eruit haalde wat ze wilde. Hij wist dat één plank in een almira voor haar sari's was. Eén was voor sari's waartussen munten en bankbiljetten verstopt waren, één was voor sari's waarin chequeboekjes waren gewikkeld, één was voor de papieren van de scholen van hun kinderen en één voor hun financiën. Een maand na haar dood had Gaurav gebeld en gevraagd naar haar diamanten halssnoer dat ze gekocht had in de *Vummidi*-winkel in Chenni. Sonal maakte zich zorgen dat de sieraden van haar schoonmoeder zoek zouden raken. Masterji had gezegd dat hij niets wist van zo'n halssnoer, maar hij beloofde in de kasten te zoeken. Hij was ervan overtuigd dat de kilheid van zijn zoon vanaf dat moment begonnen was.

Masterji deed een kast open en staarde naar de Godrej-almira erbinnen, waarin hij zichzelf weerspiegeld zag. Er was een smalle, manshoge spiegel bevestigd tegen de achterwand van de almira. Honderden rode stippen (steenrood, modderrood en bloedrood) overdekten het bovenste deel van de spiegel, zijn vrouw plakte altijd een van die *bindi's* op haar voorhoofd als ze het huis uit ging. Masterji vond dat de spiegel hem op een man met een zieke huid deed lijken, of op een boom in bloesem.

In de keuken begon de oude kalender tegen de muur te klapperen, weer had hij het gevoel dat zijn vrouw daar uien aan het hakken was.

Er zat nog een sleutel in het slot van de almira. Hij draaide hem om en zag dat de planken leeg waren op één na, die met kranten was bedekt en beschermd werd met kamfer-mottenballen. Er lag alleen een oude zijden sari in.

Haar bruidssari.

Hij sloot zijn ogen en bracht zijn handen tot dicht bij de gouden zoom van de sari. Hij ademde de kamfergetinte lucht van de plank in. Hij dacht aan de keer dat hij haar niet had verdedigd tegen haar broers in Suratkal. De oude kalender sloeg sneller tegen de muur, *tap-tap-tap*, en nu wist hij zeker dat Purnima tegen hem sprak. *Tap-tap-tap.* Ze wilde niets over het verleden horen. Ze wilde horen over het buurmeisje. De journaliste.

Hij ademde meer kamferlucht in om kracht te krijgen en hij bekende. Een menselijk wezen op zijn eenenzestigste is gloeiende wellust tussen oude botten, Purnima. Het buurmeisje maakte hem onrustig, dat was waar. Hij dacht dat zijn vrouw wel boos zou zijn, maar ze was nu ergens waar de boosheid voorbij was. De kalender klapperde weer: ze zei dat hij zich niet moest opwinden. Ze begreep nu dat een man zichzelf niet kan straffen voor zijn verlangens die hem vanuit een andere wereld toegezonden worden, en ze wist dat hij hetzelfde moest hebben gevoeld voor andere vrouwen – zijn collega's op school, misschien zelfs vrouwen die in de Vishram Corporatie woonden – maar hij had die begeerten onderdrukt en was haar trouw gebleven, en die zelfbeheersing was verdienstelijk, iets wat haar hielp op haar tocht over de oceanen. Waarom, zo vroeg ze, schaamde hij zich nu ze dood was voor het feit dat hij geprikkeld was? Schaamte en schuldgevoel, antwoordde hij met een oprechtheid die hij nooit had kunnen opbrengen toen Purnima nog leefde, die twee hadden meer dan de helft van een mensenleven bepaald. Voor zijn generatie, of voor zijn type man binnen die generatie, was dat altijd zo. Klopt, zei ze, klopt, en ze sloeg met haar vleugels en steeg op boven de oceaan. Ze begreep dat het leven van haar man aangetrokken was geweest door de zwarte magnetische polen die 'Schaamte' en 'Schuldgevoel' heetten, toch moest een van de grijze golflengten daartussenin 'Geweten' zijn. Dat vage lijntje moest hij zien te vinden. Om hem te geleiden door wat hierna zou komen.

De uitwasemingen van kamfer, oude kranten en zijden sari maakten hem doezelig.

In plaats van het beeld van de ziel van zijn vrouw zag Masterji zichzelf in het lichaam van een arend over een oceaan vliegen, alsof zijn eigen dood en de daaropvolgende rechtszitting al begonnen waren.

Toen hij een luid, regelmatig geklop op de deur hoorde, was zijn eerste gedachte dat het de deurwaarder was die hem kwam halen voor zijn proces.

Hij deed de deur open en zag meneer Pinto staan.

'Waarom belt u niet?'

'Hij doet het niet.' Meneer Pinto drukte op de bel als bewijs.

Nu werd Masterji zich bewust van stemmen op het binnenterrein en voetstappen in het trappenhuis. Vanaf het terrein hoorde hij het Slagschip roepen: 'Illusie! Illusie!'

De twee oude mannen liepen de trappen af naar het mededelingenbord, waar een zestal mensen zich verzameld had. Masterji zag Ibrahim Kudwa, zijn vrouw Mumtaz, mevrouw Saldanha, haar dochter Radhika en mevrouw Abichandani van de eerste verdieping, met de secretaris die zei: 'Hoe had ik het iemand eerder moeten vertellen? Ik ben er vanavond pas achter gekomen.'

Masterji vroeg zacht of de mensen opzij wilden gaan, tot hij dichtbij genoeg was om de aankondiging te lezen die op het middelste paneel geprikt was.

ALGEMEEN AANBOD TOT RENOVATIE:

AAN VISHRAM CORPORATIE A EN B.

VOORSTEL VAN DE CONFIDENCE GROUP

(HOOFDVESTIGING NAVNIRMAN BUILDING, PAREL, MUMBAI).

TER ATTENTIE VAN DE SECRETARISSEN VAN
CORPORATIE A EN B EN ALLE BEWONERS

In verband met plannen ter ontwikkeling van een nieuw superluxueus woningproject op de huidige locatie van de Vishram Corporaties A en B, doet de Confidence Group de Vishram Corporaties (Toren A en B) een bod ter verwerving van alle appartementen in genoemde corporaties op de volgende basis:

Vastgesteld hebbende dat de beide corporaties bestaan uit appartementen met één en met twee slaapkamers, in oppervlakte uiteenlopend van 41 vierkante meter tot 87 vierkante meter en een gemiddelde oppervlakte van 73 vierkante meter, voorts dat de geldende prijzen in Vakola tussen de 87.000 en 135.000 rupee per vierkante meter liggen, en mogelijk nog lager bij een pand van de ouderdom en in de staat van de Vishram Corporatie, wordt er een ruimhartig bod gedaan aan alle eigenaars van een uniform bedrag van 206.000 rupee per vierkante meter.

Voorbeeld: een eigenaar van een appartement van 74 vierkante meter ontvangt een bedrag van 1,52 crore (15.200.000 rupee) bruto. Dit wijkt af van de marktwaarde van vermoedelijk maximaal 60 tot 70 lakh (6.000.000 tot 7.000.000 rupee), en dat uitsluitend nadat de bewoners hebben betaald voor reparaties, schilderwerk etc. van hun appartement en de corporatie. Talloze andere financiële en fiscale voordelen van het aanbod zullen worden voorgelegd door de directeur van de Confidence Group, de heer Dharmen Shah, die persoonlijk naar uw corporatie zal komen om de bewoners toe te spreken.

Indien de bewoners dit gulle aanbod aanvaarden, zal het bedrag in drie termijnen betaald worden. De eerste termijn bij het tekenen van de overeenkomst, een tweede bij het ontruimen van het gebouw en een derde binnen drie maanden, op een te bepalen bankrekening. Daarnaast zal een huurbedrag voor acht weken, berekend op basis van de gemiddelde huren in Vakola voor een nette flat met twee slaapkamers, aan elk gezin worden uitgekeerd, zodat ze in de wijk kunnen blijven tijdens het zoeken naar een nieuwe woning. Alle betalingen zullen per cheque geschieden. Bankrekeningen kunnen bij alle staatsbanken lopen (Corporation Bank, Punjab National Bank, etc.) of bij erkende particuliere banken van goede reputatie (HSBC, HDFC, Karur Vyasa, etc.). Vraag de projectontwikkelaar om een lijst van geaccepteerde banken.

Iets over de Confidence Group. Ons motto luidt: 'Mijn gezin, uw gezin'. Wij zijn opgericht in 1978 en een van de meest vooraanstaande projectontwikkelingsmaatschappijen in Mumbai, en ontwikkelen tevens projecten in Thane en Pune. De General Manager van de Confidence Group, de heer Shah, heeft talloze gouden medailles en lovende onderscheidingen ontvangen. De Rotary Club gaf hem een eervolle vermelding wegens zijn charitatieve bijdragen en zijn filantropische visie op de mensheid. Hij is in wezen een huisvader, mijdt de glamour van de uitgaanswereld en richt zich op de kwaliteit van zijn werk en streven. Tevens is hij een hartstochtelijk schaker en carrom-speler. U kunt kennismaken met zijn talloze al dan niet voltooide projecten via de brochures van de Confidence Group, die ter inzage zijn neergelegd bij de secretarissen van de corporaties.

Belangrijk: De laatste datum om het aanbod te aanvaarden is de dag na Gandhi Jayanti, 3 oktober (onvoorwaardelijk). Na die datum zal het aanbod geen minuut langer gelden.

BOEK TWEE

DE HEER SHAH LEGT ZIJN VOORSTEL UIT

14 MEI

Geeuwend liep Shanmugham het parkeerterrein van Mirchandani Manor af, het hek door – de bewakingsman, in twijfel of dit een ondergeschikte of een vriend van meneer Shah was, stond op zonder te groeten – en daalde brede stenen treden af, langs oude mannen die strekoefeningen deden, tot hij op het frisse, schone strand stond.

Versova Beach. Hij zoog een grote teug vroege ochtendbries van de oceaan op. Er waren een paar vissersboten op zee, hij wendde zich naar het noorden om de kokospalmen op het afgelegen Madh Island te zien, strekte zijn nek uit, hief zijn armen boven zijn hoofd en draaide zich om naar de andere kant van het strand – en huiverde.

Hij was vergeten hoe Versova in de morgen was.

Hier, aan dit strand in deze chique noordelijke buitenwijk van Mumbai, was de helft van het zand gereserveerd voor de rijken, die zich ontlastten in hun torens, en de andere helft voor sloppenbewoners, die dat in de golven deden. Bewoners van de sloppen die waren opgerukt naar het strand zaten gehurkt bij de golven te poepen.

Midden over het strand liep een onzichtbare lijn als een hek dat onder stroom stond; achter die lijn waren de bankiers, modellen en filmproducenten van Versova bezig met tai-chi, yoga of on-spot-jogging. Achter de trainende menigte poseerde een vrouw in een uitpuilende rode jurk tegen de rotsen, terwijl een fotograaf schoot. Grote borden met zilverfolie die rondom het model omhooggehouden werden, weerspiegelden licht op haar lichaam en ze forceerde haar gezicht vol rouge in een nieuwe glimlach voor de camera's. Dakloze mannen stonden in een halve kring om de fotosessie heen, vanwaar ze luid en toepasselijk commentaar leverden op het uiterlijk en poseertalent van het model.

Met een blik op de lange, gewaxte ledematen die zichtbaar waren tussen het fladderende rode textiel, ging Shanmugham voorzichtig op twee stenen zitten.

Hij draaide zich om om naar Mirchandani Manor te kijken, dat op een rotsige oever achter hem lag: glanzend, beige, met een puntgevel. Op de zevende verdieping was het gordijn voor het raam nog dicht. Hij had om halfzeven 's morgens een sms van de baas gekregen, hij nam aan dat ze tegen negenen naar Vishram zouden vertrekken.

Goed.

Meneer Shah had er gisteren bij moeten zijn toen het aanbod gedaan werd, hij had zijn tanden moeten laten zien, hun vertrouwen winnen, ze moeten omkopen met glimlachen en handen schudden, als een politicus een act moeten opvoeren met de baby's en dan vertrekken met een buiging en een citaat uit het een of andere heilige boek. Zo was het tot nu toe altijd gegaan. Als je zaken uitstelt snuiven advocaten en NGO's je lucht op, de gieren komen omlaag cirkelen.

Maar kijk de baas nu, opgesloten hier in Versova, zijn tweede huis, de hele vorige avond en nacht. Alleen maar omdat die astroloog in Matunga hem had gezegd dat gisteravond weliswaar *gunstig* was om het aanbod te doen, maar *ongunstig* voor een persoonlijk bezoek. De baas werd steeds bijgeloviger, dat stond buiten kijf. Een jaar of twee geleden zou hij de sterren hebben gedwongen om hem betere tijden te leveren. Of misschien waren het niet die sterren, maar die verbleekte ster op de zevende verdieping van Mirchandani Manor, die meneer Shah hier vasthield – het Versova-bezit binnen zijn bezitting in Versova. Shanmugham, een getrouwd man, meesmuilde.

Ach, Versova. Typisch voorstad nummer twee van de stad. Als je slaagt in Bollywood, dan woon je waarschijnlijk in Juhu of in Bandra, als je mislukt, dan ga je weg, maar als je slaagt noch mislukt, maar alleen maar hebt overleefd op zo'n grijze, dubbelhartige 'nummer twee'-manier, dan kwam je hier terecht.

Meneer Shah was menselijk. Hij had zijn lichamelijke behoeften. Shanmugham begreep dat.

Hij had alleen gewild dat de baas hem niet in het duister had gelaten over zijn astrologische afspraken – hij had geen idee of de astroloog de ochtend, de avond of de nacht had aangewezen als de tijd waarop ze naar Vishram moesten gaan. Tot het zover was, werd hij geacht in de buurt van de Manor te blijven.

Een van de zilveren borden die het zonlicht op het fotomodel weerkaatsten was gesponsord door een bank; op de achterkant stond in vette rode letters:

8,75% SAMENGESTELDE RENTE CANARA CO-OPERATIVE BANK

365 DAGEN VAST DEPOSITO

GEEN BOETE BIJ OPNAME

STAP NU IN!

Shanmugham kwam dichterbij, werd weggejaagd door de bewakers van het model, grijnsde en maakte dat hij weer bij de rotsen kwam.

Tijdens zijn opgang in het leven had hij de kleine kas ontdekt zoals andere mensen cocaïne ontdekken. Hij had een abonnement genomen op de *Economic Times*, keek naar CNBC TV en speelde met aandelen. Maar hij was een gehuwd man met kinderen, en het grootste deel van zijn geld was veilig opgeborgen in een bankdeposito. 2,8 lakh rupee bij de Rajamani Co-operative Bank, tegen 8,65 procent voor 400 dagen. Hij was trots geweest op die rente, hij had zijn bankmanager gedwongen 0,15 procent extra te geven boven op de normale leenrente.

Een helikopter streek over het strand met zijn luidruchtige schaduw. Shanmugham zat op zijn knieën te rekenen in het warme zand (8,65 procent tegenover 8,50 procent, 400 dagen tegenover 365), terwijl de golven schuim vormden op het strand als de extra samengestelde interest die hij binnenkort zou krijgen op zijn hoofdsom bij de Canara Co-operative Bank.

De oceaan die onder je raam klotst, een hagedis tegen het plafond die je met dikke, afgunstige ogen observeert en in de kamer ernaast een vrouw, zesentwintig jaar jonger, die haar pasgewassen haar borstelt en golven aardbeien en aloë naar je neusgaten stuurt.

Dharmen Shah geeuwde. Hij zag geen reden om uit bed te komen.

'Wakker?' riep Rosie vanuit haar kamer. 'Kom eens kijken wat ik voor je gekocht heb, oompje. Een verrassing.'

'Laat me slapen, Rosie.'

'Kom nou.'

Ze pakte hem bij zijn hand en leidde hem de woonkamer in. Daar stond hij tegen de bank geleund, een ingelijste poster in drie delen waarop de bouwstadia van de Eiffeltoren te zien waren.

'Voor u, meneer de bouwer. Om in je kantoor te hangen.'

'Heel lief van je, Rosie,' zei Shah, en hij legde zijn hand op zijn hart. Hij was echt ontroerd, ook al was het zijn geld geweest.

'Eiffel,' zei hij, toen hij aan de gelamineerde eettafel voor de keuken zat, 'was dezelfde vent die het Vrijheidsbeeld gebouwd heeft. Wat zouden wij in India met hem doen? We zouden vragen: wat is je kaste, wie is je familie, wat is je achtergrond, sorry, je kunt gaan.'

De dikke man strekte zijn handen uit en boog zijn tenen. Rosie draaide zich om vanuit de keuken en zag hem goedmoedig geeuwen.

'Rosie,' zei hij, 'heb ik je ooit verteld dat ik de zoon ben van mijn vaders eerste vrouw?'

'Nee, oompje. Je vertelt me nooit wat over jezelf.'

'Ze hesen mijn moeder op een dag uit een put. Dat is de oudste herinnering die ik heb.'

Ze kwam de keuken uit en veegde haar handen af.

'Ik was vier. Ze sprong in de put bij ons huis in Krishnapur.'

'Waarom deed ze dat?'

Hij haalde zijn schouders op.

'Een jaar later had ik een stiefmoeder. Ze had vier zoons. Zij kregen alle liefde van mijn vader. Hij keek niet eens meer vriendelijk naar me. Het ergste was dit: hij maakte dat ik me ging schamen, Rosie. Het was of de zelfmoord van mijn moeder mijn schuld was. Hij wierp een boze blik op me als iemand het erover had.

'En toen?'

Toen kwam de dag dat hij naar zijn vaders groentewinkel ging en vroeg: 'Mag ik een fiets, vader? Het is mijn zestiende verjaardag', om te horen te krijgen: 'Nee.' Ook al had een jongere halfbroer er een gekregen. Hij begreep dat een tweede plaats was wat er van de zoons van een eerste vrouw verwacht werd, en ging de volgende morgen van huis weg met twaalf rupee en tachtig paisa die hij had gespaard. Hij liep, nam de bus, nam de trein, zijn geld raakte op en hij liep weer tot de sandalen van zijn voeten gevallen waren en hij er bananenbladeren omheen moest binden. Hij bereikte Mumbai. Hij was niet één keer teruggegaan naar Krishnapur.

'Niet één keer?'

'Waarom zou ik teruggaan? Wat is daar? In het dorp leef je als sociaal dier, Rosie: je maakt het je vader, grootvader, broers, neven naar de zin. Je kaste. Je gemeenschap. Hier ben je vrij. De stad.'

Rosie wachtte of er nog meer kwam, maar hij zweeg. Ze stond op van tafel.

'Ik breng je zo de toast, oompje.'

'Boter. Veel boter.'

'Dat weet ik toch? Dat is het enige op de wereld waar jij van houdt: verse boter.'

Even later zat hij aan tafel boter van driehoekige stukken toast te likken. Ze keek naar hem vanuit de keuken, haar handen afvegend langs de zijkanten van haar spijkerbroek.

'Is er vandaag iets gebeurd, oompje? Je bent zo spraakzaam.'

'Satish zit in de problemen. De tweede keer al dit jaar.'

'Wat voor problemen, oompje?'

'Haal nog wat toast.'

Rosie kwam terug met nieuw brood dat ze met de achterkant van haar vingers op zijn bord schoof.

'Het Shanghai, Rosie. Heb ik je al verteld dat mijn nieuwe project zo heet?'

'Wat is er met Satish gebeurd, oompje?'

'Daar wil ik niet aan denken. Ik wil over mijn Shanghai praten.'

'Zo saai, oompje. Je weet dat ik niet hou van praten over de bouw. Een beetje marmelade?'

'Iedere man wil dat hij herinnerd wordt, Rosie. Ik ben niet anders. Als je ziek wordt, ga je over die dingen nadenken. Ik ben begonnen als aannemer, toen ben ik begonnen aan de renovatie van de sloppenwijken, omdat de grote projectontwikkelaars hun handen er niet aan vuil wilden maken. Als ik moest kontlikken bij een politicus dan deed ik het, als ik een ander zakken geld moest geven voor zijn verkiezing, geen probleem. Ik klom op. Als een hagedis klom ik tegen muren op waar ik niet mocht klimmen. Ik kocht een woning in Malabar Hill. Ik heb mezelf geleerd om in stijl te bouwen, Rosie. De art-decostijl van Marine Lines. De gotische stijl van het Victoria Terminus-station. En al die stijlen verwerk ik in dit nieuwe project: het Shanghai. Als het klaar is, als ze het zien, stralend en modern, dan zullen de mensen mijn levensverhaal begrijpen.'

Toen hij was aangekomen in de stad waar hij niemand kende, had hij in de rij gestaan voor een jaintempel in Kalbadevi waar hij twee keer per dag eten kreeg. Een winkelier had met zijn voeten te doen en gooide hem zijn eigen chappals toe. Hij begon te werken als bezorger voor die winkelier en binnen een jaar leidde hij een eigen winkel.

In een socialistische economie moet de kleine zakenman een dief zijn om vooruit te komen. Voor zijn twintigste smokkelde hij goederen uit Dubai en Pakistan. Ja, zou hij scrupules hebben om met de vijand handel te drijven als hij in zijn eigen land als een bastaard behandeld werd? De piraterij voelde heel natuurlijk aan; in vrachtwagens waarop 'noodhulp graanleverantie' stond importeerde hij dozen met horloges en wekkers uit het buitenland naar Gujarat en Bombay. Maar toen werd de grondwet van India opgeschort en de noodtoestand uitgeroepen – de politie kreeg orders om alle zwarthandelaren, smokkelaars en belastingontduikers op te pakken. Zelfs al verafschuwde je die periode, je moest bewondering hebben voor het lef: de enige keer dat iemand een beetje wilskracht vertoonde in dit land. Hij moest van zijn zwarte geld af – *de mens is voortgekomen uit de aarde*, zo dacht hij, *hij kan net zo goed zijn geld weer in de aarde terugstoppen*. Er werd een bouwmaatschappij opgericht – met een Engelse naam natuurlijk. Hij maakte deel uit van de nieuwe wereld van talent en niets anders. Smokkelen was voor de kleine man, ontdekte hij, het echte geld in deze wereld ligt in het legale gebeuren. Hij begon als aannemer voor een andere bouwmaatschappij aan Mira Road en ontdekte algauw dat hoeveel hij ook van beton en staal hield, hij nog meer van mensen hield. Het menselijk wezen was voor hem de klei om te kneden. Om te beginnen het armere menselijk wezen. Hij ging in de 'renovatie' van *chawls* en sloppen, hij kocht de bewoners van afgeleefde panden uit om ze te laten vervangen door wolkenkrabbers en winkelcentra, een taak die gelijke doses bruutheid en charme vereiste, en die voor de meeste bouwers te subtiel bleek, maar die hij uitvoerde met de kneepjes uit zijn smokkeljaren: hij werkte samen met politici, politiemensen en schurken om mensen om te kopen en uit hun huis te zetten. Met een intuïtieve eerlijkheid die hem ertoe bracht om (anders dan vele anderen in zijn vak) aan gulhartigheid de voorkeur te geven boven geweld, verwierf hij de reputatie van een man die anderen rijk maakte. Altijd overreedde hij een halsstarrige bewoner liever met een cheque dan hem met een mes te bedreigen om een pand te verlaten, en hij wachtte tot er geen andere mogelijkheid meer was dan de uiterste stap te zetten (zoals hij bij zijn laatste project in Sion had gedaan) en Shanmugham op te dragen het definitief aan te pakken: iemands hoofd uit een raam te houden en duidelijk te maken dat de rest van hem binnen drie seconden zou volgen – tenzij er een handtekening op het papier kwam. (Die kwam er.)

Rosie stopte nog wat brood in de rooster. Shah hoorde de klik van de rooster en dacht met dankbaarheid aan haar, de vrouw die zijn leven voorzag van toast en bloemenparfum, dit mollige meisje uit de provincie – *helemaal uit Ranchi, stel je voor.* Hij likte zijn vingers af en wachtte op meer brood. Wat was er toch weinig nodig om gelukkig te zijn in het leven: zachte, witte bedden, toast met boter en dikke jonge meisjes, drie pleziertjes die in wezen onderling verwisselbaar zijn.

In de douche stroomde het warme water door vergulde leidingen; hij stond op groen onyx en voelde de warmte op zijn schedeldak.

Zijn vrouw was vijf jaar geleden gestorven. Na een jaar, waarin hij teruggetrokken had geleefd, was hij begonnen vrouwen mee te nemen naar hotelkamers. Toen bouwde hij hier zijn eigen hotel, op de zevende verdieping van dit pand, Versova. Donzen peluws en kussens, zuiver witte beddenlakens met een weefdichtheid van 2,8 micron om allergene stoffen tegen te houden. Lichten die aangaan als je in je handen klapt, je hoeft er niet eens je bed voor uit. Het appartement in Malabar Hill was rommeliger, overgeleverd aan Giri's nukken, en het was zijn thuis, daar gingen dingen stuk. Deze woning met uitzicht op zee had de weelde van een zondepaleis.

'Hoe is het vandaag met je spuug, oompje?' riep Rosie naar de badkamer. Een rol die elke maîtresse vroeg of laat op zich nam, die van surrogaatmoeder.

'Helder, Rosie.'

Hij hoestte en spuwde, doopte toen zijn vinger in het speeksel en inspecteerde het. In december was het veel donkerder geweest, soms met rode vlekjes.

'Niet liegen, oompje. Ik hoor wel hoe je hoest. Net als de donder, zoals je in films hoort.'

'Als ik het menselijk lichaam had moeten ontwerpen, had ik het

veel beter gedaan, Rosie. Ze hebben niet de beste materialen gebruikt. Ze hebben zich ervan afgemaakt. De constructie stort te snel
in.' Hij lachte. 'Maar het gaat best, Rosie. Met de hulp van Heer
SiddhiVinayak gaat het best.'

Met de hulp van de Heer. Rosie wist precies wat dat betekende.
Met de hulp van mijzelf. Net een filmproducent die zegt, nadat je
hem hebt gepijpt: 'Met Gods hulp krijg je een klein rolletje in deze
film.'

Ze zuchtte en ruimde de vettige borden van de tafel.

Zes maanden daarvoor: Shah had staan wachten op de bestelde
chow-mein die hij van zijn toenmalige maîtresse, Nannu, persoonlijk moest afhalen; ze had weer een hysterische aanval. Het knappe
meisje in het mouwloze topje had naar hem geglimlacht, liep onuitgenodigd op hem af en stak haar hand uit: 'Ik heet Rosie? Hoe
heet u?' Hij had meteen geweten wat het aanbod was. Dit was tenslotte Versova. 'Dank je,' had hij gegrijnsd en hij was weggegaan.
Nannu had een lichtere huid.

Toen hij de volgende morgen – een van die kleine dingen die
bij elkaar het leven zo mooi maken – de krant opensloeg, las hij
in een kolom aan de zijkant: 'Aankomend model gearresteerd in
sportschool in Oshiwara op verdenking van diefstal uit de vrou-
wenkleedkamer.' Hij las de naam van het meisje: 'Rosie'. Zijn wilskracht kreeg een uitdaging voorgeschoteld. Hij had zijn afspraken
van die ochtend afgezegd, was naar de sportschool in Oshiwara gereden, had de eigenaar geld toegeschoven, ging naar het politiebureau, kreeg haar vrij en toen hij haar bekeek, haar schouders, haar
haar, na een dag in de cel nog in goede conditie, had hij besloten:
ze kan ermee door. Nannu kreeg drie dagen tijd om deze flat te
ontruimen, waarna hij Rosie er installeerde en haar zei dat ze moest
doorgaan met waar ze voor naar Bombay was gekomen: proberen
iets te bereiken bij de film. Goedkoop gescharrel was niet meer
nodig zolang zij bij hem woonde, ze hoefde alleen maar één grote
scharrel en de vernedering te aanvaarden. Een of twee ochtenden
per week zocht ze een producent op voor een miezerig rolletje in

een nieuwe productie, soms leefde haar hoop op succes weer op, andere keren maakte ze zich zorgen over ouder worden, dan dacht ze dat het nooit zou lukken en vroeg hem om 'hulp' bij het opzetten van haar eigen kapsalon, en Shah beloofde haar dat ze die zou krijgen. Als hun relatie beëindigd was. Maar als ze tot dat moment naar een ander keek, zou ze met haar hoofd omlaag in de Indische Oceaan verdwijnen.

Toen hij onder de douche vandaan kwam, zong ze liedjes in een vreemde taal.

'Opera,' riep ze terug op zijn vraag. In Bollywood was Italiaanse opera een nieuwe rage, en ze probeerde stukjes van nummers te zingen. 'Aria's' heetten ze.

'Ariya,' zei hij, terwijl hij zijn haar droogde met een zachte witte handdoek. 'Zeg je dat zo?'

'Aaa-ria, oompje. Je moet woorden niet uitspreken als een karhengst uit Gujarati.'

'Ha, ha. Maar ik *ben* een karhengst uit Gujarati, Rosie.'

Weer zo'n gril van haar. Hij hield van al haar grillen. 'Neem een kamer met uitzicht op zee. Een van de muren is altijd weer nieuw,' zeiden ze in het vastgoedwereldje. Neem een vrouw die steeds verandert en je hebt een tiental vrouwen. Hij genoot van de geur van Pears' zeep op zijn huid, hij wilde haar in zijn armen.

'Waarom laat je me niet kennismaken met Satish, oompje? Ik ben van zijn leeftijd, ik kan met hem praten als hij in de problemen zit,' vroeg ze toen hij uit de badkamer stapte, nog steeds zijn haar drogend.

'Ik zal een maquette van het Shanghai voor je meebrengen, Rosie. Het is zo mooi, je moet het echt zien. Gotisch, Italiaans, Indiaas, art deco, alles bij elkaar. Mijn hele levensverhaal zit erin.'

'Waarom stel je me niet voor aan Satish, oompje?'

Hij boog zich voorover en wreef krachtiger, zodat de druppels van zijn haar irritant in haar gezicht spatten.

'Ik ben niet je prostituee! Ik ben niet je bezit! Ik geef geen reet om dat stomme geld van je!'

Met zijn hoofd naar de vloer gebogen, bedekt met zijn handdoek, hoorde hij voeten op de grond stampen, en toen een deur: *Klap!* Hij wreef over zijn haar en vroeg aan de vloer (donkergroene tegels met witte stukjes erin, een lievelingspatroon van hem dat hij in al zijn gebouwen gebruikte): als een vrouw zich zorgen maakt of je wel in haar geïnteresseerd bent, waarom doet ze dan net die dingen die je interesse in haar alleen nog maar verminderen?

In zijn stoel, uitkijkend over de oceaan en heen-en-weer wiegend neuriede Shah zijn favoriete liedje van Kishore Kumar. *Aa chal ke tujhe, mein...* Achteroverleunend in de stoel prikte hij met een vinger in het bed en bevoelde het beddengoed met 2,8 micron weefseldichtheid op het eersteklas springverenmatras; hij tilde de vinger op met een speldenprik van opladende wilskracht.

De weg naar een nieuw bouwproject in Bombay was bezaaid met kleine stenen – politie, juridische kwesties, hebzucht – en hij zou iedere gram lichaamsvet in hem nodig hebben om die stenen te verbrijzelen, een voor een. Voor ieder nieuw project moest hij, als was het een godsdienstig ritueel, naar dit appartement komen, naar het meisje met wie hij op dat moment was, Nannu of Smita of Rosie, haar parfum opsnuiven, toast eten, naar de oceaan kijken, de gouden leidingen in het toilet betasten. In de aanwezigheid van luxe groeide zijn vermogen tot gewelddadigheid altijd.

Hij klopte op haar deur. 'Ik tel tot vijf, Rosie.'

'Nee. Ik kom er niet meer uit. Je neemt me nooit mee naar je huis. Nooit.'

'Een,' telde hij. 'Twee. Drie. Vier.'

Een vrouwengezicht gluurde achter de deur op een kier.

Een uur later waste meneer Shah zijn gezicht, handen en borst in haar badkamer. Vanuit het raam zag hij een man in een wit overhemd en zwarte broek beneden aan het strand op de rotsen zitten krassen in het zand in afwachting van het telefoontje van zijn baas.

Niet één assistent had het werk zo lang gedaan als deze zonder te bezwijken voor vrees of hebzucht. Maar deze Shanmugham was dan ook een bijzondere. Een volbloed dobermann.

Hij belde Giri met zijn mobiel.

'Ik ga om vijf uur naar de SiddhiVinayak-tempel en daarna naar mijn corporatie in Vakola. Zeg tegen de jongen dat hij naar de tempel komt. Op tijd.'

Rosie lag op haar rechterzij, haar gezicht in haar armen verborgen. Hij ging naast haar liggen en klapte in zijn handen, het licht in haar kamer ging aan. Hij klapte nog eens – het ging uit – en nog eens – totdat Rosie zijn schouder aanstootte en zei: 'Hou op met dat kinderachtige gedoe.'

Shanmugham, nog steeds op zijn rots, had een steen opgeraapt en liet die in het zand ploffen, telkens weer.

Hij was bedonderd. *Bedonderd.*

Door zijn eigen bankmanager.

Hij wist nog precies wat die vettige oude witharige man hem had verteld: omdat hij zo'n gewaardeerde klant was, zou hij 'een extratje' krijgen boven op het vastgestelde rentepercentage ('de hoogste rente die legaal in deze stad te krijgen is, dat verzeker ik u'), en nu had hij ontdekt dat een strandparasol reclame maakte met een hogere rente.

Shanmugham gooide de steen weg, stond op van de rots en sloeg het zand van zijn broek.

Nadat hij had geluncht bij een Punjabi-*dhaba* waar hij zijn handen moest wassen met water uit een plastic container, keek hij toe hoe jonge vrouwen op loopbanden renden in een sportschool die 'Barbarian' heette, dronk om twee uur verse kokosmelk langs de weg en at hij om drie uur in een restaurant pistache-ijs van een porseleinen bord.

Hij verdeelde de plak ijs in zestien stukjes en at ze een voor een, om zijn verblijf in het restaurant te rekken. Rond het veertiende stukje ijs was hij er zeker van dat de dikke man van middelbare leeftijd in korte broek die acteur was die tien jaar geleden beroemd was geweest. Amrish Puri.

Niet Amrish. Hij strafte het stuk ijs door het te pletten met zijn lepel. Om Puri.

Kauwend op zijn vijftiende stukje dacht hij: *ik zit ijs te eten in een restaurant waar een filmacteur hetzelfde komt doen.*

Zoiets had hij nooit voor mogelijk gehouden vóór die dag, zes jaar geleden, toen hij in zijn armzalige makelaarskantoortje in Chembur had gehoord van een projectontwikkelaar die op zoek was naar een arbeidsbemiddelaar. Ze hadden afgesproken in een Zuid-Indiaas restaurant in de buurt. Meneer Shah goot thee op zijn schoteltje.

'Een simpele vraag.' De dikke man had hem twee goudberingde vingers getoond. 'Twee kamers. De ene is vier bij vijf, de andere tien bij twee. Allebei twintig vierkante meter. Klopt?'

'Jawel, meneer,' zei Shanmugham.

'Dus het bouwen kost evenveel. Klopt?'

'Nee, meneer.'

'Leg uit.' Meneer Shah slurpte thee van zijn schoteltje.

'De kamer van tien bij twee is 33 procent duurder, meneer. Vier plus vijf is negen, negen plus negen betekent achttien meter muur bouwen. Tien plus twee is twaalf, twaalf plus twaalf betekent vierentwintig meter muur bouwen. Je bouwt geen vloeren maar muren.'

'Je bent vandaag de eerste die het goede antwoord weet. Ik heb mijn arbeidsbemiddelaar ontslagen. Weet jij hoe ik aan arbeiders kan komen voor een klus?'

'Nee, maar vanavond wel,' had Shanmugham gezegd.

Zes maanden later had Shah hem op de bouwplaats gezegd: 'Onlangs heb je vechtende arbeiders uit elkaar gehaald. Ik heb het gezien. Jij weet rake klappen uit te delen.'

'Neem me niet kwalijk, meneer.' Shanmugham keek naar de grond. 'Ik zal het niet meer doen.'

'Verontschuldig je niet,' had Shah gezegd. 'We zitten niet in de politiek maar in de bouw. In dit vak moet je de waarheid zeggen, of er wordt nooit iets gebouwd. Weet je wat een linkerhand is?'

Shanmugham had dat toen niet geweten.

'Maakt niet uit. Je leert snel,' had Shah gezegd. 'Vanaf maandag kun je mijn nieuwe linkerhand zijn. Maar vandaag moet ik je ontslaan bij mijn bedrijf, en je moet al je visitekaartjes verscheuren. Als we ooit met de politie te maken krijgen, moet ik zeggen dat ik je ontslagen heb.'

Shanmugham schoof zijn ijs opzij, haalde een zwart boekje uit zijn zak en zocht een blanco pagina. Hij tekende een rechthoek met zeven kolommen en twintig rijen en maakte zo een kalendertje: de laatste datum was 3 oktober. Daarnaast schreef hij: Shanghai.

Hij sloeg de bladzijden om. De eerste paar bladzijden stonden vol met wijze uitspraken van meneer Shah, die hij al maandenlang noteerde.

Als het om werk gaat – opjagen, opjagen, opjagen. Als het om betalen gaat – uitstellen, uitstellen, uitstellen.
Kaste, godsdienst, familieachtergrond: niks. Talent: alles.
Wees tien procent guller voor de mensen dan je denkt dat je bent.

Hij klikte met een zwarte balpen en voegde er een van zichzelf aan toe: *Vertrouw niet op bankrelaties...*

Toen het zestiende stuk ijs smolt, betaalde hij zijn rekening en vertrok met een blik op de acteur.

Hij hield stil in de schaduw van een klein park.

Er kwam een zwarte straathond in de buurt van het park, bij zijn linkerbil glansde een lichtrood stuk vlees. Shanmugham dacht aan een bankmanager met grijs geolied haar. Aan 'een extraatje'. Met één oog dicht mikte hij met een scherpe steen op de open wond.

Zijn mobiel begon te piepen.

Om vier uur zocht mevrouw Pinto's linkerarm steun aan de muur. Haar *chappal* vond de eerste tree.

Toen haar gezichtsvermogen begon te vervagen, meer dan tien jaar geleden, had mevrouw Pinto het aantal treden nauwkeurig geteld (ze keerde zelfs op haar schreden terug als ze de tel was kwijt-geraakt), maar dat was niet meer nodig.

Aan de muren waren ogen voor haar uitgebot.

Ze wist dat ze drie treden afgedaald was als ze bij 'de Diamant' kwam: een ruitvormige holte in de vierde tree. Zeven treden en twee overlopen later kwam 'de Slechte Tand'. Als haar handpalm langs de zijmuur gleed, kwam hij een kiesvormige plek in het pleis-terwerk tegen, die aanvoelde als de achterkant van haar tanden als er gaatjes in zaten. Dat betekende dat ze bijna op de tweede verdie-ping was. Ze boog haar lichaam weer.

Ze voelde vaag een straling: de avondzon die door de ingang stoofde.

'Is daar iemand?' riep ze. 'Pas op als je hard loopt, Shelley Pinto komt naar beneden, stap voor stap komt ze naar beneden.'

Nu nog vijf treden tot de benedenverdieping. Ze hoorde de zwakke stem van haar man vanuit het plastic-stoelen-parlement.

'...als één persoon zegt: nee, de corporatie mag niet gesloopt wor-den. Dat is het idee van een Coöperatieve Bewonerscorporatie. Een voor allen, allen voor een.'

Ik wou dat hij iets slimmers dan dat gezegd had, dacht ze.

Gisteravond, toen hij net de trap op was gekomen met Masterji en haar verteld had over de mededeling op het bord, had ze willen huilen. Hun plannen voor de rest van hun leven waren gericht op de Vishram Corporatie. Wat moesten ze met geld? Van hun vaste deposito bij de vestiging Versova van de HDFC-bank trokken ze vierduizend rupee per maand, genoeg voor alle kosten; allebei hun kinderen hadden zich in Amerika gevestigd – een goed, christelijk land – een in Michigan, de ander in Buffalo. De kinderen waren ver weg, maar om hen heen hadden ze Vishram, warm, menselijk, ver-trouwd, het was de beschermende hoornlaag die ze in hun zware leven hadden afgescheiden. Vishram leidde Shelley zijn trappen af en door zijn geurige tuin. Hoe zou ze de weg moeten vinden in een vreemd, nieuw flatgebouw? Meneer Pinto en zijn vrouw hadden hand in hand op de bank gezeten, verliefder dan ze in jaren waren geweest. En toen Masterji zei: 'Als het voor jullie nee is, is het voor mij ook nee', was Shelley Pinto gaan huilen. Een echtgenoot naast haar en een wijs man als vriend.

De hele dag, of ze nu zat te ontbijten met Masterji, of in bed lag, had ze de discussie door Vishram horen gonzen. Stel dat de anderen de overhand kregen en haar zouden overbrengen naar een ander flatgebouw met vreemde muren en zonder 'de Diamant' en 'de Slechte Tand' of dat miljoen andere ogen van haar? Haar hart sloeg sneller. Ze was vergeten hoeveel treden er tussen haar en de benedenverdieping lagen.

De krachtige stem van mevrouw Rego wekte haar tot leven.

'Het is een illusie, meneer Pinto. Ik ken die projectontwikkelaars. Ze zullen nooit betalen.'

We hebben het Slagschip aan onze kant, dacht mevrouw Pinto. *Hoe zouden we kunnen verliezen?*

'We weten al die jaren al dat u vreemd bent, mevrouw Rego, maar we beseften niet dat u echt gek bent.' Mevrouw Puri vuurde terug op het Slagschip.

Mevrouw Pinto's hart zonk in haar schoenen. Mevrouw Puri staat aan *hun* kant. Hoe zouden we kunnen winnen?

'We leven in een democratie, mevrouw Puri. Niemand zal mij het zwijgen opleggen. U niet, en alle projectontwikkelaars ter wereld niet.'

'Ik zeg alleen maar, mevrouw Rego, dat zelfs een communist moet begrijpen dat als iemand ons 206.000 rupee per vierkante meter biedt, we ja moeten zeggen. Als je denkt aan alle reparaties die nodig zijn aan het gebouw en aan elke afzonderlijke flat voordat het verkocht kan worden – waterschade, nieuwe verf, nieuwe deuren – komt het dichter bij 250 procent van de marktwaarde. En bedenk eens hoeveel tijd het zal kosten om in deze buurt een koper te vinden. Meneer Costello heeft zes maanden gewacht, toen gaf hij het op en ging naar Qatar. Dit is boter bij de vis.'

'Maar zal die meneer Shah wel echt betalen?' De stem van Ibrahim Kudwa.

Goed. Ibrahim Kudwa, de eigenaar van het internetcafé, was de gemiddelde man in het pand. Als hij sceptisch was, was iedereen sceptisch.

'Luister,' zei meneer Pinto toen zijn vrouw het parlement betrad, tastend naar een stoel om vast te pakken. Het belangrijkste bewijsstuk.

Mevrouw Pinto besefte dat ze naar haar keken en glimlachte zo dat iedereen het kon zien.

'Wacht nu maar tot die man hier komt om met ons te praten, meneer Pinto,' zei mevrouw Puri. 'Is dat te veel gevraagd van u allemaal?'

Ibrahim Kudwa liep naar mevrouw Pinto en fluisterde: 'Ik had u willen vertellen over het bord dat ik veranderd heb, buiten vóór de corporatie. Ze hebben het gat nu dichtgegooid, maar er stond daar een bord. Er stond op: "Werk in uitvoering, excuses voor het ongemak", maar dat heb ik veranderd in "Ongemak in uitvoering, excuses voor het werk".'

'Dat is heel slim, Ibrahim,' fluisterde ze terug. 'Heel slim.'

Ze kon bijna horen hoe het bloed hem trots naar zijn wangen steeg. Ibrahim Kudwa deed haar denken aan Sylvester, een hondje dat ze ooit gehad had. Altijd had hij een 'goed zo' en een klopje op zijn hoofd nodig.

'Nu moet u ons allemaal excuseren. Shelley en ik gaan ons wandelingetje maken.'

Masterji, die in de 'eerste stoel' net had zitten doen of hij niet naar de tv in mevrouw Saldanha's keuken keek, stond in fasen op. Hij volgde meneer en mevrouw Pinto naar de muur om het terrein.

Achter zich hoorde hij de indiscrete Ibrahim Kudwa fluisteren: 'Hoe staat *hij* ertegenover?'

Masterji liep langzamer zodat hij de trouwe mevrouw Puri kon horen antwoorden: 'Toen zijn vrienden zeiden "wij willen het geld niet", zei hij: "ik ook".'

Ook al was hij tegen het bod geweest, ze was trots op hem en wilde dat iedereen dat wist.

'Hij is een Engelse gentleman. Alleen als de Pinto's van mening veranderen, doet hij het ook.'

Masterji onderdrukte een glimlach, liep sneller en haalde de Pinto's in. Shelley hield haar man vast, hij hoorde hoe ze haar stappen telde. Toen ze 'twintig' had gezegd, was ze uit de gevarenzone, waar de jongens hun cricketwedstrijd speelden, en hun ballen haar op haar wangen of in haar buik konden raken. Nu zou ze twintig stappen lang hibiscusplanten ruiken.

Mary was voor die avond klaar met het schoonmaken van de gemeenschappelijke ruimten van de corporatie en was nu bezig de planten in de tuin water te geven. Ze pakte de groene tuinslang op die de hele dag opgekruld in de tuin had gelegen als een slang in winterslaap, sloot hem aan op een kraan bij de tuinmuur, reguleerde de waterstroom met een duim op de slang en begon de hibiscusplanten wakker te schudden. Een-twee-drie-vier-vijf, met de slang in haar rechterhand telde Mary de seconden van besproeiing van elke plant af op de knokkels van haar linkerhand, als een mediterende brahmaan. Kleine regenbogen kwamen tot leven binnen de boog van het sproeiende water, verdwenen als het water wegviel en doken dan weer op op de druipende spinnenwebben die de takken onderling verbonden.

Mevrouw Pinto liet de geur van de hibiscus achter zich. Nu kwam 'het bloedpaadje', de tien meter waar de stank van rauw rundvlees uit de slagerswinkel achter de corporatie aan kwam golven, enigszins verzacht door de bloeiende jasmijn bij de muur.

'Dat is uw telefoon, Masterji.' Mevrouw Pinto draaide zich om.

Ze kon precies de kamer binnen het gebouw aangeven waar een geluid vandaan was gekomen.

'Dat zal Gaurav weer zijn. Zodra mijn zoon geld ruikt, belt hij.'

Gaurav had eerder gebeld, 's morgens. De eerste keer in maanden dat hij zijn vader belde. Hij legde uit dat 'tante Sangeeta' hem had verteld over het aanbod van de projectontwikkelaar.

'Ik wou dat mevrouw Puri hem niet gebeld had.'

'O, ze is als een tweede moeder voor die jongen, Masterji. Laat haar toch bellen.'

Masterji huiverde, maar hij kon het niet ontkennen.

Iedereen in de corporatie wist hoe mevrouw Puri en de jongen aan elkaar gehecht waren, het was een van de triomfen van hun gemeenschappelijk leven, een van de dwarsbalken van genegenheid die nu eenmaal ontstonden in een coöperatieve corporatie. Zelfs toen Gaurav voor zijn werk naar Marine Lines was verhuisd, had mevrouw Puri contact met hem gehouden en hem regelmatig pakjes pinda-*chikki* en ander snoepgoed gestuurd. Zij was degene geweest die hem gebeld had om te vertellen dat zijn moeder dood was.

Masterji zei: 'Ik heb Gaurav gezegd, je bent mijn zoon, dit is je thuis, je kunt me komen opzoeken wanneer je maar wilt, maar er valt niets te bespreken. De Pinto's hebben nee gezegd.'

En toen keek hij uit zijn ooghoek naar mevrouw Pinto en wachtte in de hoop dat zij hem ook 'een Engelse gentleman' zou noemen.

Meneer Pinto voltooide zijn ronde langs de tuinmuur en schraapte zijn chappals schoon op het grind rondom het wachthokje. Hij wachtte op zijn vrouw en Masterji met zijn magere handen op zijn heupen, als de winnaar van een geriatrische sprint.

'Zullen we samen ademhalingsoefeningen doen?' zei hij en hij gaf Shelley een arm. 'Dan ga je je weer jong voelen.'

Terwijl ze met z'n drieën aan het in- en uitademen waren, liep de secretaris langs met een grote microfoon, die hij naast het zwarte kruis neerplantte.

'Soda Pop' Satish Shah, sinds kort de schrik der geparkeerde auto's in Malabar Hill, stond om vijf uur bij de ingang van de bekendste hindoeschrijn in de stad, de SiddhiVinayak-tempel in Prabhadevi, op zijn vader te wachten.

Met de laatste aflevering van het tijdschrift *Muscle-Builder* in zijn rechterhand oefende hij triceps-curls achter zijn hoofd met zijn linkerarm.

Hij stopte even, sloeg een pagina van het blad om en deed nog wat oefeningen met zijn linkerhand.

Met zijn rechterhand voelde hij aan zijn neus. Hij deed nog zeer. Het was niet *zijn* idee geweest om de auto's met spuitbussen te bewerken. Hij had tegen de anderen van de bende gezegd: dat laat de politie nooit toe in de stad. Laten we naar de buitenwijken gaan, Juhu, Bandra. Daar kun je leven als een vorst. Maar luisterden ze?

Hoe dan ook: wat hadden ze helemaal gedaan? Een paar auto's en een busje bespoten. Het was niks vergeleken met wat zijn vader in zijn werk deed.

De klootzak werkt in de bouw, dacht Satish, en dan heeft hij het lef om tegen mij te zeggen dat ik de slechterik in de familie ben.

Denken aan zijn vader prikkelde hem om zijn triceps-oefeningen sneller uit te voeren. Hij dacht aan dat *gutka* kauwen van hem, als een dorpeling. Aan al die gouden ringen die hij droeg. Zoals hij het Engels uitsprak. Niks beter dan Giri. 'Sjo-sjial Ennimalz. Sjo-sjial.'

Satish voelde hoe iemand zijn arm vastgreep.

'Zoiets moet je hier niet doen. Je zou tot God moeten bidden en aan je moeder denken.'

Shah trok de arm van zijn zoon recht en duwde hem de tempel in. Shanmugham volgde.

De tempel was afgeladen, zoals op elk tijdstip van de dag, maar de Heer Ganesha stond open voor de logica van de vrije markt en via een 'snelle rij' voor iedereen die vijftig rupee per persoon kon betalen werden ze versneld het heiligdom binnengeleid.

'Over een paar dagen word je zeventien. Weet je wat ik deed toen ik zo oud was? Heb je wel gedacht aan al die mensen van wie jij de auto's hebt beschadigd? Jij gaat niet meer om met die bende. Begrepen?'

'Ja, vader.'

Tussen zijn dikke vingers hield zijn vader een cheque. Satish hield zijn hoofd schuin naar achter in de rij en zag dat het een gift was van één lakh en één rupee, opgenomen bij de Industrial Development Bank of India. Een verzoek aan God om zijn morele inborst te versterken? Nee, waarschijnlijk voor een nieuw bouwproject waar zijn vader vandaag aan begon. Elk project van de Confidence Group kon pas beginnen na twee goddelijke ingrepen: een telefoontje van een Tamil-astroloog in Matunga met de exacte tijd waarop de eerste steen moest worden gelegd, en een bezoek hier, aan de schrijn van Ganesha, wiens afbeelding het officiële logo van de Confidence Group was en op alle papieren en elk gebouw was aangebracht.

Het heiligdom was in zicht. Binnen vergulde zuilen stond de rode godheid omringd door vier brahmanen met ontbloot bovenlijf en enorme lichthuidige bolle buiken, die met een zijdeachtige laag donshaar overdekt leken: een *purdah* van menselijk vet rondom Zijn beeltenis. De laatste uitdaging voor de gelovigen: alleen een geloof dat honderd procent zuiver was zou *hierdoorheen* dringen tot de Heer.

Satish zag zijn vader zijn handen boven zijn hoofd ineenslaan. Achter meneer Shah deed Shanmugham hetzelfde. Wat lief: hij denkt dat mijn vader God is. Het zingen van de gelovigen werd luider – ze stonden nu recht voor het heiligdom – en Shah draaide zich om met een strenge blik op zijn zoon: 'Bid.'

Satish sloot zijn ogen, boog zijn hoofd en probeerde te denken aan iets wat hij echt wilde.

'Alstublieft, heer Ganesha,' bad hij, 'zorg dat mijn vaders nieuwe project mislukt en dan schrijf ik een veel grotere cheque voor u uit als ik geld heb.'

Om zes uur twintig, toen de projectontwikkelaar elk moment verwacht werd, lichtte het binnenterrein van Vishram op van de witte stoelen die in rijen tegenover het zwarte kruis stonden opgesteld.

De gebeurtenis had de stofwisseling van de oude corporatie versneld. De lantaarns boven de ingang waren zo gedraaid dat ze op de plastic stoelen schenen. De microfoon bij het zwarte kruis, geleend van de Gold Coin Corporatie, was bevestigd aan een luidspreker, geleend van de Hibiscus Corporatie. De leden van beide Vishram Corporaties bezetten de stoelen. Secretaris Kothari stond bij het kruis samen met meneer Ravi, de secretaris van Toren B.

Toen hij uit zijn raam keek zag Masterji meneer Pinto midden tussen de stoelen zitten, met zijn hand op de lege witte stoel naast hem, naar boven kijkend.

Masterji hief zijn rechterhand op – *ik kom, ik kom.*

De telefoon ging weer over. Het was Gaurav, voor de tweede keer binnen een uur.

'Nee, de projectontwikkelaar is er nog niet. Natuurlijk ga ik beneden naar hem luisteren. Ja, ik zal voor alles openstaan. Tot ziens dan maar en zeg tegen Ronak dat zijn grootvader binnenkort met hem naar het aquarium gaat.'

Weer aan het raam zag Masterji degene op wie hij had staan wachten. Hij had wel gedacht dat een journaliste zo'n gebeurtenis niet zou willen missen. Ze drong door de menigte heen, uitkijkend dat ze niet op de voeten van oudere en tragere mensen trapte.

Hij wachtte met zijn oor tegen de deur of hij voetstappen op de trap hoorde. Hij *moest* dit doen, *moest* zich tegenover dat meisje verontschuldigen. Hoe noemden zijn buren hem? Een Engelse gentleman.

'Juffrouw Meenakshi,' zei hij toen hij de deur opende. 'Kunt u even wachten? Heel even maar?'

Zijn buurvrouw had haar sleutel in de deur van 3B gestoken en wachtte niet.

'Het spijt me van gisteravond. Ik had die vriend van u niet moeten duwen. Die jongeman. Zegt u hem maar dat het me spijt.'

Het meisje verborg haar gezicht gedeeltelijk achter haar deur en keek hem aan.

'Waarom hebt u dat gedaan? Hij had u niks gedaan.'

'Wilt u even in mijn kamer komen, juffrouw Meenakshi? Als u hier komt, zult u het makkelijker begrijpen. Ik ben leraar geweest aan de St. Catherine-school, vierendertig jaar lang. Mijn leerlingen hebben overal in de stad goede banen. Misschien hebt u gehoord over Noronha, die voor de *Times* schrijft. U hebt niets te vrezen.'

Hij liet haar de glazen vitrine zien, vol kleine zilveren trofeeën en oorkonden die in gouden letters getuigden van zijn drie decennia dienst, de foto van zijn afscheidsfeest op St. Catherine, met de handtekeningen van tientallen oud-leerlingen, en de kleine, ingelijste foto ernaast van een bleke vrouw met een ovaal gezicht in een blauwe sari.

'Wijlen mijn vrouw.'

Het meisje liep naar de foto toe. Ze droeg een beugel en haar donkere bril met stalen montuur correspondeerde met het metaal op haar tanden. De glazen waren zeshoekig. Masterji telde het aantal hoeken nog een keer. Een onaantrekkelijke vorm, waarom was die ooit in de mode gekomen?

Ze las de datum eronder en zei: 'Wat erg voor u.'

'Het is al bijna een jaar geleden. Ik ben er nu aan gewend. Ze zou u graag gemogen hebben, juffrouw Meenakshi. Mijn dochter zou nu zo oud als u geweest zijn. U heet toch Meenakshi?'

Ze knikte.

'Waar is uw dochter nu? In Mumbai?' vroeg ze.

'Ze is al vele jaren vóór haar moeder gestorven.'

'Ik zeg steeds de verkeerde dingen.'

'Maakt u zich geen zorgen, juffrouw Meenakshi. Als u niets over mensen vraagt, komt u niets over mensen te weten. Hier,' zei Masterji, 'dit is haar schetsboek. Ik heb het gisteren net in mijn kast gevonden.'

Hij veegde het stof van het boek – *Sandhya Murthy Studie- en Schetsboek* – en sloeg de bladzijden voor haar om.

'Dat is toch de kerk hier?'

'Ja. De St. Anthony. En dit is een tekening van de Dhobi-ghat, u ziet hoe de mensen zich wassen. Nee, niet die grote in Mahalakshmi. Er is er hier ook een. En *dit* is een mooie tekening. Deze papegaai. De mooiste die mijn dochter ooit gemaakt heeft. Toen was ze negentien jaar. Pas negentien.'

Hij zag aan Meenakshi's ogen dat ze wilde weten hoe de kunstenares aan haar einde was gekomen. Hij deed het album dicht.

'Ik wil u niet vervelen, juffrouw Meenakshi. Ik wilde me alleen verontschuldigen. Als mannen ouder worden, worden ze niet wijzer, in tegenstelling tot wat u misschien hebt gehoord. Gaat u naar beneden om meneer Shah te ontmoeten?'

Haar wenkbrauwen vormden boogjes.

'U dan niet? Hij geeft u al dat geld.'

'Hij *zegt* dat hij ons al dat geld geeft. U weet vast wel hoe dat zit met projectontwikkelaars. U bent toch journaliste?'

'Nee. Public Relations.'

'Wat betekent dat precies? Alle jonge mensen willen tegenwoordig iets in Public Relations.'

'Ik kom het u later wel eens uitleggen.'

Hij bedankte haar dat ze zo vriendelijk was geweest zijn excuses te aanvaarden, nodigde haar uit om op een andere dag gemberthee te komen drinken en sloot de deur.

Beneden zwol het geroezemoes aan. De stem van de secretaris dreunde door een microfoon. 'Kan iedereen me horen? Test, test. Kan iedereen...'

Masterji ging zitten. Waarom *zou* hij naar beneden gaan? Alleen maar omdat er een rijke man kwam? Hij haatte die formele vergaderingen van de corporatie, elke keer als ze een jaarlijkse algemene vergadering hielden, vervulden het gekift tussen zijn buren, de kleinzielige beschuldigingen – 'jouw dochter tekent op de muren', 'ik word wakker van dat gegorgel van je man 's morgens' – hem altijd met gêne.

Hij verwachtte deze avond weer een bloedbad daar beneden. Mevrouw Rego en mevrouw Puri schreeuwden tegen elkaar als viswijven.

Met zijn voeten op de teakhouten tafel sloeg hij de bladzijden van Sandhya's album om tot hij bij de papegaai kwam. De schets was niet af, misschien was ze er nog mee bezig toen... Hij legde zijn vingers op de randen van de tekening, die aanvoelde alsof ze nog groeide. Haar levende gedachte.

Waar is uw dochter nu?

Op dezelfde plek waar ze al elf jaar was.

Ze was op weg geweest naar school toen iemand haar uit de trein had geduwd. Een volgepakte coupé in de eerste klas voor vrouwen, 's morgens – iemand had haar met haar elleboog eruit geduwd. Ze was met haar hoofd voorover op de rails gevallen en was daar blijven liggen. Geen van haar medereizigers had de trein laten stoppen. Ze wilden niet te laat op hun werk komen. Allemaal vrouwen, goede vrouwen. Secretaressen. Bankbedienden. Verkoopmanagers. Ze was doodgebloed.

Dat kind dat hij gemaakt had, was door de rails uitgewist. Haar hersenen stulpten uit haar kapotte hoofd omdat de passagiers niet te laat wilden komen. In de mannenafdeling zou vast wel iemand aan de noodrem hebben getrokken, naar buiten zijn gesprongen, *iemand* zou toch...

Drie maanden lang had hij niet met de trein kunnen reizen. Hij nam de ene bus na de andere of hij liep als er geen bus was. Zijn opstandigheid moest ten slotte eindigen. Hij stond machteloos tegenover de Noodzaak. Maar hij kon nooit meer naar een vrouwen-coupé kijken. *Wie zei er dat de wereld beter af zou zijn als ze door vrouwen geregeerd werd? Mannen waren tenminste eerlijk over zichzelf,* dacht hij.

Hij sloeg het blad om.

Ze had de hibiscusplanten getekend die achter op het binnenterrein groeiden, en de kleine spinnenwebben tussen hun bladeren, glanzend en ovaal en over elkaar heen glijdend als parallelle melkwegen. Vader en dochter hadden in die dagen vaak stilgestaan in de tuin om naar de webben te kijken en te praten over de verschillen tussen mensen en spinnen. Hij herinnerde zich één verschil waar ze het over eens waren. De geest van een spin ligt buiten hem, elke nieuwe gedachte schiet er meteen uit in een zijden draad. De geest van een mens zit vanbinnen. Je weet nooit wat hij denkt. Nog een verschil. Een spin kan zonder familie leven, helemaal alleen, in het web dat hij weeft.

Een haperend applaus van beneden; de projectontwikkelaar moest gearriveerd zijn.

Meneer Pinto houdt een stoel voor me vrij. Met Sandhya's schetsboek in zijn hand ging hij aan het raam staan.

Een dikke man met een gouden halsketting stond bij het zwarte kruis tussen de twee secretarissen.

'...voor mij bent u nu mijn eigen gezinsleden. Dat zeg ik, en het bewijs ligt in het motto van de Confidence Group: mijn gezin...

De arme meneer Pinto had zijn strijd om de vrije stoel te beschermen opgegeven. Iemand uit Toren B was er gaan zitten.

Staand aan het raam bladerde hij het boek door, van voor naar achter en terug. Papegaaien, kerken, wassen, bomen, Sandhya's schooluniform, haar gezicht, haar geborstelde, gewassen haar, als deeltjes zonovergoten water stegen en daalden ze rondom hem heen. Verstrooid, zoals een drukbezet man op kantoor flarden cricketcommentaar van het bureau van een collega opvangt, hoorde hij zo nu en dan stemmen van de vergadering.

'...ik spreek namens iedereen hier, meneer Shah, als ik vraag: is dit aanbod u ernst? Zult u het tot in alle details nakomen?'

'...het is normaal dat projectontwikkelaars leden van de bestaande corporatie eenheden in het te bouwen pand aanbieden. Waarom bent u niet...'

'Waarom krijgen de bewoners van Toren B, die nieuwer en in alle opzichten beter is, geen hoger bedrag per vierkante meter dan...'

Hij kwam bij de laatste pagina. Daar had ze met potlood gekrabbeld: *Je tien. Vous tenez. Il tient. Vous tenez. Nous...* Ze oefende haar Frans, dat hij haar twee avonden per week thuis gaf. Masterji krabde met zijn vinger aan 'tien' en zocht om zich heen naar een rode pen. Hij wilde niet dat zijn dochter tot in de eeuwigheid ongrammaticaal Frans zou spreken.

Een doordringende stem – van het Slagschip – trok hem naar het raam.

'Wij willen uw geld niet, of het nou 200 procent of 250 procent is. Dit is ons huis en niemand mag ons vragen hier weg te gaan.'

Stilte van beneden. Het Slagschip en allebei haar kinderen waren opgestaan.

'Bij onze Heer Jezus Christus, ik zal u bestrijden. Ik ken die projectontwikkelaars en het zijn allemaal leugenaars en misdadigers. U kunt nu maar beter gaan. Nu meteen.'

Dat ze tegen de overeenkomst was, goed, maar waarom zo'n persoonlijke aanval? Kende ze die meneer Shah, dat ze hem een leugenaar noemde? Hij sloot het raam.

Hij zag de Rubik's Cube op de teakhouten tafel liggen. Hij was stroef van ouderdom en het ronddraaien van de kleuren kostte moeite, alsof hij aan de kaken van een beestje stond te wrikken.

Toen meneer Pinto een halfuur later door de open deur binnenkwam, vond hij Masterji slapend aan de tafel, het schetsboek van zijn dochter op de vloer, de bladen bewogen in de wind vanuit het raam.

Hij sloot de deur en daalde af naar 2A waar zijn vrouw in bed lag.

'Hij slaapt, Shelley. In zijn stoel. Ik heb zo mijn best gedaan om zijn stoel vast te houden.'

'Meneer Pinto, wees toch niet zo kleinzielig. Toen wij nee zeiden tegen het aanbod, zei hij ook meteen nee.'

Hij gromde.

'Ga hem nou wakker maken. Hij heeft niet gegeten.'

Meneer Pinto keek uit het raam. De menigte beneden had zich verzameld rond twee kernen; sommige bewoners stonden rondom mevrouw Rego ('alle projectontwikkelaars zijn leugenaars en deze is net zo') en een andere groep, recht onder zijn raam, luisterde naar Ajwani, de makelaar.

'Ons appartement is 75 vierkante meter. Bij 206.000 rupee per vierkante meter is dat...'

Ajwani tekende het aantal nullen in de lucht.

'En dat van mij is groter dan het uwe, Ajwani,' zei mevrouw Puri. 'Twee vierkante meter groter. Dat betekent dat ik...'

Met een dikke vinger telde ze haar bedrag bij dat van Ajwani op. Daarop voegde Ibrahim Kudwa het zijne daar weer aan toe.

'Maar dat van mij is net iets groter dan het uwe, mevrouw Puri...'

Meneer Pinto schudde zijn hoofd.

'Moeten ze morgen niet werken?' fluisterde hij tegen zijn vrouw.

'Moeten hun kinderen niet naar school? Ze zijn alles vergeten, alleen maar door dat geld.'

'Ze zijn erg opgewonden, meneer Pinto. Ze gaan akkoord met het voorstel en zullen ons uit het pand gooien.'

'Hoe kun je dat nou zeggen, Shelley? Dit is een geregistreerde coöperatieve corporatie. Geen jungle. Als er maar één persoon nee zegt, betekent dat dat de corporatie niet gesloopt kan worden. Dus laten we nu maar gaan eten.'

Zijn vrouw stond op uit bed.

'Maak je niet boos. Ga nou naar boven en maak Masterji wakker. We moeten allemaal wat soep en brood eten.'

'Goed,' zei meneer Pinto en hij trok zijn schoenen aan.

De zwarte Mercedes had een halfuur vastgestaan in het verkeer bij de snelweg naar Vakola. 'Er zit je iets dwars, Shanmugham.'

Hij draaide zich om van zijn plaats voorin om zijn werkgever aan te kijken.

'Nee, meneer Shah.'

'Lieg niet. Ik hield je in de gaten toen ik tegen die mensen in Vishram praatte. Je wreef steeds in je handen.'

'206.000 rupee per vierkante meter, meneer. Toren A is gebouwd in 1959 of 1960, meneer. 109.000 is een heel goed bedrag voor zo'n pand.'

Zijn werkgever gniffelde.

'Shanmugham. Je werkt nu zes jaar voor me en je bent nog steeds een idioot. Ik bied 11.000 rupee per vierkante meter *te weinig*.'

De opstopping loste op. Shah keek naar de ogen van zijn assistent in de binnenspiegel.

'Die mensen zouden dolblij zijn als ze 109.000 per vierkante meter kregen. Dus 218.000 is helemaal ongelooflijk. Klopt? En 206.000 voelt net zo aan als 218.000.' Hij neuriede een oud liedje uit een Hindifilm.

'Naar links,' zei Shanmugham tegen de chauffeur toen ze op de snelweg naar Bandra kwamen. 'Snel, links. Ga de vluchtstrook op tot ik zeg dat je kunt stoppen.'

'Het blijft 200 procent van de marktwaarde, meneer. We zullen het Shanghai voor 270.000 per vierkante meter of meer moeten verkopen om nog winst te maken. We zijn hier in Oost, meneer. Wie wil er zoveel betalen om hier te kunnen wonen?'

'Je mag die mensen niet beledigen, Shanmugham. Je kunt ze geen 10 of 15 procent boven de marktwaarde bieden. Je vraagt van ze dat ze hun woning opgeven, de enige woning waar sommigen ooit in gewoond hebben. Je moet respect hebben voor de menselijke hebzucht.'

De chauffeur reed nu het braakland langs de snelweg op.

'De secretaris zei dat hij ons hier zou treffen, meneer. Hij zal ons bellen als hij op de snelweg is.'

'Laten we maar uitstappen, Shanmugham. Ik heb de pest aan stilzitten'

Aan het eind van de wildernis stond een hoog gebouw met de letters YATT in wit en een rode boog daaronder, als een streep onder een handtekening. Daarachter lag het vage schijnsel van Vakola. Een paar nieuwsgierige gezichten. Mannen die de wildernis overstaken naar de rij hutten in de verte.

'Kijk, daar waar ze die tenten hebben opgezet.' Shah wees naar een plek bij de struiken. 'Binnen vijf dagen is dat een complete sloppenwijk. Geen papieren, geen eigendomsrechten. Wat een honger naar land.' Hij wreef in zijn handen, waarbij zijn ringen over elkaar schraapten. 'Dat heb ik ook. Jouw baas is, zoals je weet, een boer. Hij heeft niet gestudeerd, Shanmugham, hij kauwt *gutka* als een boer. Maar honger is een uitstekende eigenschap. Kijk.' Hij wees op het hotel. 'Ze zijn de H kwijtgeraakt. Wat zijn chique mensen toch slordig. Als het mijn hotel was, had ik de manager laten doodschieten.'

Shah strekte nu zijn vinger uit naar het noorden, twee of drie keer, om de aandacht te vestigen op een plek heel ver weg in die richting.

'In 1978, toen ik nog in opleiding was in dit vak, bood een vriend van me, een makelaar, me een hele verdieping aan van een nieuw project aan de Cuffe Parade. Maker Towers heette het. 3.800 rupee per vierkante meter was de prijs. Het zou een nieuw soort project worden, een kleine stad, gebouwd op drooggelegd land. Ik ging het gebouw en de omgeving bekijken. Ik belde mijn vriend en ik zei: "Nee." En waarom? Dat pand werd gebouwd op een plek waar vijf jaar daarvoor nog de zee was – en ik dacht: land is land en water is water. Op een dag zal het water dit land weer opslokken. Een vierkante meter in Maker Towers zou nu misschien wel 2000 of 3000 keer mijn investering waard zijn. Die grond is nu meer waard dan grond in Londen, meer dan in New York. Op een dag, tien jaar later, kwam ik bij Maker Towers en zag hoe stevig dat pand eruitzag, hoeveel mensen er appartementen hadden gekocht en ik dacht: ik ben verslagen. Iemand had grotere dromen dan ik. En daar, op dat moment, beloofde ik Heer SiddhiVinayak: ik zal deze stad nooit meer onderschatten. De toekomst van Mumbai ligt hier, in het oosten, Shanmugham. Hier is ruimte, en zodra er nieuwe wegen en nieuwe metrolijnen zijn aangelegd, zal het oosten groeien. We krijgen 270.000, misschien 325.000 per vierkante meter voor het Shanghai. En bij het volgende wat we bouwen zelfs nog meer. Vishram is een oude corporatie. Maar het is het bekendste gebouw in de wijk. Wij nemen het over en we breken het af en iedereen zal het weten. Vakola is van ons.'

Hij glimlachte naar zijn assistent. 'We zijn al zes jaar samen. Je bent als een zoon voor me, Shanmugham. Een zoon. Doe je deze klus ook voor me?'

Zes jaar lang, bij de start van elk nieuw project, had Shah hem diezelfde vraag gesteld, en zes jaar lang had Shanmugham die vraag op dezelfde manier beantwoord. Hij stak zijn arm uit, liet zijn gesloten vuist aan zijn baas zien en opende hem.

'Ik heb die corporatie in mijn hand, meneer. Ik ken die mensen door en door.'

Een dakloze, zo een die sliep onder het betonnen viaduct over de snelweg, had naar de twee staan kijken vanonder een deken die hij over zijn hoofd geslagen had. Toen hij de lange met het witte overhemd op hem af zag komen, dook hij weg onder zijn deken.

Shanmugham gaf een teken aan een langzaam rijdende autoriksja.

Een paar tellen later liep Kothari, de secretaris, samen met hem terug naar de plek waar de projectontwikkelaar wachtte.

'Sorry. Ik kon niet met mijn scooter komen. Ik moest een auto nemen. Wat een verkeer.'

Shah wuifde de verontschuldiging weg.

'Als ik elke keer als iemand vastzat in het verkeer zou vertrekken, zou ik in deze stad nooit iemand treffen. U hebt toch tegen niemand gezegd dat u hierheen zou gaan?'

'Er was me gezegd dat ik het tegen niemand zou zeggen.' De secretaris keek naar Shanmugham. 'Zelfs mijn vrouw weet het niet. Zelfs *ik* weet niet waarom ik hier ben.'

'Het is niks geheimzinnigs. Mijn zoon is volgende week jarig, maar we geven het feestje vanavond. Ik wilde u alleen vragen of u erbij wilde zijn en wat eten. Wat drinken, als u wilt.'

Kothari ademde uit. 'Natuurlijk. Wat vriendelijk van u. Wachten we op meneer Ravi, de secretaris van Toren B?'

'Nee. Die is niet uitgenodigd.'

De portieren sloegen dicht en ze waren op weg naar de stad. Kothari zat in elkaar gezakt, zijn handen tussen zijn knieën.

'Bent u wel eens in Malabar Hill geweest?' vroeg de projectontwikkelaar.

'Een of twee keer in de hangende tuinen. Een andere reden was er niet.'

'Ik woon al twaalf jaar in Malabar Hill. En ik ben nog nooit naar de hangende tuinen geweest.'

Allebei lachten ze. De secretaris rechtte zijn rug en ademde uit.

Het geroosterde schapenvlees krulde onder zijn tong als hete chocolademelk.

De secretaris opende zijn ogen, wreef erin met een wijsvinger en zocht naar de kipkebab. Op een zilveren dienblad, dat ergens aan de andere kant van het terras van meneer Shah zweefde. Alle andere gasten waren er, in pakken, zijden overhemden, mouwloze sari's en sherwani's, ze zaten aan ebbenhouten tafels, verlicht door dikke kaarsen.

Kothari zwaaide, zodat de ober een uitstapje zou maken naar de plek waar hij stond, in zijn eentje tegen het balkon geleund. Hij voelde het kale hoofd onder zijn dwarsgekamde haren vochtig worden – *pittig*, dat schapenvlees. In zijn handen wrijvend draaide hij zich om, om de koele lucht van de stad op te zuigen, een panorama van lichtende torens dat zich helemaal tot aan de koepel van Haji Ali in de verte uitstrekte.

'Paneer, meneer?'

Een ober kwam aan met een zilveren blad vol met van die blokken paneer waar stukjes komkommer in schenen te zitten. Kothari klemde drie blokken in zijn hand en zei: 'Jongen, kun je die schapenvleesman nog even hier roepen?'

Met elke storting van zwaar eten in zijn maag werd Kothari zich minder bewust van zijn overhemd (70 procent polyester, 30 procent katoen), gekocht bij het Andheristation voor 210 rupee, en van zijn *banian*, gekocht voor 35 rupee per zes, die daaronder glom als een röntgenfoto.

O, die verrukkelijke buffettafel die maar satellieten van zilveren dienbladen vol kebab bleef lanceren.

Midden op de tafel zag hij een visioen van Johnnie Walker Black Label, vijf of zes keer zo groot als een normale fles whisky, ondersteboven hangend aan een metalen rek en eindigend in een plastic kraantje waarop een gedienstige met een strikdas voortdurend een vinger hield.

'Meneer Kothari! Dus *daar* bent u!' De projectontwikkelaar zwaaide naar hem vanaf zijn tafel.

Weldra hoorde de secretaris tot de hulptroepen van Johnnie Walker; Shah stelde hem voor aan iedereen die een borrel kwam halen met de woorden: 'Dit is meneer Kothari.'

Elk van de gasten leek de baas te zijn van een bouwbedrijf. Een ervan vroeg, nadat hij hem een hand gegeven had: 'Welke Groep vertegenwoordigt u?'

'Vishram,' antwoordde de secretaris.

De man knikte begrijpend, alsof hij de naam herkende. 'Dat is een goede Groep. Jullie doen goeie dingen.'

Daarop merkte de secretaris dat hij naar een van de tafels werd gevoerd, waar hij ging zitten naast een mollige, ongelukkige puber in een gouden jasje, van wie hij aannam dat het de jarige job was.

De gastheer praatte in een draadloze microfoon.

'Ik wil jullie allemaal bedanken dat je op de verjaardag van mijn zoon bent gekomen. De gemeenschap waartoe wij behoren, de ontwikkelaarsgemeenschap, is een hechte, en jullie aanwezigheid toont aan hoe hecht ze nog steeds is.' (Her en der applaus.) 'Ik zal langs de tafels gaan om ieder van jullie persoonlijk te bedanken. Maar eerst, als verrassing, heb ik de eer een man aan te kondigen die bij ons allen vele herinneringen zal losmaken: de oorspronkelijke dromenkoopman in eigen persoon.'

Er galmde muziek uit de luidsprekers. Op het ritme van het applaus van de aanwezigen stond een man op van een van de tafels en liep naar de buffettafel. Een voormalig beroemde acteur, nu in de veertig, beroepsgast op verjaardagsfeestjes en trouwerijen. Met een verkrampte grimas draaide hij met zijn rechterhand opgestoken een paar passen in het rond. Een jong meisje in een rode jurk danste met hem mee en gasten floten. De camera van een mobiele telefoon flitste.

De ster bij de tafel was buiten adem en zwaarlijvig en opeens twintig jaar ouder. Een gast vroeg om een handtekening, de filmster pende die op een servet.

Het servet schoot van de tafel. De projectontwikkelaar was in hoesten uitgebarsten.

De filmster was iedere rupee waard die hij kreeg om hier te zijn; hij legde zijn hand op die van Shah en grijnsde of er niets gebeurd was.

'Ze noemen me een dromenkoopman, dat weet ik. Maar wat ben ik? Een klein dromenhandelaartje naast de grote.' Hij wees op de projectontwikkelaar die zijn gezicht afveegde met zijn hemdsmouw.

'Als mensen uit de bioscoop komen, gooien ze hun kaartje weg, maar de naam van de projectontwikkelaar blijft altijd met het pand verbonden. Hij wordt een deel van je achternaam. Ik ben er eentje van Hiranandani Towers. Hij is een Raheja Complexpersoon.'

De projectontwikkelaar slikte zijn speeksel door en wendde zich toen tot de secretaris.

'En u, meneer Kothari? Bent u na 3 oktober er eentje van Raheja of een Hiranandani-persoon? Of bent u van plan al het geld uit te geven aan dure ondeugden?'

De secretaris, die naar een bord schapenkebab had zitten staren, draaide zich om. 'Mijn ondeugden zijn sandwiches en cricket. Vraagt u maar aan mijn vrouw.'

Mensen lachten. De filmster klapte en zei: 'Net als ik.'

Wat nog veel luider gelach veroorzaakte.

'Wat *doet* u precies?' vroeg Shah.

'Zaken,' zei Kothari.

De projectontwikkelaar kuchte nog eens.

Kothari reikte hem een servet aan en zei: 'Ik zat in de houthandel. Nu hou ik mezelf zoet met wat obligaties en aandelen. Ik heb geen ondeugden, maar...' Hij schepte adem en liet zijn borst zwellen, alsof de aandacht zijn persoonlijkheid oppompte, 'ik heb wel een geheim. Na 3 oktober verhuis ik naar Sewri.'

Shah veegde zijn mond af en legde het uit aan de anderen.

'Bij de meeste renovatieprojecten krijgen de bewoners een aandeel in het nieuwe pand aangeboden. In het geval van het Shanghai wordt het echter een superdeluxe gebouw. Een mengeling van rajput-stijl en gotisch, met een moderne touch. Er komt een tuin aan de voorkant met een fontein. Art deco. Elk appartement gaat meer dan twee crore kosten. De huidige bewoners kunnen natuurlijk kiezen om iets in het Shanghai te kopen, maar ze zullen beter af zijn als ze ergens anders heen verhuizen.'

Toen draaide hij zich om naar de secretaris en vroeg: 'Sewri? Waarom niet Bandra of Andheri? U hebt nu het geld.'

'De flamingo's, meneer,' zei de secretaris. 'Daar weet u toch van?'

Natuurlijk *wist* Shah dat wel. In de winter werd Sewri bezocht door een zwerm trekkende flamingo's, en vogelliefhebbers kwamen daarnaartoe om ze met verrekijkers te observeren. Maar hij *begreep* het niet.

'Bent u hier geboren, meneer Shah?' vroeg de secretaris.

'Ik ben geboren in Krishnapur in Gujarat. Maar ik ben een trotse, belastingbetalende inwoner van Mumbai.'

'Zo bedoelde ik het niet,' zei de secretaris snel. 'Ik heb niets tegen migranten, niets. Ik bedoel: u allemaal aan deze tafel bent in India geboren, niet?'

'Natuurlijk.'

'Ik niet. Ik niet.'

De secretaris glimlachte. 'Ik ben geboren in Afrika.'

Zijn vader was vanuit Jamnagar naar Kenia gelokt door een neef die in Afrika was geboren en had in de jaren vijftig een kruideniswinkel geopend in Nairobi. De winkel liep goed, er was daar een zoon geboren. Ashvin Kothari vertelde nu dingen die zelfs zijn vrouw nooit gehoord had. Over een Afrikaanse dienstmeid die een grote porseleinen schaal afdroogde en op een tafel met een blauw tafelkleed zette, een markt in Nairobi waar zijn vader de grote man was, en dan nog iets wat voor zijn geestesoog oplichtte als een roze vlam.

Flamingo's. Een hele zwerm.

Hij was nog geen vijf toen hij werd meegenomen naar een meer op het platteland, vol met die wilde roze vogels. Zijn vader had zijn duimen onder zijn oksels geschoven en hem opgetild, zodat hij tot aan de horizon kon kijken, de flamingo's stegen allemaal tegelijk op en hij had boven het hoofd van zijn vader gegild.

Shah luisterde. De dromenkoopman luisterde. Obers groepten samen rondom de tafel.

Nu voelde de secretaris iets wat hij maar één keer in zijn leven gevoeld had, toen hij als tienjarige schooljongen de beroemde regels uit de *Ramayana* had gedeclameerd:

> *Doe zoals ge wilt, boze koning:*
> *Ik zelf weet wat goed en slecht is*
> *En zal u nooit volgen,*
> *Zei de deugdzame demon Maricha*
> *Toen de heer van Lanka*
> *Hem vroeg Rama's vrouw te roven.*

Hij deed het zo volmaakt, dat hij de eerste prijs in een gedichtenwedstrijd won, en iedereen in de zaal, zelfs zijn vader, was opgestaan om voor hem te klappen. Nu hing er diezelfde glans om zijn kale hoofd, zijn overgekamde haar voelde als een lauwerkrans.

'En toen?' vroeg Shah. 'Wat is er met uw vader gebeurd?'

'Hij kwam erachter dat Afrikanen niet hielden van Indiërs met wie het goed ging.'

Toen hij acht was werd hun bedrijf bedreigd, waarna zijn vader het voor een prikje verkocht en terugging naar Jamnagar waar hij stierf in een groezelige winkel vol mungbonen en brinjals.

'Zo hebben ze ons toen behandeld,' wist de Bollywood-acteur nog. 'Idi Amin zei tegen de Indiërs dat ze moesten oprotten.'

De projectontwikkelaar hoestte. 'Nu kijken ze in Afrika op tegen Indiërs. In Soedan boren we naar olie.'

Een kwartier later nam de dromenkoopman met een sierlijk reeksje danspassen afscheid, boog en verdween. Meneer Shah keek naar zijn gasten en die wisten meteen dat het tijd was om op te stappen. Op dezelfde manier werd het Kothari duidelijk dat hij niet weg moest gaan. Hij ging aan de tafel zitten toen handen die van de projectontwikkelaar kwamen schudden, sommige schudden de zijne ook.

'Weet u waarom ik meneer Ravi van Toren B hier vanavond niet heb uitgenodigd?'

De gasten waren vertrokken. Shah keek toe hoe de obers het buffet afruimden.

Kothari voelde dat meneer Shah, die in de loop van de avond veranderd was van een levendige gastheer in een zieke man met een kuchje, op het punt stond te transformeren tot weer een andere man. Hij schudde zijn hoofd. 'Nee, meneer.'

'Zijn pand zal weinig problemen opleveren. Het zit vol met jonge mensen. Redelijke mensen. Dus bent u de sleutelfiguur, meneer Kothari. Kunt u me volgen?'

'Niet helemaal.'

Het feestvarken kwam ook aan tafel zitten, tussen zijn vader en de secretaris in.

De projectontwikkelaar schoof zijn zoon uit zijn blikveld. Hij sprak zachtjes.

'Mijn ervaring is dat sommige oudere mensen tegen renovatieprojecten zijn omdat ze bang zijn voor wat voor verandering dan ook. Sommigen willen alleen maar meer geld. En dan is er nog één type, het gevaarlijkste, dat nee zegt omdat hij vol met negatieve wilskracht zit, omdat hij niet van het leven geniet en niet wil dat anderen ervan genieten. Als die mensen praten, moet je harder en duidelijker praten dan zij. Ik zal het niet vergeten, ik beloon vriendelijkheid met vriendelijkheid van mijn kant.'

De obers hadden het eten afgeruimd en verwijderden nu de Johnnie Walker-totem.

'Mijn vader zei altijd...' Kothari schraapte zijn keel. 'Mijn vader, die toen in Afrika was, die zei altijd: een man die alleen voor zichzelf leeft is niet meer dan een beest. Mijn hele leven heb ik voor niemand iets gedaan, behalve voor mezelf. Ik ben zelfs laat getrouwd, omdat ik liever alleen woonde. Mijn vrouw is een goede vrouw. Zij zorgde dat ik de secretaris van Vishram werd, zodat ik iets voor anderen zou doen. Ik ben dankbaar voor alle... extra vriendelijkheid die u me bewijst. Maar ik kan het pas aanvaarden als ik u dit gevraagd heb: hoe zit het met alle anderen in de Vishram Corporatie? Houdt u uw woord aan hen en betaalt u ze allemaal wat hun toekomt?'

Shah zweeg een tijdje en pakte toen de hand van de secretaris.

'Het is me een eer, meneer Kothari, om zaken met u te doen. Een eer. Ik begrijp waarom u zich zorgen maakt om mij. Begrijp ik volkomen. In vroeger tijden dachten projectontwikkelaars in deze stad dat ze alleen maar rijk konden worden als ze hun klanten bedrogen. Ze bedrogen ze uit routine – met het beton, de stalen balken, de afwerking. Elke moesson stortte er wel een gebouw van ze in. De meesten die u vandaag hier gezien hebt waren oude ontwikkelaars.'

Hij sprak verder op fluistertoon. 'Ze zouden u binnen een seconde uitkleden als *zij* deze renovatie zouden doen. Maar nu is er een nieuwe bouwer in de stad. Wij willen winnen, zeker, maar geloof me, meneer Kothari: wij willen ook dat onze klanten winnen. Hoe meer er gewonnen wordt, hoe beter. Omdat we denken dat Mumbai weer een van de grote steden van de wereld zal worden. Vraag bij welk van mijn projecten ook naar de reputatie van meneer Shah. Vind maar eens één enkele klant van me die klachten heeft. Ik ben niet een van die oude projectontwikkelaars van Mumbai.'

De secretaris zoog op zijn lippen en knikte. Tevredengesteld.

Shah hield nog steeds zijn hand vast, hij voelde de druk groter worden.

'Maar ik zal u één ding zeggen, meneer Kothari. Oude bouwer of nieuwe bouwer, de fundamentele aard van mijn vak is niet veranderd. Weet u wat een bouwer is?'

'Een man die huizen bouwt,' zei de secretaris, hopend dat zijn hand vrij zou komen.

'Nee. Architecten bouwen huizen. Ingenieurs bouwen wegen.'

Kothari draaide zich om op zoek naar hulp. Shanmugham keek naar de nachthemel, het feestvarken stootte om een of andere reden zijn rechterarm naar voren en naar achteren achter zijn hoofd.

Shah stak een goudberingde wijsvinger op.

'De bouwer is de enige man in Bombay die *nooit* een gevecht verliest.'

Met die woorden liet hij Kothari's hand los.

'Waarom was je zo lang weg?' vroeg mevrouw Kothari toen haar man bij haar in bed schoof. 'De mensen vroegen naar je, maar ik heb tegen niemand gezegd dat je naar het huis van de projectontwikkelaar was.'

De secretaris zei driemaal de naam van Heer Krishna en knipte het bedlampje uit.

'Ben je met zijn auto thuisgebracht? Hoe is dat huis van hem? Gouden kranen in de badkamer? Is er een jacuzzi?'

Haar man trok zijn deken over zijn gezicht en zei niets.

Hij voelde zijn vaders vingers op de zijne, de verspilde decennia ertussenin vielen weg, ze waren weer samen aan het meer in Kenia.

Ashvin Kothari viel in slaap met tranen op zijn wangen.

18 MEI

Als een leger dat maandenlang oprukte en nu een citadel bestormde, trokken ze het Fountainhead en het Excelsior binnen met bakstenen op hun hoofd.

Het was de laatste arbeidsinspanning voor de moessons. De dagloners die in de hitte waren weggekwijnd en naar hun dorp waren gevlucht, werden tegen steeds hogere lonen vervangen door degenen die uit de bussen stroomden; het dagloon was nu 370 rupee voor mannen. Hitte of niet, vochtigheid of niet, al het buitenwerk – muren, vloeren, pijlers – *moest* voor de regens klaar zijn.

Zoals elke warme ochtend was Dharmen Shah er al weer, hij stond met zijn zijden broek in de blubber en de rommel, wees met zijn vingers van alles aan en schreeuwde naar de mannen. Hij stond naast de grommende cementmolen terwijl vrouwen in bonte sari's en met diamanten neusringen bukten en overeind kwamen met troggen vol nat, donker cement op hun hoofd.

Shah zette zijn voet op een stapel betonnen buizen. 'Sneller, jongen,' zei hij tegen een van de arbeiders. 'Ik betaal je goed. Ik wil je zien werken.'

Shanmugham stond achter de baas en liet zijn vingers over de rug van een groene financiële prospectus glijden.

Shah wees zijn assistent op twee tieners die een lange, verroeste metalen stang doormidden braken.

'Werken. Hard werken. Wat heerlijk om naar te kijken.'

De twee gespierde jongens hadden de stang op een metalen driehoek gelegd, een van hen hief een moker hoog op. Hij liet hem neerkomen. Bij elke klap trilde de lange stang. Achter de jongen met de moker rees een zak cement aan een katrol omhoog naar de bovenste verdiepingen van het Confidence Excelsior.

'Ik heb gehoord dat Chacko nooit naar zijn bouwplaatsen komt. Hij houdt niet van de lucht van cement en staal. Wat een derderangs bouwer toch.'

Op de bouwlift naar de vierde verdieping van het Excelsior sloeg Shanmugham zijn financiële prospectus open. Hij liet er een zwart boekje uit glijden en sloeg het open.

'Ik heb met de secretaris gesproken, meneer.' Hij las voor uit het zwarte boekje. 'Tot nu toe zeggen vier mensen in Vishram A nee tegen het aanbod. In Toren B heeft iedereen ja gezegd.'

'Wat is dat voor zwart boekje?' Meneer Shah pakte het af van zijn assistent en draaide het om.

'Daar staan data in en dingen die we regelen, en wijze uitspraken die ik van u hoor. Mijn vrouw moedigt me aan om dingen op te schrijven, meneer.'

Shah bladerde het door.

'Luisterde mijn zoon maar zo goed naar mijn woorden.' Hij gaf het boekje terug aan zijn assistent. 'Je hebt me eens gezegd dat er leraren in de Vishram Corporatie wonen. Zijn dat degenen die tegen het aanbod zijn?'

Ze stapten van de lift.

'Er is maar een leraar meneer. En die is een van degenen die ertegen zijn.'

'Ik wist het, Shanmugham. Ik hou niet van leraren. Schrijf dat maar in je boekje.'

Het gezin van een van de arbeiders bracht de nacht door op de onvoltooide vierde verdieping, waar eens een manager van een technologisch bedrijf of een zakenman zou resideren. Shah voelde aan het wasgoed van de arbeiders, dat in de nissen hing waar binnenkort Versace zou hangen, hun zeepjes en wasmiddelen deden het werk dat dure parfums binnenkort zouden doen. En die zouden het waarschijnlijk beter doen. Shah glimlachte. Hij wenste dat

145

Satish hier naast hem stond, zodat hij hem dit soort kleine dingen kon tonen. Hij vouwde een briefje van twintig rupee en legde het naast een stuk zeep, als een verrassing voor de vrouw van de arbeider.

Een vrachtwagen met open laadbak baande zich een weg door de modder van de bouwplaats, beladen met marmeren tegels. Aan de rand van de vloer zakte Shah op zijn hurken en riep: 'Niet uitladen, die tegels!' Hij gebaarde naar de arbeiders. 'Niet aankomen!'

Tijdens de afdaling stond Shanmugham zo ver mogelijk van zijn werkgever vandaan, die mobiel aan het bellen was.

'"Beige." Ik had het opgeschreven. Voor het geval je te stom zou zijn om te weten wat dat woord betekent. Je hebt "gebroken wit" geleverd. Denk je dat ik hieraan mijn tijd kan verspillen? Alles hier gaat volgens schema. Alles zal vertraging oplopen dankzij jou. Ik wil dat aan het eind van de dag de juiste tint marmer hier wordt afgeleverd!'

Toen hij de grond had bereikt beende Shah naar de vrachtwagen en begon te schreeuwen naar zijn arbeiders die al bezig waren met het uitladen van het marmer. Ze knipperden met hun ogen in zijn richting. Hij schold ze uit. Ze laadden het marmer weer in. De dieseldampen van de vertrekkende vrachtwagen bliezen Shah in zijn gezicht. Een minuut later stond hij nog te hoesten.

Shanmugham liep met hem mee naar de gehavende boom die naast de rij arbeidersbarakken groeide. Een kind van een van de arbeiders poetste zijn tanden bij de waterpomp onder de boom. Toen hij de dikke, hoestende man zag, deed hij een stap achteruit.

Shah ging naast de waterpomp zitten. Shanmugham zag, als de eerste regendruppels op de bodem, rode stippen vallen op het witte tandpastaschuim op de grond.

'Meneer, u moet naar het ziekenhuis...'

Shah schudde zijn hoofd. 'Dat is wel eens eerder gebeurd, Shanmugham. Over een paar minuten is het over.'

Een koe zat vlakbij met zijn staart vliegen weg te slaan. De zoon van de arbeider staarde naar de twee mannen, tandpasta droop uit zijn mond.

'Kom, meneer. We gaan naar het Breach Candy-ziekenhuis. Ik bel dokter Nayak wel.'

'Dan gaat Nayak me weer bang maken en zeggen dat ik hier niet meer mag komen. We moeten het buitenwerk klaar hebben voor de regens komen. Dat kunnen we alleen als ik hier elke morgen ben.'

Shanmugham had het zelf gezien. Het buikige lijf van de meester was een menselijke versie van de cementmolens die al draaiend de arbeiders in beweging brachten.

'Meneer J.J. Chacko,' zei Shah. 'Hierzo. Pal onder mijn neus.'

Hij keek naar het uitgestrekte stuk land tegenover het Excelsior, met het grote bord van Ultimex erop.

'Weet jij wanneer hij begint te bouwen? Is er een datum bekend?'

'Geen datum, meneer. Maar hij zal ergens in oktober beginnen.'

'We gaan terug.' Shah kwam overeind. 'Ik wil niet dat de arbeiders denken dat er iets mis is.'

Hij wees met zijn vinger op de borst van zijn linkerhand.

'Ik wil dat al die "nee's" in "ja's" veranderen, Shanmugham. Onmiddellijk.'

BOEK DRIE

VIER OF VIJF SECONDEN HET GEVOEL EEN MILJONAIR TE ZIJN

4 JUNI

Vittal, de oude bibliothecaris van de St. Catherine-school, was waarschijnlijk de enige in Vakola die het goede nieuws nog niet wist. Masterji was blij dat hij bij hem kon zijn. Hij maakte gebruik van het privilege van de oud-docent en ging elke maandag naar de schoolbibliotheek om gratis de *Times of India* te lezen.

'Mensen zoals jij zien we niet meer, Masterji,' zei Vittal, diep bukkend om de delen van de *Encyclopaedia Britannica* weer in het gelid te zetten op de boekenplank. 'Jonge mensen willen geen les meer gaan geven. Computers of het bankwezen, dat willen ze. Geld, geld, geld.'

Masterji bladerde de krant door. 'Geen oog meer voor het algemeen belang, hè?'

De bibliothecaris snoot zijn neus in een zakdoek en bewoog zijn hoofd heen en weer.

'Weet je nog toen wij jong waren? We moesten elke dag naar school lopen. Bij kaarslicht studeren in de examentijd. Nu doen de computers het werk voor ze.'

Masterji lachte. 'Ik weet niks van computers of internet, Vittal. Ik heb niet eens een mobiele telefoon.'

'O, dat gaat wel erg ver, Masterji,' zei de bibliothecaris. Hij haalde een glimmend rood ding uit zijn zak en glimlachte trots.

'Nokia.'

Masterji bladerde in zijn krant.

'Waar heeft een natuurkundeleraar die dingen voor nodig, Vittal? De feiten van het leven veranderen niet: hoogtij wordt gevolgd door laagtij en de dag-en-nachtevening is nog steeds de dag-en-nachtevening.'

Hij tikte met een vinger op zijn krant en maakte Vittal opmerkzaam op een voorstel om Crawford Market in zijn oorspronkelijke glorie te herstellen.

'De beelden voor de markt zijn gemaakt door Kiplings vader. Lockwood Kipling. Wist jij dat?'

Vittal rechtte zijn rug.

'Ik weet niks van Mumbai, Masterji. Ik ben niet zo geniaal als jij. Als je nu nog jong was en voor een buitenlandse bank werkte en met aandelen speelde, god mag weten hoeveel geld je dan zou verdienen.'

'Waar zou ik het aan moeten uitgeven?' Masterji vouwde glimlachend de krant dicht. Hij wenkte de bibliothecaris.

'Vittal...' fluisterde hij. 'Het is bijna een jaar geleden dat Purnima overleden is. Ik wil Trivedi erover bellen.'

'Natuurlijk.'

Dit was een kleine samenzweringsluxe die de oude leraar hier genoot: Vittal stond hem toe (als er tenminste niemand keek) om gratis de zwarte munttelefoon te gebruiken.

Terwijl Masterji het nummer koos sloop er door de zijdeur een leerling in een wit-met-marineblauw uniform binnen. Hij staarde naar de twee oude mannen alsof hij twee paleosaurussen had ontdekt.

Op de markt liep Masterji met zijn hoofd naar de grond gebogen en snoof citrus en appel op, rauwe stront (van de hanen in de kooien), rauwe wortel en bloemkool.

'Grote man! Kijk toch eens op!'

In de schaduw onder de grote banyanboom, waar de markthandel plaatsvond, zwaaide een verkoper naar Masterji vanachter een kraampje vol uien.

Het dikkerdje met knolneus en knobbelgezwellen op zijn donkere voorhoofd zag eruit als een antropomorfische reclame voor zijn koopwaar.

'Ik zie u nou al heel lang.' De uienverkoper pakte een rood krukje en zette het voor Masterji neer. 'Maar tot dit moment heb ik nooit geweten dat u een groot man bent. U allemaal daar in Vishram hebt iets bijzonders. De Confidence Group heeft u niet voor niets uitgekozen.'

Groente- en fruitverkopers kwamen op het rode krukje af en bekeken de man erop van top tot teen, alsof hij door de bliksem getroffen was en het had overleefd.

'Mijn grootheid – als ik die al bezit – heeft te maken met mijn leerlingen,' legde Masterji uit.

Hij wees naar de oude kranten die de uienverkoper op zijn kar had liggen om zijn koopwaar in te verpakken.

'In de *Times* kun je een artikel vinden, geschreven door iemand die Noronha heet. Een leerling van me. O, Noronha is niet mijn verdienste. Een intelligente jongen en hij werkte heel hard – elke dag liep hij vanaf Kalina naar school. In die tijd werkten jongens zo hard. Ik vraag me af waar de tijden van vroeger gebleven zijn...'

Een van de verkopers, een grote, donkere man wiens bolle gezicht overdekt was met witte stoppels, wendde zich tot de uienverkopen en vroeg luidkeels: 'Ram Niwas, die man vraagt naar "de tijden van vroeger". Verkoop jij die? Ik namelijk niet, ik verkoop alleen aardappels.'

En hij lachte om zijn eigen grap voor hij weer terugging naar zijn aardappels.

Er klonk een claxon over de markt. Een man op een scooter zwaaide naar Masterji.

'Mijn vrouw zei dat u gebeld had. Ik ben meteen gekomen, ik ben u meteen komen zoeken.'

Iedereen in Vakola was vertrouwd met de aanblik van Shankar Trivedi's dikke hemdloze lijf en hoe het – een witte sjaal over zijn schouders gedrapeerd – theatraal een gebouw binnenging of verliet op een rode Honda-scooter, als een engel van geboorte of dood. Hij was door Purnima aangenomen om elk jaar de herdenkingsdienst te houden voor hun dochter Sandhya, een dienst die Masterji omwille van zijn vrouw altijd bijwoonde. Toen Purnima stierf had Trivedi de uitvaartrituelen met kokosnoten en wierook verzorgd in een tempel in Bandra.

Hij trok de oude leraar weg van de verkopers en zwengelde met zijn hand aan die van Masterji. 'Gefeliciteerd, gefeliciteerd,' zei hij. 'Trivedi, binnenkort is Purnima een jaar geleden overleden. 5 oktober. Het is nog vijf maanden, maar ik wou weten of u het in uw agenda had gezet. Een heel belangrijke dag voor me, Trivedi.'

De priester liet Masterji's hand los, zijn mond viel open.

'Masterji, toen uw dochter overleed, wie heeft toen de uitvaartrituelen voor haar verzorgd?'

'U, Trivedi.'

'Toen uw vrouw overleed, wie heeft toen de uitvaartrituelen verzorgd?'

'U, Trivedi.'

'En toen mijn zoon extra lessen natuurkunde nodig had, wie gaf hem die toen?'

'Ik, Trivedi.'

'Dus wat praat u nou over afspraken en teleurstellen, Masterji? Het zal me een *eer* zijn om de eerste samskara voor wijlen uw vrouw te leiden. Maakt u zich geen zorgen.'

Trivedi bood aan iets voor Masterji te kopen tegen de warmte – een kokosnoot. Masterji kende de priester als een krenterig, zelfs gewetenloos mens – er waren altijd onverkwikkelijkheden over de rekening die hij indiende voor zijn ceremoniën – en puur vanwege de ongebruikelijkheid van het aanbod nam hij het aan. Ze liepen, Trivedi met zijn scooter aan de hand, naar de kokosnotenman die bij de ingang van de St. Catherine zat met een zwart mes en een grote tenen mand vol groene kokosnoten.

Terwijl de kokosnotenman op de groene noten begon te kloppen om te horen hoeveel melk erin zat, keek Masterji naar Trivedi's gezicht. Tussen de geboorten, huwelijken en sterfgevallen door gaf de priester les in de juiste declamatie van Sanskriete verzen aan betalende leerlingen. De goedgeoliede snor op zijn bovenlip was op zichzelf een fraaie dichtregel: soepel en evenwichtig, krachtig zwart met een vleugje grijs aan de uiteinden, in het midden geaccentueerd door een volmaakte cesuur. Trivedi draaide aan de punten en glimlachte, maar de waarheid droop uit zijn ogen en neus.

Hij stond op het punt in tranen uit te barsten.

Hij brandt van afgunst, dacht Masterji. Het kwam hem nu inderdaad voor dat veel van de bewondering voor Vishram, die iedereen al die jaren had getoond, eigenlijk neerkwam op minachting voor een oud, uitgewoond pand. En nu was dat in één klap veranderd in echt respect voor de bewoners.

'Ik zal u het goede nieuws vertellen, Trivedi,' zei hij, want hij had met hem te doen.

De kokosnotenman hakte met een krom mes de mond van een van de noten open.

De ogen van de priester werden groter.

'Gaat die Shah ook een bod doen op ons pand?'

'Nee. Het goede nieuws voor u is dat er geen goed nieuws voor ons is. De Pinto's hebben nee gezegd. Shelley kan in een ander gebouw de weg niet vinden.'

'206.000 rupee per vierkante meter! Met zo veel geld kun je nieuwe ogen voor haar kopen.' Trivedi grinnikte. 'U zit me te plagen, hè, Masterji?'

Geluid zwol aan op de markt; een begrafenisstoet kwam luidruchtig in beweging in de richting van de snelweg.

De kokosnotenman gaf ze elk een opengesneden noot, vol met verse melk en met een roze rietje erin gestoken.

Masterji wist dat hij moest weigeren: de kokosnoot was bedoeld voor iemand die meneer Shahs geld zou aanpakken.

'...natuurlijk maakt u een grapje, Masterji... Zou u *echt* nee zeggen? Als de einddatum in zicht komt, zou u dan *echt, echt...*'

Hij nam de overvolle kokosnoot in zijn handen en voelde het gewicht. *Als je rijk bent, hoef je mensen niets te geven,* dacht hij. *Dan geven ze jou dingen.*

Wat geweldig.

De koele, zoete melk die hij door het rietje opzoog was een bittere sensatie: vier of vijf seconden lang begreep hij wat het betekende om miljonair te zijn.

Het kale, vochtige, chocoladebruine hoofd van de trommelaar glansde in het volle morgenlicht; achter hem blies een schommelende man op een *nadaswaram*. Vier tieners droegen de houten draagbaar, twee volgden, slaand op bronzen cimbalen. Op de baar lag een oude vrouw, gehuld in een lichtgroene sari, in haar neusgaten zaten proppen watten. Een jongen aan het hoofd van de stoet barstte om de paar stappen uit in een uitbundig gedans.

Ajwani, de makelaar uit de Vishram Corporatie, stond met zijn armen over elkaar op de Vakolamarkt en keek naar Shanmugham, die een paar passen van hem vandaan met zijn armen over elkaar naar de begrafenisstoet keek.

De man van de Confidence Group droeg zijn vaste zwart-witte uniform, onder zijn arm had hij iets wat eruitzag als een groene financiële prospectus.

Shanmugham draaide zich om en merkte dat Ajwani hem opmerkte.

Glimlachend liep de makelaar op hem toe.

'Ik ben van de Vishram Corporatie. Ajwani is mijn naam.'

Shanmugham glimlachte terug. 'Ik weet het. Ramesh. Toren A. U hebt die Toyota Qualis.'

Kort daarna zaten de twee mannen in een restaurant in de buurt. Ajwani stuurde een muis van onder de tafel met een trap de laan uit, en gebaarde naar de ober.

Hij pakte de groene prospectus op die Shanmugham op de tafel had gelegd en bladerde hem door.

'Beleggingsfondsen... Ik heb ook op de beurs gerommeld in de jaren negentig. Technologische bedrijven. Ik heb aandelen Infosys gekocht. Niks verdiend. Dat zal u ook niet gebeuren.'

'Ik *heb* verdiend,' zei Shanmugham.

'Dan verliest u alles. Mannen als wij worden niet rijk met aandelen.'

Ajwani schoof de prospectus terug over de tafel, hij keek zijn gesprekspartner in de ogen.

'Ik wil u wat vragen, meneer Shanmugham. Wat is uw functie binnen de Confidence Group?'

'Die heb ik niet. Ik verleen assistentie als een persoonlijke dienst aan meneer Shah.'

'Nee, zo zit het niet.' De makelaar sloeg met zijn hand op de prospectus. 'Elke projectontwikkelaar heeft één speciale man binnen zijn bedrijf. Die man heeft geen visitekaartjes om uit te delen, geen functie, hij staat niet eens op de loonlijst van de firma. Maar hij is de linkerhand van de projectontwikkelaar. Hij doet waar de rechterhand van de bouwer niets van wil weten. Als er problemen zijn, legt hij contact met de politie of de maffia. Als er een politicus betaald moet worden, draagt hij de zak met geld. Als iemands vingers gebroken moeten worden, dan breekt hij ze. U bent meneer Shahs linkerhand.'

Shanmugham schoof zijn prospectus onder de vingers van de makelaar vandaan.

'Ik heb die term nog nooit gehoord. *Iemands linkerhand.*'

De ober zette twee koppen thee op hun tafel.

'Breng me een pot suiker,' zei Ajwani.

Hoffelijk schoof hij Shanmughams thee wat meer in zijn richting.

'Kent u het gezegde "een makelaar is een volle neef van een projectontwikkelaar"? Mijn leven lang heb ik renovaties meegemaakt. De projectontwikkelaar heeft altijd een binnenman. Die geeft informatie over de andere leden van de corporatie. Dus dan geef je hem een douceurtje. Helaas hebt u deze keer de verkeerde man gekozen.'

Shanmugham, die in zijn thee was gaan blazen om hem af te koelen, hield ermee op.

De makelaar vervolgde: 'Meestal wordt de secretaris ervoor gekozen. De secretaris van Toren B, meneer Ravi, is een goed mens. Maar *onze* secretaris is een man van *niks*.'

'Van niks?' vroeg Shanmugham aan zijn thee.

'Hij kreeg pas een zoon toen hij bijna vijftig was. Hij kan nog niet *dat*.' Ajwani tilde een vinger op. 'Het enige wat hij al dagen doet is "Afrika, Afrika, Afrika" zeggen.'

'Wie kan ons dan *wel* helpen?'

Ajwani haalde zijn schouders op.

'Mag ik u eens wat vragen? Hoeveel mensen in Vishram Toren A zeggen nee tegen het aanbod?'

'Vier.'

Ajwani tikte op de tafel met zijn mobiel.

'Mis. Er is er maar één die echt tegen is. De andere drie weten niet wat ze willen.'

'Welke dan?'

De ober zette de suikerpot op tafel; Ajwani borg zijn mobiel op in zijn zak. Hij glimlachte.

'De termijn is te kort, meneer Shanmugham. Een project als dit gaat minstens twee jaar duren. Waarom zet uw baas het zo onder druk?'

Shanmughams ogen schitterden. Hij dronk zijn thee op en schoof zijn lege glas naar het midden van de tafel.

'Welke?'

Ajwani reikte naar de suiker, schepte een lepel vol en hield die boven zijn glas. 'U wilt informatie van mij...' Hij liet de lepel trillen '...voor niets. Dat is hebzucht. Geef me een zoethoudertje. Elfduizend rupee extra per vierkante meter.'

Shanmugham stond op.

'Ik ben naar Vakola gegaan om dozen met zoetigheid af te leveren bij uw corporatie. U zult er ook een voor uzelf vinden bij de poort, meneer Ajwani. Behalve dat heb ik u niets te geven.'

De makelaar roerde de suiker door zijn thee.

'U krijgt de Vishram Corporatie nooit zover dat ze uw bod accepteren zonder mijn hulp.'

Toen Ajwani stilhield bij het hek van het flatgebouw, ontdekte hij dat Shanmugham de waarheid had gesproken over de zoetigheid. Rode dozen, elk met een afbeelding van Heer SiddhiVinayak. 300 gram in elke doos, cashewgebakjes, allemaal in diamantvorm gesneden. Een handgeschreven brief op elke doos. Ondertekend. 'Mijn gezin, uw gezin. Dharmen Shah, directeur Confidence Group.'

'Ik heb uw doos aan uw vrouw gegeven,' zei Ram Khare.

Ajwani wees op de stapel naast de bewaker. 'Wat doen die vier dozen daar?'

'Vier mensen hebben gezegd dat ze geen zoetigheid wilden,' zei de bewaker. 'Niet te geloven toch?'

Ajwani gluurde naar de dozen. 'Welke vier?'

Een zonnige glimlach op Ibrahim Kudwa's baardige gezicht was gegarandeerd als een van de buren langs de wirwar van snoeren, bakstenen, goedkope dakbedekking en bladderende verf liep die de naam SPEED-TEK CYBERZONE INTERNETCAFÉ droeg. De stam van de banyanboom die naast het internetcafé groeide was wit geverfd, om sneeuw te suggereren. Kudwa's assistent sinds tijden, Arjun, was kennelijk een paar jaar geleden tot het christendom bekeerd; vorig jaar had hij de banyanboom voor zijn godsdienst gewonnen en een privékerststalletje met speelgoedfiguurtjes in een overdaad van wattensneeuw aan de wortel uitgestald. Een ander bewijs van Kerstmis was te zien aan de grote vijfpuntige ster omgeven door wimpeltjes, die Arjun boven het dak van het café had opgehangen. Maanden later hing hij er nog, onverwacht, kolossaal, met rafelende wimpels met, als in de morgen het licht er van achteren tegenaan scheen, het aanzien van een symbool van de Apocalyps. Soms zat een heilige hindoeman, als aangetrokken door de mystieke ster, voor het café. Meneer Kudwa had daar geen bezwaar tegen, hij moedigde de man zelfs zo nu en dan aan met een munt van twee rupee.

Ondernemend type, Ibrahim Kudwa. Hij was leadzanger geweest in een rockband op de universiteit en besloot na zijn afstuderen niet in het alleen voor moslims bestemde flatgebouw in Bandra Oost te blijven, waar zijn broers en zussen nog steeds woonden. Vishram was oud, maar hij wilde dat zijn kinderen met hindoes en christenen omgingen. Op advies van een tijdschriftartikel had hij besloten dat de toekomst in de technologie lag. Hij wees het aanbod van zijn broer af om te komen werken in de familiezaak in ijzerwaren in Kalanagar en hij opende in 1998 een internetcafé in de buurt. Snel verdiend. Zijn tarieven stegen van tien rupee per uur naar vijftien, naar twintig en daalden toen weer naar vijftien en toen naar tien. Verraderlijk gedoe, technologie. Binnen zes maanden was internet zo goedkoop geworden dat alleen ruw volk en toeristen nog internetcafés nodig hadden. IJzerwaren waren waardevast; zijn broer had kortgeleden een tweede driekamerflat gekocht als investering. Toen besloot de regering dat iedereen die gebruikmaakte van een internetcafé een potentiële terrorist was. Gebruikersnaam, telefoonnummer, adres, rijbewijs of paspoortnummer – de café-eigenaar was wettelijk verplicht om alle gegevens van elke klant bij te houden, en de politie stortte zich onder elk voorwendsel op de boeken van Kudwa om er smeergeld uit te slepen.

Toch zou geen van zijn buren beweren dat hij een ongelukkig mens was. Hij was een beer die op elke hoogte van een boom honing kon vinden. Hij besteedde zijn aanzienlijke hoeveelheid vrije tijd aan zijn twee vrolijke kinderen, de tienjarige Mohammad, die in taekwondotoernooien dapper verloor van de kleine Ajwani's, en de tweejarige Mariam, die in haar nachthemdje naar willekeur rondstrompelde door haar vaders internetcafé en zichzelf uitnodigde op de schoot van de klanten om verrukt op de oude toetsenborden te hameren. Mumtaz, zijn vrouw, spaarde kortingsbonnen en punten op haar creditcard zodat ze elke zomer op vakantie naar Mahabaleshwar konden. In augustus het jaar daarvoor had zich zelfs het door creditcardpunten gesubsidieerde wonder voltrokken van een gezinsvakantie naar Ladakh, waar ze Tibetaanse kloosters hadden bezocht en waarvan ze terugkwamen met heilige kralen en T-shirts voor hun hindoeburen.

'Waarom zit u bij de oppositiepartij, Ibrahim?'

Ajwani had zich net laten zakken op de bezoekersstoel in het café.

'Oppositiepartij?' vroeg Kudwa. Hij had kleine Mariam op schoot en aaide haar over het haar.

'U zegt nee tegen het bod. Waarom?'

Kudwa keek hem strak aan. 'Wie heeft u verteld dat ik nee heb gezegd?'

Hij liet Mariam over de vloer kruipen. 'Dacht u dat ik mijn hele leven in dat internetcafégedoe wil blijven? Dacht u dat ik wil dat mijn kinderen in armoe opgroeien?'

'Dus u gaat ons steunen, Ibrahim.' Ajwani grinnikte. 'Waarom hebt u de zoetigheid dan niet aangepakt?'

'Nee, zo eenvoudig ligt het niet.' Kudwa gebaarde met zijn hand dat hij geduld moest hebben.

Er was namelijk ook nog wat mevrouw Puri over Masterji had gezegd: 'een Engelse gentleman'. Hoewel zij het bod wel wilde aannemen, bewonderde ze zijn houding. Wat zouden zijn buren van hem denken als hij onmiddellijk het geld van meneer Shah zou aanpakken?

'Ik wil dat er gunstig over me gedacht wordt. De mensen in mijn corporatie zien me als een onbevooroordeeld mens.'

Kudwa krabde met beide handen in zijn baard.

'Natuurlijk doen we dat,' zei Ajwani. 'Dat was overigens een kostelijke grap, onlangs. Wat u op dat bord voor de corporatie had geschreven. Hoe was het ook weer, "excuses voor het ongemak, maar werk..."'

'Ongemak in uitvoering, excuses voor het werk.' Kudwa straalde. Mariam waagde zich onder een van de computers, hij tilde haar op en droeg haar weer naar de stoel.

'Iedereen mag u graag, Ibrahim. Maar of ze u nog steeds zullen mogen als u geen ja zegt, dat weet ik niet.'

Kudwa kromp ineen.

'Mijn maag raakt erdoor van streek, Ramesh. Als ik alleen maar denk aan die beslissing. Mijn vrouw zegt dat ik in verhouding erg veel zenuwen heb. Een man met maagproblemen moet je *nooit* vragen om beslissingen te nemen.'

Ajwani zag een strip hartvormige maagzuurtabletten zitten achter Kudwa's doorschijnende overhemdzakje, als evenzoveel getuigen van zijn bewering. Hij boog zich voorover en tikte met zijn vingers tegen de strip maagzuurremmers.

'Ga mee, Ibrahim. Ik los uw probleem in een oogwenk op.'

Kudwa tilde de kleine Mariam op van de vloer, riep tegen Arjun, die de binnenplaats achter het café aan het vegen was, dat hij op de tent moest passen, en opletten dat de klanten niet naar 'vieze' sites surften terwijl hij weg was, en liep achter zijn buurman aan naar de Vishram Corporatie.

Toen ze langs hun gebouw liepen, wierp Kudwa een blik op het kantoor van de secretaris.

Kothari had hem die ochtend zijn verhaal over Afrika verteld, zoals hij het aan alle andere leden van de Vishram Corporatie had verteld. Eindelijk begreep Kudwa er iets van, van de secretaris z'n vreemde, gesloten en toch ook vriendelijke persoonlijkheid. Al die jaren had de schande van zijn vader die terug was gekomen uit Afrika – de schande van de emigrant die met lege handen terugkwam – zijn aangeboren behoefte aan gezelschap verwoest. Zonder die schande zou Kothari een ander soort mens geweest zijn. Allemaal hadden ze andere mensen kunnen zijn.

'Wat vreemd dat de secretaris een passie voor flamingo's heeft,' zei hij.

Ajwani draaide zich om. 'Wat vreemd dat de secretaris een passie voor *wat dan ook* heeft.'

'Misschien blijven we wel hier, in het gebouw, en leren we elkaar beter kennen. Misschien was Shahs bod eigenlijk daarvoor bedoeld.'

'Nee.' Ajwani liet onzichtbare munten tussen zijn vingers glijden. 'Het is bedoeld om ons rijk te maken.'

Hij stak het binnenterrein over in de richting van Toren B. Op het parkeerterrein voor het gebouw wees hij naar een vervoermiddel met een gouden lint in de vorm van een V op de motorkap. Vers uit de showroom, een Toyota Innova. Hij was twee dagen daarvoor gekocht, maar hij moest al weken voor het bod van meneer Shah besteld zijn.

Ajwani, die informatie verzamelde over alle middenklassenbewoners van Vakola, had al snel de naam van de eigenaar achterhaald: meneer Ashish, een softwareprogrammeur, een van de bewoners van Toren B.

'Wat ziet u daar?' vroeg Ajwani.

'Een auto. Een nieuwe auto.'

'Nee. U ziet tien jaar lang ploeteren, bezuinigen en opofferen voor je zoiets kunt kopen. Er bestaat een nieuwe manier om naar nieuwe dingen te kijken, Ibrahim. Raak hem eens aan.'

'Aanraken?'

Ajwani klopte wat roos van Kudwa's schouder en wenkte Mariam.

'Maakt u zich niet bezorgd om de eigenaar. Die *wil* dat u hem aanraakt. U weet toch hoe de mensen in Toren B zijn?'

Ibrahim Kudwa liet Mariam aan zijn buurman over. Hij streek met zijn hand door zijn baard en deed toen een stap in de richting van de auto met het gouden lint. Zijn wijsvinger strekte zich uit naar de glanzende metalen huid, en ogenblikkelijk brak de schil rondom de Innova die zei 'over tien jaar', en viel in stukken. Hij spreidde zijn vingers uit over de huid en hij kon een grijns niet onderdrukken.

Op de terugweg vroeg Kudwa naar zijn rode gebaksdoos bij het wachthokje.

Ajwani begaf zich naar de groente- en fruitmarkt, achter zijn rug met zijn vingers tokkelend.

Op de markt kon hij het beste nadenken. Minstens eens per week kwam hij hier met zijn twee zoons om ze te leren hoe ze moesten onderhandelen. Een essentieel onderdeel van hun opvoeding. Als een man niet bedonderd kon worden als het zijn voedsel betrof, dan kon hij nergens mee bedonderd worden.

Afrika, zei Ajwani bij zichzelf, lopend tussen karren vol rijpe watermeloenen. Hij was nooit in Afrika geweest. Ook niet in Amerika, Europa, Canada, Australië. Nooit de oceaan overgestoken.

Vrouwen waren zijn Afrika geweest. Die komen voortdurend makelaarskantoren binnen – stewardessen, fotomodellen, salesmanagers, vrijgezelle meiden, gescheiden vrouwen –, haastig op zoek naar woonruimte, soms in wanhopige haast. Een makelaar kan een vaderlijke figuur voor ze lijken, welwillend, resoluut. In zijn jonge jaren was Ajwani, die zich nooit bezighield met afpersing of chantage, met heel wat cliënten naar bed geweest. Eerst was er een hotel bij het station, het Wood-Lands, waar je kamers per uur kon huren. Later had hij een kamertje achter zijn kantoorruimte laten bouwen. Een kokosnoot om van te nippen als ze naast elkaar in bed lagen. De vrouwen waren tevreden, hij was meer tevreden dan zij. Zo wilde hij zijn transacties graag doen verlopen.

Geld – geld was zijn India geweest. Hij had geen rupee verdiend op de beurs, zelfs in onroerend goed, zijn eigen gebied, waren zijn investeringen mislukt. Iets of iemand werkte hem altijd tegen. Hij had de Toyota Qualis van een neef gekocht om zich rijk te kunnen voelen, maar hij ging eraan onderdoor. Zoop te veel diesel. Elke maand weer reparaties. Weer was hij bedonderd. In de film van zijn eigen leven, dat moest hij toegeven, was hij maar een komediant.

Maar deze keer niet.

Kleine donkere appeltjes lagen in een piramide op een blauwe kar en leken op middeleeuwse munitie, puntige papaya's, moderne artilleriegranaten, omringden ze aan alle kanten. Ajwani pakte een papaya op en rook aan de onderkant of hij rijp was. Zo zou hij het ook doen met Masterji, de Pinto's en mevrouw Rego: snuffelen en kloppen, snuffelen en kloppen, hun zwakke plekken vinden, ze openbreken. Kudwa had hij gratis bewerkt, maar voor de volgende drie zou meneer Shah moeten betalen.

Zoals elk jaar om deze tijd ging het praatje op de markt dat de regens laat zouden komen en dat het watertekort algauw vreselijk zou zijn.

Afgezaagde roddels links, middelmatige koopwaar rechts; Ramesh Ajwani wist dat zijn ogen de slimste dingen waren die op de markt van Vakola te koop waren.

BOEK VIER

DE REGENS BEGINNEN

19 JUNI

Pizzicati van in hun val gestuite regendruppels dropen uit een ko-
kospalm: een virtuoos stukje helderheid in het concert van donderwolken, bewolkte luchten, aanzwellende regen.

Vanuit hun slaapkamer keken Ramu en het Lieve Eendje toe.
Het metalen rooster tegen inbrekers voor het raam kwam tot
leven, het smeedijzeren gebladerte droop en veranderde in echte
bladeren en echte bloemen.

'Oy, oy, oy, mijn prinsje. Waar zit je zo diep aan te denken?'

Mevrouw Puri zat naast haar zoon en wees naar de lucht. De
strepen van de afnemende regen schitterden, de zon brak door.

'Weet je nog wat Masterji zegt? Als er tegelijk zon en regen is, dan
komt er een... je kent het woord wel, Ramu. Zeg het maar. Dat is
een re... een regen... een regenb...'

Met haar arm beschermend om Ramu's natte hoofd keek mevrouw Puri op. Er hing weer een druppel regenwater aan het plafond. De oude muren van Vishram glinsterden van helder lekwa-
ter, vocht wrong zich in barsten in de verf, likte aan stalen stangen
en kauwde op metselspecie.

Ramu, die zijn moeders gedachten kon lezen, greep naar haar
gouden armbanden en begon ermee te spelen.

'We hoeven ons geen zorgen te maken, Ramu. We gaan verhuizen naar een splinternieuw huis. Nog maar drie maanden. Een huis
dat nooit zal instorten.'

Ramu fluisterde.

'Ja, iedereen, zelfs Masterji en oompje secretaris.'

De jongen glimlachte, toen hield hij zijn handen tegen zijn oren en deed zijn ogen dicht.

Mevrouw Puri draaide zich om en riep: 'Mary, maak niet zo'n herrie met die vuilnisbak. Ik heb hier een opgroeiende zoon!'

Zoals elke dag sleepte Mary een beschimmelde blauwe ton van de ene verdieping van de Vishram Corporatie naar de andere, leegde daarin de afvalbakken die voor elke deur stonden en ruimde de rotzooi op die de ochtendkat had achtergelaten als hij naar eten zocht. De mensen van de Vishram Corporatie waren niet gul met lof voor personeel, maar Mary vertrouwden ze. Zo eerlijk dat ze zelfs een gevallen rupeemunt teruglegde op de tafel. Geen enkele klacht over diefstal in de zeven jaar dat ze hier werkte. Goed, er lag altijd vuil op de trapleuningen en op de trappen, maar het was een oud gebouw. Het scheidde verval af. Kon Mary dat helpen?

Ze had een zwaar leven. Ze was getrouwd met een paar gespierde armen die haar leven in en uit zwierven en blauwe plekken en een kind hadden achtergelaten; soms dook haar vader op vanonder de groentekramen op de markt, stomdronken.

Toen ze klaar was met 5B, de laatste flat op de bovenste verdieping, rolde ze de blauwe ton de trap af en het trappenhuis weergalmde met een kabaal als de donder. ('Mary! Hoor je me niet? Hou meteen op met dat lawaai! Mary!') De vertakte aderen op haar onderarmen waren opgezwollen alsof de ton eraan vastgebonden zat, en ze rolde het ding de corporatie uit, het hek door en de weg op naar een open vuilstort.

De regens hadden de kuil in een moeras veranderd: cellofaan, eierschalen, koppen van politici, beursnoteringen, bananenschillen, afgesneden kippenpoten en groene kronen van ananassen. Linten van afgespoelde cassettebandjes dropen over alles heen als gesmolten karamel.

Terwijl ze plastic zakken uit haar blauwe ton in het moeras gooide zag Mary vanuit haar ooghoek een man naar haar toe lopen. Ze rook Johnson's babypoeder. Ze deed een stap dichter naar de vuilnishoop, die lucht beviel haar beter.

'Mary.'

Ze gromde ter bevestiging dat Ajwani er was. Ze had een hekel aan de manier waarop hij naar haar keek; zijn ogen pinden een prijskaartje op vrouwen.

'Wat zat er vanmorgen in de vuilnisbak van mevrouw Puri?'

'Dat weet ik niet.'

'Wil je het voor me uitzoeken?' vroeg hij met een glimlach.

Ze waadde door het afval en pakte er een plastic zak uit die ze Ajwani voor zijn voeten gooide. Hij keerde hem om met zijn voet.

'Weet je nog dat mevrouw Puri zei dat ze gisteren met haar Ramu naar de tempel zou gaan? Sitla Devi in Mahim, zei ze, toen ik het haar vroeg. Als hindoes naar de tempel gaan, dan komen ze met dingen terug – bloemen, kokosnotenschillen, kurkumapoeder – en daarvan is niks te vinden in haar afval. Wat leid je daaruit af?'

Mary had de blauwe ton geleegd en schraapte de binnenkant uit met haar handpalm. Drie donkere varkens begonnen in de troep te snuffelen, een vierde stond met zijn ogen dicht stil in de modder, als iets heiligs dat mediteerde.

'Ik weet het niet.'

'Niemand houdt iets verborgen voor zijn vuilnisbak, Mary. Van nu af aan wil ik dat je elke morgen drie vuilniszakken doorzoekt. Die van Masterji, van meneer Pinto en van mevrouw Rego.'

'Dat is mijn taak niet,' zei ze. 'Dat is de taak van de ochtendkat.'

'Dan word jij de kat, Mary.'

Glimlachend bood Ajwani haar een briefje van tien rupee aan. Ze schudde haar hoofd.

'Pak aan, pak aan,' zei hij.

'Dit is ook voor jou.' Ajwani hield haar een rode doos met de afbeelding van Heer SiddhiVinayak voor. 'Voor je zoon.'

Mary keek naar de rode doos: grote vetvlekken zaten op de kartonnen zijkanten.

Twee aasvrouwen hadden staan wachten tot Mary de blauwe ton had geleegd, de ene hield een ruitenwisser van een auto in haar hand. Nu liepen ze blootsvoets het vochtige afval in, oude juten zakken over hun schouder, en rommelden met de ruitenwisser door het vuilnis. Mevrouw Puri's zak lieten ze met rust. Ze zochten geen informatie maar alleen plastic en blik.

Terug in Vishram verstopte Mary de gebaksdoos in de personeelsnis en ging toen de gemeenschappelijke ruimten vegen, het trappenhuis en het binnenterrein.

Een halfuur later kocht ze, met de gebaksdoos in haar ene hand, groente op de markt. Iets vers voor haar zoon. Bieten. Goed voor kinderhersens, zei mevrouw Puri, die ze altijd kookte voor haar zoon. *Ze zou mij die bieten moeten geven*, dacht Mary. Wat had het voor zin om ze te verspillen aan die imbeciel?

Met een bieten-*pav* boven op de rode gebaksdoos liep ze naar de Hibiscus Corporatie.

'Waarom kom je hier werk zoeken? Je hebt toch werk in Vishram?' vroeg de bewaker.

'De projectontwikkelaar heeft ze een bod gedaan. Iedereen vertrekt op 3 oktober.'

'O, een renovatie.' De bewaker zoog op zijn gebit. Hij was een oude man, hij kende de corporaties. 'Dat gaat jaren en jaren duren. Er stapt iemand naar de rechter. Je hoeft je nu nog geen zorgen te maken'

'Als je in de sloppen bij de *nullah* woont – uitkijken!'

Er rende een man over de markt. Hij zette zijn handen aan zijn mond als een dorpsomroeper. 'Sloppenontruiming! De mannen zijn er!'

De bewaker van de Hibiscus Corporatie krabde in zijn haar, overwoog Mary's voorstel en zei: 'Goed dan. Maar wat levert mij dat op? Krijg ik iedere maand een aandeel? Zo niet, dan...'

Maar waar de werkster had gestaan, lag nu een rode gebaksdoos op de grond, bieten rolden eromheen.

Ze holde, botste tegen mensen aan. Fietsen en karren duwde ze opzij, ze holde.

Langs de Vishram Corporatie, langs de Tamiltempel, langs de bouwplaats waar de twee torens verrezen en de sloppen in, steegje na steegje, ze ontweek straathonden en hanen en rende het open braakland erachter in. Een vliegtuig gleed boven haar. Eindelijk bereikte ze de nullah, een lang kanaal met zwart water, aan de oever waarvan een rij tenten van blauw zeildoek was verrezen.

Haar buren waren hout aan het hakken, een haan stapte rond tussen de hutten, kinderen speelden op rubberbanden die aan de bomen waren opgehangen.

'Er komt niemand hierheen, Mary,' zei haar buurman tegen haar in het Tamil. 'Het was vals alarm.'

Mary liep langzamer, zwaar hijgend, kwam bij haar tent en keek onder het blauwe zeildoek, omhooggehouden door een houten paal. Alles was intact: bakolie, pannen, de schoolboeken van haar zoon, fotoalbums.

'Ze komen pas na de moesson,' riep haar buurman. 'Zolang zijn we veilig.'

Mary ging zitten en veegde haar gezicht af.

Van de legpuzzel van volledig legale sloppen, half-legale sloppen en kluitjes hutten in Vakola leidde dit rijtje krotten naast een vervuild kanaal, de nullah die de buitenwijk doorsneed, het meest riskante bestaan. Omdat ze hier waren gekomen na de laatste amnestie van illegale sloppen door de regering, en omdat het kanaal tijdens zware moessons kon overstromen, hadden de krakers geen legitimatiekaarten gekregen die het bestaan van de sloppenbewoner 'reguleerde' en hem het recht gaf op herhuisvesting in een *pucca* gebouw als de regering zijn hut wegbulldozerde. Gemeenteambtenaren hadden de bewoners bij de nullah herhaaldelijk gedreigd met uitzetting, maar altijd was er iemand tussenbeide gekomen om ze te redden, meestal een politicus die hun stem nodig had bij de volgende gemeentelijke verkiezing. Vorige maand was mevrouw Rego erheen gekomen om hen uit te leggen dat er iets veranderd was. Er was nu een seizoen van wilskracht aangebroken in Bombay: de coalitie van corruptie, liefdadigheid en laksheid die hen zo lang beschermd had, viel uiteen. Er was een nieuwe ambtenaar aangesteld voor het ontruimen van de illegale sloppen van de stad. Hij had kilometers aan hutten in Thane gesloopt en beloofd in Mumbai hetzelfde te doen. Elke dag dat hun sloppenwijk nog bestond mocht een wonder genoemd worden.

De hutten langs de nullah waren van binnenuit verlicht. Mary had van mevrouw Rego een oude witte tl-lamp op drie batterijen gekregen, die ze aan een haak aan het dak van haar tent had gehangen.

Even later was er iemand langsgekomen om te kijken hoe het met haar was. Het was het Slagschip in eigen persoon.

Haar handen afvegend aan haar sari kwam Mary naar buiten om te praten.

'Vandaag was het vals alarm, Mary, maar vroeg of laat komen ze de zaak hier slopen. Je moet hier weg zolang het nog kan.'

'Dit is mijn huis, mevrouw. Zou u uw huis achterlaten?'

Ze vroeg het Slagschip naar Timothy, haar zoon. 'Speelt hij cricket bij de tempel?'

'Laat hem maar spelen, Mary. Het is een kind. Later is er geen tijd meer om te spelen.'

'Die andere jongens gaan niet naar school, mevrouw. Sommigen zijn bijna twintig. Laat u uw zoon met hen spelen?'

Mevrouw Rego stond op het punt Mary op haar plaats te wijzen, maar ze beheerste zich.

'Ik ben hier degene die lesjes uitdeelt, Mary. Ik ben niet gewend ze te krijgen van mensen die in de nullah wonen. Maar laten we geen ruziemaken. We hebben vandaag allebei goed nieuws gekregen.'

Ze was op weg naar huis van het kantoor van een advocaat in Shivaji Park, gespecialiseerd in bewonerscorporaties en de onenigheden daarover. Het is niet waar, had hij haar gezegd, dat ieder lid van een corporatie ja moest zeggen voor die gesloopt kan worden. Driekwart van de stemmen vóór kan wettelijk gezien genoeg zijn. Maar de wet was niet eenduidig op dit punt. Zoals in de meeste gevallen, voegde de advocaat eraan toe. De wet in Mumbai was niet blind, verre van dat, hij had twee gezichten en vier actieve ogen, en hij bezag elke zaak van beide kanten en kon er nooit een besluit over nemen. Maar een niet-eenduidige, tweeslachtige en dubbelzinnige wet had ook zo zijn voordelen. Deze kwestie – individuele rechten versus gemeenschappelijk belang – was zo gecompliceerd dat als er ook maar één bewoner van Vishram naar de rechter stapte, de sloop jaren kon worden uitgesteld terwijl de rechter op zijn hoofd zat te krabben over de zaak en probeerde een patroon te ontdekken in een halve eeuw van tegenstrijdige juridische precedenten. Meneer Shah zou het opgeven en het ergens anders proberen.

Mary kwam haar hut uit met een bijl en begon brandhout te hakken voor haar avondeten.

Mevrouw Rego was een paar deuren verder langs de nullah gegaan.

'Hoe vaak heb ik je niet gezegd,' schreeuwde ze naar een man van wie bekend was dat hij een drankprobleem had, 'dat je het niet moet *wagen* om een hand tegen je vrouw op te heffen?'

Mary dacht aan haar Timothy. Hij zou nu hierbinnen moeten zitten studeren, niet daarbuiten bij de Tamil-tempel cricket spelen met die oudere, ruwere schepsels. Hij zou binnenkort tegen ze op gaan zien.

Ze zou hem een pak slaag kunnen geven omdat hij haar bevelen negeerde, maar het was beter om je op het brandhout uit te leven. Ze zwaaide en hakte.

'Ik ging wel eens met je moeder en jou naar een straatkermis in Bandra, toen je zo groot was. Dat weet je vast nog wel.'

Aan het andere einde van de stad liep Dharmen Shah met zijn zoon langs bonte ballonnen en lichtgevende plastic slangen. Ze hadden wat ongemakkelijk gegeten in de lobby van het Hilton Hotel en toen ze naar buiten kwamen merkten ze dat Nariman Point afgesloten was voor het verkeer wegens een straatkermis. Bollen vanille-ijs op puntjes of in bakjes doken overal om hen heen op als sneeuwballen, paarden voor met zilverfolie overtrokken wagens in de vorm van zwanen, klepperden de laan op en neer.

'Wanneer krijg ik mijn creditkaart terug?'

'Als ik zin heb om je die weer terug te geven. Ben je weer met die jongens van die bende geweest?'

Satish bleef staan. 'Paardenstront. Overal,' zei hij. De zomen van zijn spijkerbroek sleepten over de smerige straat, maar Shah nam maar aan dat het de heersende mode was en bekeek zichzelf.

'Ik vroeg je wat over de bende, Satish. Ga je nog...'

De jongen had met zijn vingers zijn neus dichtgeknepen. 'Ik wil naar huis,' zei hij. Zijn vader vroeg alleen maar of hij geld voor een taxi had.

Shah belde Shanmugham, die in Malabar Hill wachtte om hem zijn avondrapport uit te brengen.

'Kom naar Nariman Point.'

Hij stond achter een rij kinderen die wachtten om rood sorbetijs in een beker te kopen. De kinderen keken naar hem en giechelden, hij glimlachte. Overal om hem heen zag hij mannen met hun vrouwen en zonen.

Ik raak mijn zoon kwijt, dacht hij. Hij wist dat Satish de taxichauffeur vast niet gevraagd had hem naar Malabar Hill te brengen, hij ging rechtstreeks naar het huis van een van zijn vrienden.

Een tros gele ballonnen steeg op boven de kermis en dreef het duister in. Shah volgde ze.

Hij liet het licht en kabaal achter zich en bereikte een parkeerterrein. Achter het parkeerterrein stond een metalen hek, daarachter lag donker water. Aan het eind van het water zag hij de lichten van Navy Nagar, de zuidelijke punt van Mumbai.

Shah drukte zijn gezicht tegen het koude gaas van het hek. Hij keek naar de verre lichten en draaide toen zijn gezicht tot hij naar de grond keek.

Dit hek was bedoeld om het einde van het land aan te geven, maar een voorgebergte van puin, kapotte stukken van oude panden, graniet, plastic en Pepsi Cola was er voorbij geslopen; het ondernemende afval stak een paar meter het water in. Shahs vingers klopten terwijl hij naar de amfibische aarde van Nariman Point staarde. Kijk toch hoe die stad nooit ophoudt met groeien: rommel, stront, planten, compost, aan zichzelf overgelaten, beginnen de zee op te slorpen, kruipen naar de overkant van de baai als een slangentong, sissend door zout water, *er is hier meer land, meer land.*

Er ontstond woeling in het voorgebergte – plastic zakken en kiezels begonnen te golven alsof er muizen onder scharrelden, toen schoot er een mus weg uit het puin. *Het komt tot leven,* dacht Shah. *Was Satish maar hier om het te zien.* Heel Bombay was zo geschapen, uit het verlangen van schroot en afgegraven grond waarop de nieuw gewonnen stad rust om iets beters te worden. Op deze manier zijn ze allemaal opgeschoten, vissen, vogels, de luipaarden van Borivali, zelfs de filmsterretjes en supermodellen van Bandra.

Nu begon een dakloze zich over het puin te bewegen; hij moest een gat in het hek hebben gevonden. Hij hurkte en spuwde. Zijn spuug voegde zich bij de donderwolk van landwinning, net zoals zijn uitwerpselen die weldra zouden volgen. Shah sloot zijn ogen en bad tot het puin en de man die zich erin ontlastte: *Laat me bouwen. Nog één keer.*

'Meneer...' Hij voelde een hand op zijn schouder. 'Het is hier niet schoon.'

Shanmugham stond achter hem, in zijn witte overhemd en zwarte broek.

Ze keerden terug naar het licht en het geluid.

'Wat doet die secretaris?' vroeg Shah, toen ze terugliepen naar de straatkermis.

Hij had net het slechte nieuws gehoord: de vier keer nee van Vishram waren er drie geworden, maar die drie nee's leken onwrikbaar. En de secretaris had telefonisch geprotesteerd dat *hij* ze niet kon dwingen om de overeenkomst te tekenen.

'Ik weet niet waarom ze hem secretaris gemaakt hebben, meneer,' zei Shanmugham. 'Hij deugt nergens voor. Maar er is iemand anders... een makelaar... die kan ons misschien helpen. Hij vroeg om geld.'

'Dat is prima. Besteed er gerust nog een lakh of twee lakh aan, als het moet. Meer zelfs als het absoluut nodig is. 3 oktober nadert.' Shah hield zijn hand achter zijn oor. 'Elke dag hoor ik de datum dichterbij komen. Hoor jij het ook?'

'Jawel meneer,' zei Shanmugham. 'Ik hoor het. Ik hoor 3 oktober dichterbij komen.'

De bouwondernemer stopte en draaide zijn hoofd om. Een suikerrietsapkraampje was opgezet langs de weg, als onderdeel van de kermis. Zijn ogen gleden naar het dak van het kraampje waar het suikerriet lag opgestapeld, twee meter hoog, de grootste stengels bogen door aan het eind als de klauwen van een krab.

De rietstampmachine werd verlicht door naakte peertjes. In een vierkant van hard licht draaide een jongen aan een rood wiel dat kleinere groene wielen aandreef die rinkelden en het riet vermaalden, waarvan het sap door een goot vol met onregelmatige stukken ijs via een vuile zeef in een roestvrijstalen vat liep dat meteen besloeg door de koude vloeistof. Het werd in kegelvormige glaasjes gegoten en aan klanten verkocht voor vijf rupee per stuk, zeven voor een groter glas.

'Ik leefde op dat sap toen ik net in Bombay was, Shanmugham. Ik leefde erop.'

'Meneer, ze maken het ijs met vuil water. Je krijgt er geelzucht van, diarree, wormen, God mag weten wat nog meer.'

'Ik weet het. Ik weet het.'

De kleurige, snelle, muzikale wielen draaiden nog eens rond en pletten het riet – Shah stelde zich opstijgende bakstenen voor, verrijzende steigers, mannen die kilometers kabel hesen op die rinkelende energie. Was hij maar weer net nieuw in Bombay, kon hij dat spul maar weer drinken.

Tijdens de weg terug bleef hij ze maar voor zijn geestesoog zien, de wielen van de suikerrietstamper, draaiend onder naakte elektrische peertjes, schijven rondschietend licht dat gaten in de nacht prikte als de tollende machines van het lot die hun dagtaak erop hadden zitten en nu overwerkten.

Laat die avond barstte de eerste storm los over de stad.

20 JUNI

Lage huren, vijf minuten naar het station Santa Cruz, tien minuten naar Bandra met de auto. Het leven in Vakola heeft vele voordelen, zeker, maar Ajwani, de eerlijke makelaar, wijst nieuwkomers erop dat er ook een groot nadeel is.

Niet de nabijheid van sloppen (zij blijven in hun hutten, jij blijft in je flatgebouw, wie valt wie nou lastig?). Niet de Boeing 747's die overvliegen (watjes in je oren, arm om je vrouw heen, slapen). Maar-één-ding-moet-je-weten-voor-je-hier-komt-wonen: Ajwani tikt met zijn mobiel op zijn gelamineerde tafel. *Dit is een laaggelegen gebied.* Tijdens elke moesson komt er een dag dat er een storm woedt, en op die dag wordt het leven in Vakola onmogelijk.

Tegen de ochtend stond het water al tot aan je middel bij het snelwegbord en in delen van Kalina. De Vishram Corporatie, die op hoger terrein lag, was veiliger, maar het pad dat erheen leidde stond dertig centimeter onder water; zo nu en dan kwam er een autoriksja aanrijden, sneed door het stormwater, zette een klant af bij het hek en vertrok als een gondel. Ram Khare verliet zijn wachthokje en zocht de beschutting van de corporatie. Niet dat die beschutting totaal was, er sproeide voortdurend water door de sterren in het hek. Emmers die onder de lekken in het dak stonden liepen om het kwartier over, tongen van nieuwe algen en mossen groeiden onder het trappenhuis. Schuin neerstortende regenvlagen ranselden het roestige hek en het blauwe dak van het wachthok, het water viel dik en glanzend neer, en hoewel de zon verborgen was, was het regenlicht voldoende om er een krant bij te lezen.

In het kantoor van Renaissance Vastgoed begreep Ajwani dat het een illusie was om klanten te verwachten, en hij zei Mani: 'Dit is de dag die we één keer per jaar krijgen', en strompelde onder een paraplu terug naar zijn corporatie.

Na vier uur was de lucht weer geklaard. Als een groot stuk donker verband waren de donderwolken weggetrokken en een rauwe zon was weer zichtbaar. Mensen waagden zich buiten hun panden in het water, dat de kleur had van Assamthee en waarin zowel afval als vlammend licht dreef.

21 JUNI

De ochtend na de storm ijsbeerde Masterji door zijn woonkamer. Het binnenterrein lag vol met stormwater en modder. Hij had net zijn bruine broek gewassen in de halfautomatische wasmachine en die zou rode en zwarte vlekken krijgen als hij ook maar een paar stappen naar buiten deed.

Hij klopte aan bij mevrouw Puri, in de hoop op een kop thee en een babbeltje.

'U gedraagt zich als een vreemde, Masterji,' zei mevrouw Puri toen ze opendeed. 'Maar we moeten zo naar de SiddhiVinayaktempel, Ramu en ik. Zullen we morgen wat praten?'

Zijn buren hadden Masterji de laatste tijd inderdaad weinig gezien.

Het parlement kwam niet meer bijeen vanwege de regens, en al het praten vond nu trouwens plaats achter gesloten deuren. Een anders zo praatzieke corporatie had zich in stilzwijgen gehuld. Te midden van het geluidloos ontkiemen van plannen en vooruitzichten om hem heen zat Masterji daar als een cyste naar de regen en zijn dochters tekeningen van Vakola te kijken, of met zijn Rubik's Cube te spelen tot er op de deur geklopt werd en meneer Pinto riep: 'Masterji, we wachten. Etenstijd.'

Het verleden blijft groeien, ook als de toekomst tot stilstand is gekomen.

De mannen en vrouwen om hem heen droomden dan wel van grotere huizen en auto's, zijn genoegens waren die van de uitbreiding van het vloeroppervlak van het innerlijk leven. Hoe meer hij keek naar zijn dochters schetsen, hoe meer sommige plaatsen in de Vishram Corporatie – de trappen die ze op holde, de tuin waarin ze rondwandelde, het hek waar ze graag op schommelde – schoonheid en intimiteit leken te tonen. Geluiden klonken voller. Het schuren van voeten ergens in het gebouw deed hem denken aan zijn dochter die haar tennisschoenen op de kokosmat veegde voor ze naar binnen kwam. Soms had hij het gevoel dat Sandhya en Purnima samen met hem naar de regen keken, en er hing een vrouwelijke volheid in de schemerige flat.

Als de lucht opklaarde merkte hij dat het avond was, en dan liep hij langs de tuinmuur. Als de wind de dauw van de begoniabladeren op zijn hand spatte, was ze weer naast hem, zijn kleine Sandhya, en kriebelde ze in zijn handpalm zoals vroeger. Hij legde haar gelaatstrekken over die van de vrouwen die in de tuin wandelden. Bijna dertig zou ze nu zijn. Haar moeder was slank, zij zou slank gebleven zijn.

Onder het eten zeiden de Pinto's wel: 'Masterji, u bent de laatste tijd zo stil', en dan haalde hij alleen maar zijn schouders op.

Een of twee keer vroegen ze hem of hij zich al op diabetes had laten testen.

Hoewel hij meer tijd alleen doorbracht, kon hij niet zeggen dat hij zich verveelde. Hij was zich zelfs bewust van een vreemd soort voldoening. Maar nu hij met iemand wilde praten, merkte hij dat hij erg alleen was.

Hij opende de deur en liep het trappenhuis in. In plaats van af te dalen, ging hij naar boven. Hij liep tot de vijfde verdieping, en hield stil voor een steil trapje dat naar het dakterras leidde.

Na de zelfmoord van die jongen van Costello in 1999 had de corporatie het gebruik van het terras ontraden, en kinderen mochten hier niet komen.

Masterji liep het steile trapje op naar het terras. Het houten deurtje aan het eind van de trap was in lange tijd niet open geweest en hij moest er met zijn schouder flink tegenaan duwen.

En toen stond hij, voor het eerst in meer dan tien jaar, op het dak van de Vishram Corporatie.

Vijftien jaar geleden kwam Sandhya hier elke avond spelen op een hobbelpaard, dat nog steeds in een hoek stond weg te rotten. Hij zette er een voet op en gaf een schopje. Het kraakte en schommelde.

In jaren niet opgeruimde guano was op de vloer van het terras verkalkt, en daarover had zich regenwater verzameld.

Masterji liep langzaam door het water naar de muur om het terras. Vanaf hier kon hij Mary bladeren en takken zien rapen die over het binnenterrein zwierven, en Ram Khare, die zijn wachthokje binnenliep.

Mevrouw Puri kwam met Ramu het terrein op, ze liepen naar het zwarte kruis met een kom met channa. Alsof ze een zesde zintuig had keek mevrouw Puri op en zag haar buurman boven op het terras.

'Masterji, wat doet u daarboven?' riep ze. 'Het is gevaarlijk op het dak.'

Masterji bloosde van schaamte als een schooljongen die gesnapt was en liep meteen de trappen af.

Om zijn brutale wandeling over het terras goed te maken, las hij een tijdje in *De Tocht van de Ziel na de Dood*, daarna probeerde hij wat met zijn Rubik's Cube te spelen. Uiteindelijk geeuwde hij, schudde zichzelf wakker en liep naar beneden, naar het kantoor van de secretaris.

Ajwani zat in een hoek van het kantoor de voorpagina van de *Times of India* te lezen met zijn halve brilletje. De secretaris had een ander stuk van de krant, hij bestudeerde de onroerend-goed-advertenties. De twee mannen begonnen net uit plastic bekertjes van hun thee te drinken. Kothari pakte een derde bekertje waarin hij iets van zijn thee goot voor Masterji. Ajwani liep naar de tafel en deed hetzelfde.

'Geweldig toch, die regen,' zei Kothari en hij schoof het bekertje naar Masterji. 'De hele wereld is groen geworden. Alles groeit.'

'En panden storten in,' zei Masterji. Hij pakte de *Times of India* van Ajwani en las hardop het grote artikel op de voorpagina: 'Een pand van drie verdiepingen in Crawford Market is tijdens de storm van gisteren ingestort waarbij de bewaker en twee andere personen om het leven kwamen. Aangezien er meer dan twintig mensen woonden, wordt gezegd dat het een wonder is dat er slechts drie zijn omgekomen.'

Masterji las verder. Het verlangen naar verbetering had tot vernietiging geleid. Tegen het advies van de gemeentelijke ingenieur in hadden de bewoners watertanks op het dak geplaatst, en omdat die te zwaar waren voor zo'n oud gebouw, was het overjarige dak doorgebogen. Dood omdat ze een beter leven hadden gewild.

'Er was ook een instorting in Wadala. Dat staat binnenin.'

Ajwani verfrommelde zijn bekertje en mikte het in de prullenbak.

'Maar dat zijn toch maar zes doden dit jaar. Hoeveel waren het er vorig jaar? Twintig? Dertig? Een licht jaar, Masterji. Een licht jaar.'

Een macabere competitie die de mannen in de corporatie al minstens een decennium speelden. Als het een 'zwaar' jaar was qua doden als gevolg van de moesson, was dat in zekere zin in het voordeel van de ene partij (Masterji en Kudwa), een 'licht' jaar betekende een punt voor de andere (meneer Puri en de secretaris).

'Een licht jaar,' gaf Masterji toe. 'Maar ik heb hoop. We hebben nog heel wat voor de boeg voor deze moesson voorbij is.'

'Ik hou niet van deze competitie,' zei Ajwani. 'Dat instortende dak kan ooit eens het onze zijn.'

'Vishram? Nooit. Dit gebouw had er duizend jaar kunnen staan.'

'Het *staat* er,' verbeterde Masterji de secretaris met een glimlach.

'*Had* er kunnen staan.'

Masterji keek naar het plafond met een stijlvolle zwaai van zijn hand: sardonische toegeeflijkheid zoals een toneelfiguur die zou uitdrukken.

'Een punt voor onze partij,' zei hij.

'Hoe is het met dat meisje in 3B? Die journaliste. Is ze nog lastig?'

'O nee, helemaal niet. We zijn nu vrienden. Ze heeft laatst thee bij me gedronken.'

'Import-Export heeft haar de huur opgezegd. Ze moet op 3 oktober weg zijn.'

Masterji draaide zich naar rechts om de makelaar aan te kijken. 'Is Hiranandani met een nieuwe huurder bezig?'

'Ja,' glimlachte Ajwani. 'Meneer Shah van de Confidence Group.' Masterji keek naar het plafond en verhief zijn stem. 'Weer een punt voor die partij. We zijn aan het verliezen, medeleden van de oppositie.'

Ajwani zette zijn bril af en glimlachte. 'Ik geef u het punt, Masterji. Ik geef u honderd discussiepunten. Maar wilt u in ruil daarvoor iets voor mij doen? Allebei mijn zoons zitten bij uw extra lessen natuurkunde. De grootste fans die u hebt. Ze vertellen me *alles* wat u zegt. We moeten altijd experimenten doen voor we iets geloven. Niet dan? Masterji, laat deze Ajwani nu vandaag eens uw leraar zijn. Doet u eens een experiment voor hem. Loop eens de weg op en kijk wat meneer Shah achter de sloppen aan het bouwen is. En zegt u dan eerlijk dat u *niet* onder de indruk bent van die meneer Shah?'

Ramu was de trap af gekomen in een T-shirt en spijkerbroek met het bordje GEEN LAWAAI van zijn moeder in zijn handen.

'We gaan naar de SiddhiVinayak-tempel, we zullen voor iedereen bidden,' zei mevrouw Puri, en ze liet de jongen naar zijn drie oompjes zwaaien, die terugzwaaiden.

Ajwani trok zijn stoel dichter naar de tafel van de secretaris en wenkte de andere twee met zijn vingers.

'Elke dag komt ze terug met folders van nieuwe flatgebouwen, en die zitten de volgende dag bij haar afval. Toch zegt ze dat ze naar de tempel gaat.'

Masterji fluisterde terug: 'Uw concurrentie is uitgebreid, Ajwani. God is vast in het onroerend goed gegaan.'

Drie man barstten in lachen uit en een van hen dacht: *Net als vroeger. Niets veranderd.*

Toen Masterji naar buiten liep, trof hij Ram Khare bij de buitenmuur waar hij een glanzend rood ding bestudeerde, een gloednieuwe Bajaj Pulsar-motorfiets.

'Die is van Ibrahim Kudwa,' zei Ram Khare. 'Gisteren gekocht.'

'Hij moet geen geld uitgeven dat hij niet heeft.'

De bewakingsman grijnsde. 'Het water loopt al in je mond voor je eten hebt. Zo zijn mensen, Masterji.'

De metalen huid van de Pulsar glansde als rode chocola. De segmenten van zijn lijf waren strak en opgezwollen, als die van een krab. De zwarte helm van de eigenaar was op de achteruitkijkspiegel gespietst. Masterji dacht aan de scooter die hij eens bezeten had en stak zijn hand uit.

Een haan, een van de beesten die door Vakola rondzwierven en soms het binnenterrein van een bewonerscorporatie op glipten, vloog op het zadel en klokte als een waarschuwende geest.

Dit is wat een vrouw wenst. Geen goud, geen grote auto's, geen makkelijk verdiend geld.

Dit.

Rijk, donker, fijnnervig hout met een verse vernislaag en gouden beslag.

Mevrouw Puri liet haar handen glijden over het oppervlak van de inbouwkast, trok de deuren open en snoof de geur van vers hout op.

'Mevrouw kan ook de laden openschuiven, als ze dat wil.'

Maar daar was mevrouw al mee bezig.

Het gezin Puri was in een modelflat op de zesde verdieping van de Rathore Torens – beige, gloednieuw, twee slaapkamers, ongeveer 110 vierkante meter vloeroppervlak. Meneer Puri stond met Ramu bij het raam en liet zijn zoon het gemeenschappelijke zwembad zien, de sportzaal met afvalgarantie en de gemeenschappelijke tafeltennisruimte beneden.

De gids die een folder in haar hand had, draaide een lamp aan.

'En hier is de tweede slaapkamer. Als mevrouw deze kant uit komt?'

Mevrouw had het te druk met het openschuiven van de laden. Ze stelde zich voor hoe elke morgen de rest van haar leven het zonlicht zou glanzen op dit prachtige stuk donker hout. Boordevol met Ramu's geurige kleren. Zijn handdoeken in deze la. Zijn T-shirts hier. T-shirts *en* korte broeken hier. Poloshirts hier. Donzige broeken hier.

'Komt u hier maar door, meneer. En het kind ook. En u ook, mevrouw. Het spijt me, ik heb hierna weer een afspraak.'

'Hij is geen kind. Hij is achttien jaar.'

'Ja, natuurlijk,' zei hun gids. 'Kijkt u eens naar de leidingen en de afwerking. Bij de Rathore Group draait alles om de leidingen en de afwerking...'

'Waarom zijn er geen gordijnroeden in de kamers?'

'Mevrouw heeft gelijk. Maar de Rathore Group wil met alle plezier gordijnroeden aanbrengen voor iemand als mevrouw.'

Rode gordijnen zouden hier prachtig staan. 's Nachts zou het eruitzien als een vuurtoren. De buren zouden het zien, mensen op straat zouden omhoogkijken en zeggen: 'Wie woont daar?'

Mevrouw Puri drukte de zachte hand die in de hare lag. *Wie dacht je?*

Wat een enorm, hoog, licht en uitnodigend appartement. En kijk die vloer: een mozaïek van zwarte en witte vierkanten. Een exacte, geometrische afbakening van de ruimte, niet die kleurloze, onbestemde vloeren waarop ze haar hele huwelijksleven had ruziegemaakt, gegeten en geslapen.

In de lift vroeg ze aan haar man: 'Je hebt toch tegen niemand gezegd dat je hierheen ging?'

Hij schudde zijn hoofd.

Het Boze Oog had één keer toegeslagen in mevrouw Puri's leven. Indertijd, toen ze zwanger was, had ze opgeschept tegen haar vriendinnen dat het zeker een jongen zou worden. Het Boze Oog had het gehoord en haar zoon gestraft. Die fout zou ze niet nog eens maken.

Ze hield nu al wekenlang dezelfde komedie vol: ze verkondigde tegen Ram Khare dat ze met de jongen 'naar de tempel' ging, en nam dan een autoriksja naar het nieuwste flatgebouw dat ze ging bekijken. Haar man ging er rechtstreeks heen. Alles was heimelijk. Het Boze Oog zou deze keer niets vernemen over haar gunstige lot.

Meneer Puri legde zijn hand op het hoofd van zijn zoon en tikte over het dicht ingeplante haar tot aan de kruin in het midden. 'Hoe vaak heb ik je niet gezegd dat je dat niet moet doen?' Mevrouw Puri trok Ramu weg van zijn vader. 'Zijn schedel is gevoelig. Hij is nog in de groei.'

Toen de deur openging stonden Ritika, haar vriendin uit Toren B, en haar man, de dokter, buiten te wachten.

Ze staarden elkaar aan en barstten toen in lachen uit.

'Wat een verrassing als we toch weer buren zouden worden,' zei mevrouw Puri een halfuur later. 'Een enige verrassing natuurlijk.'

De twee gezinnen zaten in een Zuid-Indiaas restaurant net onder de Rathore Torens, in een airconditioned ruimte met ingelijste foto's van wollige buitenlandse honden en melkmeisjes.

'Ja,' glimlachte Ritika. 'Denk je ook niet?'

Mevrouw Puri en Ritika hadden bij elkaar op school gezeten in Matunga en daarna op het KC College in Churchgate. Mevrouw Puri had op haar voorgelegen. De debatingclub. De studie. Competities. Zelfs toen ze uitkeken naar huwelijkskandidaten. Haar bruidegom was langer geweest. *Vijf* centimeter.

En nu waren Ritika's twee kinderen, van haar korte echtgenoot, kort, lelijk en normaal.

'Hoeveel krijgen jullie voor je flat?' vroeg Ritika. 'Wij hebben 75 vierkante meter.

'Die van ons is 77 vierkante meter. Ze zouden eerst gemeenschappelijke toiletten plaatsen in Toren A, maar toen hebben ze die kleine ruimte toegevoegd aan het appartement C. Een oud flatgebouw heeft ook zijn voordelen.'

'Dus dat betekent dat jullie...' Ritika zocht om zich heen naar pen en papier, en schetste het toen in de lucht.

'1,67 crore,' zei mevrouw Puri. 'En jullie?'

Ritika trok haar vinger terug uit de lucht, glimlachte waardig en vroeg: 'Hebben jullie die met drie slaapkamers op de bovenste verdieping gezien? Daar zaten wij aan te denken.'

'We kunnen niet meer dan 65 lakh uitgeven.' Mevrouw Puri mimede de rest van de zin: 'De rest is voor de toekomst van Ramu.'

'Het enige probleem is dat deze meneer,' ze knikte met haar hoofd in de richting van haar man, 'de stad uit wil.'

Ruzie dient, net als vrijen, verborgen te blijven voor het kind: de regel gold al achttien jaar in het Puri-huishouden. Maar *dit* was een open provocatie.

'Waarom zou iemand in deze tijd in Mumbai willen wonen?' snauwde meneer Puri tegen zijn vrouw. 'Laten we toch naar een beschaafde plaats als Pune gaan. Ergens waar niet elke morgen tienduizend bedelaars per trein binnenstromen. Ik ben ziek van die stad, ik ben ziek van die ratrace.'

'Wat je moet doen bij een ratrace is winnen. Niet weglopen.'

'Een beschaafde plaats. Pune is beschaafd. Net als Nagpur.'

Mevrouw Puri draaide een knoop in haar sari om het te onthouden. Dit zou uitgevochten worden *nadat* Ramu was gaan slapen met zijn Lieve Eendje.

'We hebben die man van Confidence nagetrokken,' zei Ritika's korte man met gedempte stem. 'Ik ken iemand die iemand kent in de bouwwereld. Hij stelt betalingen uit, *altijd*. Maar hij betaalt. Misschien moeten we naar de rechter om ons geld te krijgen, maar we zullen het krijgen. Maak je om hem geen zorgen. Om hem niet.'

'Om wie dan wel?'

'Sangeeta,' glimlachte Ritika, 'we hebben gehoord dat er mensen in Toren A tegen de transactie zijn.'

'Er is helemaal niemand in onze corporatie die tegen is. Er is er één die "misschien" zegt. Dat is een communiste. Die praten we wel om.'

'Maar zij is niet de enige, Sangeeta. Die oude leraar in jouw corporatie ook.'

'Masterji?' Mevrouw Puri lachte. 'Dat is net een grote broodvrucht. Stekelig vanbuiten, zacht en zoet vanbinnen. Hij is een geboren ruziezoeker, maar geen geboren vechter. Altijd klagen, over dit, over dat. Maar zodra de Pinto's ja zeggen, zegt hij ook ja. Ik ken mijn Masterji.'

De ober kwam op ze af met borden met knapperige *dosa's*.

'Wacht nou maar af, Ritika, wij zullen jullie nog vóór zijn. In Toren A komt een speciale algemene vergadering en wij dienen onze formulieren het eerste in.'

Toen de ober hun dosa's opdiende, merkte iedereen op dat de grootste voor mevrouw Puri werd neergezet.

Ze zaten op een bank op het open pleintje voor het restaurant, in de schaduw van een kleine ashokaboom. Mevrouw Puri was de knoop in haar sari niet vergeten, maar er diende te worden vastgesteld dat mammie en pappie geen ruzie hadden, dus zaten ze dicht tegen elkaar aan. Ramu zwaaide zijn benen tussen hen in en speelde afwisselend met haar en zijn vingers.

Er liep een stel op ze af. De vrouw vroeg: 'We zoeken de Rathore Torens.'

'Net achter ons,' wees mevrouw Puri.

De vrouw droeg een bevallige zwarte *salwar-kameez*. Haar man droeg een mooi zakenoverhemd. Een aantrekkelijk jong stel.

Mevrouw Puri sloeg haar arm om Ramu heen en zei tegen de jonge vrouw: 'Dit is mijn zoon. Hij heet Ramesh. Misschien worden we wel buren.'

Meneer Puri trok zijn wenkbrauwen op. Zoiets was nog nooit gebeurd. Ramu voorstellen aan een vreemde.

Al die jaren had zijn vrouw op melaatsenafstand van de mensen geleefd. Haar normale reactie als er vreemden langskwamen was Ramu achter haar lichaam weg te stoppen, dat kon de reden zijn waarom ze het na zijn geboorte zo dik had laten worden. Hij zat nog na te denken over haar buitenissige gedrag, toen: 'Zondag gaan we allemaal naar het Taj. Hoor je me?'

'Het Taj?' vroeg meneer Puri. 'Ben je nou gek geworden, Sangeeta?'

Natuurlijk niet. Sinds haar jeugd had ze de bleke, kegelvormige lampenkappen achter de donkere ramen gezien; de Sea Lounge van het Taj Hotel. Deze zondag zouden ze hand in hand naar binnen lopen en de ober vragen: 'Een tafel in Sea Lounge graag.' ('*De* Sea Lounge,' verbeterde meneer Puri haar.) Dan zouden ze gaan zitten en zeggen: 'We willen graag koffie.' Goed gedrag zou door iedereen worden opgemerkt, vooral door Ramu, die niet over zijn tandvlees zou wrijven, kwijlen, of om zich heen schoppen. Misschien kwam er wel een filmster binnen. Als ze de rekening hadden betaald (vele honderden rupee) zouden ze hem als aandenken bewaren.

Meneer Puri wilde protesteren, maar hield zich stil. *Waarom ook niet*, dacht hij. Andere mensen deden het ook.

Twee scherpe vingers krasten over zijn been: een bedelkind. Hij voelde zich schuldig over zijn Tajfantasie en gaf het kind een twee-rupee-munt.

'Ga daar niet over zeuren,' zei hij, want hij verwachtte het ergste van zijn vrouw.

'Waarom zou ik?'

'Al vijfentwintig jaar lang wil ik bedelaars altijd wat geven. Al was het maar één rupee, jij werd altijd kwaad.'

Dat was een belastering, maar ze liet het maar zo – als meneer Puri dat nou leuk vond, laat hem dan maar. Hij had ook al genoeg geleden in zijn leven.

Het begon te regenen. Ze renden naar een riksja, meneer Puri zat er als eerste in met zijn zoon, zijn vrouw maakte de knoop in haar sari los en kwam bij hen zitten.

25 JUNI

Het einde van de aarde. Als de zon uitdooft, koelt hij af en verandert in een rode reus, dan dijt hij uit, en nog meer, totdat hij alle binnenplaneten heeft opgeslokt, inclusief de aarde. Op dat punt gaat het plafondlicht uit om het drama te vergroten. Schaduwen vallen op de muur in de gloed van het lamplicht. Alle voorbereidingen voor de extra-les van vandaag waren getroffen. Er waren nog twee uur stuk te slaan en Masterji pakte *De Tocht van de Ziel na de Dood* op en deed weer een poging om het uit te lezen.

Hij volgde de verlichtende vlucht van de *atma* over de zevende en laatste oceaan van het leven na de dood, waarachter de toppen van besneeuwde bergen glansden. Hier wachtten hem weer tienduizend jaar loutering.

Hij sloot zijn ogen. Toen hij zestien was en andere jongens van zijn leeftijd in Suratkal cricket speelden op de *maidan* of achter de schoolmeisjes aan zaten, had Masterji een 'spirituele' fase doorlopen, en bracht hij zijn middagen door met het lezen van dr. Radhakrishnan over hindoe- of boeddhistische filosofie, deed oefeningen uit een tweedehands exemplaar van B.K.S. Iyengars *Licht op Yoga* en leerde zichzelf Sanskriet. Deze 'spirituele' fase kwam tot een eind op de avond toen hij zijn vaders lijk zag branden op de begraafplaats en hij dacht: *Dat is alles wat het leven is. Meer niet.* Na de dood van zijn vader, toen hij in Mumbai bij een oom ging wonen, had hij dr. Radhakrishnan en B.K.S. Iyengar achter zich gelaten. Bombay was een nieuwe wereld en hij was hier gekomen om een nieuw mens te worden. Nu kwam het hem, vreemd genoeg, voor dat hij zijn vierenveertig jaar in Bombay doorgebracht had precies op de manier die de hindoefilosofen voorschreven: *als een lotus in een vuile vijver – leef in de wereld maar hoor er niet bij.* Jarenlang had niets hem aan het huilen gemaakt. Zelfs niet de dood van zijn vrouw. Vond hij het echt erg dat ze was gestorven? Hij wist het niet. De injectienaald van de buitenwereld had zijn epidermis ingedrukt maar nooit doorboord.

Hij hoorde iets op de grond vallen en besefte dat het zijn boek was. Ik val in slaap. Overdag.

Nooit sinds hij volwassen was, zelfs niet als hij ziek was, had hij zichzelf die luxe toegestaan; hij had zijn vrouw en dochter uitgefoeterd als hij ze 's middags duttend aantrof, en zijn zoon had hij gestraft met een klap van een stalen liniaal op zijn knokkels. Met een geconcentreerde wilsinspanning brak hij door het dreigende slaapoppervlak heen en stond op.

Hij draaide aan de kraan boven het aanrecht in de woonkamer om zijn gezicht met koud water te wassen, maar het gebruikelijke druppelstraaltje was helemaal opgedroogd.

Hoe kon het dat hij midden in de moesson geen water in zijn woonkamer had? Hij gaf de kraan een klap met zijn vuist.

Als om hem te tergen klonken vanuit het trappenhuis de woorden:
By the rivers of Ba-by-lon
Where we sat dowwwwn

Het nummer was in het Engels en het was een diepe stem: Ibrahim Kudwa die op weg was naar zijn flat.

Een uur later zaten de kinderen in de kamer en wierp Masterji schaduwen op de muur om te laten zien hoe een gezonde ster in een rode reus veranderde.

Hij was nog aan het praten en schaduwen veroorzaken, toen de rode reus op de muur flakkerde en verdween. Lichtflitsen en zware explosies vlakbij overrompelden de sterren en zwarte gaten van Masterji's verre melkwegen.

De bewoners van Toren B staken vuurwerk af.

De natuurkundeleerlingen keken vanuit Masterji's raam, ze staken hun nek ver uit om het beter te zien.

'Wat is er aan de hand?' vroeg Masterji. 'Is het vandaag een feestdag?'

'Nee,' zei Mohammad Kudwa.

'Gaat er dan iemand trouwen?'

Het licht ging aan in de kamer. Mevrouw Puri was binnengelopen door de open deur.

'Hebt u de mededeling gelezen, Masterji?' vroeg ze met haar dikke vingers nog op de lichtknop. 'Ze zijn ons voor geweest. Toren B. Ze hebben het bod aanvaard.'

'U stoort de extra lessen natuurkunde, mevrouw Puri.'

'Oy, oy, oy...' Ze knipperde het licht uit en aan. 'Masterji, dit kan zo niet doorgaan. Praat met de Pinto's. Moeten we allemaal zonder licht komen te zitten omdat Shelley blind is? Hier.' Ze hield hem een papier voor. 'Lees dit maar. En laat de jongens gaan. Hoe kunt u nou lesgeven met al dat kabaal buiten?'

'Goed dan,' riep Masterji naar de jongens aan het raam. 'Ga maar beneden spelen met die jongens. Dat willen jullie toch? Niemand geeft wat om natuurkunde. Ga maar. En u ook, mevrouw Puri.'

Ze bleef bij de deur staan met de mededeling in haar handen.

'Ik ga al, Masterji. Maar doet u nou wat Ajwani vroeg? Gaat u naar de nieuwe panden van meneer Shah kijken?'

Hij deed de deur achter het stel dicht.

Hoe wist ze wat Ajwani me gevraagd had? vroeg hij zich af. *Hebben ze het achter mijn rug over me?*

Hij las wat mevrouw Puri voor hem had achtergelaten:

MEDEDELING

VISHRAM COÖPERATIEVE BEWONERSCORPORATIE BV, TOREN B, VAKOLA, SANTACRUZ (O), MUMBAI–40055

NOTULEN VAN DE BUITENGEWONE ALGEMENE VERGADERING

OP 24 JUNI

ONDERWERP: OPHEFFING VAN DE CORPORATIE (AANGENOMEN)

Bij voldoende opkomst begon de vergadering om 12 uur 30.

De heer V.A. Ravi, secretaris, stelde de leden voor de formaliteiten over te slaan en het hoofdonderwerp te behandelen, te weten het genereuze aanbod tot renovatie van de zijde van...

Hij deed het raam open en probeerde een goed uitzicht op Toren B te krijgen. Voor hun flatgebouw staken mannen en vrouwen sterretjes af, vuurpijlen, wervelende *sudarshan-chakra's* en dingen in flessen die geen ander doel hadden dan het verspreiden van hard licht en lawaai.

De deurbel klonk.

'Masterji... ga nou alsjeblieft kijken naar meneer Shahs...'

Mevrouw Puri had deze keer Ramu meegebracht. De jongen grijnsde, ook hij smeekte zijn Masterji.

Een toren van Babel van de bouwvaktalen.

Bakstenen, beton, gebogen staaldraad, planken en bamboestokken hielden het binnenwerk omhoog. Lange metalen spaken staken uit de vloeren met groen gaas erover, dat tussen de palen uitzakte als webben, alsof er een vlieg geplet was tussen de blauwdruk van het gebouw. Gaten in het beton zo groot als reuzenogen en enorme platen die niet passend leken aangebracht, ze overlapten elkaar en staken uit. Alles was een belediging van het menselijk gevoel voor schaal en orde, zelfs het bord dat het geval benoemde, zo groot als een verkiezingsposter en van onderaf belicht:

HET CONFIDENCE EXCELSIOR

Masterji bleef staan voor de twee half afgebouwde betonnen torens. Eens zouden er glas en dakbedekking zijn, maar nu was hun ware aard onthuld. Dit was de waarheid van 206.000 rupee per vierkante meter. De buurt kende al watertekorten, hoe konden zo veel woningen water krijgen... en hoe moest dat met de wegen?

Lichten gingen aan boven in de tweede toren: er was daar op een of andere manier een kraan naartoe gehesen en die begon te bewegen. In de lichtgloed zag Masterji mannen zitten op de donkere verdiepingen, als de voorhoede van een leger dat zich schuilhield in de ingewanden van het gebouw.

Hij tilde net op tijd zijn voet op. Voor hem lag een dode rat met de afdruk van een autoband.

Hij liep langs de hutten en de Tamiltempel en terug naar het hek van zijn corporatie. Bij toren B gingen de feestelijkheden door.

Hij was halverwege de trap toen een rood projectiel in tegenovergestelde richting langs hem heen schoot.

'Sorry, Masterji.'

Het was juffrouw Meenakshi, zijn buurvrouw, in een rode blouse die niet helemaal tot haar spijkerbroek kwam.

'Geeft niet, juffrouw Meenakshi. Hoe staat het?'

Ze glimlachte en liep verder naar beneden.

'Hoe is het met uw vriend?' riep hij.

Ergens in de buurt van de benedenverdieping lachte ze.

'Mijn vriend is bang voor u, Masterji. Hij komt hier niet meer.'

Hij luisterde hoe ze het gebouw uit stormde. Precies zoals Sandhya haar schetsboek liet vallen en de trap af schoot als haar vrienden haar riepen om volleybal te komen spelen.

Hij legde zijn hand tegen het warme gebouw. Zoals een dood blad in een natuurkundelokaal een geheim aderstelsel onthult als er een druppel formaline op valt, zo klopte Vishram van occulte netwerken. Het was zwanger van zijn verleden.

Terug in zijn flat draaide hij aan de kraan boven de wasbak. Hij sloeg ertegen. Er spoot bruin, daarna rood water uit tot het ophield. Hij sloeg nog een keer en nu spoog de kraan een steen uit. Een laatste rode straal en eindelijk stroomde het water helder en krachtig.

Wie beweert dat het instort? dacht hij, terwijl hij zijn gezicht met het koude water waste. *Het blijft voor eeuwig staan, als we het verzorgen.*

Vanuit de keuken klapperde de oude kalender met daverende goedkeuring tegen de muur.

Hij bladerde naar oktober, waar een paar data door zijn vrouw waren omcirkeld (*7 oktober – tandarts*) en voegde er zelf een rode cirkel aan toe. *3 oktober.* Hij klapte de bladen terug naar juni. Een kalender van vorig jaar, maar het zou wel gaan. Hij kruiste '25 juni' af. De rode pen sprong over dagen en maanden heen... nog achtennegentig dagen.

Nee.

Nog negenennegentig dagen.

Beneden op het binnenterrein ontplofte een laatste voetzoeker.

29 JUNI

Vrijdagmorgen in Vishram Corporatie Toren A flat 1B. Kellogg's cornflakes, warme melk, heel veel suiker. Marmelade op toast. Puntjes Amulkaas. De borden waren van de eettafel geruimd en in een gootsteen boordevol schuimend zeepwater gedompeld.

Sunil en Sarah zaten op het bed van hun moeder toe te kijken hoe mevrouw Rego aan haar leestafel de laatste brief openscheurde van haar jongste zus Catherine, die in Bandra woonde.

Met zijn haar geborsteld, zijn das in een dubbele windsorknoop en in zijn marineblauw-met-witte schooluniform sloot de veertienjarige Sunil, mamma's 'eerste adviseur', zijn ogen om zich te concentreren. Naast hem, in haar mooie uniform (roze met wit) zat Sarah, elf, de 'tweede adviseur', met haar benen te schoppen en een libel te bestuderen.

Aan de muur van de slaapkamer hing een zwart-witfoto van Arundhati Roy naast een ingelijste poster voor een stuk van Vijay Tendulkar dat was opgevoerd in het Prithvi-theater.

Mamma zette haar bril op en las de brief van tante Catherine hardop voor, tot ze aan een zin kwam die begon met: 'Ook al heb je een week lang niet geschreven, zoals je *pleegt* te doen...'

Mevrouw Rego las het nog een keer hardop en legde een hand op haar hart. Slik. 'Pleegt' was een *hoogst* stijlvol woord, legde ze haar kinderen uit. Hetgeen betekende dat ze alle drie heel duidelijk 'overtroefd' waren.

Het doel van dit epistolaire vrijdagochtendduel was voor elk van de zussen om in een schijnbaar banale brief aan de ander een 'stijlvol' woord of een uitdrukking te schuiven waarmee de ander zou worden overvallen en zou dwingen toe te geven dat ze 'overtroefd' was. Al woonden ze maar een paar minuten van elkaar vandaan (afhankelijk van de verkeersdrukte op de oost-west-route), plakte mevrouw Rego elke vrijdag een blauwe, voorgefrankeerde envelop dicht, adresseerde die plechtstatig formeel ('mevr. Catherine D'Mello-Myer te Bandra West') en liep naar de nederzetting van de postbezorgers bij de Vakola-moskee om hem in de rode bus daar te gooien.

Een week later bezorgde de postbode dan het antwoord uit Bandra.

Nu moest mevrouw Rego tante Catherine terug-overtroeven.

Ze pakte haar beste Parker-vulpen en schreef in haar zwierigste handschrift op het blauwe postpapier:

'Mijn liefste Catherine...

...mij voorbereidend op een zeer belangrijke zakenbespreking op het Instituut, vond ik je lieve briefje waarmee ik zeer gecoiffeerd was...'

'"Gecoiffeerd" is een *bijzonder* stijlvolle manier om "gevleid" te zeggen,' legde mevrouw Rego de kinderen uit. Samen lachten ze boosaardig. Op het moment dat ze die zin las, zou Catherine in haar stoel ronddraaien en zeggen: 'O, nou ben ik *overtroefd*.'

Sunil pakte mamma's Parker en onderstreepte de uitdrukking drie keer, om het tante Catherine goed onder de neus te wrijven.

'Schooltijd, kinders.' Ze stond op van het bed. 'Ik haal wel een plastic tasje.'

Mevrouw Rego liep de keuken in om Ramaabai, de werkster, te controleren. De oude vrouw stond aan het aanrecht en haalde een voor een de natte stukken eetgerei uit het schuimwater, als een psychoanalyticus die onderbewuste herinneringen naar boven haalt, en wreef ze stuk voor stuk schoon met een roze Brillo-sponsje.

'Ramaabai, als je vandaag een glas breekt, trek ik de kosten van je maandsalaris af,' zei mevrouw Rego. 'En zorg dat je vanavond op tijd bent.'

De werkster ging door met vaatwassen.

Mevrouw Rego en haar kinderen inspecteerden de deuren op elke verdieping van de Vishram Corporatie. Er was gisteravond weer een lading zoetigheid gekomen van de projectontwikkelaar om de (unanieme) aanvaarding van zijn plan door Toren B te vieren, en mevrouw Rego wist van de vorige keer wat er zou gebeuren. De gouden *Ganesha's* op de rode gebaksdozen waren uitgeknipt door degenen die de afbeelding van een god niet wilden weggooien, en waren opgedoken naast de elkaar overlappende Shiva's en Jezussen op de deuren.

Natuurlijk had mevrouw Puri een Confidence Group-Ganesha op haar deur gehangen. Twee zelfs. Mevrouw Rego's nagels krabden aan de dikke buik van de god tot hij bol ging staan. Hetzelfde deed ze bij de tweede Ganesha. Sunil hield de zwarte tas op, zijn moeder gooide de goden erin.

Mevrouw Rego nam bij het hek afscheid van haar twee adviseurs – ze zouden op de markt de schoolbus nemen – en liep de andere kant op. Haar vingers voelden aan haar zwarte handtas, haar elleboog stak uit onder een scherpe hoek, ze had haar lippen naar binnen gezogen en haar ogen waren vernauwd. Geen vierkante centimeter kwetsbaarheid aan de oppervlakte.

Ze smeet de zwarte tas in de open afvalput waar tot haar genoegen een loslopend varken interesse toonde. Ze wilde dat ze wat honing op de Confidence Group-Ganesha's had gesmeerd toen ze die van de deuren had gehaald.

'Leugenaar,' zei mevrouw Rego, alsof ze het beest tot de aanval ophitste. 'Leugenaar, leugenaar, leugenaar', ze klapte drie keer in haar handen.

Ze liet het varken genieten van meneer Shahs geschenken aan Vishram en liep naar haar instituut.

Een leven zoals mevrouw Rego leidde bood een uitmuntende opleiding in het gedrag van leugenaars.

Georgina Rego, het 'Slagschip', was een van de twee dochters van een beroemde arts uit Bandra, die rijk zou zijn geweest als hij niet iedereen die hij op straat tegenkwam vertrouwd had. Catherine, de jongste zus met wie ze haar overtroefspel speelde, woonde nog in Bandra in een flat in de Reclamation. Catherine was haar vader ongehoorzaam geweest en getrouwd met een Amerikaanse uitwisselingsstudent, een half-jood, in die dagen een schandaal binnen de gemeenschap. Nu schreef de buitenlandse echtgenoot, een rustige man met een sikje, artikelen over het dorpsleven in India, die werden gepubliceerd in buitenlandse tijdschriften en in de afleveringen van *Economic and Political Weekly* die elke week op het bureau van mevrouw Rego op het Instituut terechtkwamen.

Haar eigen man, Salvador, was door haar vader uitgekozen. Een Bombayse katholiek uit Bandra die van kamgaren pakken hield en van donkere overhemden met zijn initialen erin geborduurd: 'S.R.' Nadat hij twee jaar in Manila voor een Britse handelsbank had gewerkt, bekende hij op een avond telefonisch dat hij iemand anders had gevonden, iemand van daar, jonger. Natuurlijk katholiek. Het waren allemaal goede katholieken in de Filippijnen. 'Jij zou nooit genoeg geweest zijn voor een man als ik, Georgina.'

Hij had haar leeggeschud.

Haar hele bruidsschat. Zestien George v-half-sovereigns, haar vaders aandelen in de firma Colgate-Palmolive, twee zwaar zilveren bestekksets – allemaal in de bagage van haar man naar Manila gesmokkeld. Haar vader was dood en ze kon niet van Catherines afdankertjes leven, dus was ze weggegaan uit Bandra als alleenstaande moeder met twee kinderen, en naar de oostkant van de stad verhuisd, een buurt zonder wegen en reputatie, maar met christenen. Va-kho-la. (Of was het Vaa-k'-la? Ze wist het nog niet helemaal zeker.)

Van Catherine had ze gehoord over grote veranderingen in Bandra. Een voor een smolten de oude villa's aan Waterfield Road weg als goudbaren, zelfs die van haar eigen oom Coelho. Het was telkens dezelfde projectontwikkelaar, Karim Ali, die de huizen sloopte. Toen hij het huis van oom Coelho aan Waterfield Road wilde snaaien om er zijn appartementenblok voor Bollywoodsterren neer te zetten, had ook hij moeten aankomen met zoetigheid en glimlachjes – aanvankelijk was het een en al 'oom en tante'. Later kwamen de dreigende graffiti op de muren en de telefoontjes 's avonds laat en ten slotte kwam de dag waarop vier tieners binnenstormden toen oom Coelho zat te eten, een cheque aan de ene kant op de tafel legden en een mes aan de andere kant en zeiden: 'Het mes of de cheque. Beslissen voor je uitgegeten bent.' Die Shah van Confidence was net zo'n soort man als die Karim Ali – hoe kon iemand die geoliede glimlachjes, die vettige zoetigheid geloven? Achter die glimlachjes zaten leugens en messen.

'Hé!' riep mevrouw Rego. 'Zet je mobiel uit als je rijdt!'

Een motorrijder hobbelde over de weg met zijn hoofd schuin, pratend in zijn mobiel. Hij grijnsde toen hij langs haar reed en praatte door.

De wet overtreden op klaarlichte dag. Kon het de politie wat schelen? Kon het iemand wat schelen? In Bandra kon je niet ongestraft bellen tijdens het rijden, dat kon je in elk geval wel zeggen van alles ten westen van de spoorlijnen. Als de vastgoedprijzen in Vakola twintig procent zouden stijgen, zou dit soort lui – ze knipte met haar vingers – verdwijnen.

Het Instituut voor Sociale Actie lag halverwege de Vishram Corporatie en de sloppen verderop langs de weg. Een oud pand met dakpannen, altijd stond de deur open.

Saritha stond voor de deur op mevrouw Rego te wachten.

Met Julia en Kamini was Saritha een van de drie sociaalbewogen meisjes uit goede families (werken bij het Instituut was strikt voorbehouden aan goede families) die onder mevrouw Rego vielen. Saritha's rol was het plegen van onderzoek naar de rechtspleging bij de renovatie van sloppenwijken, en het doden van de hagedissen die over de muren liepen. Want hoeveel medeleven er op het Instituut ook bestond voor de armen, voor reptielen of spinachtigen was die er geenszins. Mevrouw Rego was bang voor alles wat over muren kroop.

'Wat is het?' riep ze naar Saritha. 'Zit er een hagedis in het kantoor?'

Saritha wenkte met haar hoofd.

Nu zag mevrouw Rego het: er stond een zwarte Mercedes geparkeerd vlak bij het Instituut. Shanmugham stond naast de auto. Hij glimlachte en groette min of meer, alsof hij voor haar werkte.

'Mevrouw Rego, mijn baas wil u graag spreken. Hij laat u met de auto afhalen.'

'Hoe durf je,' zei ze. 'Hoe durf je! Maak dat je wegkomt of ik bel de politie.'

'Hij wil alleen maar met u lunchen, mevrouw Rego. Alstublieft... tien minuutjes maar.'

Ze liep haar kantoor binnen en sloot de deur. Ze pakte de papieren op van haar bureau en las. Een antwoord van een welzijnsorganisatie van de Duitse regering. Ja, er was geld beschikbaar voor mensen die voor de armen in Mumbai werkten. Helaas was de uiterste datum... Een verzoek van een maatschappelijk werkster die aan het afstuderen was aan de universiteit van Calcutta. Ze verzamelde gegevens over financiële ondersteuning van kinderen; beschikte het Instituut over informatie over kinderen...

Mevrouw Rego keek op de klok.

'Staat die man nog buiten?' riep ze.

Saritha kwam het kantoor binnen en knikte.

Vanuit het raam van haar kantoor zag ze in de verte meneer Shahs half afgebouwde torens; blauw zeil beschermde ze tegen de regen en achter het zeil ging het werk door.

Een vlaag natte wind blies door het raam. Mevrouw Rego wreef over het kippenvel van haar onderarmen.

'Dat is een haai, meneer. Zoetwaterhaai. Een kleintje. Maar een echte.'

De lucht van bier, garnalen, curry, boter, olie verdichtte de airconditioned lucht in het restaurant. Er was een aquarium in de dichtstbijzijnde muur aangebracht. Het geval dat haai was genoemd lag met een domme open bek in een hoek te gapen, terwijl kleinere vissen rondgleden, vol minachting voor zijn poging de haai uit te hangen.

Meneer Shetty, de manager, stond met zijn handen voor zijn kruis gevouwen.

'Nog maar net toegevoegd aan het aquarium,' zei hij. 'Ik hoop dat het u bevalt.'

In het restaurant in Juhu – Mangalore-zeevruchten, zijn lievelingskeuken – zat Dharmen Shah zwijgend aan een tafel met zicht op de deur. De zoldering van het restaurant was gewelfd, een toespeling op de grotten van Ajanta, op de muur tegenover het aquarium was in stucwerk een bas-reliëf aangebracht van de grote burgerlijke monumenten van de stad: Victoria Terminus, de Rajabhaitoren, de zuilengevel van de bibliotheek van de Asiatic Society.

De manager wachtte tot meneer Shah iets zou gaan zeggen.

Een ober bracht een hele kreeft op een schaal en zette er een kom boter naast. Er kwam nog meer eten: krab, viscurry, een garnalenbiryani. Een stapel glanzende *naans*, in aluminiumfolie gewikkeld, werd aangevoerd in een mandje. Vier sauzen werden ernaast gezet: mint, knoflook, limoen en tomaat.

Misschien komt ze wel niet, dacht Shah, het brood scheurend met zijn vingers.

Ze had ten slotte Gods naam aangeroepen: 'Bij de Heer Jezus Christus, ik zal...'

Hij bepeinsde in welke van de vier romige sauzen hij zijn brood zou dopen.

Denk eraan, Dharmen, hield hij zich voor. Iemand die Jezus aanroept is, in vastgoedtermen, geen christen. Nee. Iemand die Jezus aanroept probeert de verkoopprijs op te drijven.

Hij neuriede een deuntje van Kishore Kumar en doopte zijn brood in de mintsaus.

Vervolgens ging hij over tot de krab in boter. Met een lange, smalle lepel schepte Shah het geroosterde vlees uit het gezoute en gepeperde uitwendige skelet van de krab; toen al het makkelijk bereikbare vlees van de borst was geschraapt en opgegeten, scheurde hij de poten uit elkaar en kauwde erop, een voor een. Hij beet in de schaal en kauwde erop tot die openbrak voor hij het warme witte vlees opzoog. De obers sneden vaak het vlees los en serveerden het op een bordje, maar zo wilde Dharmen Shah het niet. Hij wilde het gevoel hebben dat hij iets at wat een uur geleden nog ademde, hij wilde weer eens voelen hoe goed het lot degenen gezind was die nog leefden.

Hij dacht weer aan de vrouw. Mevrouw Rego. Misschien kwam ze wel niet. Nee. Nee. Een maatschappelijk werkster heeft een projectontwikkelaar nodig. Wij houden elkaar overeind: zij kan alleen zuiver zijn omdat ik zo slecht ben. Ze komt wel naar me toe.

Hij spuugde de schaal en het kraakbeen op het porseleinen bord. Met een vinger inspecteerde hij het slijm dat de schaal bedekte.

De deur van het restaurant ging open: Shanmugham stapte binnen vanuit verblindend licht, als een figuur in een openbaring.

Hij is alleen gekomen, dacht meneer Shah. *Dus heeft ze nee gezegd.* Hij kon geen lucht krijgen.

De deur van het restaurant ging weer open: afgetekend tegen het pijnlijk witte licht zag Shah een vrouw van middelbare leeftijd.

Hij veegde zijn lippen af en stond op.

'Ach, mevrouw Rego, mevrouw Rego. Wat fijn dat u bent gekomen. Waarschijnlijk opgehouden door het verkeer?' vroeg hij met een blik op Shanmugham.

Die een snelle ontkennende beweging met zijn hoofd maakte.

Mevrouw Rego ging niet zitten.

'Waarom hebt u me hierheen laten komen, meneer de projectontwikkelaar? Om wat voor zaken gaat het?'

Shah spreidde zijn handen boven de schalen op de tafel.

'*Dit* zijn de zaken. Wij Gujaratis eten niet graag alleen. Wilt u vers limoensap met spuitwater, mevrouw Rego? En gaat u nu toch alstublieft zitten.'

'Ik heb geen honger. Ik kan nu teruggaan.'

'Niemand houdt u één moment tegen, mevrouw Rego. Voor de deur staan autoriksja's. U kunt binnen tien minuten terug zijn in Vakola.'

Mevrouw Rego keek het restaurant rond, ze keek naar het gewelfde plafond, naar het bas-reliëf en ze staarde naar de vissen. 'Maar *waarom* hebt u me hierheen gehaald?'

Shah maakte zijn eten deelgenoot van de grap.

'Ze is bang dat ik haar iets zal aandoen. Met die haai in de buurt zal ik wel op een James Bondachtige schurk lijken. Shanmugham, wil je de restaurantmanager hier roepen?'

Die kwam, met gevouwen handen, voorovergebogen, erop gebrand om te gerieven.

'Meneer Shetty, dit is mevrouw Rego. U hebt haar met mij gezien om... hoe laat is het? Tien voor halftwee. Wilt u dat in uw gastenboek noteren? Mevrouw Rego, bewoonster van de Vishram Corporatie Toren A, flat 1B, in Vakola, gezien in aanwezigheid van meneer Shah. Ik wil dat u dat woord voor woord noteert. Hebt u dat?'

'Jawel, meneer.'

'En stuurt u een ober om onze bestelling op te nemen.'

De projectontwikkelaar keek naar zijn nerveuze gast.

'Als u nu iets overkomt, ga ik de gevangenis in. U bent maatschappelijk werkster, de politie en de televisiemensen zullen geen genade kennen. Ik ben zo vrij geweest wat zeevruchten en krab te bestellen voor u hier was. Shanmugham, ga jij ook zitten en eet.'

Mevrouw Rego verroerde zich niet. Ze bleef naar meneer Shahs bord staan staren, waarop kraakbeen, bot en vlees lagen opgetast rondom brood, rijst en rode curry.

'U bent mijn gast, mevrouw Rego. Mijn aanbod bevalt u misschien niet, maar u moet het voedsel van mijn tafel eten. Een dame als u, opgegroeid in Bandra, moet weten dat men een gastheer niet beledigt. Als het te veel is, neem het dan mee voor uw zoon. U hebt toch twee zoons? Sorry, een zoon en een dochter. Nou, dan neemt u het mee voor allebei.'

Mevrouw Rego schoof een stoel achteruit en ging zitten.

Een ober nam het servet van haar bord. Meneer Shah diende haar zelf een portie kreeft met curry op en bood mevrouw Rego een *naan* aan, die ze weigerde.

Ze at 's middags nooit koolhydraten.

Toen Sunil Rego vuil terugkwam van zijn cricket trof hij zijn moeder aan zittend op bed met Sarah op haar schoot. Het bedlampje was aan.

'Er staat eten voor je in de koelkast, Sunil. Er zit zilverfolie omheen.'

Mevrouw Rego keek naar haar dochter. 'Heel lekker, niet?'

Sarah knikte.

'Waarom heb je dat gekocht, moeder?' Sunil ging naast hen zitten.

'Ik heb het niet gekocht. Je weet dat we geen geld hebben om eten van een restaurant te kopen.'

Mevrouw Rego fluisterde: 'De projectontwikkelaar heeft het gestuurd. Meneer Shah. Hij heeft ons een voorstel gedaan.'

'Ja, mamma, dat weet ik.'

'Nee, Sunil. Hij heeft ons een speciaal voorstel gedaan. Vanmiddag.'

Sunil luisterde naar alles – hoe Shah het eten had besteld, naar haar levensverhaal had geluisterd, mee had geleefd met haar levensverhaal en haar toen een brochure en een witte envelop had toegeschoven.

Geen omkoping, een eerste aanbetaling van het geld dat eraan kwam, dat was alles. Ik wil het niet, had ze gezegd, in de veronderstelling dat het een valstrik was. Het wordt in mindering gebracht, in mindering op het eindbedrag. Neem het aan, mevrouw Rego.

Denk aan uw twee zoons. Sorry, uw zoon en uw dochter.

'Wat heb je gedaan, mamma?'

'Ik zei natuurlijk nee. Hij zei dat we erover na konden denken en het hem laten weten.'

Sunil sloeg zijn hand voor zijn mond. Sarah deed hetzelfde als haar broer.

'Wat doen we nu? Moeten we je vader in de Filippijnen bellen en het aan hem vragen?'

'Nee moeder,' zei Sunil ernstig. 'Hoe kun je zoiets ook maar denken? Na alles wat hij ons heeft aangedaan.'

'Je hebt gelijk. Je hebt helemaal gelijk.'

'Ga je pappa bellen?' Sarah bungelde met haar benen. 'Pappa in de Filippijnen?'

Sunil legde zijn vinger op zijn lippen en keek zijn zus streng aan.

'Laten we gaan lopen, mamma.'

Mevrouw Rego begreep het. De muren van Vishram waren dun.

Moeder en kinderen liepen hand in hand naar de grote weg waar ze hun nog eens, in iets andere woorden, vertelde wat er allemaal gebeurd was, en al snel waren ze in de Dhobi-ghat, het deel van Vakola waar kleren werden gewassen in de openlucht, in kleine hokjes die borrelden van zeepbellen en schuim. Moeder en kinderen gingen voor een washokje staan praten. Achter hen rees en daalde een lange witte onderjurk als een zeil in de storm, hij werd op een plaat graniet geslagen. Aan de overkant van de weg sneed een *bhelpuri*-verkoper een gekookte aardappel in blokjes terwijl zijn linzenbouillon pruttelde.

Mevrouw Rego draaide zich om. De wasman was met zijn werk gestopt om naar hen te kijken.

Ze riepen een autoriksja aan en mevrouw Rego en Sunil zeiden als uit één mond: 'Bandra.'

De scheidsmuur tussen het westen en oosten van Mumbai is in Santa Cruz maar op drie plaatsen doorboord – de moeizame doortocht is inderdaad de zwaarste belasting die de bewoners van het armere oosten is opgelegd (want zij zijn meestal degenen die die tocht moeten maken). Twee van de doorgangen heten 'onderdoorgangen', tunnels onder de spoorrails, en allebei, Milan en Khar, zitten tijdens de spits even verstopt. De derde mogelijkheid, de snelweg, is de menselijkste – maar omdat het de langste is, is die ook het duurste per autoriksja.

Om zuinigheidsredenen had mevrouw Rego de chauffeur gevraagd om de Khar-onderdoorgang te nemen. Voor het station sloeg de riksja links af en voegde zich in de rij voertuigen die hoopten de tunnel naar het westen door te kunnen.

Zuid-Mumbai heeft het Victoria Terminus en het Gemeentekantoor, maar de buitenwijken die later gebouwd zijn, hebben hun eigen gotische stijl. Iedere avond tegen zessen rijzen zuilen van hydrobenzeen en zwaveldioxide hoog op boven de wegen, luchtbogen van stikstofdioxide voegen zich aaneen, slierten onverbrande kerosine, illegaal door de dieselolie gemengd, en sputteren als waterspuwers, en een groots dak van koolmonoxide sluit zich boven de constructie. En deze kathedraal van fijnstof rijst op boven elk rood verkeerslicht, elke brug en elke tunnel tijdens het spitsuur.

In een smalle doorgang als de Khar-onderdoorgang wordt menselijk weefsel verstikt, verbrand, verwoest door de luchtvervuiling. Toen hun riksja eindelijk, na twintig minuten toeteren en kruipen, de mond van de tunnel bereikte, bedekte mevrouw Rego Sarahs mond met haar zakdoek en zei ze tegen de jongen dat hij dat ook moest doen. De rij auto's schoof de verstopte tunnel binnen onder een enorm reclamebord dat genezing van nierstenen beloofde door middel van de nieuwste ultrasone methoden, en baande zich op deze primitieve wijze een weg naar het westen.

Voor hen in de verte, waar de tunnel eindigde, konden de drie Rego's licht onderscheiden, schone lucht, vrijheid.

In de schaduw van een groepje koningspalmen lichtte een vrouw in een boerka haar gezichtssluier op en fluisterde tegen een jongeman. Mevrouw Rego keek naar ze en dacht: *Ik ben bijna oud. Ik ben veertig jaar.*

Hand in hand liep ze met haar kinderen over de Bandra Bandstand.

Het zwermde ervan, alsof ze uit de oceaan kwamen, meisjes met gouden riempjes aan hun handtas, jongens met gladgeschoren borstkassen die door hun witte overhemden schemerden, op ieder voorhoofd en elke bovenlip het vocht dat de warme avond aanbracht en dat weer weggezogen werd door de oceaanbries.

Mevrouw Rego wachtte tot het donker in zou vallen.

De avond van een oude vrouw is zo nietig, die van een jonge vrouw is het hele uitspansel.

Toen de straatlantaarns tot leven kwamen namen ze een andere riksja zodat ze haar Bandra weer kon zien, het Bandra van haar studietijd, waar zelfs de gevel van een katholieke kerk de opwindende uitstraling van de zonde had.

De drie stapten uit bij het National College en liepen in de richting van haar oude buurt.

Meisjes waren aan het shoppen, op zoek naar handtassen en sandalen in de verlichte kraampjes van de Linking Road. Net zoals zij had gedaan, al die jaren geleden. Als haar jongere ik, op zoek naar een handtas, haar tegen het lijf zou lopen, zou ze dan kunnen geloven dat dit haar levensbestemming zou zijn – eindigen als een linkse radicaal in Santa Cruz (Oost)?

Op Waterfield Road bleef ze staan bij een café en keek door de glazen ruit: waar praatten al die jonge mensen in hun zwarte T-shirts en brillen met schildpadmontuur over? Wat zagen ze er glimmend en welgedaan uit, als geglaceerde kippenborsten, draaiend aan het spit.

De aanraking van het glas tegen mevrouw Rego's neuspunt was als de afwijzing van de portier.

Nog niet. Pas als je dat papier getekend hebt.

'Gaan we naar Bandra verhuizen, mamma?'

'Stil nou. Mamma kijkt naar de mensen achter het glas.'

'Mamma...'

'We kunnen toch niet naar Bandra verhuizen, dus val haar niet lastig.'

'Waarom niet, Sunil?'

'Omdat die projectontwikkelaar een slecht mens is. Net als Karim Ali, die oom Coelho heeft beroofd.'

'Mamma, laten we naar Bandra verhuizen. Ik vind het hier leuk.'

Mevrouw Rego keek naar haar zoon en toen naar haar dochter en knikte ze allebei toe.

BOEK VIJF

HET EINDE VAN DE OPPOSITIEPARTIJ

3 JULI

Ajwani nam het limoenschijfje en perste het met donkere vingers uit. Zaadjes en sap dropen eruit.

'Zo denkt zij erover. Doet of ze bijzonder is, een maatschappelijk werkster die de armen helpt, maar naarmate de einddatum dichterbij komt, gaat er dit in haar hoofd om.'

Mevrouw Puri keek hem bestraffend aan, ze bukte en raapte de limoenzaadjes van het tapijt van haar woonkamer. 'Doe dat nou niet. Straks glijdt Ramu erover uit.'

Ramu lag onder zijn blauwe vliegtuigdekbed, de deur van zijn slaapkamer stond op een kier. Nippend van zijn limoenthee op de bank in de woonkamer zwaaide Ajwani naar de jongen.

'Ik weet dat Shah met mevrouw Rego heeft gepraat,' fluisterde hij. Een tiener uit de sloppen, een van zijn connecties daar, had een Mercedes naar het Instituut zien rijden. De volgende morgen waren er verpakkingen van een heel duur zeevruchtenrestaurant in Juhu tussen haar afval ontdekt.

'Hoe weet u wat er tussen haar afval zit?' vroeg mevrouw Puri.

Ajwani grijnsde, de kieuwachtige lijnen op zijn wangen werden dieper.

'Wilt u over kleinigheden bekvechten, mevrouw Puri? Ik weet dat ik het zwarte schaap van de corporatie ben. Ik doe dingen die nette mensen als u niet doen. Maar u moet nu naar het zwarte schaap luisteren, of we krijgen geen van allen dat geld.' Hij fluisterde. 'Mevrouw Rego heeft een zoethoudertje aangeboden gekregen. Door meneer Shah. Dat vermoed ik.'

'Een zoethoudertje?' Mevrouw Puri draaide het woord onder-steboven alsof het een verdachte spijkerbroek was. 'U bedoelt *extra* geld? Waarom alleen zij? Krijgt *u* dat, Ajwani?'

De makelaar gooide gefrustreerd zijn handen in de lucht.

'Ik zou er niet eens om *vragen*. Als iedereen een zoethoudertje wil, krijgt niemand de taart. Ik overtuig op eigen, persoonlijk ini-tiatief de leden van de oppositiepartij, één voor één. En *waarom*? Omdat ik mijn verantwoordelijkheid aanvaard.'

Mevrouw Puri deed de deur van Ramu's slaapkamer dicht. Ze fluisterde om Ajwani het vereiste decibelniveau in een huis met een opgroeiend kind aan te geven. 'Hebt u de verantwoordelijkheid voor mevrouw Rego aanvaard? Waarom is ze dan niet akkoord gegaan?'

Ajwani kromp ineen.

'Een man kan een vrouw niet onbeperkt onder druk zetten. Een *man* kan dat niet.'

'En dus daarom bent u hier gekomen,' zei mevrouw Puri. '*Ik* ga niet met dat communistische mens praten.'

'Mevrouw Puri.' De makelaar vouwde zijn handen in gebed. 'Die oude ruzies, die oude kleinzieligheid, dat moet afgelopen zijn. Daarom bereiken we nooit iets in dit land.'

Nadat ze Ajwani gezegd had dat hij op Ramu moest letten terwijl hij sliep – het Lieve Eendje onder handbereik voor het geval hij wakker werd – strompelde mevrouw Puri de trap af, snorkend hij-gend als ze haar gewicht van de ene voet op de andere verplaatste. Niemand deed open bij 1B. Ze belde nog eens aan.

'Hij staat open,' zei een stem binnen.

Ze trof het Slagschip aan de eettafel, starend naar de muur.

'Wat is er mis, mevrouw Rego?'

'Hij zit op de muur. Ziet u hem?'

Ze zag ingelijste posters in het Hindi en het Engels, en drie grote zwart-witfoto's, een ervan herkende ze als president Nelson Man-dela.

'Ramaabai pakt ze altijd aan als ze het huis binnen komen. Ik kan niets doen voordat iemand ze voor me dood maakt.' Mevrouw Rego wees met haar vinger.

Nu zag mevrouw Puri hem. Boven president Mandela.

Dik en bobbelig als iets wat uit een tube geknepen was, pistachegroen, schoof de hagedis in de richting van de buislamp waar de vliegen zich hadden verzameld.

Zo eentje had mevrouw Puri nog nooit gezien: een vorst van zijn soort. Hij greep een libel die in de buurt van de lamp zweefde en sloeg zijn kop achterover, de doorschijnende vleugels glansden goudachtig tegen het licht en verdwenen toen tussen de krakende kaken. Zijn volgepropte lijf liep de lamp in, een grijze vorm die afgepaste zwarte tekens zette op de plek waar de pootjes tegen de verlichte cilinder duwden.

'Is *dit* het probleem?' vroeg ze.

Mevrouw Rego knikte.

Mevrouw Puri liep de keuken in, deed haar gouden armbanden af en legde ze op een krant op de tafel. Ze zocht naar een stoel waarmee ze de lamp kon bereiken.

Boven de koelkast zag ze een poster van een menselijk wezen dat helemaal was samengesteld uit handen en voeten die in elkaar grepen, met de leus:

NIEMAND VAN ONS IS ZO STERK ALS WIJ ALLEMAAL

STEM BIJ IEDERE VERKIEZING

HET IS JE RECHT EN JE PLICHT

Mevrouw Puri schudde haar hoofd. Zelfs de keuken was communistisch.

Op zoek naar een wapen koos ze voor de Gouden Gids die op de magnetronoven lag. Ze klom op een stoel bij de eettafel. Ze tikte met een hoek van de Gouden Gids tegen de lamp, en dreef zo het monster naar buiten, tik, tik, tik.

Mevrouw Rego had zich voor alle zekerheid in de keuken teruggetrokken.

'Maakt u hem dood?' riep ze vandaar.

'Nee, ik gooi hem naar buiten.'

'Dan valt zijn staart eraf! U moet hem doodmaken!'

De staart was er inderdaad afgevallen. Mevrouw Puri greep het lijf van de spartelende hagedis, liep naar buiten en liet hem langs de muur van de corporatie vallen. Ze kwam terug voor de staart.

'Gebeurd,' zei ze en liep de keuken in om haar handen te wassen.

Ze stak haar arm uit met haar vingers tegen elkaar. Mevrouw Rego pakte de armbanden op van de krant en liet ze één voor één over de pols van haar buurvrouw glijden, tot haar onderarm weer met goud omhuld was.

'Waarom bent u zo bang voor ze? Mijn man gooit ermee om Ramu aan het lachen te maken. Spinnen ook.'

'Weet u dat hij al mijn gouden munten heeft gestolen?' zei mevrouw Rego en schoof de laatste armband over mevrouw Puri's arm.

'Wie? Die hagedis?'

'Sovereigns. George v-sovereigns. Halve sovereigns. Zo dik. Allemaal weg.' Mevrouw Rego glimlachte. 'De man van wie ik mijn achternaam heb gekregen.'

'Die heb ik nooit ontmoet, mevrouw Rego.'

'Het is een dief. Dankzij hem ben ik een arme vrouw. Heb ik u ooit verteld dat mijn vader een van de rijkste mannen van Bandra was?'

'Heel vaak.' Mevrouw Puri schudde met haar armbanden om ze goed om haar arm te krijgen.

'Echt waar. We hadden van alles het beste. Catherine en ik. Toch maakten we over alles ruzie. Bij het avondeten diende mijn vader biryani op. Lamsvlees. We maakten zo'n ruzie, jij krijgt meer, ik krijg minder, dat hij besloot elke portie biryani op een weegschaal te wegen voor hij opdiende. Zo kon geen van beiden de ander 'overtroeven'. Catherine had een lichte huid, altijd als we voor de spiegel stonden overtroefde ze me. Toen zij met die joodse man trouwde en ik met een pucca katholiek, dacht ik dat ik haar voorgoed had overtroefd. Maar nu... zij woont nog in Bandra. Haar man is bekend. En ze heeft een Sony PlayStation in haar flat. Ik moet er met mijn kinderen heen zodat ze erop kunnen spelen.'

Mevrouw Puri schudde nog eens met haar linkerhand. 'U hebt uw werk.'

'Ben ik soms Arundhati Roy? Niet meer dan een vrouw in Vakola die buitenlanders brieven stuurt om ze om geld te vragen. Een hoogst enkele keer help ik iemand in de sloppen. Meestal zit ik alleen maar toe te kijken hoe deze stad kapot gemaakt wordt door projectontwikkelaars.'

Er stond een nieuwe fles Heinz-ketchup op de tafel van de Rego's, maar de lege fles die hij moest vervangen was nog niet weggegooid. Mevrouw Puri zette de nieuwe fles vlak naast de lege. 'Dit willen we in het leven,' zei ze, wijzend op de volle fles. 'En dit krijgen we.' Mevrouw Rego lachte.

'Al die jaren heb ik uw taalvaardigheid bewonderd, mevrouw Puri. Zelfs als we ruzie hadden.'

'U had mijn verhalen en gedichten op school moeten lezen.' Mevrouw Puri wapperde haar hand boven haar hoofd om de vergane glorie aan te duiden. 'Ik had schrijfster kunnen worden, wat ik maar wilde. We hebben allemaal ons leven moeten aanvaarden.'

'De man van Confidence heeft me steekpenningen gegeven, mevrouw Puri. Om het aanbod aan te nemen.'

Mevrouw Puri knikte. 'Ik weet het. Ajwani heeft het me verteld.'

'Hoe weet Ajwani dat?'

'Die weet van alles. Hij is net zo'n soort hagedis, die elke muur op klimt.' Mevrouw Puri schoof dichter naar mevrouw Rego toe om te zeggen: 'Hij is een *vieze* man.'

'Vies?'

'Hij gaat naar smerige vrouwen. In de stad. Dat weet ik zeker. Mijn man heeft hem een keer bij Falkland Road gezien.'

Mevrouw Rego stond op het punt om te vragen wat meneer Puri bij Falkland Road moest, maar onderdrukte de vraag.

'Geld betekent niets voor mij,' zei mevrouw Puri. 'Als ik honger heb, smeer ik boter op een stuk brood en eet het op. Maar ik moet aan Ramu denken. En u moet aan Sunil en Sarah denken. Zelfs de armen hebben een beter leven dan wij. Als je over een snelweg boven de sloppen rijdt, zie je overal satellietschotels, als lotusbladeren op een vijver. U hebt jarenlang aan de armen gedacht. Denk nu eens aan uw kinderen. Ik weet wel wat ik met mijn geld moet doen. Voor Ramu zorgen. Een huis in Goregaon kopen. Weet u wat ik met de rest wil doen? Een kliniek voor gewonde honden. Deze stad zit vol met verminkte dieren.'

'Wat een christelijke gedachte, mevrouw Puri.'

'Ik weet dat u niet van projectontwikkelaars houdt. Doe het niet voor meneer Shah. Doe het voor uw kinderen. Als kleine mensen als wij een compromis sluiten, is dat hetzelfde als wanneer grote mensen compromissen weigeren. De wereld wordt er beter van.'

Mevrouw Puri had nog een halfuur nodig. Toen omhelsden de twee vrouwen elkaar. Mevrouw Puri zag, door een sluier van oprechte tranen, een glimmende houten kast vol met Ramu's schoenen, geurige kleren. Ze sloot gelukzalig haar ogen. Hoe harder ze huilde, hoe groter de kast werd.

Als iemand een zoethoudertje krijgt, dacht ze met haar ogen dicht, haar vriendin op haar rug kloppend, *dan zijn ik en Ramu het wel*.

In Vishram Corporatie flat 2A hielden mevrouw Pinto en haar man elkaars handen vast boven hun eettafel.

Masterji knakte met zijn knokkels. Hij zat op de bank.

'Dan heeft mevrouw Rego zich maar bedacht. We zijn met ons drieën en dat is genoeg. In Rome hadden ze een triumviraat. Caesar, Crassus en Pompejus. Zo doen wij het ook. Het Vakola-triumviraat.'

'Wilt u het geld, Masterji?' vroeg meneer Pinto. 'Als u het wilt, gaan Shelley en ik ook akkoord. We willen u niet tegenwerken.'

'Hoe kunt u zoiets nu vragen, meneer Pinto. Hoe kunt u...'

'Als een citroen die wordt uitgeperst. Zo voelen ze zich naarmate er meer dagen verstrijken,' zei meneer Pinto en hij dacht aan wat

Ajwani hem de avond daarvoor in het parlement verteld had. 'Gisteren lachte mevrouw Saldanha naar me toen ik het hek uit liep. Maar ze lachte niet toen ik terugkwam. In die vijf minuten moet ze de einddatumklok hebben horen tikken.'

'Ik heb niet gemerkt dat er iets veranderd is,' zei Masterji. 'Onze buren staan stevig in hun schoenen.'

'We zullen zwichten voor meneer Shah in *uw* belang, Masterji. Is het niet zo, Shelley?'

Masterji voelde onder zijn voeten iets verschuiven alsof hij bij de golven op het strand van Juhu stond. *Maar ik doe het in hún belang,* dacht hij.

Hij zag meneer Pinto's oude gezicht naar Shelleys oude gezicht staren, hij zag hun reumatische vingers in elkaar verstrengeld op de tafel. *Ze willen niet beschouwd worden als mensen die alle anderen in de weg zitten.*

Zijn blik verschoof naar de eettafel met het rood-witte kleed waaraan hij had zitten eten sinds de dood van zijn vrouw.

'Ik wil het voorstel van meneer Shah niet aannemen,' zei hij. 'Ik heb in de Vishram Corporatie gewoond met mijn vrienden en ik wil hier met ze doodgaan. En als er toch niets meer te zeggen valt, zie ik u wel met het eten.'

In het schemerlicht van het trappenhuis bestudeerde hij de oude muren van zijn corporatie: de doffe gele verf, deuken, plekken en regenwatervlekken.

Hij had nu het idee dat meneer Pinto gelijk had. Ze waren inderdaad al een tijdje veranderd. Zijn buren. Als Ajwani hem op straat tegenkwam, wendde hij zijn hoofd af en deed of hij mobiel liep te bellen. Masterji voelde aan een nieuwe, witte inkeping in de muur. De secretaris. Die verandering was subtieler: de lachlijnen rondom de sneeuwwitte wenkbrauwen werden bij elke grijns breder.

Purnima's taak in het leven was geweest hem in toom te houden, en nu dwong dit halfduistere trappenhuis hem tot zelfbespiegeling, alsof haar geest hier gereïncarneerd was. *Je doet het weer,* zei ze. *Je stelt je het slechtste in de mensen voor.* Hij bleef staan in het trappenhuis en pulkte vuil uit de natte achtpuntige sterren van het rooster.

Een halfuur later lag hij met het roze orthopedische verband om zijn knie om de spanning erin te verminderen op zijn bed aan de Rubik's Cube te draaien toen twee stel knokkels op zijn deur klopten, het ene in een dringend, het andere in een zalvend ritme.

'Ik kom al, Sangeeta. En klop niet zo hard, Ajwani.'

Toen hij de deur opende glimlachte mevrouw Puri.

'Masterji, ik ben net bij de Pinto's geweest. En ik heb ze weer gevraagd of ze wilden tekenen.'

Ajwani bleef een meter achter mevrouw Puri naar zijn voeten staren. Masterji voelde dat er enige spanning tussen de twee was geweest en dat hij de bron van die spanning was.

'Praat niet tegen de Pinto's. Praat tegen mij. Mijn antwoord is nog steeds nee.'

'Masterji, ik ben geen briljant mens zoals u. Ik heb maar één vraag voor u. Waarom wilt u in een gebouw blijven wonen dat op instorten staat?'

Hij wist, door de absolute stilte die er hing, het stilvallen van alle omgevingsgeluid, dat de Pinto's meeluisterden.

'Ik heb hier herinneringen, mevrouw Puri. Mijn overleden dochter, mijn overleden vrouw. Zal ik u Sandhya's schetsboek laten zien? Het staat vol met tekeningen van de tuin. Elke boom en plant en spinnenweb en steen en...'

Ze knikte.

'Ik herinner me haar. Een mooi meisje. Maar u bent niet de enige met herinneringen in dit gebouw. Ik heb ze ook. Ik heb er zelfs een van deze plek. Weet u nog, Masterji, die dag, achttien jaar geleden, toen ik hier kwam en u vertelde wat de dokters me over Ramu verteld hadden? Purnima stond aan de deur en u legde uw boek neer op de teakhouten tafel. En weet u nog wat u deed, wat uw ogen deden, toen u het nieuws over Ramu hoorde?'

De oude man knipperde nadrukkelijk met zijn ogen. Hij wist het nog.

'Masterji, ik hou net zoveel van de Pinto's als u. Jarenlang hebben ze op Ramu gepast als hij op het binnenterrein speelde. Maar zullen ze betalen voor zijn ziekenhuis en zijn verpleegster als hij oud wordt en medische verzorging nodig heeft? Vraag het ze maar.'

Hij luisterde: geen kuchje, geen gekras op een tafel van beneden. De Pinto's verzetten zich niet tegen de logica.

'Dertig jaar lang,' zei mevrouw Puri, 'kom ik bij u om raad. Nu vraag ik u om deze ene keer naar een dwaze, dikke vrouw te luisteren. Praat met Gaurav. Vraag hem wat hij denkt, zoals een vader zijn zoon hoort te vragen. Wilt u dat voor mij doen, voor uw mevrouw Puri?'

Dreigend keek ze naar de kleine donkere man naast haar.

De lijnen op Ajwani's wangen bolden innemend op, hij grijnsde geforceerd.

'Masterji, mijn twee zoons zijn uw grootste fans. R. en R. En ik ben uw op twee na grootste fan ter wereld.'

Toen de regen was opgehouden liep Masterji de trap af naar de binnenplaats. De deur van mevrouw Saldanha ging open.

'Masterji, mijn leven lang heb ik vergaderingen gemeden, zoals u misschien gemerkt hebt. Maar ik moet u iets vertellen.'

'Ja, mevrouw Saldanha.'

Ze stond daar in een vormloze groene ochtendjas, zorgrimpels doorsneden haar voorhoofd en slierten onverzorgd zilver krulden uit haar haar. Hij herinnerde zich haar zoals ze twintig jaar geleden was: de mooiste vrouw in het flatgebouw.

'Masterji, mijn Radhika wil journalistiek gaan studeren. Aan de universiteit van Syracuse.'

Hij ontweek haar ogen.

'Er was een Syracuse in het Romeinse rijk. Een plaats van wetenschap.'

'Dit Syracuse ligt in Amerika. In de staat New York. En ze geven geen beurzen aan Indiërs, dus we moeten alles betalen...'

Hij liep tussen zijn buren door die buiten in het parlement zaten en wandelde het binnenterrein rond. Mevrouw Kudwa was de volgende die op hem af kwam, samen met de kleine Mohammad in zijn witte taekwondotenue. De jongen verstopte zijn gezicht achter zijn moeder, hij had vrijdag gespijbeld bij de natuurkundeles.

Toen zij weg was, volgden er anderen: mevrouw Ganguly van de vijfde verdieping, mevrouw Vij van de tweede. Daarbij ontving Masterji ook nog petities van een onzichtbare partij. Hij wist zeker dat hij zijn vrouw tegen hem hoorde fluisteren toen hij door het grind van het terrein knarste. Die mensen waren ook haar buren. Zij bepleitte de zaak van de levenden.

Voor hij weer naar binnen ging, bleef hij staan bij de stoel van mevrouw Puri in het parlement en vertelde haar dat hij morgen zijn zoon zou gaan opzoeken. Maar niet 's morgens. De drukte in de treinen zou hem te erg zijn.

'Het is afgelopen. Zelfs Masterji gaat akkoord,' zei Mary.

Ze stond voor de Silver Trophy Corporatie haar situatie uit te leggen aan de bewakingsman. 'Als dat Shanghai er eenmaal staat hebben ze hulpen die uniformen dragen en Engels spreken. Dan willen ze mij niet. Ik heb een zoon op school, ik kan een maand loon niet missen.'

De bewaker was een magere, lichtgekleurde man. Hij verzekerde Mary dat hij het in de gaten zou houden, maar toen vroeg hij naar haar 'familie' met een schittering in zijn ogen die alleen maar wellust kon betekenen.

De bewaker van een flatgebouw bij de Dhobi-ghat had haar gezegd dat ze 's middags bij hem langs moest komen, er was net een artsengezin uit Delhi komen wonen.

Regenwolken pakten zich samen aan de avondhemel. Mary stak de straat over en liep langs de rijen visverkopers met hun glinsterende verse vangst en kreeg te horen: 'Die mensen uit Delhi hebben net tien minuten geleden een hulp gevonden. Nog *geen* tien minuten.'

Ze bedankte de bewaker, ging op een stenen muur bij de visverkopers zitten en ademde in een plooi van haar sari. Ze was al vanaf zeven uur 's morgens buiten. Aan beide kanten naast zich zag ze in manden, of uitgespreid op blauw zeildoek op de grond, gedroogde ansjovis, verse krabben, garnalen in plastic emmers en kleine, slijmerige dingen die nog spartelden. Een oude vissersvrouw schraapte met een krom mes de schubben van een tonijn van een halve meter lang met gele vinnen.

Terwijl de onthechte zielen van de vissen in een machtig leger opstegen werd de lucht vervuld van gedreun.

Mary keek omhoog. Een Boeing steeg op van de luchthaven van Santa Cruz en sneed door de donker wordende hemel.

Een blinde man zat jasmijn te verkopen op het terrein van de Tamiltempel. De poort van de schrijn was open en een olielampje brandde voor een zwarte Ganesha, harsachtig van decennia heilige olie.

De zijmuur van de tempel met de geschilderde demonenmond deed weer dienst als wicket.

Kumar, die in een hotel in de buurt in de keuken schoonmaakte, stond bij de zijmuur in afwachting op zijn dijen te slaan.

Dharmendar, de fietsenmakersknecht, kwam aanrennen om te werpen met de rode rubberbal in zijn hand.

Timothy, die van school spijbelde om erbij te kunnen zijn, kreeg de eer om als eerste te batten, en stelde zich op voor de demonenmond.

In plaats van de rode bal te werpen, liet Dharmendar hem vallen en grijnsde.

'Je boft vandaag, Timothy. Je moeder komt eraan.'

'Shit.'

De jongen liet zijn bat vallen, greep zijn schooltas en rende weg. Mary schreeuwde zijn naam – de cricketers floten enthousiast – en rende achter hem aan met geheven rechterhand en gestrekte vingers.

Boven hun hoofd flitste een gevorkte bliksem, grote regendruppels vielen op moeder en zoon terwijl ze in de richting van de *nullah* holden.

6 JULI

Een oude man leunde uit de open deur en genoot van de wind in zijn haar als een veertienjarige die voor het eerst alleen op reis is. Hij keek naar een trein die vanaf de andere kant binnenreed. Wat een *kracht*. De langsrijdende locomotief was een en al voortgestuwde vaart die vanuit een andere dimensie onder een hoek deze dimensie binnen snelde. Een droomfragment dat de wereld der wakenden binnen sneed.

Het was twee uur in de middag.

De eersteklascoupé was bijna leeg. Maar in een impuls was Masterji opgestaan van zijn bank en had iets gedaan wat hij in tientallen jaren niet gedaan had: hij was naar de open deur van de coupé gelopen.

Waanzin.

Hij moest meer dan wie ook het gevaar kennen om hier te staan, hij die zijn leerlingen er zo vaak voor gewaarschuwd had, die zo geleden had onder het spoor.

Weer joeg er een sneltrein langs en deze keer voelde de warme wind tussen de treinen aan als een betovering. De gezichten van de forenzen tegenover hem leken krachtig, betoverd, demonisch zelfs – alsof het wezens uit een andere wereld waren, of misschien altijd aanwezig in zijn wereld, goed verborgen en nu onthuld door de trillende energie die vrijkwam toen de machines elkaar passeerden.

Een hand op zijn schouder.

'Radium, meneer? Het werkt. Echt radium.'

Masterji draaide zich om. Het duurde een tel voor hij de illusie van de langstrekkende demonengezichten had afgeschud. Een man in een vuil overhemd hield hem een pakje met lichtgevende sterretjes voor: 'Radium voor Kinderen'. Tien rupee. Geschikt voor slaapkamermuren. Vonken voor de intelligentie, maakt ze rijp voor de universiteit. Masterji keek naar het pakje. Hij was vergeten een cadeautje voor Ronak mee te nemen.

Zwaarlijvig, zijn borsten in een bedrukt zijden overhemd geperst, liep Gaurav Murthy door het gangpad van de kruidenierswinkel, Hij wees naar pinda-*chikki's* en gouden *ladoo's*, naar geroosterde bananenchips en pakjes pittige *farsan*, de winkelier mikte het allemaal in een plastic zak.

Pakjes van tien rupee met pinda's, naturel en met een masalakorstje, een pakje Frito-Lays masala-*kurkure*. Nog een pakje pinda's? Waarom niet.

'Mijn vader komt vandaag thuis, ziet u.'

'Een mooie gelegenheid,' zei de winkelier. 'Om lekkers voor hem te kopen. U bent een goede zoon.'

'Doe nog maar wat bananenchips, voor het geval. Een klein pakje is genoeg.'

Met een pond aan snacks in een zak liep Gaurav Murthy naar huis. Kwart voor vijf. Zijn vader had gezegd dat hij om vijf uur zou komen. Wat betekende dat hij er al was.

Hij had niet zo ver van zijn corporatie moeten wegdwalen, maar de snacks in Dhobi Talao, net om de hoek, waren goedkoper. Voor zijn flatgebouw bleef hij staan om op adem te komen, en zag een ster van de vorige Deepavali op het terras, hij wist zeker dat zijn vader hem ook moest hebben gezien. ('Waarom hangt die er nog? Betaal je je hulp niet om...') Hij stak zijn hand in de zak en scheurde het pakje *chikki* open. Hij kauwde op de pinda's. Zijn vader zou hem wel pesten dat hij was aangekomen. Hij kauwde sneller.

'Het hondje van zijn vader' had zijn moeder hem in het eerste begin genoemd, toen hij met een domme, dierlijke vreugde was opgesprongen als de deurbel 's avonds ging, en toen hij zijn vader overal in huis achternaliep, tot op het toilet, waar hij uit moest worden geduwd. De ontgoocheling begon toen hij veertien was en zijn moeder terugkwam uit Suratkal, beroofd door zijn ooms. Hij ontdekte dat zijn vader, die hem met een stalen liniaal op zijn knokkels sloeg bij kleine overtredingen, niet op kon tegen twee dieven uit de provincie. Minachting was in Gaurav ontstaan, de minachting van een zoon die geslagen wordt door een zwakke vader. Zijn schouders groeiden in de breedte en de minachting groeide mee. Zijn vader wilde dat hij natuurkundige of advocaat werd, een man die met zijn geest werkte; hij besloot businessstudies te doen. In de universiteitsbibliotheek keek hij op van zijn economie-studieboeken en dacht dan aan iets wat zijn vader de dag daarvoor gedaan of gezegd had. Als een gewoon aandeel op de Bombay Sensex werd de waarde van Yogesh Murthy's reputatie in de geest van zijn zoon elke dag opnieuw berekend, en elke dag daalde de waarde.

Een man heeft zijn vader niet voor het uitkiezen, maar als hij afstand houdt van een minder geslaagd exemplaar, neemt de maatschappij *hem* dat altijd kwalijk. Het leek Gaurav volslagen oneerlijk.

Toen hij aanbelde, hoorde hij gekrijs van het binnenterrein van zijn corporatie. Hij identificeerde de uitgesproken schrilheid als de stem van zijn zoon. *Waarom is die jongen niet meteen naar boven gegaan?*

De hulp deed open. Zijn vader stond in de woonkamer Sonals laatste aanschaf te bewonderen: een grote sierschaal van brons, tot de rand toe gevuld met water waarop rode gulmohar-bladen dreven.

'Kijk eens, Gaurav, schoonvader heeft iets moois voor Ronak meegebracht,' zei zijn vrouw en ze liet hem het pakje radiumsterren zien. 'Wat lief van hem dat hij daar geld aan uitgeeft.'

Ze zei dat het tijd was om haar vader eten te geven, ze trok zich terug in een achterkamer en liet de twee mannen over aan hun bezigheden.

'Het leven is moeilijk, vader. Sonals leven is erg moeilijk.'

'Ik dacht dat je een goede baan had, jongen.'

Als Gaurav praatte had Masterji de indruk dat hij het tegen iemand naast zijn rechterschouder had. Hij bewoog zijn hoofd om de blik van zijn zoon op te vangen, de jongen richtte zijn ogen nog meer naar rechts.

'De baan is goed, vader. Andere dingen in het leven zijn niet goed. Stress. Voortdurend. Ik loop nu bij een goeroe vanwege mijn stress. Tante Sangeeta had me over hem verteld. Hij geeft me mantra's om te reciteren.'

Zijn vader was natuurlijk een rationalist. Er zou wel snel iets stekeligs komen. Gaurav beet in de chikki.

'Wanneer teken je dat papier voor akkoord, vader, dat je dat geld aanneemt?'

Vanuit de andere kamer droeg Sonal de zinnen aan die hij vergeten had: 'Schoonvader, er zijn kwesties met... inkomstenbelasting, onroerendgoedbelasting. Levensverzekering. We moeten plannen. Hoe eerder u ja zegt, des te beter voor ons allemaal.'

Masterji keek strak naar de chikki toen hij sprak.

'Jongen, we weten hoe het zit met Vishram. Het is niet in beste staat, maar de herinneringen aan wijlen mijn vrouw...'

'Je bedoelt mijn moeder.'

'Ja, je moeder, en je zus. Het is niet zo makkelijk om daar zomaar weg te gaan.'

Onder de blik van zijn vader scheurde Gaurav weer een pakje chikki open. Zijn vrouw sprak voor hem.

'Hebt u de nieuwe appartementengebouwen in Parel gezien, schoonvader?'

Sonal leunde achterover, zodat hij haar kon zien met haar voederlepel die droop van de yoghurt, ze glimlachte.

'Het zijn duplexwoningen. Ze zijn nog niet gebouwd maar allemaal al verkocht. Indiërs uit Engeland. Weet je wat ze kosten?' Ze voerde haar vader yoghurt. 'Zevenentwintig crore per stuk. Allemaal verkocht.'

Zevenentwintig crore per stuk. Masterji probeerde zich voor te stellen hoeveel geld dat was door aan de oceaan te denken.

'Zevenentwintig crore,' zei Gaurav. 'Zevenentwintig.'

Hoor die jongen nou, hoe hij zijn vrouw nabauwt. Weer keek Masterji naar de chikki in de hand van zijn zoon.

De hulp kwam binnen met een stuk *barfi* en zes of zeven gefrituurde bananenschijven en zette ze op de tafel voor hem. Het waren kleine porties. Dat was altijd zo als hij hier kwam, het eten liep op z'n tenen over zijn bord.

'In oktober is het een jaar geleden dat je moeder is overleden, jongen. Ik heb met Trivedi gesproken, hij wil de ceremonie graag doen. We gaan met ons drieën naar Bandra, net als de vorige keer. Ik hoop dat je er dit jaar bij bent, Sonal. En neem Ronak ook mee.'

Hij at de bananenschijven een voor een op.

Gaurav pakte het radiumpakje op en snoof. 'Vader, dit is goedkoop spul, niks voor de jongen.' Hij liet het vallen.

Masterji stond op en liep het balkon op. Hij ontdekte Ronak die beneden op het binnenterrein aan het spelen was en klapte in zijn handen. Zonder zich om te keren naar zijn zoon zei hij: 'Niet een van mijn cadeaus voor Ronak is welkom in dit huis. Ik heb hem een boek gegeven, een prachtig blauw boek. *De Geïllustreerde Geschiedenis der Natuurwetenschappen.* Ik kreeg het terug van zijn moeder.'

Hij klapte weer in zijn handen.

Sonal leunde achterover vanuit de andere kamer om naar haar man te kijken. *Geef antwoord, geef antwoord,* drong haar blik aan. Ze boog zich naar haar vader met een nieuwe lepel yoghurt en verdween uit het zicht.

'Vader, jij hebt altijd van me verwacht dat ik boeken las, zelfs toen ik klein was. Je liet me Frans leren. Ik ben niet goed in die dingen. Moeder heeft het je gezegd: ik ben geen intellectueel zoals jij.' Gaurav maakte een nieuwe reep pinda-chikki open. 'En vader, onder Sindhi's is het gebruik om goud te geven als er een kind wordt geboren. Sonal heeft je dat al eens verteld, omdat ze dacht dat een Zuid-Indiër als jij dat misschien niet wist. Jij hebt Ronak nooit goud gegeven. Een van moeders halskettingen ligt nog in het oude huis. Een *Vummidi*-ketting. In haar almira. Het maakt niet uit. Het maakt niet uit.'

Nadat hij nog een keer geklapt had – 'Ronak, ik ben er, kom naar boven!' – liep Masterji weer de kamer in. Hij ging zitten voor zijn zoon.

'Je bent te lui om te lezen, maar dat wil niet zeggen dat je Ronak niet moet aanmoedigen. Het is de grootste vreugde en kracht van het leven: het vermogen om te leren. Weet je nog wat ik je vroeger vertelde? Lord Elphinstone weigerde het gouverneur-generaalschap zodat hij zijn geschiedenis van India kon schrijven.'

Gaurav at nog wat chikki.

Sonal, Sonal, kom nou toch – hij likte zijn duimnagel af, zijn duim, wijsvingernagel, wijsvinger en het vlies tussen duim en wijsvinger. *Kom hier voor ik opsta en tegen die ouwe ga staan schreeuwen.*

Maar toen waaide de lucht van zweet en zon de kamer binnen, een houten cricketbat viel op de grond en een jongen werd in de lucht gehesen in de armen van zijn grootvader.

In de keuken was Sonal aan het rekenen. 'Het is 79 vierkante meter zei u, schoonvader? Dat wordt dan... 1,62 crore. Even narekenen. 79 keer 206.000. Ja, dat moet kloppen... 16.200.000.'

Ze liep binnen met een glas ananassap op een blad.

'Voor mij niet, Sonal, te veel suiker.'

Hij bood het glas aan Ronak aan die naast hem op de bank zat, maar het goedgemanierde kind weigerde.

'Die meneer Shah moet wel op tijd betalen, schoonvader. Zo niet, dan kent Gaurav iemand op zijn werk die een goede onroerend-goedadvocaat kent. Zodra u de overeenkomst getekend hebt, kunt u hier intrekken,' zei Sonal. 'Dan wonen allebei onze vaders bij ons.'

'Het is misschien een goed idee,' zei Masterji. 'Om bij Ronak in de buurt te zijn.'

Zijn zoon greep naar de reep chikki, brak er een stuk af en begon weer te kauwen.

Sonal glimlachte naar haar man. 'Als schoonvader niet bij ons wil wonen, kan hij natuurlijk altijd een eenslaapkamerflat in Vakola kopen.' Ze zei het hardop: 'Een-zes-twee-nul-nul-nul-nul-nul!'

Masterji streek over het natte haar van zijn kleinzoon en hoorde een gegorgel uit de achterkamer komen, alsof zelfs die hersendode oude man opgewonden was. *Voor een bankier*, dacht Masterji, *moest seniliteit bestaan uit een hele hoop nullen die maar rondmalen in zijn hoofd.*

'Wilt u dat ananassap echt niet drinken voor u weggaat?' zei Sonal. 'Een slokje maar? Delen met uw kleinzoon?'

De lift was kapot, dus hij liep de trap af.

Toen hij zijn been optilde, loste de trap op en hij zette het neer in zachte, vochtige, zwarte lucht. Hij hield zich vast aan de leuning om te voorkomen dat hij wegleed. Zijn reumatische linkerknie bonsde. O Purnima, bad hij, Purnima. Zijn bloedsuiker sputterde als de motor van een oude autoriksja. O Purnima.

Explosies van glucose – kometen en supernova – verlichtten zijn privéduisternis; er was een bacchanaal aangevangen in zijn hypermetaboliserende cellen.

Zich vasthoudend aan de leuning liet hij zich de treden afzakken. Hij hoorde Purnima van over de oceanen van de andere wereld naar hem schreeuwen. Waarom had hij dat diabetes-onderzoek nog niet laten doen?

Zou het kunnen, vroeg hij zich af, *dat Sonal me dat ananassap expres gaf zodat dit zou gebeuren? Ze bleef maar aandringen.*

Beneden op de overloop lag een man in vodden, een van de personeelsleden van Gauravs corporatie, met zijn arm over zijn gezicht te slapen.

Masterji raakte de muur van de corporatie van zijn zoon aan. Die herinnerde zich Purnima of Sandhya niet. Binnenkort zou hij tussen vier zulke muren wonen.

Hij stapte over de slapende bediende heen en liep verder naar beneden, nog steeds piekerend over Sonal en het ananassap.

'Waarom duurt het zo'n tijd voor hij terug is?' vroeg mevrouw Puri. Een zestal bewoners was bijeengekomen in de kamer van de secretaris om de thuiskomst van Masterji te vieren. Het moment waarop hij met een glimlach zou binnenstappen en 'ja' zeggen. Er was een microfoon opgesteld naast het zwarte kruis, de bedoeling was een spontane algemene vergadering te houden en de hele zaak binnen tien minuten af te handelen.

De secretaris schikte zijn lok over zijn schedel. 'Misschien zit hij vast in de trein.'

In een hoek van het kantoor had Ajwani verwoed op de toetsen van zijn mobiel staan te drukken, nu draaide hij het ding om en tikte ermee tegen een archiefkast.

'Ik begin me zorgen te maken. Luister eens...' Hij glimlachte naar de secretaris, 'als u nu eens alvast onze bevestiging van de overeenkomst uittypte? Typ gewoon een stuk waarin staat: Alle leden van toren A gaan akkoord en hebben getekend. Zodra hij er is, laten we hem tekenen. Hij kan elk moment weer van gedachten veranderen. Zo'n man als hij is onvoorspelbaar. Weet u nog wat hij met die vriend van dat moderne meisje heeft gedaan?'

Ajwani gaf de lucht een por.

Kothari legde twee vingers op de toetsen van de Remington en trok ze toen een voor een terug.

'Ik denk dat het tegen de regels is om zo'n stuk te typen voordat iedereen inderdaad ja heeft gezegd.'

De makelaar schudde zijn hoofd, toetste op zijn mobiel en mompelde iets.

'Hoe noemt u me?' De secretaris stond op. 'Ik weet dat u me zo achter mijn rug noemt, Ajwani. Man van niks.'

De makelaar keek op van zijn mobiel. 'Ik zeg wat ik denk, Kothari. Ik hou niks achter.'

'Wat wou u daarmee zeggen? Wat heb ik al die jaren achtergehouden?'

Ibrahim Kudwa wachtte in het kantoor, Mumtaz zat naast hem met de kleine Mariam op haar schoot. Hij wilde net tussenbeide komen in de ruzie, toen mevrouw Puri binnenkwam en zei: 'Ibby.'

Hij grijnsde. 'Sangeeta-ji,' zei hij.

'Ibby, de internetverbinding is vandaag bij ons weer zo traag. Ik weet niet of er een kabel loszit of...' Ze glimlachte naar Mumtaz. 'Uw man is zo goed met computers en kabeltjes.'

Mumtaz keek haar man na toen hij achter mevrouw Puri aan de trap op liep. Als hij terugkwam, praatte hij vast net als zij. Om de zin 'Oy oy oy' zeggen. Zoals het lichaam van een ontrouwe echtgenoot andere geuren aanneemt, nam Ibrahims stem de accenten over van de vrouwen op wie hij indruk probeerde te maken.

Op de vraag welk echtpaar in het flatgebouw het beste bij elkaar paste, zouden de bewoners van Vishram grote moeite hebben om te kiezen tussen de Puri's en de Kudwa's. Voor de geboorte van Mohammad had Mumtaz Kudwa in een tandartsenkliniek in Khar (West) gewerkt, nu ging ze één keer per dag van huis om Mohammad van school te halen. De andere bewoners spraken haar zelden, behalve op feesten als de Dag van de Republiek. Ibrahim nestelde zich in de huizen van anderen. Altijd hing hij aan de bel om te kletsen, een ritje op zijn scooter of gratis gebruik van zijn internetcafé aan te bieden, en je had het gevoel dat hij het prettiger vond om op jouw bank tv te kijken dan op die van hemzelf.

Het was een gearrangeerd huwelijk geweest. Al in de eerste, gelukkigste dagen had Mumtaz vreemde dingen van haar echtgenoot ontdekt. Ibrahim werd dan wel als een volwassene behandeld, hij gedroeg zich als een kind. Hij was dankbaar als hij bij een groep mocht horen en deed alles wat anderen van hem wilden, zelfs als het hem vernederde of in gevaar bracht. Bij hem thuis, bij zijn eigen vader en moeder, was hij opgetogen als hij aan de eettafel aandacht kreeg. Op een dag was ze stoutmoedig genoeg om te vragen: 'Waarom maak je je zo druk over wat ze van je denken?' Dagen lang was hij boos geweest en toen kondigde hij aan, zonder overleg met haar, dat hij uit de buurt van zijn familie wilde gaan wonen. Ze verhuisden naar een oud flatgebouw vol hindoes en christenen, en Ibrahims gedrag verergerde. Mevrouw Puri viel hem lastig om kleine gunsten – een gratis tube kaliumnitraattandpasta voor Ramu's gevoelige tanden bijvoorbeeld – en Ibrahim, niet in staat om nee te zeggen, had haar gedwongen om zes tubes uit de tandartsenkliniek te smokkelen ('dat is geen stelen, het is voor een buurvrouw').

Ze dacht dat het het waard zou zijn om uit Vishram te vertrekken, alleen maar om haar man bij die vrouw weg te krijgen.

Met haar kind op schoot keek ze naar de deur, zich vaag bewust van de luider wordende stemmen om haar heen van Ajwani en de secretaris die ruziemaakten.

Omdat hij zich te zwak voelde voor de avondtrein had Masterji voor het flatgebouw van Gaurav een taxi aangehouden. Waarom niet? Een rijk man kon reizen als een rijk man. Hij stak zijn hand uit het raam en klopte op de zijkant van de zwarte Fiat. De tocht over de weg duurde minstens een halfuur langer dan de treinreis zou hebben geduurd; tegen de tijd dat hij langs de burgemeestersvilla bij Shivaji Park reed voelde Masterji zich sterker. Hij stapte uit bij de Bandra-moskee, stak de drukke weg over en wachtte op een autoriksja om geld uit te sparen op het laatste stuk van zijn tocht naar huis.

Nauwelijks had hij het hek van de Vishram Corporatie opengemaakt of er rende een donker lijf het verlichte gebouw uit dat een paar armen om zijn hals sloeg.

'Dank je, oompje! Heel erg bedankt.'

Radhika Saldanha, besefte hij na enige verwarring, terwijl ze zich omdraaide en terugschoot naar haar huis.

Mevrouw Saldanha keek naar hem door de barst in haar raam en glimlachte naar hem toen hij naar binnen ging.

Uit gewoonte hield hij stil bij het mededelingenbord: er was een nieuwe getypte mededeling op het middelste bord gespijkerd.

VISHRAM COÖPERATIEVE BEWONERSCORPORATIE BV, VAKOLA, SANTACRUZ (O), MUMBAI – 400055 NOTULEN VAN DE BIJZONDERE VERGADERING VAN GEBOUW A OP 6 JULI ONDERWERP: OPHEFFING VAN DE CORPORATIE

Alle leden waren om 17 uur 30 aanwezig.
Ramesh Ajwani (2C) zat de vergadering voor.

PUNT 1 OP DE AGENDA:
Alle leden hebben unaniem besloten het voorstel van de Confidence Group te aanvaarden. De bewoners van de corporatie hebben unaniem besloten tot opheffing van de corporatie en tot de sloop van het corporatiegebouw.
Geen andere punten kwamen tijdens de vergadering ter tafel.

Namens de bestuurscommissie van Vishram Toren A,
Getekend,
Ashvin Kothari,
Secretaris Vishram Toren A

Kopie (1) naar de leden van gebouw A, Vishram Coöperatieve Bewonerscorporatie BV
Kopie (2) naar de secretaris, Vishram Coöperatieve Bewonerscorporatie BV

Nota: handtekeningen van alle leden van de corporatie hieronder, naast hun respectieve flatnummers (met het vloeroppervlak tussen haakjes)

De secretaris kwam met een glimlach tevoorschijn uit zijn kantoor.
'Wat is dit?' vroeg Masterji, met zijn wijsvinger op het mededelingenbord. 'Ik ben net terug in Vishram. Ik heb nog niks getekend.'

Kothari liep naar het mededelingenbord en kneep zijn ogen samen, de lynxachtige lachlijnen waaierden uit vanaf zijn ogen. 'Ik wilde ons alleen tijd besparen, Masterji. Omdat u akkoord gaat, dacht ik dat ik de mededeling maar vast zou uittypen.'

Masterji's wijsvinger verplaatste zich niet.

'Ben ik akkoord gegaan? Wanneer dan? Ik zei dat ik met mijn zoon zou praten. Dat was alles.'

De secretaris glimlachte niet meer. 'Het was eigenlijk niet mijn idee. Ajwani's idee. Ik moest het van hem ophangen voordat u terugkwam... Hij...'

De secretaris verwijderde Masterji's hand van het glas en maakte het open. Hij scheurde de mededeling los, de helft ervan viel op de grond.

'Zo, Masterji, nu tevreden?'

Dat was hij niet.

'Wie gaf u het recht om te zeggen dat ik akkoord ging? Waarom zegt u dat ik iets getekend heb?'

'Dank u wel, Masterji.' Mevrouw Puri kwam de trap af. 'Dank u wel dat u aan ons allemaal gedacht hebt.'

Masterji's wijsvinger lag weer op het lege mededelingenbord.

'Sangeeta, weet u dat de secretaris denkt dat hij mijn handtekening kan vervalsen?'

'Masterji!' De secretaris verhief zijn stem. 'U maakt er te veel ophef over. Het is gewoon een kleinigheid, een eenvoudige vergissing die we hebben gemaakt! En nogmaals: het was niet mijn idee. Het was Ajwani!'

Masterji raapte het verfrommelde formulier van de grond op en streek het glad. Hij las het nog eens.

'Het is een handtekening,' fluisterde hij. '*Mijn* handtekening.'

'Mevrouw Puri...' de secretaris keek op. 'U bent zijn verdediger in het gebouw. Wilt u met hem praten?'

'Masterji. We hebben uren op u gewacht. Ik heb niet eens water gehaald voor Ramu's avondbad. U *hebt* tegen ons gezegd dat u zou tekenen.'

Een stem dreunde: 'Geef ons niet de schuld, Masterji. We hebben dat briefje pas een halfuur geleden opgehangen. Waarom duurde het zo lang voor u terugkwam?'

Ajwani's smalle zwarte gezicht keek omlaag vanaf de leuning van de tweede verdieping.

'Dat is waar, Masterji,' zei de secretaris. 'Als u maar een halfuur eerder was teruggekomen...'

'Ik kon er niet eerder zijn, omdat... ik me niet goed voelde...'

Mensen keken naar beneden vanaf verschillende plekken langs het trappenhuis: meneer Ganguly, Ajwani, meneer Puri, Ibrahim Kudwa, meneer Vij.

Hij wilde de kamferlucht van de kast van zijn vrouw inademen. Mevrouw Puri ging opzij om hem door te laten. De zieke hond lag op de eerste overloop, trillend vanuit zijn gewrichten. Masterji bleef voor hem staan en keek omhoog naar zijn buren. Het was of hij weer half in de treincoupé stond met de warme wind die in zijn ogen waaide en de andere trein die langsjoeg, hij zag de demonische gezichten om hem heen opdringen.

Hij sprak zo hard dat iedereen het kon horen: '...heb geen ja en geen nee gezegd.'

BOEK ZES

ANGST

15 JULI

'...je hebt gezegd dat het *afgelopen* was, Shanmugham. Een week geleden.'

Meneer Shah reed door ochtendlijk Juhu, weggezonken in de zwartlederen kussens van zijn Mercedes, kauwde op *gutka* uit zijn blauwe blikje en keek naar het enige wat er te zien was. De hele nacht had de regen Mumbai geteisterd, nu was het de beurt aan de oceaan.

Gezwollen door de storm siste het schuim dik als oprispend zuur, loste zwaartekracht en rots op en bestormde de hellingen tussen strand en weg, brak op de oever in uitbarstingen van druppels die de toeschouwers, ineengedoken onder zwarte paraplu's, deden gillen.

Shah instrueerde zijn chauffeur om langzame cirkels rondom Juhu te trekken. Toen de auto een U-bocht maakte schoof hij naar het andere raam zodat hij de oceaan kon blijven zien. 'Die oude leraar met zijn stemmingswisselingen kan me niet schelen. Zeg maar tegen die secretaris dat hij geen rupee van zijn zoethoudertje te zien krijgt – wat hadden we hem beloofd? Een lakh extra? – tenzij hij het verdient. Heb ik je niet in het begin al gezegd dat die leraar moeilijk zou gaan doen? En jij, Shanmugham, zeg nooit meer tegen me dat iets geregeld is voor het geregeld is, voor de handtekening er staat, voor...'

Meneer Shah gooide de mobiel in een hoek van de auto.

Hij had gehoopt dat er deze keer geen ruzie zou komen. Met zo'n gul aanbod. Maar er zou *altijd* ruzie komen. Dat lag in de aard van deze stomme, stomme stad. Wat zou hij onderhand niet gebouwd hebben als hij in Shanghai was – ziekenhuizen, luchthavens, winkelcentra van dertien verdiepingen! En hier, al die ellende alleen maar om aan een eenvoudige luxe appartementenflat te beginnen...

Het slijm in zijn borstkas werd dikker, zijn adem klonk als het gegrom van een verwilderde hond. Shah hoestte en spuwde in zijn zakdoek. Met een vinger inspecteerde hij de kleur van het slijm.

Hij boog zich voorover en raapte de mobiel op. Hij toetste Shanmughams nummer weer in.

Parvez, de chauffeur, zette de ruitenwissers aan. Het was weer begonnen te regenen.

'Wacht,' zei Shah. 'Stop hier.'

De jongens in het bushokje links van hen stonden te juichen.

Aan de overkant, in de plenzende regen, droeg een man in vodden een andere man op zijn rug naar de bushalte. De kerel bovenop was gewikkeld in een cape van blauw zeildoek die over alle twee heen bolde. De man die hem droeg werd opzijgeduwd door de wind en het gewicht op zijn schouders, voertuigen schenen hun koplampen op hem door de regen maar hij kwam steeds dichter bij de juichende toeschouwers die hem, als door pure wilskracht, de beschutting binnen trokken.

'Meneer?' Shanmugham was aan de lijn. 'Wilt u dat ik actie ga ondernemen in Vishram? Zal ik hetzelfde doen wat ik vorig jaar bij dat project in Sion heb gedaan?'

Shah keek naar de mannen in de regen. Hij voegde zijn wil bij die van de toeschouwers, hij dwong de twee voort tot ze het bushokje binnen strompelden.

De projectontwikkelaar glimlachte. Hij tikte op het raam met een gouden ring om Parvez te laten omkeren.

21 JULI

Fijne rimpeltjes straalden vanuit Ram Khares ogen terwijl hij in zijn heilige samenvatting las, als minuscule illustraties van het net dat het Lot over hem gespannen had.

In zijn tienerjaren had hij gehoopt cricket te kunnen gaan spelen voor Bombay in de competitie voor de Ranji Trophy, toen hij in de twintig was droomde hij ervan een eigen huis te kopen, in de dertig was zijn droom om met zijn oude ouders op bedevaart naar de stad Benares te gaan.

Op zijn zesenvijftigste was hij erachter dat zijn leven beperkt was tot drie dingen: zijn dochter Lalitha, oud-leerlinge van de St. Catherine-school, die nu computerkunde studeerde in Pune, zijn rum en zijn godsdienst.

De ochtenden waren voor de godsdienst. Hij stond in zijn wachthokje met een snoer zwarte *rudraksha*-kralen in zijn linkerhand en met een vinger op bladzijde 23.

'Welke zijn de tekenen waaraan een ziel herkend kan worden? Luister naar de woorden van onze Heer Krishna. De ziel is niet geboren en zij zal niet...'

Voetstappen naderden de Vishram Corporatie. Hij wendde zich naar het hek en zei: 'Een ogenblik, Masterji. Een ogenblik.'

Khare opende de zinken deur van het wachthokje, stapte opzij en beduidde Masterji binnen te komen. De oude leraar, die terugkwam met een bos verse koriander voor de Pinto's, hief die omhoog, een gebaar van protest.

Khare zei: 'Eén ogenblik.'

Uit het veld geslagen door de koppigheid van de bediende gaf Masterji het op, en zo ging hij voor het eerst in tweeëndertig jaar het wachthokje van de Vishram Corporatie binnen.

'Als u nou nog even wilt wachten, meneer, dan laat ik u mijn levenswerk zien.'

Er groeide een groot spinnenweb in een hoek van het hokje. Khare leek geen bezwaar te hebben tegen het bestaan ervan. Voorwerpen van de grond – takjes, krijtjes, pennendoppen, eindjes metaaldraad – waren naar het web overgebracht, een meter of zo van de grond. Het hele ding leek op een stukje zachtzinnige zwarte magie die Khare in zijn vrije tijd bedreef.

'Dit is mijn levenswerk, meneer. Mijn levenswerk.'

Ram Khares vingers rustten op een ander magisch voorwerp: het langwerpige bezoekersboek met zijn harde rug.

Hij liet zijn schone vingernagel langs de kolommen glijden.

Naam bezoeker

Beroep

Adres

Mobiel telefoonnummer

Doel bezoek

Tijd aankomst

Tijd vertrek

Opmerkingen (evt.) / Bijzonderheden (evt.)

Handtekening bezoeker

Handtekening bewaker

'Iedere bezoeker wordt genoteerd en zijn mobiele nummer wordt geregistreerd. Dat gaat al zestien jaar op deze manier.' Hij wees op de oude registers die in plastic kratten waren opgeslagen. 'Als u me vraagt wie er op de morgen van 1 januari 1994 het pand binnen kwam, dan kan ik u dat vertellen. Hoe laat hij wegging, ik kan het u vertellen. Zestien jaar, zeven maanden en eenentwintig dagen.'

Khare sloot het boek en snoof.

'Daarvoor was ik de bewaker van de Raj Kiran Bewonerscorporatie in Kalina. Een goede corporatie. Daar kregen ze ook een aanbod voor renovatie van een projectontwikkelaar. Eén man weigerde voor akkoord te tekenen – een gezonde jongeman, niet iemand als u – en op een morgen struikelde hij van de trap en brak zijn knieën. In het ziekenhuisbed heeft hij getekend.'

Masterji sloot een kort moment zijn ogen.

'Bedreig je me, Ram Khare?'

'Nee, meneer. Ik wijs u erop dat er een slang in mijn geest zit. Die is lang en zwart.'

De bewaker spreidde zijn armen wijd.

'En ik wilde dat u die zwarte slang ook zou zien. Elke dag komt mevrouw Puri of mevrouw Saldanha of iemand anders bij u aan de deur kloppen om te vragen: "Hebt u al beslist? Gaat u tekenen?" En elke dag zegt u: "Ik denk erover na." Hoe lang kan dat zo doorgaan, Masterji? Voor mij maakt het niet uit of u ja of nee zegt. Als dit pand blijft staan, hou ik deze baan. Als het gesloopt wordt, krijg ik ergens anders een baan. Maar...'

Ram Khare deed de deur open voor zijn gast. '...er bestaat ook zoiets als mijn plicht tegenover u. En wat er nu ook gaat gebeuren, ik heb mezelf ervan ontslagen. De Heer Krishna heeft het opgemerkt.'

En daarmee keerde hij terug tot zijn heilige samenvatting: '...zij zal niet sterven. Zij kan niet kwetsen en niet gekwetst worden. Zij is onoverwinnelijk, onsterfelijk en...'

Wat een lef, dacht Masterji terwijl hij naar de ingang van zijn corporatie liep. *Over een zwarte slang in Vishram gesproken.*

Hij zou moeten klagen bij de secretaris. Mevrouw Rego had gelijk: Ram Khare dronk te veel. Hij had melasse geroken in dat hokje.

Mevrouw Puri stond aan haar raam vanachter de tralies naar hem te kijken.

'Mevrouw Puri,' riep hij, 'wilt u horen wat Ram Khare net zei?

Hij zei dat ik me zorgen moet maken over wat u en mijn andere buren me gaan aandoen.'

Hij stond nog te kijken toen ze het raam sloot en de zonwering liet zakken. *Ze zal me niet gezien hebben*, dacht hij. Dat deed hij zelf voortdurend, mensen niet zien die pal voor hem stonden. Na een zekere leeftijd kon je dat niet helpen.

Hij liep het gebouw binnen met de koriander.

Mevrouw Puri trok zich terug voor de spiegel in haar slaapkamer en borstelde haar lange zwarte haar om zichzelf te sussen.

Haar man had die ochtend tegen haar geschreeuwd toen hij vertrok. De eerste keer dat hij geschreeuwd had waar Ramu bij was. *Hij* had die oude man nooit vertrouwd. Zij was degene die Masterji beschreef als 'een Engelse gentleman'. *Zij* was degene die hem een 'grote broodvrucht' had genoemd.

Ramu, die voelde dat zijn moeder overstuur was, zat naast haar en imiteerde haar met een spookborstel. Ze zag het en snikte een beetje van dankbaarheid.

Ze veegde haar mobiel schoon aan haar onderarm en koos nogmaals een nummer.

'Gaurav, weer met mij,' zei ze. 'Waarom kom je niet hierheen, Gaurav. Praat met hem. Neem Ronak mee. Hij bedenkt zich wel, hij is je vader. Wees niet zo koppig als hij, Gaurav. Je moet hem komen opzoeken. Doe het voor tante Sangeeta, alsjeblieft.'

Ze veegde de mobiel langs haar onderarm, legde hem op de tafel en keerde zich tot haar zoon.

'Geloof je dat nou, Ramu? Al die mango's, al die jaren. Ik sneed ze in lange, dunne repen en legde ze in zijn koelkast. Dat weet je toch nog wel?'

Ze hoorde Masterji de koelkast openen om een glas koud water voor zich in te schenken.

'Wat een egoïstische, gierige ouwe man is hij geworden, Ramu. Hij wil ons onze houten kasten afpakken. Het Boze Oog moet hebben ontdekt wat een geluk ik heb gehad. Deze keer ook.'

Ramu had zijn vingers in zijn oren gestopt. Zijn gezicht begon te trillen, zijn tanden klapperden. Mevrouw Puri wist wat eraan kwam, maar hij was haar voor, rende het toilet binnen en sloeg de deur dicht. Nee, hij zou de deur niet opendoen voor mammie.

'Ramu, ik zal niks naars meer over Masterji zeggen, ik beloof het.'

Eindelijk ging de deur open, maar Ramu wilde niet opstaan van de toiletpot. Ze ademde zo normaal als ze kon om te laten zien dat ze *niet* boos op hem was, dat hij *geen* stinkende troep had gemaakt in de wc. Mammie waste zijn achterste met een kom water, trok hem een schone broek aan en legde hem in bed met Pieterman en het Lieve Eendje.

Ze zakte moeizaam op haar knieën en schrobde de wc-vloer schoon. Als hij bang was, miste hij de pot.

Toen ze de deur van zijn slaapkamer opendeed, zat Ramu overeind en hield het boek schuin waarin zijn vader hagedissen en spinnen had getekend, zodat het Lieve Eendje de plaatjes ook kon zien.

Net buiten de slaapkamer begon een vogel trillers te produceren, lange, scherpe noten als een draad door een naald, alsof die een gescheurde hoek van de wereld moest stoppen. Moeder en zoon luisterden samen.

Toen mevrouw Puri de trap af kwam trof ze op de eerste overloop drie vrouwen die fluisterend stonden te praten.

'Hij speelt de hele dag met zijn Rubik's Cube. Maar is er voor *hem* een oplossing?' Mevrouw Kothari, de vrouw van de secretaris, vroeg: 'Hij is gewoon een groot blok duisternis.'

'Hij wil het niet eens voor zijn zoon doen. Of zijn kleinzoon,' zei mevrouw Ganguly.

'Het komt door de meid naast hem. Die heeft hem gek gemaakt,' zei mevrouw Nagpal van de eerste verdieping.

Ze vielen stil toen mevrouw Puri langsliep. Ze wist dat ze haar verdachten van sympathie voor Masterji.

Na het hek sloeg ze links af en liep langs de sloppen. Al snel bereikte ze de plaats van de twee nieuwe Confidence-panden. Onder de blauwe dekzeilen ging het aanbrengen van platen graniet en marmer door, ondanks de regens. Het begon te motregenen. Ze wachtte onder een paraplu en hoopte dat Ramu niet wakker geworden was.

Er kwam een lange man op haar af hollen vanuit een van de gebouwen. Hij ging onder haar paraplu staan, ze praatte tegen hem en hij luisterde.

'Mevrouw Puri,' glimlachte Shanmugham. 'U bent iemand die initiatief toont. Vorig jaar nog, bij een renovatieproject in Sion, kwamen we net zo'n probleem tegen als met die Masterji van u. We kunnen een heleboel dingen doen, en die proberen we een voor een. Maar u *moet* mij en meneer Shah vertrouwen.'

23 JULI

De lift in de Vishram Corporatie bewoog als een doodkist op wielen. Als er op een knop werd gedrukt volgde er een luide klik, touwen, hefbomen en kettingen kwamen in actie. Door het raamwerk van het metalen hek dat de open liftschacht afschermde kon je een donker houten blok – een contragewicht – langs de muur zien glijden en een rond licht boven op de lift zien stijgen terwijl de grote donkere kist langs schuurde naar de verdieping erboven, voorzien van het opschrift: DIT IS UW CORPORATIE, HOUD HAAR SCHOON.

Masterji zag de lift voor zich voorbijtrekken voor die zijn donkere massa in de vierde verdieping ramde. Er klikte een grendel en de deur ging open, maar hij hoorde er niemand uitkomen. Het was weer zo'n spooktocht die de Otis soms in z'n eentje ondernam als om met deze schimmige uitbarstingen van activiteit weken van nietsdoen goed te maken.

Nog geen kinderen. Hij ging terug naar zijn kamer en liet de voordeur open.

Het was zeven uur op een maandag. Tijd voor de eerste extra natuurkundeles van de week. De plafondlichten waren in afwachting gedoofd en de lamp scheen zijn licht op de muur aan de andere kant.

Tien minuten later snelde Masterji de trappen af en trof de jongens cricket spelend op het binnenterrein aan. Mohammad Kudwa was werper, Anand Ganguly hield de bat op. Sunil was in coverpoint-positie.

'Masterji, blijf daar niet staan,' riep Mohammad, 'straks krijgt u de bal tegen u aan.'

'Het is tijd voor de les, Mohammad.'

De jongen draaide zich om en grijnsde.

'*Boycot*, Masterji.'

Hij lanceerde de bal in de richting van Anand Ganguly, die achteroverboog en hem een hoge, harde klap gaf, hij stuitte tegen een rooster voor een raam op de vierde verdieping en viel terug op de grond.

'Boycot?' vroeg Masterji en hij stapte achteruit om de stuiterende bal te ontwijken. 'Is dat een nieuwe smoes om niet naar de extra les te komen?'

Hij liep naar het parlement, waar hij mevrouw Saldanha aantrof in gesprek met mevrouw Kudwa, die Mariam op haar schoot zat te kietelen.

'Uw zoon weigert de extra les bij te wonen, mevrouw Kudwa. Weet u dat wel?'

De twee vrouwen stonden opeens op van hun stoel, liepen het gebouw in en gingen bij het mededelingenbord staan. Daar bleven ze doorpraten.

'Ze praten ook niet tegen ons,' zei meneer Pinto.

Masterji ging de trap op naar 3C. Mevrouw Puri deed met haar linkerhand de deur open, de vingers van haar rechterhand hield ze tegen elkaar, er zaten vlekken rijst met kwark op die ze aan Ramu aan het voeren was. Hij zat aan de tafel met zijn schort aan en zond Masterji een brede grijns toe.

'Sangeeta, wat is er aan de hand?'

'Ramu.' Ze wendde zich tot haar zoon en zei (terwijl ze haar gezicht in een brede grijns dwong zodat hij de inhoud van haar woorden niet zou raden): 'Zeg tegen je Masterji dat de boycot begonnen is.'

'Boycot?' zei Masterji. 'Wat betekent dat?'

'Ramu,' glimlachte mevrouw Puri weer, 'Masterji, die toch zo'n beroemde leraar is, moet alles weten over Gandhi en Nehru en wat ze de Britten aandeden. Dus zeg maar dat hij ons niet moet vragen wat een boycot is.'

'Gandhi en Nehru en... mevrouw Puri, dit is waanzin.'

'*Waanzin?*' grinnikte mevrouw Puri. Ramu aan de tafel had er ook pret om. 'En een bod van tweehonderdvijftig procent van de marktwaarde van zijn flat is *geen* waanzin, Ramu? Sommige mensen moesten hun mond houden over waanzin, Ramu.'

'Ik heb geen nee gezegd. Ik denk nog na over het voorstel van meneer Shah.'

Mevrouw Puri keek haar buurman aan.

'*Nog* aan het nadenken? U hebt ons altijd met plezier laten delen in uw diepe gedachten, hè Masterji? Hebben we u ooit gevraagd om secretaris van deze corporatie te worden? Zegt u dat wat over wat wij vonden van uw diepe gedachten?'

'Ik *heb* geen nee gezegd. Maar ik laat me niet dwingen tot...'

Mevrouw Puri sloeg de deur voor zijn neus dicht. Masterji ging terug naar zijn flat, ging aan de teakhouten tafel zitten en klopte op de leuningen van zijn stoel, alsof hij niet echt geloofde dat de jongens niet zouden komen.

24 JULI

Masterji deed de deur open. Zijn vuilnisbak was omgegooid. Sommige stukken afval – de bananenschil bijvoorbeeld – waren ver van zijn drempel weggeslingerd, alsof iemand ertegen geschopt had.

Hij zakte op één knie en begon het rondslingerende afval te verzamelen.

De voet van een jonge vrouw schoof de bananenschil in zijn richting.

'Laat maar, juffrouw Meenakshi, ik ruim het wel op.'

'Ik wil alleen maar helpen.'

De gladde zwarte spijkerbroek van zijn buurvrouw liet een paar centimeter huid boven de enkels bloot en ze droeg geen sokken, haar dikke witte tenen met vleeskleurige nagellak, samengeperst door de zilveren zigzagbandjes van haar sandalen, leken *bonsai*-decolletés te vormen. Als ze van die beugel af was en een betere bril kocht, meende Masterji, zou ze een heel goed huwelijk kunnen sluiten.

Hij steunde op het verkeerde been toen hij opstond, een scherpe, hoekige pijn schoot in zijn linkerknie als een accent boven een Franse 'e'.

Accent aigu. Hij schetste het in de lucht, blij dat hij zijn reuma kon cultiveren door die met een mooie taal te verbinden.

Juffrouw Meenakshi leunde in haar deuropening en toonde grijnzend haar beugel.

'Die vrouw moet een nog grotere hekel aan u hebben dan aan

mij.' Ze knikte in de richting van mevrouw Puri's deur. 'In mijn vuilnis *snuffelt* ze alleen.'

'Dit is de ochtendkat geweest, juffrouw Meenakshi,' zei Masterji, zijn knieschijf masserend. 'Dit heeft mevrouw Puri niet gedaan.' Zijn buurvrouw zette haar zeshoekige bril recht voor ze haar deur sloot. 'Waarom is uw vuilnisbak dan de enige die is omgegooid?'

Om een uur die dag kwam Ibrahim Kudwa onuitgenodigd bij de Pinto's en schoof aan voor de lunch.

Misschien omdat Kudwa, de enige moslim in het gebouw, door de anderen als een oprecht man werd beschouwd – of misschien omdat hij als eigenaar van het niet al te drukke internetcafé zijn zaak 's middags alleen kon laten – was hij aangeduid als 'onpartijdig' in het geschil en in die hoedanigheid door de anderen gestuurd. Halverwege de lunch, toen Nina, het dienstmeisje, dampende *appams* opdiende, zei hij: 'Masterji, ik ben hiertegen. Tegen die boycot.'

'Dank u, Ibrahim.'

'Maar Masterji... u moet begrijpen *waarom* mensen dit doen. Er wordt in dit gebouw zo geleden onder uw vreemde manier van doen. U zegt dat u wilt tekenen, dan gaat u uw zoon opzoeken en zegt u dat u niet wilt tekenen.'

'Ik heb nooit *ja* gezegd, Ibrahim.' Masterji schudde met zijn vinger. 'Ik zei *misschien.*'

'Laat ik u dan vandaag iets leren, Masterji: in deze kwestie bestaat geen *misschien.* Wij vinden dat u meneer Shah thuis moet opzoeken. Praat met hem. Hij heeft leraren hoog zitten.'

Ibrahim waste zijn mond en veegde zijn lippen en baard af met de keukenhanddoek van de Pinto's. Hij hing de handdoek weer op het rek en staarde ernaar.

'Masterji, toen de projectontwikkelaar zijn aanbod deed, zat ik ermee, omdat ik niet wist wat ik met het geld moest. Ik heb een maagzuurpil geslikt om te kunnen slapen. Nu de kans bestaat dat het geld dat ik nooit gehad heb me zal worden afgenomen, heb ik twee maagzuurpillen nodig om te slapen.'

Hij droogde nog eens zijn handen af en vertrok. Kennelijk had hij het restant van zijn onpartijdigheid achtergelaten op de natte handdoek.

'Boycot – het is maar een woord,' zei Masterji tegen meneer Pinto. 'Weet u nog die keer dat Sangeeta's Aquaguard-machine water lekte in de keuken van Ajwani, en vandaar in die van Abichandani? Weet u nog dat ze toen niet meer tegen haar praatten tot ze de reparaties betaald had? Ze heeft er nooit mee ingestemd. Na twee weken praatten ze weer tegen haar.'

Na een uur liep hij de trap af, schopte de straathond aan de kant en ging op de 'eerste stoel' voor het raam van mevrouw Saldanha zitten. Het kleine tv-toestel in haar keuken stond aan, een spookachtige vierhoek achter het groene gordijn. Een reep van het gezicht van de nieuwslezer was zichtbaar door de amandelvormige scheur als een pit van waarheid. Terwijl hij zat te kijken liep mevrouw Saldanha naar het raam en sloot de houten luiken.

Masterji keek het binnenterrein van zijn corporatie rond alsof er niets gebeurd was.

Op weg naar boven zag hij de zieke hond weer op de overloop liggen. *Die* keek tenminste nog net zo naar hem als vroeger. Hij liet hem liggen.

Hij keek zo gespannen naar de hond dat hij bijna de handgeschreven mededeling miste die met plakband op de muur erboven was bevestigd.

ENIGE FEITEN OVER 'EEN ZEKER PERSOON'

DIE DERTIG JAAR LANG

DOOR ONS GERESPECTEERD IS. MAAR WAAROM?

NU ONTDEKKEN WE DE WAARHEID.

1. Omdat hij gepensioneerd leraar was, hadden we allemaal respect voor hem. Hij bood aan kinderen te helpen met examens, dat is waar. Maar wat voor hulp was dat? Hij had het over de onderdelen

van de zon, zoals de corona, en de dichte kern van waterstof en helium, enzovoort, veel meer dan wat het lesprogramma vereiste, wat betekende dat toen de examens afgenomen werden, de kinderen niets nuttigs van zijn lessen bleken te hebben opgestoken. Dus naar hem gaan voor onderricht of privélessen was de 'doodskus'.
2. Met DEEPAVALI, KERSTMIS of EID heeft hij Ram Khare nooit een rupee fooi gegeven. Altijd zegt hij: Ik heb geen geld, ik leef van mijn pensioen, maar is dat wel waar? Weten wij niet beter?
3. Ook al schepte hij luidkeels op 'dat hij geen tv had', toch zat hij elke avond voor de keuken van mevrouw Saldanha, precies zo dat hij iedereen in het zicht zat, en dan keek hij tv.
4. GEEFT NOOIT FOOIEN aan de khachada-wali als hij groot afval voor de deur neerzet.

DUS WAAROM HEBBEN WE HEM BLINDELINGS GERES-PECTEERD?

Hij las het twee keer voor hij het begreep. Eraf scheuren? Hij trok zijn hand terug. Een man is niet wat zijn buren zeggen dat hij is. Lach erom en laat het zitten.

Toen hij zich een paar minuten later over zijn gootsteen boog om zijn gezicht te wassen, brandde het water in zijn ogen en neus.

Een man is *wel* wat zijn buren zeggen dat hij is.

In oude flatgebouwen is de waarheid iets gemeenschappelijks, een afgesproken mening. De Vishram Corporatie bewaarde aandenkens van iedereen die er in veertig jaar hadden gewoond; elke bewoner had een fysiek getuigenis van zichzelf achtergelaten, zoals de kerosinehandafdruk die Rajeev Ajwani op de gevelmuur had gemaakt op de dag van zijn grote taekwondo-zege. Als je de muren van Vishram kon lezen, zou je zien dat ze overdekt waren met handafdrukken. Die afdrukken waren blijvend, maar ze konden verschuiven, iemands getuigenis was veranderlijk. Masterji voelde nu hoe de mening over hem die in het flatgebouw was gegrift – in de bladderende verf en het achtenveertig jaar oude metselwerk –

aan het verschuiven was. Naarmate die verschoof, verschoof alles in zijn lichaam.

Toen hij naar zijn natte gezicht en druipende snor keek, kon hij niet zeggen hoeveel van wat er op het aanplakbiljet stond onwaar was.

Hij ging naar beneden en las het nog eens. Niets over de Pinto's, ze hoopten een wig tussen hen te drijven. Hij scheurde het van de muur.

Maar die avond dook er weer een op, op de liftdeur geplakt, in een ander handschrift maar met dezelfde klachten ('heeft leerlingen nooit Engels geleerd, hoewel hij Shakespeare kende en andere grote schrijvers die onderdeel waren van het examen'), en daarna hing er een aan Ram Khares wachthokje ('hang er dan zelf een op,' zei hij toen Masterji protesteerde). Hoewel hij ze stuk voor stuk weghaalde, wist hij dat er weer een zou verschijnen; de zwarte handafdrukken vermenigvuldigden zich.

31 JULI

In vroeger tijden had je kaste en je had godsdienst, die leerden je hoe je moest eten, trouwen, leven en sterven. Maar in Bombay waren kaste en godsdienst vervaagd, en wat ervoor in de plaats was gekomen, voor zover hij wist, was het idee van respectabel zijn en tussen mensen als jezelf wonen. Zijn hele leven als volwassene had Masterji zo geleefd, maar nu, in een tijdsbestek van een paar dagen, had hij de schil van een respectabel leven verbrijzeld en de bittere pit ervan geproefd.

Het was bijna acht uur in de morgen. Hij lag nog in bed te luisteren naar krijsende wilden onder hem.

Beneden in 2C oefenden Rajeev en Raghav Ajwani taekwondo onder toezicht van hun vader.

Hij verbeeldde zich dat hij vergelijkbare geluiden uit alle kamers van zijn corporatie hoorde, allemaal stootten ze met hun vuisten en deelden ze trappen uit om hem uit Vishram te verdrijven.

Nu hoorde hij de voetstappen van de secretaris vanboven. Hij wist zeker dat ze luider klonken dan ze de afgelopen vijfentwintig jaar hadden gedaan.

Hij wilde niet opstaan, wilde niet de trap af lopen en de nieuwe berichten over hem lezen die ze hadden opgehangen.

In de eerste dagen van de 'boycot' hing er een verontschuldigende grijns om de lippen van de secretaris als hij Masterji's pogingen tot kletspraatjes ontweek, nu was er glimlach noch verontschuldiging meer.

Ze behandelen me zoals ze vroeger een onaanraakbare behandel-

den, dacht hij. Alleen al bij het idee dat zijn schaduw over hen heen zou vallen krompen zijn buren ineen en trokken zich terug.

Langzaam maar zeker wendden ze hun gezicht van hem af tot hij, als hij langs het parlement liep, tegen een rij afgewende ruggen aan keek.

Als hij uitdagend tussen hen ging zitten, stonden ze op en liepen weg. Zodra hij de trap op ging, kwamen ze weer terug. Toen begonnen de schimpscheuten. Altijd tegen hem, nooit tegen de Pinto's.

'...als Purnima nog leefde zou ze zich toch voor hem schamen?'

'...zijn eigen zoon. Een man die niets geeft om zijn eigen zoon, wat wil je...'

Dus dat bedoelden ze met het woord 'boycot'. Zelfs in bed voelde hij het nog, hun minachting, als de warmte van een stenen muur op een zomeravond.

Hij daalde af tot op de bodem van het trappenhuis. Door de achtpuntige sterren van het traliewerk zag hij Ajwani over het binnenterrein benen terwijl hij in zijn mobiel sprak – ongetwijfeld met een klant.

Dat zou ik nooit kunnen, dacht Masterji: *onderhandelen. De 'persoonlijke benadering'*. Hij bezat geen enkele van de verfijnde karaktergereedschappen die andere mannen hadden, hij kon niets met charme of gemaakte glimlachjes, nooit marchandeerde of sjacherde hij op de normale menselijke manier. Daarom had hij ook maar twee echte vrienden. En ten behoeve van die twee vrienden wees hij een buitenkans af. Nog niet zo lang geleden hadden ze hem daarom een Engelse gentleman genoemd. Diezelfde mensen.

Hij sloeg met zijn vuist op het traliewerk.

Het was een 'extra-les-dag'. Hij keek naar de ronde vochtplekken op het plafond van zijn woonkamer en zag asteroïden en witte dwergen. In het cursieve schimmelschrift las hij $E = mc^2$.

Hij zette de boeken in zijn kast recht (waar waren alle Agatha Christies gebleven?), stofte de teakhouten tafel af, probeerde zijn gebruik van de Rubik's Cube in te tomen door hem op een plank in de kast van zijn vrouw te verbergen, trok de jaloezieën omlaag en ging in bed liggen.

Hij sloot zijn ogen.

Hij zag haar pas toen het te laat was. De oude visvrouw had een leerachtig gezicht, sluw en gerimpeld, en ze liep met een mand op haar hoofd. Ze liep steeds dichter op hem toe, voortdurend grinnikend, en net toen ze langs hem heen liep zag hij dat er een lange, natte staart uit haar mand stak.

Hij werd wakker en zijn gezicht en armen roken naar vis. Hij smeet de kussens van zijn bed en stond op.

Ik heb overdag geslapen, dacht hij. Rondom hem trilde de woonkamer als een kooi waaruit licht was gespat. Het was vijf over halfvijf.

Als boete voor de zonde der middagluiheid, zijn eerste terugval sinds zijn kindertijd, waste hij zijn gezicht drie keer met koud water, sloeg hij zich op zijn wangen en besloot helemaal naar het station en terug te lopen.

Tinku Kothari, de zoon van de secretaris, stond in een gekreukeld schooluniform voor zijn deur. Masterji stond even stil met de sleutel in zijn hand.

'Ze roepen u.'

'Wie?'

De dikke jongen liep de trap af. Nog met de sleutel in zijn hand volgde Masterji de jongen door het hek van Vishram; telkens keek Tinku even om, als een donkere vinger die hem wenkte. Masterji dacht dat hij de vissenstaart steeds sterker rook. Hij volgde de jongen tot het internetcafé van Ibrahim Kudwa.

Tinku rende naar binnen en riep: 'Oom, hij is er!'

Arjun, de gedoopte assistent, was naar het glazen bovenlicht boven de ingang van het café geklommen om met een schroevendraaier een losse klinknagel vast te zetten. Vanuit de hoogte keek hij aapachtig neer op de dikke jongen die het café was binnen geheld. *Dat alle schepselen*, zo dacht Masterji, kijkend naar Arjun, *toch hun eigen plek in deze wereld hebben. Nog maar twee weken geleden was ik net als hij. Ik had een plek om me te nestelen tussen de ramen en tralieroosters van Vishram.*

Een Mercedes stond geparkeerd niet ver van de deur van het internetcafé.

Kudwa kwam naar de ingang. Ajwani stond naast hem, hij wist dat de twee net over hem hadden zitten praten. Nu leken Ajwani en Kudwa met hun ogen te zeggen dat ze – als hij het café in ging, als hij de logica van de boycot aanvaardde – hem zijn plaats binnen de hiërarchie van de Vishram Corporatie konden terugbezorgen. Ajwani, de geboren bemiddelaar, kon de overeenkomst regelen: tegen een prijs van zo veel verloochende woede, van zo veel ingeslikte trots, zou hij weer toegelaten worden tot het dagelijks leven van zijn corporatie.

'Meneer Shah heeft zijn auto voor u laten komen; hij wacht in zijn huis in Malabar Hill. U hebt *niets* te vrezen. Hij bewondert leraren.'

Masterji kon maar net vragen: 'Waar gaat dit allemaal om?'

'Ze hebben me gevraagd u naar meneer Shahs huis te brengen. We zetten u weer af bij Vishram, Masterji. De chauffeur is hier.

Tinku Kothari keek vanaf de drempel naar Masterji.

'Is er hier een toilet?' vroeg hij – hij rook de droomvis nog aan zijn snor en vingertoppen.

'Arjun heeft een toilet achterin,' zei Kudwa. 'Het is niet erg schoon, maar...'

Aapachtige Arjun wees vanaf het bovenlicht de richting aan met zijn schroevendraaier.

Hij stond voor het toilet toen de motor van de Mercedes tot leven kwam, en zodra dat geluid begon kon hij gewoon niet plassen.

Alles in de rijdende auto was weelderig: de airconditioned lucht, de zachte kussens, de bloemengeur, en alles verhoogde Masterji's gevoel van onbehagen.

Hij zat achterin, met zijn armen tussen zijn knieën.

Ajwani, die naast de chauffeur zat, draaide zich om de paar minuten om en glimlachte.

'Alles goed daarachter?'

'Waarom zou het niet?'

Hij wist zeker dat hij naar vis stonk, helemaal vanaf zijn snorpunten tot zijn vingertoppen, en daardoor schaamde hij zich en werd hij zwakker. Hij sloot zijn ogen en ging achteroverzitten voor de lange tocht de stad in.

'Waarom is er vandaag geen verkeer?' hoorde hij Ajwani vragen.

'Is het een feestdag?'

'Nee, meneer. We zijn bijna alleen op de weg.'

'Dat weet ik, maar waarom?'

Er verstreek wat tijd en toen hoorde hij Ajwani zeggen: 'Er is *echt* geen verkeer. Ik snap het niet.'

Masterji deed zijn ogen open. Als door een wonder waren ze al aan de voet van Malabar Hill.

Luisterrijk in zijn kring van vuur, zijn voet op de demon der onwetendheid, stond de bronzen Nataraja op een tafel in de woonkamer. De gipsen maquette van het Shanghai stond aan de voeten van de god, in een tweeslachtige verhouding van eerbied dan wel uitdaging tegenover zijn macht.

In een hoek van de kamer, ver van de starende blik van het bronzen Natarajabeeld, opende Shanmugham de glazen panelen van de drankkast van zijn werkgever. Drie rijen helder kristallen glazen vulden de houten planken boven de kast.

Alle potten en pannen in de keuken huiverden in een aanval van metaalnervositeit: Giri hakte ergens op in met een hakmes.

Shanmugham sloot de deur van de kast.

Zijn telefoon ging. Het was Ajwani, ze waren bij het pand aangekomen.

'Maar meneer Shah is net weg,' zei Shanmugham. 'Hij is naar de school van zijn zoon voor een bespreking. U zou hier pas over een uur zijn.'

'Er was geen verkeer. Ik heb zoiets nog nooit meegemaakt. Moeten we Malabar Hill op en neer rijden? Stoppen bij de Hangende Tuinen?'

'Nee. Kom binnen en wacht hier op meneer Shah. Ik zal hem sms'en dat jullie vroeger zijn gekomen.'

Hij wachtte ze op in de deuropening onder het gouden medaillon van Ganesha. Toen de oude leraar uit de lift stapte, merkte Shanmugham dat hij licht met zijn been trok. Reuma in een been. Een zwakheid. Hij gaf de oude man een zeer warme *namaste* en leidde hem de woonkamer binnen.

'Kan ik iets voor u inschenken, Masterji? We hebben Coca-Cola, Pepsi-Cola...'

Ajwani kwam achter hen binnen.

'Voor mij Black Label,' zei hij.

'Alleen meneer Shah kan zijn drankkast openmaken. U zult moeten wachten.' Shanmugham wendde zich tot zijn andere gast. 'Weet u het zeker, u niets? Zelfs geen Pepsi?'

Masterji zat voorovergebogen op de beige sofa naar de grond te kijken.

'Ik moet naar het toilet,' zei hij en stond op.

'Het toilet van de logeerkamer is defect. Maar als u geen bezwaar hebt...' Shanmugham pauzeerde, en vervolgde met een veelbetekenende glimlach, 'kunt u van dat van meneer Shah gebruik maken. Dat daar is zijn slaapkamer.'

Masterji liep een donkere kamer met een tweepersoonsbed in, vond het toilet en sloot de deur achter zich.

Hier kon hij eindelijk plassen.

Als iemand me nu kon zien, dacht hij, zou die dan niet zeggen dat dit precies is wat Masterji al die tijd gepland had? Een voorstelling opvoeren, zo overtuigend dat zelfs zijn zoon, zijn buren erin trappen: zich hierheen laten rijden in een auto met chauffeur, naar het huis van de projectontwikkelaar, zijn water drinken, in zijn pispot pissen en zich door hem laten ompraten voor een paar lakh extra?

Hij spatte water in zijn gezicht. Zijn wenkbrauwen waren vochtig en klitten aan elkaar. Hij nam een andere houding aan om zijn gezicht vanuit een andere hoek te zien.

Hij sloot de deur achter zich en liep op zijn tenen. De twee zaten op de bank te fluisteren als oude vrienden.

'...wat ik u zeg, absoluut geen verkeer. Wat kan ik...'

'En *moest* u nou over drank beginnen waar die oude man bij was?'

'Hij drinkt. Hij is behoorlijk modern. Ik ken hem, het is mijn buurman.'

'Waarom doet hij er eigenlijk zo lang over?'

'Vlak voor we vertrokken heeft hij gepist. Hij heeft die ziekte, D en nog wat heet het. Die verzwakt de onderste organen.'

'Diarree?'

'Nee, meneer. Een ander woord met een D.'

'Dementie?'

'Dat ook niet.' Ajwani klopte op zijn voorhoofd. 'Luister, schenk nu maar wat voor me in. Ik ben degene die hier al het werk doet, onthoud dat. En zeg tegen uw baas,' zijn volume zakte, 'dat één lakh niet genoeg is als zoethoudertje. Ik wil er *twee*. Contant.'

Ze stopten met praten. Op een tafel in een hoek van de kamer zag Masterji een bundel papieren liggen onder een gouden briefopener. Hoe was dat verhaal ook weer over mevrouw Puri's oom Coelho en de projectontwikkelaar die zijn eigendom gestolen had... kwam daar niet een mes in voor?

'Mag ik u het uitzicht vanaf het terras aanbevelen, Masterji? Het mooiste uitzicht over de stad dat u ooit gezien hebt, dat verzeker ik u.'

'Natuurlijk zal Masterji het uitzicht waarderen,' giechelde Ajwani. 'Zo'n uitzicht over Bombay kan je uren *zoet houden*.'

Masterji volgde de mannen door glazen deuren naar een rechthoekig terras met balustrade waar de zeebries in zijn haar woei. Een samenklontering van wolkenkrabbers, reclameborden en lichtende blokken ontvouwde zich voor de verbaasde ogen van de oude leraar. Zo had hij Bombay nog nooit gezien.

Een wolk van elektrisch licht omhulde de gebouwen als wierook. Geluid: een hoge, scherpe toon, niet van het verkeer of van pratende mensen maar iets anders, iets wat Masterji niet kon definiëren.

Een enorm bord – LG – stond achter de grootste klont torens, daarachter herkende hij de witte gloed van de Haji Ali-schrijn. Links van hem lag donkere oceaan.

'Breach Candy.' Masterji reikte ernaar met zijn vinger. 'Dat was vroeger de scheidslijn tussen Malabar Hill en het eiland Worli. Bij hoogtij stroomde het water daar naar binnen. De Britten noemden het "the Great Breach of Bombay". Ik heb het op oude kaarten gezien.'

'Masterji weet alles. Over de zon en de maan, de geschiedenis van Bombay, zo veel nuttige informatie.'

Ajwani draaide zich om en fluisterde tegen Shanmugham, die zich boog over de kleine makelaar en luisterde.

Met zijn handen op de balustrade van het terras keek Masterji naar de half afgebouwde torens in het donker. Hij dacht aan het glimmende mes op het bureau. Elk gebouw leek verlicht te worden door zijn prijs in rupees per vierkante meter, die er als een aureool omheen gloeide. Aan de helderheid wist hij het rijkste gebouw in zijn blikveld te lokaliseren.

'Waarom ben je voor ons verschenen?' vroegen de torens. Ieder lichtend voorwerp in het panorama voor hem leek het geheim van iemands hart, een van hen daarginds stond voor het zijne. Een eerlijk man? Hij had zijn corporatie voor de gek gehouden, de Pinto's, ook zichzelf, maar hier, op dit open terras, werd hij ontbloot van al zijn leugens. Hij was hier gekomen, bang gemaakt door de boycot, niet zonder besef van de mogelijkheden van geld, bereid om de Pinto's te verraden. Bereid om de herinneringen aan zijn dode vrouw en dochter te verraden, die in de muren en verf en spijkers van de Vishram Corporatie woonden.

'Bouwwerkzaamheden,' zei Shanmugham die dichter bij Masterji ging staan. 'Weet u hoeveel bouwkranen er op dit moment daar beneden ons staan? Het werk gaat de hele nacht door. Tientallen gebouwen verrijzen om ons heen. En als al dat werk gedaan is... mijn god. Dit deel van de stad wordt net als New York. Daar zult u wel geweest zijn, meneer, in New York?'

Hij schudde zijn hoofd.

'Dat kunt u nu doen,' glimlachte Ajwani. 'Een vakantie.'

'Nee.' Masterji boog zich naar voren. 'O nee, ik ga niet. Ik ga nergens heen. Ik ga nooit meer weg uit de Vishram Corporatie.'

Hij zag dat Shanmugham zich tot Ajwani wendde die met zijn ogen rolde.

'Masterji...' De assistent van de projectontwikkelaar kwam dichterbij. 'Masterji. Kan ik met u spreken van man tot man?'

Masterji rook iets vies uit de mond van de man en dacht aan de met groen overdekte kooi in de dierentuin.

'In ons vak gebruiken we een bepaalde term. Een zoethoudertje. Elfduizend rupee extra per vierkante meter? In dit land betalen we leraren niet genoeg.'

Nu begreep hij het. Het was de stank van zijn eigen lafheid die uit de mond van dit schepsel naar hem teruggeblazen werd.

'En hoe zat het ook weer met dat renovatieproject waar u het over had, Ajwani... met dat oude echtpaar dat het aanbod weigerde en toen op een dag... van de trap viel? Of ze nu geduwd werden of... oude mensen moeten oppassen. Het is een gevaarlijke wereld. Terrorisme. Maffia. Misdadigers heersen.'

'O, ja. Dat oude echtpaar in Sion waar u het over had, die werden geduwd. Absoluut.'

In het licht van de torens leken Shanmughams gedachten te kristalliseren tot reusachtige letters voor het oog van Masterji: 'Zo zal ik de oude man vleien en hem heel subtiel dwingen. Ik toon hem de koninkrijken der aarde en geef hem een idee van de folterinstrumenten.' Dus hadden ze hem al de koninkrijken van Bombay getoond en gezegd: 'Kies maar uit.' En hij wist nu wat hij wilde. *Niets.*

Masterji zag zwart water op de muur storten die bedoeld was om het tegen te houden, terugrollen en er opnieuw op storten.

Eén keer eerder, toen Purnima door haar broers was bedreigd, was hij zwak geweest. Omdat hij geen problemen in zijn corporatie wilde, was hij weer zwak geweest.

'En Masterji, de Pinto's willen dat u akkoord gaat. Voor hen moet u ja zeggen.'

'Praat u niet over de Pinto's.'

'Uw vriend meneer Pinto is niet degene die u denkt dat hij is, Masterji. Tot twee weken geleden dronk hij altijd Royal Stag-whisky. Onlangs dook er een doos van een kwart fles Blenders Pride op tussen zijn vuilnis. Hij betaalt inmiddels vijftien rupee meer voor een fles whisky. Waarom? Omdat hij meer van geld houdt dan van de blindheid van zijn vrouw.'

Dus hij doorzoekt ons afval, dacht Masterji. Maar iemands afval is toch niet de waarheid over hem?

'U weet niets over meneer Pin... meneer Pint... meneer Pint...'

Masterji voelde de vloer onder zijn voeten wegglijden. 'Het begint weer,' hoorde hij zijn bloedsuiker gniffelen. Zijn linkerknie zwol pijnlijk op, zijn ogen werden zwakker.

'Masterji.' Ajwani stak zijn hand naar hem uit. 'Masterji, wat is er aan de hand?'

'Niets.' Hij duwde Ajwani's hand weg. 'Niets.'

'Rustig blijven, Masterji. En diep ademhalen. Ik zal...'

Kijk naar beneden, zei een stem. *Kijk naar mij*. Masterji draaide zich naar links en zag de wervelingen in de oceaan, het schuim dat tegen de muur langs de kust van Bombay sloeg. Het schuim werd dikker. De oceaan ramde de muur van Breach Candy als een stier. *Kijk naar mij, Masterji*. De stier stormde weer aan en ramde de muur van de stad en trok zich terug om krachten te verzamelen. *Kijk naar mij*.

De oceanen waren vol glucose.

'Wat zegt u, Masterji? vroeg Ajwani. Hij keek Shanmugham grijnzend aan.

Shanmugham herinnerde zich het bord op de villa dat hij elke ochtend zag als hij Malabar Hill op reed. 'Dit gebouw is vervallen en gevaarlijk en personen dienen hier weg te blijven.' De gemeente zou datzelfde bord aan zulke oude mannen moeten hangen. Hij wilde Masterji aanraken; die deed een stap achteruit en keek hem strak aan:

'Hebt u me hier gebracht om me te *dwingen*?'

Coerce, dwingen: de kracht van dat woord in het Engels verzwakte zowel Ajwani als Shanmugham.

De geur van gefrituurd voedsel waaide het terras op. Giri liep op de mannen af met een zilveren dienblad vol met gefrituurde *pakora's* op papier met verse vetvlekken.

'Heet, heet, heet, heet.'

'Presenteer de pakora's maar aan meneer Murthy van de Vishram Corporatie,' zei Shanmugham. 'Die is leraar.'

'Heet, heet, heet, heet...' Giri liep met het blad naar de eerbiedwaardige gast.

De linkerhand van de oude man gaf een klap op het blad, het gleed Giri uit z'n handen en kletterde op de grond. Shanmugham en Ajwani trokken hun voeten weg om de rondrollende pakora's te ontwijken. Giri stond met open mond te staren. Toen de drie opkeken, merkten ze dat ze alleen op het terras waren.

1 AUGUSTUS

's Morgens, aan de eettafel met het rood-witte tafelkleed, hoorden de Pinto's wat er in Malabar Hill gebeurd was, terwijl in de keuken Nina, hun hulp, aan het oog onttrokken door stoom, *idli's* uit de hogedrukpan haalde.

'Dus u bent gewoon weggegaan?'

'Ze bedreigden me,' zei Masterji. 'Natuurlijk ben ik weggegaan.'

'Tienduizend afspraken in deze stad gaan niet door vanwege het te drukke verkeer, en u bent meneer Shah misgelopen vanwege te weinig verkeer. Het lot, Masterji,' zei meneer Pinto terwijl de hulp drie idli's op zijn bord schoof. 'Het lot ten voeten uit.'

'U klinkt bitter, meneer Pinto.' Masterji leunde achterover en wachtte op zijn idli's. Ook voor hem drie.

'En wat doen we nu?' vroeg Shelley. Zoals gewoonlijk kreeg zij maar twee idli's.

'We wachten tot 3 oktober. Dan verstrijkt de einddatum en dan verdwijnt die Shah. Dat zei hij zelf, weet u nog?'

'En tot dat moment wordt de boycot erger.'

'Er is hier iets groters dan wij bij betrokken, meneer Pinto. Toen ik gisteren op het terras van de projectontwikkelaar stond, zag ik iets in de oceaan. De dingen veranderen te snel in deze stad. Iedereen weet dat, maar niemand wil de verantwoording nemen. Niemand wil zeggen: "Langzamer. Stop. Laten we nadenken over wat er gebeurt." Begrijpt u wat ik zeg?'

Maar dat was het ook niet. Er was meer gaande in het schuimende witte water: een gevoel van kracht. Hij overtrad een ongeschreven regel – nooit iemands lichaam aanraken als hij zat te eten – stak zijn hand uit en greep de schouder van zijn vriend vast. Meneer Pinto spuwde bijna zijn idli uit.

Na het eten schonk de hulp thee in porseleinen kopjes. 'Die boycot,' zei meneer Pinto. 'Het is nu al zo moeilijk te verdragen. Shelley huilt iedere nacht in bed. Hoe kunnen ze ons dat aandoen, na al die jaren dat we samen hier hebben gewoond?'

'We moeten niet kwaad over onze buren denken.' Masterji nipte van zijn thee. 'Purnima zal het niet bevallen. Weet u nog wat ze altijd zei over de mens die als een geit aan een paal is? Er is een actieradius van vrijheid, maar de begrenzing van onze daden ligt vast. Men dient mild over mensen te oordelen.'

Meneer Pinto, die nooit precies geweten had hoe goed het beeld van Purnima binnen de katholieke leer paste, gromde.

Masterji was opgewekt. Hij overtrad de regel om geen misbruik te maken van de gastvrijheid van de Pinto's en vroeg Nina om nog een kop thee.

De poepers hebben de waterlijn verlaten aan de armoedige kant van Versova Beach terwijl, bij wijze van gelijk oversteken, het chique deel van het strand zich ontlast heeft van de joggers, rekkende gymnasten en t'ai-chi-beoefenaars. Het is kwart over tien. Over een betonnen pad komt een gezadeld wit paard aanlopen. Het pad loopt tussen rotsblokken door naar het strand; een jongen leidt het paard bij de stijgbeugels, staat stil en fluistert in zijn oor. *Er is niemand, Raja. Vanavond zullen ze komen, kinderen die een ritje over het zand zullen maken. Voorlopig zijn we alleen, Raja.*

Het gemurmel van de golven om hen heen maakt hun afzondering nog exclusiever; de jongen gaat op een hoog rotsblok zitten om zijn mond op dezelfde hoogte als Raja's grote oren te brengen.

De jongen houdt op met praten. Er is nog iemand op het strand. Aan de rand van het water staat een dikke man uit te kijken naar het blauwgrijze rommeltje torens aan de kust van Bandra in de verte. De jongen streelt het oor van zijn paard en kijkt naar de dikke man.

Shah had staan staren naar de torentjes van het hotel op Land's End in Bandra. Ergens daarachter, waar de vliegtuigen landden, lag Santa Cruz. Ergens daar stond Toren A van de Vishram Corporatie. Hij zag het gebouw voor zich, vuil, roze, met vlekken van regenwater. Hij stak zijn hand uit en sloot zijn vingers.

Voetstappen achter hem. Shah draaide zich om.

Van de rotsen achter hem daalde de lange, gelouterde gestalte van Shanmugham af en liep het strand op met een blauw blikje in zijn handen.

'Dit is voor u, meneer,' zei hij en overhandigde het aan Shah.

Rosie, die haar oompje alleen aan het strand had zien staan, had Shanmugham geroepen en hem het blauwe blikje *gutka* gegeven.

Shah nam er wat gutka uit en kauwde.

Shanmugham zag hoe het denkende deel van zijn werkgever, zijn kaak, worstelde om de zaken op een rijtje te krijgen.

'Ik snap het nog steeds niet. Jij en die makelaar – het enige wat jullie te doen stond was die leraar daar te houden tot ik terug was.'

'Hij werd gewelddadig, meneer. Vraagt u maar aan Giri. Hij sloeg het blad uit zijn handen en ging ervandoor.'

'Ik hou er niet van een ander de schuld te geven als het mijn eigen schuld is,' zei Shah, snel kauwend. 'Naar die schoolmeester toegaan – totale tijdverspilling. Wat doet die man? Doet een namaste voor me, zegt: wat een eer om u te ontmoeten, heer Projectontwikkelaar en vraagt dan om advies over een flat met één slaapkamer die hij wil kopen in Seven Bungalows. Zou de wijk Four Bungalows niet een betere investering zijn? Zou Andheri Oost meer in trek komen zodra de metro is doorgetrokken? Ik had thuis moeten blijven en die leraar uit de Vishram Corporatie moeten afmaken. Mijn schuld. *Mijn* schuld.' Hij beet op zijn onderlip.

'Sorry, meneer.'

'Zeg geen sorry, Shanmugham. Een waardeloos woord. Luister: elke lilliputter in Mumbai met een mobiel en een scooter ziet zichzelf als projectontwikkelaar. Maar nog niet één op de honderd redt het. Omdat er op deze wereld een grens bestaat: aan de ene kant staan de mannen die niks voor elkaar krijgen, en aan de andere kant degenen die dat wel kunnen. En nog niet één op de honderd overschrijdt die grens. Zal het jou lukken?'

'Jawel, meneer.'

Shah spuugde op het strand.

'We zijn in alle opzichten redelijk geweest tegenover die oude leraar. We hebben hem gevraagd wat hij wilde en beloofd hem dat te geven.'

'Jawel, meneer.'

'Laat hij er nu maar achter komen wat het betekent om niets te willen in Mumbai.'

Shanmugham stak zijn vuist uit naar zijn werkgever en opende die. 'Ja, meneer.'

Op de terugweg bleef de projectontwikkelaar staan om het paard te aaien. De jongen negeerde hem en fluisterde in het grote roze oor.

'Jochie, zei Shah, 'pak aan.'

'Waar is dat voor?' De jongen raakte het bankbiljet dat de vreemde hem aanbood niet aan.

'Omdat ik daar zin in heb.'

De jongen schudde zijn hoofd.

'Neem het dan om je paard in vorm te houden. Ik kijk graag naar mooie dingen.'

Nu nam de jongen het briefje van honderd rupee aan.

'Waar kom je vandaan, jongen?'

'Madhya Pradesh.'

'Hoe lang in Mumbai?'

'Twee maanden. Drie maanden.'

'Je moet niet de hele tijd tegen je paard praten. Je moet om je heen kijken, naar mensen. Rijke mensen. Succesvolle mensen. Je moet altijd denken: wat heeft hij dat ik niet heb? Op die manier kom je vooruit in het leven. Begrijp je?'

Shah aaide de flank van het paard en liep weg.

De paardengeleider was zijn voordeeltje nog aan het bestuderen, toen Shanmugham zich op hem stortte.

'Geef hier,' zei hij. De jongen schudde zijn hoofd en duwde zijn gezicht tegen de hals van het paard.

'De sahib wilde je een briefje van tien geven. Hij geeft geld en dan bedenkt hij zich, hij zal iemand sturen om je naar de politie te brengen.'

De jongen overwoog het, vond het geloofwaardig en gaf zijn cadeau op. Shanmugham wisselde het voor een briefje van tien en sprong toen de rotsen op met de veerkracht van een man die zojuist negentig rupee rijker is geworden.

Wat wilt u?

Op de doorlopende markt die zich dwars door zuidelijk Mumbai uitstrekt onder banyanbomen, op trottoirs, onder de galerijen van de gotische gebouwen, waar eten, roofdrukken van boeken, parfum, polshorloges, meditatiekettingen en software verkocht worden, wordt één vraag steeds herhaald, tegen toeristen en inwoners, in het Hindi of het Engels: *Wat wilt u?* Als je door de soek van de Colaba Causeway loopt, overdekt met blauw zeildoek, langs de nepmerkenverkopers aan de voeten van de magische beesten die de zuilen van de Zoroastrische tempel in Fort vormen, zal op elke hoek iemand van je eisen: *Wat wilt u?* Alles is te krijgen, of het Indiaas is of buitenlands, levenloos of menselijk, als je geen geld hebt, heb je misschien iets anders om te verhandelen.

Maar je moet wel *iets* willen, want iedereen die hier woont, weet dat de eilanden zullen beven, de metselspecie van de stad zal verkruimelen en Bombay weer zal terugvallen tot zeven kleine stenen, glanzend in de Arabische Zee, als men ooit vergeet die vraag te stellen: *Wat wilt u?*

De lunch bij de Pinto's werd zoals gebruikelijk opgediend om kwart over een. Nina liep om de eettafel heen en lepelde dampende garnalencurry op borden met witte rijst. Masterji zette zich op zijn stoel en meneer Pinto vroeg: 'Is er iets mis met uw telefoon?'

Masterji, die op het punt stond een garnaal aan zijn vork te prikken, keek op.

'Waarom vraagt u dat?'

'Zomaar,' zei meneer Pinto terwijl hij curry door zijn rijst schepte.

Iets voor tweeën nam Masterji afscheid van de Pinto's. Zodra hij de deur van zijn flat opende, ging de telefoon.

'Ja?'

Een paar minuten later ging hij weer.

'Wie is dat?'

Zodra hij de hoorn neerlegde hoorde hij de telefoon in de woonkamer van de Pinto's overgaan. Toen ging de zijne weer, en toen hij hem oppakte werd de verbinding verbroken en ging die van de Pinto's weer.

De deur van de flat van de Pinto's stond open. Ze zaten naast elkaar op de bank, en Nina, hun hulp, stond beschermend naast hen.

'Dat zijn de kinderen maar,' zei Masterji die bij de deur stond met zijn armen over elkaar. 'Het zal Tinku zijn of Mohammad. Op school was er een jongen die briefjes op de rug van leraren plakte. Een lange jongen. Rashid. *Schop mij. Ik hou van meiden.* Ik betrapte hem en hij is een week geschorst. De zwaarste straf als je ze niet van school mag sturen.'

'Ik vraag me af waarom God de ouderdom eigenlijk geschapen heeft,' zei mevrouw Pinto. 'Je ogen zijn troebel, je lijf is zwak. De wereld wordt een bal van angst.'

'Wij zijn het Vakola Triumviraat, mevrouw Pinto. Caesar, Pompejus en Crassus. Wij wijken voor niemand.' Masterji sloeg het glas koud water af dat Nina aanbood. 'Ik ga beneden met Kothari praten.'

'Iemand belt op en hangt dan op,' verklaarde hij tegen de secretaris, die in zijn kantoor de onroerend-goedpagina's van de *Times of India* zat te lezen. 'Ik denk dat het iemand in het gebouw is.'

De secretaris sloeg de bladzijde om.

'Waarom?'

'Omdat ze beginnen te bellen zodra ik mijn kamer binnen kom. En als ik wegga, houdt het op. Dus ze weten waar ik ben.'

De secretaris vouwde zijn krant op. Hij schikte zijn haarlok op zijn plaats en leunde achterover in zijn stoel, een walm van aardappelcurry en uien uitademend.

'Masterji,' – hij boerde – 'weet u dat er weer iemand is omgekomen toen er dinsdag een gebouw instortte?'

Kothari grinnikte, de lynx-snorharen waaierden uit rondom zijn half dichtgeknepen ogen.

'Ik weet niet meer hoe het daar heette. Iemand in die sloppenwijk bij de oceaan... die muur bij hun sloppen stortte in toen de regens... het heeft in de kranten gestaan...'

'Bent *u* degene die opbelt, Kothari?' vroeg Masterji. 'Bent u degene die ons bedreigt?'

'Ziet u nou?' zei Kothari, hulpeloos gebarend naar een denkbeeldig publiek in zijn kantoor. 'Ziet u? Tweeduizend jaar lang spelen we dit spelletje al, die man en ik, en nu vraagt hij of het een bedreiging is. En dan hoort hij telefoongesprekken. Binnenkort ziet hij mannen die hem met messen en hockeysticks achternazitten.'

In de flat van de Pinto's bespraken ze het.

'Misschien zit het alleen maar in ons hoofd,' zei meneer Pinto. 'Misschien heeft Kothari gelijk.'

'Als je twijfelt, moet je een experiment doen,' zei Masterji. 'We leggen de telefoon weer op de haak.'

Toen er na een uur niemand gebeld had, liep Masterji naar zijn kamer boven. Toen hij de sleutel in het slot omdraaide, ging de telefoon. Zodra hij hem opnam, viel de verbinding weg.

Om middernacht ging hij de trap af en klopte aan bij de Pinto's. Meneer Pinto deed open, liep naar de sofa en pakte de handen van zijn vrouw vast.

'Ik heb het gehoord,' zei Masterji.

De kinderen van de Pinto's in Amerika vergisten zich soms in het tijdverschil en belden dan 's avonds laat, maar de telefoon was vier keer gegaan zonder dat er verbinding kwam. Nu begon hij weer te rinkelen.

'Niet aankomen,' waarschuwde meneer Pinto. 'Ze praten nu tegen ons.'

Masterji nam de hoorn op.

'Oude man, ben jij dat?' Het was een hoge, schampere stem.

'Met wie spreek ik?'

'Ik heb een les voor je, oude man. Als je niet uit die flat gaat, krijg je gedonder.'

'Met wie spreek ik? Van wie moest je bellen? Ben je iemand van meneer Shah?'

'Er komt gedonder voor jou en je vrienden. Dus wegwezen. Neem het geld aan en teken dat papier.'

'Ik ga niet weg, dus bel niet meer.'

'Als je niet vertrekt, gaan we lol maken met je vrouw.'

'Wat?'

'We slepen haar de struiken achter de flat in en gaan lol met haar maken.'

Masterji moest lachen.

'Lol maken met een handvol as?'

Stilte.

'Het is die *andere* die een...' Een stem op de achtergrond.

De verbinding werd verbroken. Binnen een minuut ging hij weer.

'Niet opnemen, alsjeblieft,' zei Shelley.

Hij nam op.

'Oude man, oude man.'

Deze keer was het een andere stem: lager, grover. Masterji wist zeker dat hij die stem ergens gehoord had.

'Gedraag je naar je leeftijd, oude man. Word volwassen. Pak dat geld aan en vertrek voor er iets ellendigs gebeurt.'

'Wie is dit? Ik ken jouw stem. Zeg tegen die meneer Shah van je...'

'Als er iets ellendigs gebeurt, ben jij alleen verantwoordelijk. Jij alleen.'

Masterji ramde de hoorn op de haak. Hij liep de trap op naar de deur van mevrouw Puri en klopte aan, toen er geen reactie kwam, bonsde hij erop. Ze deed de deur open met wazige ogen alsof ze had liggen slapen.

'Wat is dit, Masterji?'

'De telefoontjes. Ze hebben ons net weer gebeld. Ze bedreigen ons nu.'

Mevrouw Puri onderdrukte een geeuw.

'Masterji, u hebt het maar al die tijd over die telefoontjes, maar niemand anders hoort ze.'

'Ofwel iemand hier in het gebouw belt op, of er is hier iemand die de bellers een seintje geeft. Hun timing klopt te goed. Ik weet zeker dat ik een van de stemmen heb herkend.'

Ze lachte.

'De mijne? Wou u dat zeggen?'

'Nee... dat denk ik niet.'

'Ik bel niet. Zal ik Ramu vragen of hij belt?'

Ze begon de deur dicht te duwen, maar Masterji duwde terug in haar richting.

'Schaamt u zich niet, Sangeeta? Ik ben uw buurman. Al dertig jaar.'

'Of *wij* ons schamen? Masterji, u vraagt of *wij*...? Nadat u zich zo misdragen hebt bij meneer Shah thuis? Nadat u tegen uw zoon gelogen hebt dat u het voorstel zou aanvaarden?'

Toen ze de deur voor hem dichtdeed, sloeg Masterji er met zijn vuist op.

'U hebt geld van mijn vrouw geleend en nooit terugbetaald. Denkt u dat ik dat niet weet?'

Hij liep naar beneden het binnenterrein op. In het donker waren afstanden onduidelijk, massa's losten op, verlicht raam seinde naar verlicht raam, hij zag hoe het licht rijmde. In een corporatie in de buurt doofde een lamp, een andere ging aan in Toren B.

Deden *zij* het?

Een autoriksja reed langs het hek in de richting van de sloppenwijk.

Ram Khare, wakker geschud in zijn kamer aan de achterkant van de corporatie, stak zijn onderlip naar voren toen de situatie hem werd uitgelegd. 'Praat maar met de secretaris. Telefoon valt niet onder verantwoordelijkheid van de bewaker.'

Hij knipte zijn bedlamp aan. Zijn kaki overhemd hing aan een spijker aan de muur; oude zwart-witfoto's waarop een yogaleraar met ontblote borst de vier stadia van de *Dhanush-asana* demonstreerde, hingen met plakband boven zijn bed.

'Wat betekent dit, Ram Khare? We worden bedreigd. Het is nacht, jij bent de bewaker.'

Een halve fles Old Monk-rum stond op het enige andere meubelstuk in de kamer, een rieten tafeltje. Ram Khare stootte zijn drankadem uit, sloeg zijn armen om zijn borstkas en krabde met lange vingernagels op zijn rug.

'Ik heb u gewaarschuwd, meneer. Ik heb u gewaarschuwd.'

Hij draaide zich om in zijn bed en toonde zijn bezoeker zijn rug, bobbelig van de muggenbeten, en ging weer slapen.

'Waarom belt u Gaurav niet?' vroeg meneer Pinto toen Masterji weer in hun flat was, de deur veilig afgesloten achter hem.

'Vraag of hij hier komt en de nacht met ons doorbrengt. Morgenochtend gaan we naar de politie.'

Masterji dacht erover na en zei: 'We hebben van niemand hulp nodig. Wij zijn het triumviraat.'

Hij rukte het telefoonsnoer van de Pinto's uit de muur en gooide het op de grond.

'We slapen alle drie hier. Morgenochtend vroeg gaan we naar de politie.'

Meneer Pinto maakte de bank voor hem op. Shelley kwam de slaapkamer uit met een extra kussen in haar blinde armen.

Masterji ging naar zijn woonkamer boven en kwam terug met een glimlach en een groot blauw boek.

'Waar is dat voor?' vroeg meneer Pinto.

'Dat is mijn *Geïllustreerde Geschiedenis der Natuurwetenschappen*.' Masterji maakte een gebaar alsof hij iemand met het boek op zijn hoofd sloeg. 'Voor het geval dat.'

De groentekramen waren nu overdekt met juten zakken en de verkopers lagen ernaast te slapen. Mani, de assistent, zat voor de glazen deur van Renaissance Vastgoed te gapen. Het kantoor was donker en het gelamineerde bureau van de makelaar was leeg. Toch wist Mani dat de zaken doorgingen, zijn baas zou hem nodig kunnen hebben.

Alle kinderen in de Vishram Corporatie wisten dat onder de Katrien Duck-klok aan de muur van oom Ajwani's vastgoedkantoor de deur lag die naar een achterkamer leidde. Niemand van hen was erbinnen geweest en er werd alom gespeculeerd dat de makelaar de kamer gebruikte om medicijnen van de zwarte markt, pornoblaadjes of staatsgeheimen te verkopen.

Shanmugham was zojuist door het donkere kantoor naar de binnenkamer geloodst, de makelaar sloot de deur achter hem.

In de achterkamer stonden een veldbed zonder dekens en twee rieten manden, een vol kokosnoten en de ander vol kokosnotenschillen. Zaagsel, afplakband, spijkers en een hamer lagen op de vloer. Shanmugham ontweek de spijkers en ging op het kale veldbed zitten.

'Waar gebruikt u die kamer voor?'

Ajwani wees op de geheime schat in de rieten mand. De kokosnoten waren groot en groen, er lag een gebogen zwart mes bovenop. 'Ik koop ze in het groot in. Zes rupee per stuk. Veel beter dan Coke of Pepsi. Fris en smakelijk.'

'Een kamer alleen voor kokosnoten?' Shanmugham fronste zijn wenkbrauwen.

De makelaar sloeg op het bed. 'Niet alleen kokosnoten.' Hij knipoogde. 'Wilt u er trouwens nu een? Vol vitaminen. Niks beter voor de gezondheid.'

'Het nieuws, Ajwani. Waarom hebt u me hier laten komen? Gaat de oude man akkoord?'

Ajwani rommelde met zijn voet door de kokosnoten.

'Nee, het is erger geworden. Tinku Kothari, de zoon van de secretaris – met zijn hongerige ogen – zag ze vandaag op school. Hij heeft met de oude bibliothecaris gepraat en is erachter gekomen. Ze hebben de nummers van Masterji's oud-leerlingen opgezocht en ze hebben ze gebeld via de telefoon in de bibliotheek.'

'Is dat een probleem?'

'Nee. De mensen respecteren een man als Masterji. Niemand houdt van hem. Niemand zal hem helpen.'

'Waarom hebt u me dan laten komen, Ajwani?'

'Omdat dat niet het enige was dat de bibliothecaris aan Tinku vertelde. Hij zei: ze gaan naar een advocaat. Morgen.'

'Waar?'

'Dat weet ik niet. Misschien komen ze met iets terug. Een visitekaartje, een brochure. Die komt wel bij hun vuilnis terecht.'

'Laten we ze meteen bellen. Belt *u* maar. U bent daar zo goed in.'

Ajwani gniffelde. Hij nam een denkbeeldige telefoonhoorn op en liet zijn stem een octaaf zakken. 'Oude man, teken dat papier. Of we rammen je hoofd in. We gaan lol maken met je vrouw. Ze waren banger toen ik tegen ze praatte.' Ajwani straalde. 'Geef maar toe.'

Shanmugham pakte een kokosnoot op en klopte er met zijn vinger op. 'U bent een natuurtalent, Ajwani. U zou fulltime voor ons moeten werken. U en uw vrouw.'

'Vrouw? Die stuurt me alleen een sms'je als Masterji zijn kamer binnen komt of uit gaat. Ik ben degene die belt. Het is mooi dat u me een zoethoudertje geeft, maar ik zou het toch wel doen. Ik *hou* van dit werk.'

Het gezicht van de makelaar werd breed van genoegen. Hoewel ze alleen in de kamer waren, schoof hij dichter naar de Tamil toe en liet zijn stem zakken.

'Vertel me eens wat u gedaan hebt. Een paar dingen die u gedaan hebt.'

Met zijn vinger zwevend boven de kokosnoot keek Shanmugham op.

'Hoe bedoelt u, gedaan?'

Ajwani gaf een knipoog. 'U weet wel. Voor meneer Shah. Zulk soort dingen. Telefoontjes, bedreigingen, *actie*. Vertel me een paar verhalen.'

'Zulke dingen doe je niet zelf,' zei Shanmugham. 'Meestal schakel je daar iemand anders voor in. Een gretig type uit de sloppen. Die zijn er genoeg.'

'Vertel nou. Ik vertel het niet door, dat beloof ik.'

Een hoek van Shanmughams lip ging omhoog, zijn tong streek over zijn hoekige tand.

'We zijn nu compagnons. Waarom niet?' Hij draaide de kokosnoot rond in zijn handen.

'Drie jaar geleden. Een lastig renovatieproject in Chembur. Een oude man weigerde zijn flat te verkopen. Meneer Shah zei: "Jaag hem eruit, Shanmugham." Hij had twee jongens ingehuurd om onder zijn raam stoelen in stukken te rammen. Zonder gereedschap. De oude man stond voor zijn raam te kijken hoe ze de hele dag met blote handen en voeten hout aan het breken waren. Als hij naar ze keek, grijnsden ze en lieten hun tanden zien. Na een paar dagen verkocht hij de flat.'

'Dat is slim,' zei Ajwani. 'Heel slim. De politie kan je niks maken.'

Shanmugham liet de kokosnoot op de stapel vallen en gaf toen de mand een schop.

'Altijd je hersens gebruiken, zegt de baas.'

De kokosnoten sidderden.

'Een keer was er een moslim in een *chawl*, een Khan. Die vent vond zichzelf heel stoer. De baas deed hem een bod om te vertrekken. Een gul bod. "Ik heb geen medelijden met inhalige mensen," zei de baas. Ik gaf een jongen geld om op de trap van een pand aan de overkant te zitten en die Khan in de gaten te houden. Dat was alles. Alleen maar kijken. Die Khan, die niet zou zijn vertrokken als hij door een bende harde jongens was bedreigd, tekende en vertrok binnen een week uit het gebouw.'

Ajwani wreef in zijn handen.

'U bent hier geniaal in, meneer Shanmugham.'

'Maar het is niet altijd een kwestie van hersens. Soms moet je gewoon...'

Shanmugham pakte het kromme zwarte mes dat op de kokosnoten lag en stak het in een groene kokosnoot. Ajwani huiverde. 'Vertel. Alstublieft. Wat hebt u gedaan? Iemand een been gebroken?' Hij liet zijn stem zakken. 'Iemand *vermoord?*'

Shanmugham keek naar het zwarte mes.

'Nog maar een jaar geleden. Een project in Sion. Een oude man bleef maar nee, nee, zeggen. Wij bleven geld bieden, en het was altijd maar nee, nee. De baas werd boos.'

'En?' Ajwani schoof zo dichtbij mogelijk.

En in een golf van woede en berekening rende de een meter vijfentachtig lange Shanmugham de trappen van het gebouw op, trapte een deur open, greep iets wat met zijn kleinzoon triktrak zat te spelen, duwde zijn hoofd uit een raam en zei: *Teken, klootzak.*

'Hebt u dat echt gedaan?' Ajwani staarde naar het zwarte mes.

Shanmugham knikte. Hij trok het mes uit de kokosnoot. 'De oude man tekende ter plaatse. Ik was bang, dat kan ik u wel zeggen. Ik dacht dat ik de cel in kon draaien. Maar... in wezen is het zo dat zelfs als ze nee zeggen, ze *diep vanbinnen...*' hij wees met het mes naar Ajwani, '...geld willen. Zodra je ze gedwongen hebt te tekenen, zijn ze je dankbaar. Ze gaan nooit naar de politie. Dus het enige wat ik doe is ze bewust maken van hun eigen diepere bedoelingen.'

Hij gooide het mes weer op de stapel kokosnoten.

Ajwani staarde vol bewondering naar Shanmughams handen. 'Wat hebt u nog meer gedaan voor meneer Shah?'

'Wat hij maar wil. Het telefoontje kan op elk moment komen, dag en nacht. Je moet klaarstaan.'

Hij vertelde Ajwani over de keer dat een beroemd politicus het kantoor van Confidence gebeld had en een bedrag noemde dat die avond in contanten naar zijn verkiezingshoofdkwartier moest worden gebracht. Shah en Shanmugham waren naar een opslagplaats in Parel gereden waar briefjes van vijfhonderd rupee werden geteld door machines, tot bakstenen werden verpakt en in een suv geladen – de contanten, die de voor- en achterbank van het voertuig vulden, werden bedekt met een wit beddenlaken. Shanmugham, die niet meer dan honderdvijfenzeventig rupee had voor eten en drinken, reed met de suv de staatsgrens over naar de beulen van de politicus. Veilig afgeleverd. De politicus won de verkiezing.

'Ik had net als u kunnen zijn. Een man van de actie.' Ajwani stak zijn onderlip naar voren en schudde zijn hoofd. 'Als ik op tijd een man als meneer Shah had ontmoet. In plaats daarvan ben ik...'

'Maar vertel eens.' Hij klopte op de onderarm van de Tamil. 'U komt in uw werk vast ook meisjes tegen. Mooie meisjes. Meisjes uit danskroegen.'

'Ik ben een getrouwd man,' zei Shanmugham. 'Mijn vrouw zou mijn strot afsnijden.'

Waarom ze allebei moesten lachen.

De makelaar stond op van het veldbed. 'Laten we dat telefoongedoe nu maar meteen afhandelen.'

'Niet met uw telefoon...' Shanmugham haalde een kleine rode mobiel tevoorschijn. 'Deze heeft een simkaart die niet te traceren is.'

Hij gooide hem naar de makelaar toe.

'Oude man,' zei Ajwani in de telefoon. 'Oude man, ben je daar? Neem de telefoon op, oude man...' Hij schudde zijn hoofd en gaf de telefoon terug.

Shanmugham stond op van het veldbed en klopte stof van zijn broek.

'Geen telefoontjes meer.'

'Wat gaat er nu gebeuren?' vroeg de makelaar toen ze het kantoor via een achterdeur verlieten. 'Stuurt u nu jongens om hout te gaan breken voor de corporatie?'

Shanmugham maakte de riemen van zijn helm vast. 'Sommige dingen,' zei hij, 'vertel je niet eens aan je volle neven.'

Hij schopte zijn Hero Honda tot leven en reed weg, de nacht in.

2 AUGUSTUS

Het gebons op de deur wekte Masterji. Hij pakte de *Geïllustreerde Geschiedenis der Natuurwetenschappen*, stond op van de bank en controleerde de dievengrendel. Hij ging bij de deur staan met het boek in beide handen opgeheven.

De Pinto's wachtten af op de drempel van hun donkere slaapkamer.

'Niet hier,' fluisterde mevrouw Pinto. 'Boven. Ze bonzen op *uw* deur.'

Meneer Pinto stak zijn hand uit naar de lichtknop.

'Wacht,' zei Masterji.

Nu hoorden ze voetstappen de trap af komen.

'We moeten de politie bellen. Alsjeblieft, laat iemand bellen...'

'Ja,' zei Masterji van bij de deur. 'Bel ze.'

'Maar Masterji heeft het telefoonsnoer uit de muur getrokken. Je moet het er weer in stoppen, meneer Pinto.'

De voetstappen klonken luider. Meneer Pinto ging op zijn knieën zitten en sloeg tegen de muur. 'Ik kan het contact niet vinden...'

'Snel, meneer Pinto, snel.'

'Hou je mond, Shelley.'

'Geen ruziemaken!' Masterji vanaf de deur. 'En hou allebei uw mond.'

Het gebons begon op de deur van de Pinto's.

'Hou daar onmiddellijk mee op of ik bel de politie!' riep Masterji.

Er klonk gerinkel van armbanden van buiten en toen: 'Ramu, zeg tegen je Masterji wie er is.'

'O god, Sangeeta.' Masterji liet de *Geïllustreerde Geschiedenis der Natuurwetenschappen* zakken. Hij knipte het licht aan. 'Waarom komt u om *deze* tijd hier?'

'Ramu, zeg tegen je Masterji dat we allemaal naar de Siddhi-Vinayak-tempel wandelen. We zullen bidden dat zijn hart zacht wordt. Kom nou maar, Ramu,' zei ze, 'en geen geluid; we willen de brave mensen niet wakker maken.'

Gingen de Puri's met die jongen te voet naar SiddhiVinayak? Hoe kon Ramu zo'n eind lopen?

Hij deed bijna de deur open om mevrouw Puri over te halen Ramu dat niet aan te doen.

Het was drie uur in de ochtend. Nog drieënhalf uur voor het licht werd en ze naar het politiebureau konden. Met de *Geïllustreerde Geschiedenis der Natuurwetenschappen* op zijn ribben sloot hij zijn ogen en strekte zich uit op de bank.

Zesenhalf uur later liep hij met meneer Pinto over de grote weg.

'Ik weet dat we laat zijn. Mijn schuld is het niet. Als u uw scooter nog had, hadden we in vijf minuten op het bureau kunnen zijn.'

Masterji zei niets. Wandelen was goed op een dag als deze. Met elke stap die hij deed nam de dreiging van geweld af. Hij had dertig jaar in Vakola gewoond, zijn botten waren reumatisch geworden op dit plaveisel. Wie kon hem hier bedreigen?

'Kijk aan, de fortuinlijke mannen van Vishram!'

Met ontblote borstkas kwam Trivedi, de priester van Gold Coin, met gespreide armen op hen af. Hij had net een reinigingsritueeltje uitgevoerd in het politiebureau, zo legde hij uit. Jaren geleden was er iemand gestorven op het bureau en ze lieten hem één keer per jaar komen om de geest te verdrijven.

'Mag ik u thee of koffie aanbieden? Kokosnoot?'

'Thee,' zei meneer Pinto.

'We moeten weg,' fluisterde Masterji. 'We zijn al laat.'

'Een paar minuutjes,' zei meneer Pinto.

Hij liep achter de priester aan naar een theestalletje langs de weg waarnaast een zware man in een *banian* kleren stond te strijken met een strijkijzer met smeulende kool. Een metalen bak vol afgewerkte steenkool stond naast zijn strijkplank.

Met een glas chai in zijn hand gebaarde Pinto Masterji om bij hem en Trivedi aan het theestalletje te komen.

De hele ochtend was er al telkens oponthoud geweest, op elk moment was meneer Pinto iets kwijt geweest – zijn bril, paraplu. Nu hij het trillende theeglas in de hand van zijn oude vriend zag, begreep Masterji het.

'Ik ga wel naar het bureau om aangifte te doen. Gaat u maar alleen naar huis, meneer Pinto. Overdag is het volkomen veilig.'

Het politiebureau van Vakola ligt vlak naast het verkeerslicht waar de snelweg binnen komt, waardoor je de indruk krijgt dat je een buitenwijk in komt waar de wet stevig gehandhaafd wordt.

Vanuit de louterende lucht van steenkool en wasgoed buiten het bureau liep Masterji een atmosfeer van brandende wierook en goudsbloemen binnen.

Het was zijn eerste bezoek aan het bureau in bijna een decennium. Half jaren negentig was op een zaterdagmiddag Purnima's handtas vlak bij de school gegapt, zo'n ongewone gebeurtenis dat er in de buurt werd gesproken van een 'misdaadgolf'. Hij en Purnima waren hierheen gekomen en hadden gepraat met meelevende agenten, een politieman had een aangifterapport met de bijzonderheden van het misdrijf met een doorslag uitgetikt, en dat leek de hoofdmoot van het onderzoek geweest te zijn. De tas was nooit teruggevonden, maar evenmin was er een misdaadgolf ontstaan.

Hij zag een dronken man, half slapend, een buitenlandse toerist die kennelijk een hele tijd niet geslapen had, twee marktverkopers die waarschijnlijk achter waren met hun betalingen aan het bureau, en verder de mannen met diverse vage, nooit eindigende zaken die elk politiebureau bevolken.

'Masterji,' begroette een dikbuikige agent hem. 'Is uw vrouw haar handtas weer kwijt?'

Hij herinnerde zich dat hij de zoon van die agent (Ashok? Ashwin?) les had gegeven.

Hij ging zitten en legde zijn situatie uit. De agent hoorde zijn verhaal aan en zorgde ervoor dat de hoofdinspecteur van het bureau, een man die Nagarkar heette, het ook hoorde.

'Die telefoontjes zijn moeilijk na te trekken,' zei de inspecteur, 'maar ik zal er iemand heen sturen, meer is er meestal niet nodig om die projectontwikkelaars en hun *goonda's* af te schrikken. Dit is geen buurt waar ze een leraar kunnen bedreigen.'

'Dank u wel, meneer.' Masterji legde zijn hand op zijn hart. 'Deze oude leraar is u dankbaar.'

De inspecteur glimlachte. 'We zullen u helpen, we zullen u helpen. Maar Masterji, heus...'

Masterji staarde hem aan.

'Heus wat, meneer?'

'U houdt het wel tot het barre einde vol, hè?'

Nu begreep hij het: de politieman dacht dat het om geld ging. Ze waren niet het politiekorps van het Indiase Wetboek van Strafrecht, maar dat van de ijzeren Wet der Noodzaak, van het besef dat iedere man zijn prijs heeft, een ruimhartig bedrag, dat wel, maar wel een dat hij *moet* accepteren. Als je zegt *ik heb geen prijs*, dan zwaait er een celdeur open en dan zit je daar tussen de zatlappen en rabauwen. Boven het bureau van de chef zag hij een portret achter glas van Heer SiddhiVinayak, bloedrood en dikbuikig, als de vleesgeworden Noodzaak.

De inspecteur grinnikte. 'De beroemde man van uw corporatie is hier overigens.'

Masterji draaide zich om op zijn stoel. In de deuropening van het bureau stond Ajwani.

Het hele bureau klaarde op bij zijn verschijning. Iedereen die een flat wilde huren in een fatsoenlijk flatgebouw moest volgens de wet een vergunning van het plaatselijke politiebureau overleggen aan zijn toekomstige corporatie. In een niet zo pucca buurt als Vakola verschenen er altijd mensen op Ajwani's kantoor zonder authentieke rijbewijzen, kiezers-legitimatiebewijzen of burgerregistratie-kaart; mannen met snelle mobieltjes en zijden overhemden die elke huur konden betalen die gevraagd werd, konden toch niet bewijzen (zoals vereist was voor een vergunning) dat ze in dienst waren bij een respectabel bedrijf.

De makelaar kwam hier om de noodzakelijke vergunningen voor die mannen te leveren, in ruil voor de noodzakelijke geldbedragen. Glimlachend verzon hij voor honderd rupee legitieme beroepen en respectabele ondernemingen voor zijn cliënten, voor ongetrouwde mannen goochelde hij echtgenotes tevoorschijn en voor alleenstaande vrouwen echtgenoten en kinderen. De makelaar was een meester in fictie.

Dit is wat er echt omgaat in dit bureau, dacht Masterji. *Ik moet hier meteen weg.*

Het was te laat. Ajwani had hem al gezien. Hij zag het besef groeien in de ogen van de makelaar.

Meneer Pinto's haar verwaaide in de wind en hij bleef het maar op z'n plaats schuiven. Hij zat nog op de bank bij het stalletje langs de weg.

De zware man die had staan strijken naast het theekraampje was klaar met zijn werk, dat op zijn strijkplank gestapeld lag. Hij knielde en opende de kaken van zijn enorme strijkijzer. De zwarte kool erin begon te roken, Masterji zag een deel onthuld van de machinerie van hitte en rook die zijn wereld deed draaien.

Meneer Pinto stond op.

'Hoe is het gegaan, Masterji? Ik wilde ook wel komen, maar ik dacht dat u misschien niet wilde...'

Masterji hield zijn verwijtende woorden in. Kon hij het meneer Pinto kwalijk nemen dat hij bang was? Hij was alleen maar een oude man die wist dat hij een oude man was.

'Ik zei toch dat u zich geen zorgen hoefde te maken, meneer Pinto.'

Een groep schoolmeisjes met witte moslim-hoofddoeken over

hun marineblauwe uniformen stond langs de weg met Indiase vlaggetjes te zwaaien, giebelend en kwebbelend. Ze waren kennelijk aan het repeteren voor Onafhankelijkheidsdag. Hun leraren in groene *salwar-kameez* probeerden ze tot de orde te roepen.

Zíj geloven nog in Onafhankelijkheidsdag, dacht Masterji toen hij naar de opgewonden schoolkindertjes keek.

'We leven in een republiek, meneer Pinto.' Hij legde zijn hand op de schouder van zijn vriend. 'Hier kun je ergens op terugvallen. Let even op mijn handen.'

Meneer Pinto keek toe hoe de vingers van zijn vriend een voor een loskwamen uit zijn vuisten:

Politie

Media

Wet en handhaving

Maatschappelijk werk

Familie

Leerlingen en netwerken

Masterji deed waar hij het beste in was: lesgeven. Wat heeft de wereld te bieden waarvan je kunt zeggen: 'Dit staat aan mijn kant'? Dit allemaal. Waar meneer Pinto als burger van de Republiek India op kon terugvallen woog ruimschoots op tegen wat voor bedreigingen ook. De zon en de maan volgden hun juiste baan.

Ze zouden beginnen met de wet. De politie was vriendelijk geweest, zeker, maar je kon niet zomaar tegen ze zeggen: 'Bestrijd het kwaad.' De wet was een code, een soort witte magie. Een advocaat kwam aan met zijn toverlamp, en alleen dan zou de Geest van de Wet bevelen opvolgen.

Tijdens de lunch zei meneer Pinto dat hij over een advocaat gehoord had. Een relatie had hem ingeschakeld bij een geschil over onroerend goed.

'Er wordt geen rupee in rekening gebracht tenzij er iets geregeld wordt. Dat garandeert hij. Hij woont hier ergens.'

Nina diende een specialiteit op uit Zuid-Canara, waar ze geboren was, sappig gekookte broodvruchtenzaden met rode curry en koriander. Masterji wilde Nina complimenteren maar onderdrukte de aanvechting uit vrees dat ze om loonsverhoging zou vragen aan de Pinto's.

In een goede stemming door de broodvruchtenzaden ging Masterji aan meneer Pinto's schrijftafel zitten en haalde zijn Sheafferpen tevoorschijn die hij twee jaar geleden van zijn schoondochter had gekregen.

Meneer Pinto schreef de enveloppen uit, Masterji schreef drie brieven naar Engelstalige kranten en twee naar Hindi-kranten.

Geachte redactie,

Als wij, zoals men zegt, in een Republiek wonen, dient de vraag zich aan of iemand in zijn eigen huis bedreigd kan worden en nog wel op de vooravond van Onafhankelijkheidsdag...

Nina zette gemberthee voor hen; meneer Pinto plakte postzegels op de enveloppen en plakte ze dicht. Toen Masterji zijn thee op had begon hij aan een andere brief, gericht aan zijn beroemdste oud-leerling.

Mijn beste Avinash Noronha,

Indachtig je mooie karakter tijdens je leerjaren weet ik dat je je alma mater St. Catharine's High School in Vakola niet vergeten kunt zijn, net zo min als je oude natuurkundeleraar Yogesh A. Murthy. Met zeer veel trots lees ik je wekelijkse columns in de Times of India *en je passende waarschuwingen tegen de groeiende corruptie en apathie. Derhalve zal het je nauwelijks verrassen te horen dat deze vloedgolf van verval nu ook je oude buurt heeft bereikt en dreigt je oude...*

'Nina doet ze wel op de bus op weg naar huis,' zei meneer Pinto.

'En dit is nog maar het begin,' voegde Masterji eraan toe. Ze hadden geen van zijn oud-leerlingen thuis getroffen toen ze belden, maar hij was van plan oproepen te sturen naar al die oude contacten van hem die hun handtekening hadden gezet op de foto van zijn afscheidsfeestje.

Meneer Pinto had het plan goedgekeurd. Hij zou naar de schoolbibliotheek gaan en hun adressen achterhalen bij de oude Vittal. Maar hij wilde dat Masterji eerst naar de advocaat zou gaan. 'Wat hebben we te verliezen? Het is een gratis consult. En zijn kantoor is hier vlakbij, bij het Bandrastation.'

Masterji ging akkoord. 'Blijft u maar bij Shelley,' zei hij. 'Ik ga wel alleen.'

'Ga niet met de trein naar Bandra, neem een taxi,' zei meneer Pinto.

Hij stopte een briefje van honderd rupee in Masterji's borstzak.

'Oké,' zei Masterji, op zijn zak kloppend, 'we noteren het wel in het Geen-ruzie-boek als ik terug ben. Vijftig rupee, dat ben ik u schuldig.'

'Nee.' Meneer Pinto keek naar het ding in de zak van zijn vriend. 'Dat noteren we niet in het boek. U bent me niets schuldig.'

Masterji begreep het: dit moest meneer Pinto's manier van verontschuldigen zijn.

Terwijl de riksja zich door de Khar-onderdoorgang een weg baande naar Bandra dacht Masterji: *ik vraag me af hoe het met Ramu gaat, die arme jongen.*

Om de grootste kans te maken op de gunst van de rode olifantgod moet, zo geloven de vromen, de tempel van SiddhiVinayak te voet bezocht worden. Hoe verder van de tempel je woont, des te langer de tocht en des te meer verdiensten je vergaart.

De Puri's hadden het in de afgelopen achttien jaar zo vaak gehad over een voettocht naar SiddhiVinayak dat sommigen van hun buren meenden dat ze die al gemaakt hadden, en meneer Ganguly had mevrouw Puri zelfs om advies gevraagd over hoe je die tocht onderneemt.

Zulke dingen achtervolgen je, want de goden zijn niet blind.

Mevrouw Puri had uitgerekend dat de tocht van Vakola naar Prabhadevi ze ongeveer vier uur zou kosten. Alles hing af van Ramu. Als het echt heel erg werd, zouden ze hem op straat moeten laten plassen of poepen, als een straatjongen. Maar hij moest mee, dat was het offer dat ze aan Heer Ganesha zou brengen. Het was niet genoeg dat zij en haar man zouden moeten lijden onder de tocht. God zou zien dat ze zelfs bereid was haar zoon te laten lijden, juist wat ze achttien jaar lang verwoed had willen voorkomen.

Ze liepen langs de snelweg de stad in. De hemel werd lichter. Banen rood trokken door een oranje dageraad, alsof de schil van de hemel werd afgepeld. Een man in een theestalletje streek een lucifer af, een blauwe vlam schoot op boven zijn draagbare gascilinder.

Om de paar minuten fluisterde Ramu in het oor van zijn moeder.

'Flink zijn, jongen. De tempel is hier om de hoek.'

Als hij bleef stilstaan, kneep ze hem. Als hij weer stilstond, liet ze hem een of twee minuten uitrusten en – 'Oy, oy, oy!' – daar gingen ze weer.

Twee uur later, ergens achter Mahim, gingen ze bij een theestalletje langs de weg zitten. Mevrouw Puri schonk thee op een schoteltje voor de jongen. Ramu, opgepept door de cafeïne en verdwaald in een delirium van vermoeidheid en pijn, begon te razen tot zijn moeder hem klopjes op zijn hoofd gaf en hem suste met haar stem.

Twee gemeentearbeiders begonnen de stoep achter de Puri's te vegen. Hun gezichten kwamen onder het stof te zitten, ze waren te moe om te niezen.

Mevrouw Puri sloot haar ogen. Ze dacht aan de Heer Ganesha in de tempel in SiddhiVinayak en bad: *We zeiden dat we naar tempels zouden gaan, maar we gingen nieuwe appartementen bekijken. We waren bang voor het Boze Oog maar we vergaten u. En u strafte ons door een steen op ieders pad te leggen. Verplaats nu die steen, wat u alleen kunt, God, met uw olifantenkracht.*

'Ramu, Ramu,' zei ze en schudde haar zoon wakker. 'Vanaf hier is het nog maar een uur. Sta op.'

Toen het vijf uur sloeg lag Shelley Pinto in bed met haar halfblinde ogen naar het plafond te staren. Ze hoorde haar man aan de eettafel krabbelen met papier en potlood, zoals hij altijd deed toen hij nog boekhouder was.

'Zit je iets dwars, meneer Pinto?' vroeg ze.

'Nadat ik afscheid had genomen van Masterji zag ik een vechtpartij op de markt, Shelley. Mary's vader was dronken en hij had iets gezegd. Een van de verkopers sloeg hem, Shelley. In zijn gezicht. Je hoorde het geluid van bot op bot.'

'Arme Mary.'

'Het is vreselijk om geslagen te worden, hè Shelley? Vreselijk.'

Hij praatte zachtjes in zichzelf tot zijn vrouw zei: 'Wat zit je daar te fluisteren, meneer Pinto?'

Hij zei: 'Hoeveel vierkante meter is onze flat, Shelley? Heb je dat ooit uitgerekend?'

'Meneer Pinto. *Waarom* vraag je dat?'

'Ik moet rekenen, Shelley. Ik ben boekhouder geweest. Dat gaat je in het bloed zitten.'

'In een ander gebouw zou ik blind zijn, meneer Pinto. In de Vishram Corporatie heb ik overal ogen.'

'Ik weet het, Shelley, ik weet het. Ik zit alleen maar te rekenen. Is dat zo erg? Ik wil het gewoon omrekenen in Amerikaanse dollars. Alleen om te zien hoeveel het dan is.'

'Maar meneer Shah betaalt ons in rupees. We kunnen het niet in dollars opsturen.'

Toen ze in 1989 naar Amerika waren gegaan, had meneer Pinto op de zwarte markt een kleine voorraad Amerikaanse dollars gekocht van een man in Nariman Point. In die tijd stond de regering Indiërs niet toe om zonder toestemming rupees voor dollars te wisselen, dus had meneer Pinto haar laten zweren het tegen niemand te vertellen. De dollars bleken overbodig want de kinderen betaalden voor hen in Michigan en Buffalo. Tijdens de tussenstop in Dubai op de terugreis hadden ze hun oorspronkelijke dollarvoorraad, plus het Amerikaanse geld dat Deepa en Tony ze hadden opgedrongen, gewisseld voor twee baren 24-karaats goud, waarvan meneer Pinto er een in zijn jaszak India binnen smokkelde terwijl een bibberende Shelley Pinto de andere in haar handtas langs de douane had geloodst.

Dat was de herinnering die haar was bijgebleven bij het woord 'dollar'. Iets wat in goud veranderde.

'O, dat is allemaal veranderd, Shelley. Dat is allemaal veranderd.'

Meneer Pinto ging aan haar bed zitten en legde het uit. Het stond allemaal op de website van de Reserve Bank of India. Hij was een paar dagen geleden naar Ibrahim Kudwa's internetcafé geweest en had met de welwillende hulp van Ibrahim de site bezocht.

'Als het een gift is, kunnen we maar tienduizend dollar per jaar sturen. Maar als het een *investering* is, kunnen we honderdduizend dollar sturen. En misschien verhogen ze die limiet binnenkort naar tweehonderdduizend dollar per jaar. Het is *volkomen* legaal.'

De duisternis die mevrouw Pinto inkapselde werd groter. Zij, in India, zouden hun kinderen, in Amerika, geld moeten sturen?

'Moet Tony dan terugkomen?'

'Hij heeft een green card. Doe niet zo dom, Shelley. Hun kinderen zijn Amerikaanse burgers.'

'Maar hij heeft geen geld?'

'Het is daar allemaal moeilijk. Deepa raakt misschien haar baan kwijt. Ik wilde je niet bang maken.'

'Alles is zo duur in de States. Weet je niet meer hoe duur de sandwiches waren? Waarom zijn ze weggegaan uit Bombay?'

'Vertel me nou maar hoeveel vierkante meter deze flat is, mens. Laat mij me maar zorgen maken over van alles.'

'Vijfenzeventig vierkante meter,' zei ze. 'We hebben het een keer laten opmeten.'

Meneer Pinto ging weer aan de eettafel zitten en wreef in zijn bleke handen: 'Ik voel me weer jong, Shelley.' Ze vroeg zich af of hij uit was op een hervatting van hun omgang die een jaar of zeven-entwintig geleden was opgehouden, maar nee, natuurlijk niet, hij bedoelde alleen maar dat hij weer boekhouder was.

'Het zou zo eenvoudig zijn, Shelley. Twee derde van het geld sturen we in dollars naar de kinderen en van de rest kopen we een kleine flat hier in Vakola. Nina kan ook meekomen om daar te koken.'

'Hoe kun je nou zo praten, meneer Pinto?' zei ze. 'Als Masterji nee zegt, moeten wij ook nee zeggen.'

'Ik zit alleen maar te re-ke-nen, Shelley. Hij is mijn vriend. Al tweeëndertig jaar. Ik zal hem nooit verraden voor dollars.'

Meneer Pinto liep de woonkamer rond en zei: 'Laten we ons avondwandelingetje maar maken, Shelley. Oefening is goed voor de onderlijforganen.'

'Masterji heeft ons gewaarschuwd dat we niet het pand uit moesten gaan als hij er niet was.'

'Ik ben er om je te beschermen. Vertrouw je je eigen echtgenoot niet? Masterji is God niet. We gaan naar beneden.'

Met haar man achter zich daalde mevrouw Pinto de treden af. Net voordat ze de benedenverdieping bereikte botste er iets tegen haar zij – door de lucht van Johnson's babypoeder wist ze wie het was.

'Rajeev!' riep meneer Pinto Ajwani's zoon na. 'Het is hier geen dierentuin, ren niet zo.'

'Maak vandaag maar met niemand ruzie, meneer Pinto,' zei ze. 'Laten we maar kalm zijn en geen moeilijkheden maken.'

Ze hielden zich vast aan elkaar en liepen de donkere hal uit en het zonlicht in. Mevrouw Kudwa die in de eerste stoel van het parlement zat te praten met mevrouw Saldanha aan haar keukenraam, zweeg toen ze langsliepen.

De bewaker zat in zijn hokje het terrein in de gaten te houden.

Meneer Pinto hoestte. Er walmde rook aan vanachter de buitenmuur; Mary had het losse blad van de corporatie bij elkaar geveegd en in brand gestoken in de goot erachter. De hibiscusbloemen, gehuld in een donkere wolk, vertoonden een gepassioneerder rood.

'Gaat het wel?'

'Prima, Shelley. Alleen maar een hoestje.'

Meneer Pinto hoorde in de verte zingen; kinderen oefenden va-
derlandse liederen voor Onafhankelijkheidsdag.

Saarey jahan se accha
Yeh Hindustan hamara
Hum bulbule hain iski
Yeh gulistan hamara

Beter dan de hele wereld
Is dit India van ons;
Waar zijn nachtegalen zingen
Is het als een tuin voor ons.

Een paar passen verder wendde hij zich tot zijn vrouw en zei:
'Wacht.'

Ze liepen op het 'bloedpaadje' en hij hield zijn adem in. Toen hij
over de muur leunde zag hij een troep zwarte straathonden in de
goot achter een jong wit-met-bruin hondje rennen. Het piepte, het
was geen spelletje. De vier honden joegen hem de hele goot door.
Daarna verdwenen ze allemaal.

'Wat gebeurt er, meneer Pinto?'

'Ze gaan dat beestje vermoorden, Shelley.' Hij zweeg even. 'Het
lijkt op Sylvester.'

De Pinto's hadden ooit een hond gehad, Sylvester, voor hun
zoon Tony. Toen Sylvester stierf, had de corporatie het goed gevonden dat ze hem in de achtertuin begroeven, zodat ze in zijn
buurt konden zijn als ze om Vishram heen wandelden.

Het gepiep klonk opnieuw vanuit de goot.

De oude boekhouder legde zijn hand op de rug van zijn vrouw.
'Loop jij maar verder langs de muur, Shelley, je kent de weg toch?
Ik moet gaan kijken wat ze met dat hondje doen.'

'Maar Masterji zei dat we het pand niet uit mochten tot hij terug-kwam met een advocaat.'

'Ik ben net hierbuiten, Shelley. We moeten dat beestje redden.'

Shelley wachtte bij de muur met ingehouden adem tegen de stank van de rundvleesslagerij. Het gepiep uit de goot zwol aan en stierf toen weg. Ze hoorde voetstappen van de andere kant van de muur. Ze herkende ze als die van meneer Pinto. Ze hoorde hoe hij zich in de goot liet zakken.

'Niet in de goot gaan lopen, meneer Pinto. Hoor je me?'

Nu hoorde ze andere voetstappen. Jongere, snellere voetstappen.

'Meneer Pinto,' riep ze. 'Wie is dat die daar naar je toe loopt?'

Ze wachtte.

'Meneer Pinto... waar ben je? En wie is dat die de goot in is ko-men lopen? Zeg dan wat.'

Ze legde haar hand op de muur; door een stuk afgebrokkelde baksteen wist ze dat het wachthokje links van haar was, zo'n vieren-dertig kleine stappen.

Ze liep met haar hand tegen de muur.

Het wachthokje was nog negenentwintig stappen weg toen Shel-ley Pinto haar man hoorde gillen.

Masterji, op weg naar het kantoor van de advocaat, bleef stilstaan en snoof. Meelballen in beslag spetterden in een snackbar.

Snelle armen schoten uit een witte *banian* om aardappels te ras-pen in een vat met kokende olie. Een ander paar armen wachtte met een schuimspaan, zo nu en dan dook de schuimspaan in het vat en kwam boven met sissende wafels. Grote vaten vol met snacks omringden de twee mannen: gefrituurde aardappels (rood en pittig of geel en niet pittig), gefrituurde pisang (in ronde schijven gesne-den of in de lengte in repen, of overdekt met kruiden of bestrooid met bruine suiker) en groenten in deegkorst. Ernaast, bij een con-currerende gelegenheid, sisten aardappels in een concurrerend vat met ranzige olie. Met z'n tweeën produceerden de twee zaken het onophoudelijk rivaliserende gespetter van kokende olie dat net zozeer het dialect van de straten van Bombay is als Hindi, Marathi of Bhojpuri.

Daarna kwam de wedstrijd tussen de geschilderde borden.

FERRO- EN NON-FERROMETALEN.

EIGENAAR IQBAL ROZA.

D'SOUZA MERK-BRUIDSKAARTEN.

VERKOOP EN GROS.

De oude panden begonnen vers sap uit te zweten; verkopers zaten genesteld in boognissen in de rottende gevels voor piramiden van sinaasappels en citroenen en hanteerden elektrische mixers die amechtig ratelden.

Het geluid van metalig geklik deed Masterji vertragen.

BEFAAMDE KAPSALON

dat was de aanwijzing die in de advertentie genoemd was. De volgende doorgang moest het Loyola Trust Building binnen voeren. De duiven die op de metalen roosters van de ramen landden, brachten een constant gekoer voort toen hij naar binnen liep. Een jonge boom had de deurlijst boven de poort gekraakt. Geen receptie, geen bordje in de hal. Een metalen kooi verhief zich in de luchtkoker, als om de lift te beschermen, die hoe dan ook defect leek te zijn. Masterji kende onmiddellijk de geschiedenis van dit pand. De huisbaas kon – vanwege de huurbeschermingswetten – zijn huurders er niet uitzetten, ze betaalden waarschijnlijk dezelfde huur als in 1950 en hij pakte ze terug door ze zelfs de basisvoorzieningen te weigeren: licht, veiligheid, hygiëne. Je kon bijna horen hoe hij iedere nacht tot God bad: laat mijn huurders van de trap vallen, hun botten breken, in het vuur omkomen.

Naarmate Masterji hoger de treden opklom werd het donkerder. Een laag opeengepakte zwarte draden liep kriskras over de muur als een levende korst die over oude pleisterkalk en stenen groeide. Hij kon zelfs de bitterheid van kakkerlakken op de muur ruiken. Boven zich hoorde hij praten: 'Er zijn drie grote gevaren in deze stad.'

'Drie?'

'Drie: kinderen, geiten en nog iets wat ik vergeten ben.'

'Kinderen een gevaar?'

'Het grootste. Verantwoordelijk voor de helft van de verkeersongelukken in deze stad. De *helft*.'

Hij klom nog meer treden op en zag een bleek, dikbuikig beeld van Ganesha in een schemerige nis, als een zachte, witte rat die in het trappenhuis woonde. Er leek hierboven geen stroom te zijn, en er zaten mannen in uniform onder een paraffinelamp. Hij liep net ongehinderd langs de mannen toen een ervan riep: 'Nu weet ik het derde gevaar weer. Zal ik het je vertellen?'

Een halfdonkere gang door, een glimmend metalen bord op een open deur verkondigde:

PAREKH EN ZONEN

ADVOCAAT

'JURIDISCHE HAVIK MET ZIEL & GEWETEN'

Een kleine man in een grijs uniform zat op een houten stoel tussen het metalen bord en een glazen deur. Een rood potlood achter zijn oor.

'U komt voor...' vroeg hij, terwijl hij het potlood pakte.

'Ik heb juridische bijstand nodig. Een relatie van me heeft me verteld over meneer Parekh.'

De man schreef in de lucht met het potlood. 'Wat is de *naam* van uw relatie?'

'Eigenlijk was het een relatie van een relatie. Die had gebruik gemaakt van de diensten van meneer Parekh.'

'En u komt voor...'

'Meneer Parekh.'

'*Welke* Parekh?'

'Juridische havik met een geweten. Hoeveel zijn er?'

De bediende stak vier vingers op.

Met het rode potlood achter zijn oor liep hij het kantoor binnen. Masterji ging op zijn stoel zitten en tilde zijn voeten op toen een oude werkster de vloer dweilde met een natte lap.

De bediende was er kennelijk achter welke Parekh hij moest hebben, opende de glazen deur en wenkte met het rode potlood.

Masterji stapte binnen in neonlicht en airconditioningbries.

Door het lage houten plafond zag het kantoor eruit als een scheepshut. Een man met een dikke bril zat onder een reusachtige ingelijste foto van Angkor Wat met het bijschrift: 'De grootste hindoetempel ter wereld'.

Het rook naar ontsmettingsmiddel.

Meneer Parekh (dat nam Masterji aan) zat thee te drinken. Hij hield op om zijn neus te snuiten in een zakdoek en draaide zich om, om een kwispedoor te gebruiken voor hij weer aan zijn thee ging. Hij had iets van een non-stop hydrostatisch systeem dat alleen maar kon werken als het vloeistoffen opnam en afscheidde. En met informatie ging het net zo als met vloeistoffen: hij sprak in een mobiel die hij tegen zijn schouder drukte en tekende tegelijkertijd documenten die een assistent voor hem neerlegde en bleek hoe dan ook nog in staat om tegen Masterji te fluisteren: 'Thee? Thee misschien, meneer? Ga zitten.'

Hij legde zijn mobiel neer, dronk zijn laatste slok thee, draaide zich opzij om te spuwen en zei: 'Omschrijft u het probleem maar in uw eigen woorden.'

De advocaat had een kale, babyroze schedel, maar drie onsterfelijke zilveren lokken liepen van zijn voorhoofd naar de onderkant van zijn nek. Een ziekte, mogelijk verband houdend met de roze kleur van zijn schedel, had zijn wenkbrauwen weggevreten, zodat zijn ogen Masterji met een verontrustende directheid aankeken. Een halsketting met een gouden medaillon bungelde over zijn witte overhemd. Het formaat van het gouden medaillon, contrasterend met de treurige staat van wenkbrauwen en schedel, wekte de indruk dat meneer Parekh veel had meegemaakt in zijn leven, dat hij het had overleefd en geslaagd was.

Nippend van zijn thee hoorde hij Masterji's verhaal met snel knipperende ogen aan (Masterji vroeg zich af of de afwezigheid van wenkbrauwen het knipperen van de wimpers beïnvloedde), en wendde zich toen tot een jongere man, die zwijgend in een stoel in een hoek zat.

'Ik ben bekend met de Vishram Corporatie. Het is een beroemd pand in Vakola.'

De jongere man zei: 'Vroeger was het daar een jungle. Nu is het een gebied dat het gaat maken.'

'Die projectontwikkelaars – *allemaal* criminelen. Alleen maar bezig met *van-dattem*-activiteiten. Wie is die Confidence Shah? Vast een sloppenrat.'

De jongere man zei: 'Ik heb geloof ik wel eens over hem gehoord. Heeft renovatiewerk in Mira Road gedaan. Of misschien Chembur.'

De oude Parekh streek met zijn hand over zijn drie lange zilveren lokken.

'Een *sloppenrat*.' Hij glimlachte naar Masterji. 'U bent aan het juiste adres, meneer. Voor u zit een man die elke dag met een tiental sloppenratten te maken heeft. Maar eerst moeten we weten wat uw positie is in de ogen van de wet. En de wet heeft zeer nauwkeurige ogen: bent u de eigenaar van het goed of een vertegenwoordiger van genoemde eigenaar?'

'Ik woon er al langer dan dertig jaar. Sinds ik naar Vakola kwam om op school les te geven.'

'Een leraar?' Meneer Parekhs mond viel open. Hij blies in zijn zakdoek. 'Het is tegen de Hindu Dharma om een leraar te bedreigen. Ik heb zowel westers recht als Indiase Dharma gestudeerd, meneer. En ik heb zelfs de grootste tempel ter wereld bezocht.' Hij tikte op de foto achter glas achter hem. 'Angkor Wat genaamd. Laat u maar eens uw bewijs van deeleigendom van de corporatie zien,' zei hij, met onderzoekende vingers, 'meteen, meteen.' Masterji had het gevoel of hij zicht moest uitkleden in een artsenpraktijk. Hij had het document in een gele envelop bij zich en haalde het tevoorschijn.

'Het staat op naam van uw vrouw.'

'In haar testament word ik genoemd als erfgenaam.'

'Dan had het op uw naam moeten worden overgeschreven. Dat kunnen we regelen. Zolang u haar testament veilig in uw bezit hebt.'

Hij gaf het document aan de jongere man, die bijna het kantoor uit rende.

Masterji's totale wettige aanspraak op Vishram Corporatie nummer 3A had hij nu uit handen gegeven. Hij volgde de voortgang ervan, via voetstappen, toen het kraken van de houten plafondplanken en daarna een machine in, vermoedelijk een fotokopieerapparaat, hefbomen bewogen en camera's klikten. Zijn eigendomsbewijs – zijn aanspraak op een stuk van de Vishram Corporatie – werd vermenigvuldigd. Het was of zijn zaak al sterker stond. Het gebons en de voetstappen herhaalden zich in omgekeerde volgorde en de jongeman kwam het kantoor weer binnen met het originele document en drie fotokopieën. Hij schoof zijn stoel naast die van Parekh, bijna wang aan wang namen de twee mannen samen het eigendomsbewijs door. Vader en zoon, besloot Masterji.

'Er is nog een tweede eiser bij betrokken,' zei hij. 'Meneer Pinto. Mijn buurman.'

De oudste Parekh sprak als eerste.

'Uitmuntend. Dat verdubbelt het eigenaarschap in de kwestie. Nu, op grond van de Mofa Act...'

Gefluister van de jonge man. 'Die kent hij misschien niet...'

'Weet u wat Mofa is?'

Masterji glimlachte zachtmoedig.

'De Maharashtra Ownership of Flats Act van 1963. Mofa.'

'Mofa,' bevestigde Masterji. 'De Mofa Act.'

'Krachtens de Mofa Act van 1963...' (de oude advocaat pauzeerde en schepte adem) '...en tevens de MCSA Act van 1960, te weten de Maharashtra Co-operative Societies Act van 1960, bent u de enige die zeggenschap heeft over genoemde flat. De corporatie kan u niet dwingen genoemde flat te verkopen, zelfs niet bij meerderheid van stemmen. Dat is bevestigd door de uitspraak in 1988 van het hooggerechtshof van Bombay, vermeld in de Bombay Cases Reporter 1988, deel 1, pagina 443.'

'443?' zei de andere man. 'Niet 443, meneer Parekh. 444.' (*Meneer Parekh? Niet zijn zoon dus,* dacht Masterji.) De oude man sloot zijn ogen.

'444. Correctie aanvaard. Bombay Cases Reporter 1988, deel 1, pagina 444. De zaak Dinoo F. Bandookwala-Dolly Q.C. Mehta. De president van het hof heeft duidelijk verklaard dat krachtens de juiste interpretatie van de Mofa Act en de MCSA Act noch de gemeente Bombay, noch de MHADA, noch de bewonerscorporatie eigenaar en beheerder is van de flat, maar alleen genoemde eigenaar. In dit geval dus uw persoon, handelende als wettig erfgenaam van uw overleden echtgenote. Er is dus een gerechtvaardigd vertrouwen dat een gunstige uitspraak te verwachten valt. Krachtens de juiste interpretatie van de Mofa Act van 1963 en de MCSA Act van 1960.'

Masterji knikte. 'Ik kan u niet betalen. U moet deze zaak aannemen in het algemeen belang. De rechtszekerheid van de oudere burgers van deze stad staat op het spel.'

'Ik begrijp het, ik begrijp het,' zei Parekh. Hij sloeg met zijn hand door de lucht als een ervaren sloppenrattenverdelger.

'U kunt de rekening betalen als er een schikking is,' verklaarde zijn jongere partner met een glimlach.

'Mijn eigendomsbewijs alstublieft,' gebaarde Masterji. De advocaat deed niets, dus boog hij zich voorover en trok het bijna uit zijn handen. Nu voelde hij zich sterk genoeg om te zeggen: 'In deze zaak wordt niet geschikt.'

'*Uiteindelijk* komt er een schikking,' corrigeerde Parekh hem. 'Hoe lang bent u en die meneer Pinto van plan u tegen deze sloppenrat te verzetten?'

'Eeuwig.'

Een ogenblik leek alles in het kantoor tot stilstand te komen: de vloeistoffen in Parekhs hoofd circuleerden niet meer, de ratten in de muur en de termieten in het oude houten plafond hielden op met wroeten, zelfs de deeltjes ontsmettingsmiddel die in de lucht hingen verspreidden zich niet meer.

Parekh grijnsde. 'Zoals u wilt. We zullen hem bestrijden...' Hij wendde zich naar de kwispedoor, '...voor eeuwig.'

Met een papaya in een krant gewikkeld onder zijn arm kwam Masterji terug in de Vishram Corporatie. Bij het hek werd hij opgewacht door Ajwani, de secretaris, meneer Ganguly van de vijfde verdieping, Ibrahim Kudwa en de bewaker.

Ze gingen niet voor hem opzij. Ajwani's hand lag stevig op de klink.

'Gentleman,' zei hij. '*Engelse* gentleman.'

Masterji dacht dat ze gehoord hadden over zijn bezoek aan de advocaat en zei: 'Het is mijn recht, het is mijn recht als burger om naar een advocaat te gaan.'

'Hij weet het nog niet,' riep Ram Khare. 'Laat hij maar naar binnen gaan, dan ziet hij het. Het is een zwaar moment voor de corporatie.'

Ajwani haalde zijn hand van de klink. Toen Masterji naar binnen liep, zei de bewaker: 'Ik heb u gezegd dat dit zou gebeuren, Masterji. God is mijn getuige dat ik mijn plicht gedaan heb.'

Hij zag mensen rondom de plastic stoelen staan: de twee Pinto's waren de enigen die zaten. Er zat een verband om meneer Pinto's voet en het lag op een kussen. Mevrouw Puri depte meneer Pinto's voorhoofd met een nat gemaakt stuk van haar sari.

Toen ze Masterji zag, uitte ze een schrille kreet: 'Daar komt die gek!'

Ajwani en de secretaris liepen met Ibrahim Kudwa achter Masterji.

'Wat is er met u gebeurd, meneer Pinto?'

'En dat durft hij te vragen!' zei mevrouw Puri. 'Zoiets doen en dan net doen of hij er niets vanaf weet. Zeg het hem, meneer Pinto. Zeg het.'

Op haar bevel begon de oude man te spreken: 'Hij zei dat hij... mijn vrouw iets aan zou doen – op haar leeftijd – oud genoeg om zijn grootmoeder te zijn. Hij... zei dat hij de volgende keer met een mes zou komen... hij... en toen werd ik bang en viel ik in de goot.'

'*Wie* heeft u dat verteld?' Masterji knielde om op ooghoogte met zijn oudste vriend te komen. 'Wanneer is dat gebeurd?'

'Net buiten het hek... Shelley en ik waren aan het wandelen... Het moet vier uur geweest zijn en toen hoorde ik een jong hondje janken en ik ging naar buiten en ging de goot in om het hondje te redden. Toen kwam er een jongen, hij had een gouden ketting om zijn hals, achttien, negentien jaar, en hij had een hockeystick, hij stond over me heen en zei: "Ben jij die man uit Vishram die niks wil?" En ik zei: "Wie ben jij?" En toen... legde hij de stick op mijn hoofd en zei: "De volgende keer is het een mes..."' Meneer Pinto slikte. 'En toen zei hij: "Begrijp je nu wat het betekent, niks willen?" En toen draaide ik me om en probeerde weg te rennen maar ik viel in de goot en mijn voet...'

'We moesten met hem naar de kliniek van dokter Gerard D'Souza aan de grote weg,' zei mevrouw Puri. 'Godzijdank is hij alleen maar verstuikt. Dokter D'Souza zei dat hij op zijn leeftijd zijn voet wel had kunnen breken. Of iets anders.'

Mevrouw Pinto kon het niet meer aanhoren en begroef haar gezicht in mevrouw Puri's blouse.

Masterji stond op.

'Geen zorgen, meneer Pinto. Ik ga meteen naar de politie. Ik zal ze zeggen dat ze meneer Shah moeten arresteren. Ik heb lesgegeven aan de zoons van een paar van de agenten. Maakt u zich maar geen zorgen.'

'Nee,' zei meneer Pinto. 'Ga niet weer.'

'Niet?'

De oude boekhouder schudde zijn hoofd. 'Het is allemaal afgelopen, Masterji.'

'Wat is allemaal afgelopen?'

'We kunnen zo niet doorgaan. Vandaag is mijn voet gewond, morgen...'

Masterji liet de papaya op de grond liggen en stond op.

'U moet flink zijn, meneer Pinto. Die Shah kan ons niet bij klaarlichte dag bedreigen.'

Mevrouw Pinto smeekte met haar gezicht en vingers. 'Alstublieft, Masterji, laten we het nu maar vergeten. Laten we gewoon dat papier van meneer Shah tekenen en weggaan uit deze flat. Ik heb dit allemaal veroorzaakt toen ik zei dat ik niet weg wilde. Nu zeg ik u dat het afgelopen is. Laten we gaan. Kom vanavond bij ons eten. We eten samen.'

'Ik kom niet eten bij lafaards.'

Masterji gaf de papaya een trap, de krant scheurde open en hij schoot weg en smakte tegen de muur van mevrouw Saldanha's keuken.

'Ik ga naar het politiebureau, met of zonder u,' zei hij. 'Denkt die projectontwikkelaar dat hij *mij* bang kan maken? In mijn eigen huis?'

Mevrouw Puri stond op.

'De politie? Wilt u het nog erger maken?' Ze drukte met een vinger in Masterji's borstkas. 'Waarom brengen we *u* niet naar de politie?'

Van de andere kant prikte een andere vinger in hem: Ajwani.

'U hebt van deze corporatie een gewelddadige plek gemaakt. In veertig jaar is zoiets niet gebeurd in Vishram.'

Mevrouw Puri zei: 'Een man die ruziemaakt met zijn eigen zoon – en nog wel zo'n *alleraardigste* zoon – wat voor een man is dat?'

Ibrahim Kudwa ging achter haar staan. 'Teken de overeenkomst met meneer Shah nu, Masterji. Teken *nu*.'

'Zo laat ik me niet op andere gedachten brengen,' zei Masterji. 'Dus hou uw mond, Ibrahim.' Kudwa wilde antwoorden, gaf het toen op en stapte achteruit.

Ajwani duwde hem opzij en deed een stap naar voren. De secretaris kwam van de andere kant. Geschreeuw, mensen porden Masterji, iemand duwde. 'Teken nu!'

Ajwani draaide zich om en vloekte. Mevrouw Saldanha's afvoerpijp loosde precies op zijn voet. 'Draai die kraan dicht, Sal-dan-ha!' schreeuwde hij.

'Heb ik gedaan!' schreeuwde ze terug, maar het water bleef stromen als een commentaar op het geweld in het parlement. Het vuile water dreef de menigte uiteen; vanuit het trappenhuis klonk geblaf – de oude straathond kwam naar buiten rennen –, de secretaris moest opzijgaan en Masterji holde de trap op.

Toen hij de deur achter zich vergrendelde kon hij mevrouw Pinto's stem horen: 'Nee, alstublieft, niet naar boven. Alstublieft, hou het beschaafd!'

Hij barricadeerde de deur met de teakhouten tafel. Toen hij naar het raam liep, zag hij ze beneden allemaal samen naar hem opkijken. Hij stapte meteen terug.

Dus nu ben ik de laatste man in het gebouw, dacht hij.

Hij snoof de lucht op, dankbaar voor de looizuurgeur die er hing van het zetten van gemberthee.

Hij goot het restant uit de porseleinen pot en dronk bittere koude thee.

Hij belde het nummer op het visitekaartje dat hij had meegenomen.

'Hou alles maar op slot,' zei meneer Parekh. 'Kom morgen weer hier; als ik er niet ben, ontvangt mijn zoon u.'

'Dank u wel. Ik ben hier helemaal alleen.'

'U bent *niet* alleen. Parekh is bij u. Alle vier de Parekhs zijn bij u. Als ze u bedreigen, zal ik ze een dagvaarding sturen, dan weten ze dat ze met een gewapend man te maken hebben. Denk aan de zaak Dolly Q.C. Mehta-Bandookwala. De Mofa Act staat achter u.'

'Hoe kunnen ze nette mensen op klaarlichte dag bedreigen? Sinds wanneer is alles zo anders geworden in deze stad, meneer Parekh?'

'Het is niet anders geworden, Masterji. Het is nog steeds een fatsoenlijke stad. Zeg tegen uzelf: *Mofa, Mofa,* en doe uw ogen dicht. Ga slapen met de wet aan uw zijde.'

Maar nu was Ram Khares zwarte slang in de kamer. Hier in zijn bed kroop hij langs zijn dij omhoog. De slangentong van geweld flitste voor zijn ogen. *Jij bent de volgende, Masterji.* Een jonge man met een gouden halsketting en dikke, beaderde armen komt op een avond naar hem toe en zegt: *Ik wil even met jou praten, oude man. Heel even maar...*

Hij was te bang geweest om Purnima tegen haar broers te beschermen; deze keer zou hij niet bang zijn.

'Ga weg,' zei hij.

De zwarte slang glibberde langs zijn benen en verdween.

Terwijl het kaartje van de advocaat op zijn borst rees en daalde, keek Masterji naar de losse, schilferige huid die zijn handen overdekte. *Mofa,* declameerde hij volgens de instructie. *Mofa, Mofa.* Hij schudde zijn vingers en de ouderdom week; hij zag weer jonge, sterke handen.

3 AUGUSTUS

Aan
Alle Belanghebbenden
Binnen mijn corporatie en erbuiten

Van
Yogesh A. Murthy
Vishram Corporatie 3A
Vakola, Mumbai 55

Bij deze verklaar ik dat in een vrij land intimidatie niet zal wor-
den getolereerd. Ik ben op het politiebureau geweest en heb van de
hoofdinspecteur de verzekering gekregen dat dit geen buurt is waar
een leraar bedreigd kan worden. Ik ben niet alleen. Het befaamde
filantropische juridische team van Bandra, Parekh en Zonen, met
wie ik voortdurend in contact sta, zullen actie ondernemen tegen
de persoon of personen die mij bedreigen via de telefoon of per
post. Daarbij heb ik leerlingen met belangrijke posities, zoals in de
redactie van de Times of India. *De Vishram Corporatie Toren A*
is mijn thuis en die

Zal niet verkocht worden
Zal niet verhuurd of verpacht worden
Zal niet gerenoveerd worden

Getekend (en dit is de waarachtige handtekening van ondergete-kende)

Yogesh Murthy

De inspecteur van politiebureau Vakola meende wat hij zei over dat zijn buurt veilig was voor oudere burgers.

Een dikke agent genaamd Karlekar kwam binnen een halfuur na Masterji's telefoontje 's morgens naar de Vishram Corporatie. Nadat hij een verklaring van Masterji had opgenomen (die, zo bleek, eigenlijk niets gezien had, aangezien hij in Bandra een befaamd advocaat aan het raadplegen was), ging Karlekar aan de eettafel van de Pinto's zitten, veegde zijn bezwete voorhoofd af en keek naar meneer Pinto's verbonden rechtervoet.

Meneer Pinto zei: 'Niemand heeft me bedreigd. Ik gleed uit buiten het hek en verdraaide mijn enkel. Net goed, moet ik op mijn leeftijd maar niet zo hard lopen, hè Shelley?'

Mevrouw Pinto, die zo goed als blind was, had niets te melden over de kwestie.

De agent krabbelde wat op zijn notitieblok. De secretaris klom naar de flat van de Pinto's om te vertellen dat de zogenaamde 'overlast' in wezen overdreven was.

'We zijn een twistziek volk, zoveel is zeker,' gaf de agent glimlachend toe. 'Er komen voortdurend verzonnen aangiften op het bureau. Inbrekers, brand, brandstichting. Pakistaanse terroristen.'

'Een melodramatisch volk,' zei de secretaris. 'Dat komt door al die films waar we naar kijken. Dank u wel dat u van de zaak geen *sensatie* maakt.'

Agent Karlekars mond was opengevallen. 'Kijk dat nou... o nee... nee...' Hij wees naar een mot die rondjes draaide om de roterende plafondventilator in de woonkamer van de Pinto's, aangezogen door de luchtwerveling kwam hij steeds dichter bij de wieken tot er twee donkere vleugels op de grond dwarrelden. De agent pakte elke vleugel op.

'Ik ben ertegen als er een mot gewond raakt in mijn wijk,' zei hij en hij gaf de afgebroken vleugels aan de secretaris. 'Stelt u zich eens voor hoe ik me voel als er een oude man bedreigd wordt.'

De vleugels glipten tussen de vingers van de secretaris door.

Een uur later was de agent weer langsgekomen bij de Vishram Corporatie. Hij stak een sigaret op bij het hek en babbelde met Ram Khare. De secretaris zag hem op zijn knieën zakken en naar de marmeren herdenkingssteen voor Vishram turen, alsof hij een achtenveertig jaar oud bewijs van goed gedrag bestudeerde dat aan het gebouw was uitgereikt.

'In heel Vakola zullen ze het er binnenkort over hebben. Is er een politieman in de Vishram Corporatie geweest? Dat beroemde, respectabele, eerbiedwaardige Vishram?'

'Stil, Shelley.'

Meneer Pinto stond aan het raam. Een Birmese wandelstok van mahonie, een familie-erfstuk, stond tegen de muur naast hem.

Hij en zijn vrouw hadden nu een nieuwe relatie met hun corporatie. Ze zaten in geen van beide kampen. Masterji kwam niet meer aan hun tafel eten, maar zij daalden evenmin af naar het parlement, waar gewoonlijk maar één gespreksonderwerp was: het karakter van de bewoner van 3A.

Deze avond waren de parlementariërs begonnen met over Masterji te praten en geëindigd met ruzie.

'U hebt een geheime regeling. Een *zoethoudertje*.' Mevrouw Puri tegen Ajwani.

'Praat u niet over dingen die u niet begrijpt, mevrouw Puri.'

'Aha!' riep ze. 'U bekent. U hebt zoiets gekregen.'

'Natuurlijk niet.'

'Ik heb dingen gehoord,' zei mevrouw Puri. 'Eén ding zal ik u allemaal vertellen – zelfs u, mevrouw Saldanha in uw keuken, luistert u ook maar. Niemand krijgt hier een geheime regeling tenzij mijn Ramu en ik er ook een krijgen.'

'Niemand heeft hier een geheime regeling,' protesteerde de secretaris.

'U hebt vast de allereerste aangeboden gekregen, Kothari.'

'Wat een beschuldiging. Hebt u niet op mij gestemd bij de Algemene Jaarvergadering? Ik heb de onderhoudskosten gehandhaafd op 16 rupee 85 per vierkante meter per eenheid, betaalbaar in twee termijnen. Beschuldigt u mij niet van oneerlijkheid.'

'Waarom is het pand in al die jaren nooit opgeknapt, Kothari? Houdt u op die manier de kosten laag?'

'Dat heb ik me ook vaak afgevraagd.'

'U bent net zo slecht als Masterji, mevrouw Puri. En u ook, Ajwani. Geen wonder dat Masterji zo slecht geworden is, als hij tussen mensen als u woont.'

Met zijn Birmese wandelstok hinkte meneer Pinto naar de slaapkamer en ging naast zijn vrouw liggen.

'Heeft Masterji ontbeten, meneer Pinto? Hij zal wel honger hebben.'

'Een man gaat niet dood als hij een paar dagen minder eet, Shelley. Als hij honger krijgt, komt hij wel terug.'

'Dat denk ik niet. Het is zo'n trotse man.'

'Of *ik* hem er weer in laat, is iets anders, Shelley. Weet je niet meer dat hij me een lafaard noemde? Hij heeft honderd rupee van me geleend om een taxi naar Bandra West te nemen om die advocaat te spreken. Ik heb het genoteerd in het Geen-ruzie-boek. Hij zal zich moeten verontschuldigen en mijn honderd rupee terugbetalen, voor hij weer aan mijn eettafel kan aanschuiven.'

'O meneer Pinto, alsjeblieft, begin jij niet ook. Ze praten tegenwoordig zo slecht over hem in het parlement.'

'Stil, Shelley. Luister.' Meneer Pinto fluisterde. 'Hij loopt naar het raam. Dat doet hij altijd als ze over hem beginnen, Shelley. Waarom? Heb je daarover nagedacht?'

'Nee. En dat wil ik ook niet.'

'Hij wil luisteren als ze slechte dingen over hem zeggen. Dat is de enige verklaring.'

'Dat kan niet waar zijn. Waarom zou iemand willen luisteren als er zulke dingen over hem gezegd worden? Laatst zei Sangeeta dat hij Purnima vroeger sloeg. Wat een leugen.'

Meneer Pinto begreep niet waarom die man het deed, maar elke keer als het parlement daar beneden bijeenkwam, ging Masterji bij het raam staan en liet luchtwortels zakken om laster en scheldwoorden op te zuigen. *Dat zal zijn nieuwe dieet wel zijn,* dacht meneer Pinto. *Hij kauwt op hun doorns als lunch en op spijkers als avondeten. Uit spot haalt hij zijn eiwitten.*

Toen hij naar de kroonluchter keek leek die te muteren tot iets vreemders en helderders.

6 AUGUSTUS

In het wilde gras, nat van de regen, voor het Speed-Tek internet-café, sprong een witte kat op en sloeg naar een roodbruine vlinder net buiten zijn bereik.

Er zat maar één klant in het café, gebogen over computer zes zat hij gegrinnik uit te stoten. Ibrahim Kudwa, die met de kleine Mariam aan zijn bureau zat, vroeg zich af of het moment gekomen was om een verrassingscontrole uit te voeren op de computer van de grinnikende klant.

'Ibby. Opletten.'

Ajwani en mevrouw Puri waren al een paar minuten in het café. Mevrouw Puri legde haar onderarmen op de tafel en schoof het stuk papier naar hem toe.

'Alle anderen zijn akkoord gegaan, behalve u.'

Om Ibrahims armen vrij te maken vroeg ze om haar Mariam te geven, die haar vaste groengestreepte nachtpon droeg.

'Mijn vrouw zegt dat ik een hoog zenuwengehalte heb in verhouding tot mijn vlees,' zei Kudwa terwijl hij Mariam aan mevrouw Puri overhandigde. 'Ze moeten me nooit vragen een beslissing te nemen.'

'Het is een eenvoudige kwestie,' zei Ajwani. 'In het uiterste geval kan een bewonerscorporatie een lid royeren en zijn deeleigendom van de corporatie verwerven. Het is volkomen legaal.'

Ibrahim Kudwa's armen waren vrij, maar hij raakte het stuk papier voor hem niet aan.

'Hoe weet u dat? Bent u soms advocaat?'

Ajwani draaide zijn hoofd heen en weer en zei toen: 'Dat heeft Shanmugham me verteld.'

Met Mariam in haar handen wierp mevrouw Puri Ajwani een blik toe. Maar het was te laat.

'En *die* is deskundig?' Kudwa trok met zijn bovenlip. 'Ik mag die man niet, zijn gezicht staat me niet aan. Ik wou dat we nooit waren uitgekozen door die projectontwikkelaar. Wij zijn niet goed genoeg om nee te zeggen tegen zijn geld en niet slecht genoeg om ja te zeggen tegen wat we er van hem voor moeten doen.'

'Het gaat hier niet om geld, Ibby. Het gaat om het *principe*. We kunnen ons niet door één man laten dwingen.'

'Helemaal waar, Sangeeta-ji,' zei Kudwa terwijl hij naar de ventilator van het internetcafé keek. 'Dat leer ik allebei mijn zoons ook. Met opgeheven hoofd door het leven.'

Hij legde een vinger op zijn lippen, stond op van zijn stoel en liep op zijn tenen naar zijn klant aan computer zes.

Kudwa hees de klant van zijn stoel, sleepte hem naar de deur van het café en duwde hem naar buiten, de witte kat mauwde.

'Ik hoef jouw geld niet, hoor je? Verdwijn!' schreeuwde hij. 'Het is hier geen vies winkeltje.'

'Altijd hetzelfde.' Hij veegde zijn voorhoofd af en ging zitten. 'Je laat ze vijf minuten alleen en je hebt geen idee *wat* ze downloaden. En als de politie hier komt, wie arresteren ze dan wegens pornografie? *Hem* niet.'

'Hoor eens, Ibrahim,' zei de makelaar. 'Ik heb me altijd verzet tegen onderdrukking. In 1965, toen premier Shastri ons vroeg om een maaltijd per dag op te offeren om de Pakistani's te verslaan, heb ik dat gedaan. Ik was acht jaar oud en ik gaf mijn voedsel op voor mijn land.'

Kudwa zei: 'Ik was pas *zeven* jaar oud. Ik heb mijn middageten opgegeven toen mijn vader dat vroeg. We hebben allemaal die maaltijd opgegeven in 1965, Ramesh, niet alleen u.' Hij woelde met zijn vingers door zijn baard en schudde zijn hoofd. 'Jij wilt een oude man zijn huis uit gooien.'

Ajwani nam Mariam over van mevrouw Puri; hij schudde het meisje stevig.

'Ibrahim.'

'Ja?'

'Hebt u wel eens gezien hoe een koe naar opzij kijkt als hij poept en doet of hij niet weet waar hij mee bezig is? Masterji weet precies wat hij ons aandoet en hij *geniet* ervan. Onderdrukt, depressief en gevaarlijk, dat is die beminde Masterji van u kort samengevat.'

Mevrouw Puri schoof het papier over tafel dichter naar Kudwa toe.

'Ibby. Luister alsjeblieft naar me. Masterji weet dat de projectontwikkelaar hem nu niets kan maken. De politie houdt Vishram in de gaten. Dit is de enige uitweg.'

Kudwa zette zijn leesbril op. Hij pakte het papier op en las.

...krachtens de Maharashtra Coöperatieve Corporatieswet van 1960, paragraaf 35, Uitzetting van Leden, en tevens de punten 51 tot en met 56 van de Gemeentelijke Verordeningen kan een lid uit zijn corporatie worden gezet als hij:

1. Voortdurend in gebreke is gebleven bij het betalen van zijn schulden aan de corporatie

2. Opzettelijk zijn corporatie heeft misleid door het verstrekken van valse informatie

3. Zijn flat gebruikt heeft voor immorele doeleinden of regelmatig misbruikt heeft voor onwettige doeleinden

4. Regelmatig inbreuk heeft gepleegd op een van de voorzieningen in de verordeningen betreffende zijn corporatie, indien deze naar de mening van zijn mede-corporatieleden ernstige inbreuken zijn

Kudwa zette zijn bril af. 'Dat heeft hij allemaal niet gedaan.'

Mevrouw Puri wendde zich met open mond tot Ajwani.

'Is dat zo? Zei hij niet dat hij het formulier zou tekenen en heeft hij zich toen niet bedacht? Is dat geen misleiding van de corporatie? Heeft hij de politie niet binnen onze poorten gehaald? En wat Mary in zijn vuilnis heeft aangetroffen, vertel het hem maar, Ajwani...'

De makelaar kietelde liever kleine Mariams buik dan dat hij die dingen zou beschrijven.

Kudwa nam zijn dochter weer over.

'Ik wil het u naar de zin maken door er ja tegen te zeggen. Dat is mijn zwakheid. Op school wilde ik mijn vrienden het naar de zin maken, dus ging ik bij de rock-'n-rollband. Ik heb mijn zoon op taekwondo gedaan omdat u iemand wilde met wie uw jongens konden oefenen. Ik wil het mijn buren naar de zin maken, die me als een oprecht mens zien, dus gedraag ik me zo.'

Ibrahim Kudwa sloot zijn ogen. Hij hield Mariam dicht tegen zich aan.

Hij wilde haar vertellen hoe anders zijn vroegere leven was geweest dan het leven dat voor haar lag.

Zijn vader had ijzerhandels geopend en gesloten in de ene stad na de andere, zowel in Noord- als in Zuid-India, voordat hij zich in Mumbai vestigde toen zijn zoon veertien was. De jongen had nooit ergens lang genoeg gewoond om vrienden te maken. Van zijn moeder leerde hij iets beters dan vrienden hebben: hoe je in een verduisterde kamer moest zitten en de uren verteren. Als zij de deur van haar slaapkamer sloot, gleed ze weg naar een andere wereld; hij deed hetzelfde in de zijne. Dan ging de deurbel en holden ze samen weer de echte wereld binnen. Gasten, familie, buren, hij zag zijn moeder die mensen omkopen met glimlachjes en lieve woordjes, zodat ze haar weer voor een paar uur elke dag zouden laten terugkeren naar haar privékoninkrijk.

Pas toen hij ouder werd begreep hij wat zijn opvoeding met hem had gedaan. Inplaats van een mensenziel had hij inwendige kakkerlakkenvoelsprieten ontwikkeld. Wat vond deze man van hoe hij zich kleedde? Wat vond die man over zijn politieke opvattingen? Zijn uitspraak van het Engels? Waar hij ook kwam, overal vormden de meningen van vijf of zes mensen die in zijn buurt woonden een hekwerk rondom Ibrahim Kudwa. Toen hij vijftien of zestien was en cricket speelde met zijn buurjongens, was hij op een keer achter de bal aan gehold tot die in een goot viel. Die moerassige goot, zwart, drabbig, stinkend, was het ergste wat hij in zijn leven gezien had. Maar hij wist dat zijn buurjongens wilden dat hij die bal zou zoeken. Toen zijn arm eruit kwam was die groen en zwart en stonk hij naar rotte eieren. Ibrahim had de smerige bal aan de andere jongens laten zien, draaide zich toen om en gooide hem terug in de goot. Hij zou nooit meer cricket met ze spelen.

Elke keer als hij die impuls tot beminnelijkheid in zich voelde, werd hij grof, en daarmee verwierf hij in zijn studiejaren de reputatie dat hij last had van vrouwelijke stemmingswisselingen. Toen hij met Mumtaz trouwde, dacht hij: *ik heb mijn middelpunt gevonden, deze vrouw zal mij sterk maken.* Maar de verlegen tandartsassistente was niet zo'n soort vrouw geweest: zij huilde in haar eentje als ze ongelukkig was. Ze weigerde hem houvast te bieden. Soms wilde Ibrahim alles opgeven – zelfs Mariam – en naar Ladakh vluchten en bij die Tibetaanse monniken gaan wonen die hij op zijn laatste vakantie gezien had.

Hij keek naar het document dat mevrouw Puri en Ajwani voor hem hadden meegebracht, maar hij raakte het niet aan.

'Nog maar drie, vier maanden geleden noemde u hem een Engelse gentleman. Ja, *u*, Sangeeta-ji. En nu...'

'Ibrahim, weet u wat de *Kala Paani* is?' vroeg Ajwani. 'Zo noemden ze in vroeger tijden de oceaan. Zwart water. Hindoes mochten niet op de Kala Paani varen. Daardoor zijn we achterlijk gebleven. Angst. We zitten nu allemaal op de Kala Paani. We moeten hem oversteken, of we blijven de rest van ons leven vastzitten in de Vishram Corporatie.'

'Diefstal,' fluisterde Kudwa. 'U vraagt me diefstal goed te keuren.'

'Het is geen diefstal. Laat ik u dat zeggen, Ibrahim, want ik weet wat het is om te stelen. Ik ben geen goed mens, zoals u bent. Ik zeg u: dit is *geen* diefstal.'

Kudwa sloeg op de tafel, Mariam schrok en begon te huilen.

Zijn gasten stonden op, Kudwa troostte zijn kind. Toen ze de deur bereikt hadden, dacht hij Ajwani te horen fluisteren: '... kenmerkend voor zijn soort mensen.'

Hij hoorde mevrouw Puri terugfluisteren: '...bedoelt u?'

Hij zag Ajwani bij de deur staan spelen met de witte kat en praten met mevrouw Puri, die achter de banyanboom stond.

'Gaan ze in het leger? Bij de politie? Geen greintje nationaal gevoel. Geen greintje.'

Kudwa kon nauwelijks ademhalen.

'Waarom haalt u de godsdienst erbij, Ajwani?' vroeg mevrouw Puri vanachter de boom. 'Hij woont al tien jaar in Vishram... nou ja, negen...'

De makelaar duwde tegen de witte kat met zijn schoen, hij krulde zich hulpeloos om zijn voet.

'Het is tijd om het te zeggen, mevrouw Puri. Als hij een christen was, een parsi, een sikh, zelfs een jaïn, dan zou hij akkoord gegaan zijn.'

En toen stierven de twee stemmen weg.

Kudwa sloot zijn ogen en gaf zijn dochter klopjes.

Dacht Ajwani dat hij dit plan niet kon doorzien? Mevrouw Puri ging er ook in mee. Ze hadden die toespraak waarschijnlijk geoefend voor ze zijn café waren binnen gekomen. Straks gingen ze hem lastigvallen over zijn haarroos. Maar het zou niet werken. *Niet* dus. Met zijn linkerhand klopte hij zijn schouders af.

Hij probeerde door te dringen tot de geest van zijn buurman. Zag Ajwani niet in dat uitzetting op henzelf zou terugslaan? Deze nieuwe tactiek zou Masterji alleen maar vastberadener maken.

Maar misschien *wilde* Ajwani wel dat het fout ging.

Kudwa had het gerucht gehoord dat de makelaar een 'zoethoudertje' beloofd was door meneer Shah. Misschien dat Ajwani's prijs zou stijgen naarmate het slechter ging in Vishram. Het web was inmiddels zo ingewikkeld. Kudwa zag hoe binnen de Vishram Corporatie bedoelingen achter bedoelingen scholen, en hij was zo in beslag genomen door zijn gedachten dat hij niet merkte dat de witte kat het kantoor binnen kwam, op zijn tafel klom en Mariam bijna in haar gezicht krabde.

17 AUGUSTUS

Een man in gevaar moet een vast patroon volgen.

Masterji ging nu nog maar twee keer per dag naar buiten. 's Morgens voor melk, 's avonds voor brood. Eenmaal buiten bleef hij dicht bij mensen in de buurt; om de tien stappen of zo draaide hij zich om en keek achter zich.

Hij zwichtte voor een middagdutje. 's Avonds, in het donker, kon hij de herinnering aan Purnima oproepen als hij voor de almira ging staan en de lucht van kamfer en haar oude sari inademde. Maar de middagen waren licht en moeilijk, dan wenkte de buitenwereld hem. Een vast dutje hielp hem de tijd door te komen.

Maar deze middag had hij een nachtmerrie gehad. Hij had gedroomd over Purnima's broers.

Hij werd wakker in de schemer en strompelde naar de wasbak in de woonkamer. Hij sloeg tegen de kraan met de muis van zijn hand.

Hij staarde naar de droge kraan en voelde dat er op dat moment niets in hem zat dat sterk was.

Hij sloot zijn ogen en dacht aan een volle maan die hij vele jaren geleden gezien had, tijdens een week vakantie in de Himalaya, een paar weken voor zijn huwelijk. Hij logeerde in een goedkoop hotel; op een nacht was het maanlicht zo helder dat hij er wakker van geworden was. Toen hij naar buiten ging was de koude hemel boven de bergen gevuld met een grotere en helderder maan dan hij ooit gezien had. Een stem had gefluisterd, als vanuit de hemelen: 'Je toekomst zal belangrijk zijn.'

Hij trok een cirkel in de droge wasbak.

Hij liep naar de drempel van het toilet en bleef staan; zwarte mieren kropen over de tegelvloer. Hij hield zich vast aan de deurposten en boog zich naar binnen. Aan de onderkant van de toiletpot hadden de zwarte dingetjes zich in een rij opgesteld als dieren aan een trog. Kon het nu nog een vraag zijn? Ze waren gekomen voor de suiker in zijn urine. Hij kon Purnima's stem bij hem horen aandringen: 'Je moet je laten onderzoeken. Morgen.'

Hij ging naar de keuken en telde af op haar kalender. Nog zevenenveertig dagen. Met zijn vinger op de omcirkelde datum zei hij hardop, zodat het goed tot haar zou doordringen: 'Als ik me laat onderzoeken en ze zeggen dat ik diabetes heb, dan zal me dat verzwakken, Purnima. Ik ga niet voor 3 oktober.'

Hij ging terug naar het toilet om de mieren weg te spoelen. Maar ook hier kwam er geen water uit de kraan.

Hij klikte met de lichtschakelaar: de lamp boven de toiletwasbak reageerde niet.

Toen hij zijn deur opendeed merkte hij dat de deurbel van 3B duidelijk overging; onder hem kon hij horen hoe Nina, de hulp van de Pinto's, water uit hun kranen liet stromen.

Het mysterie werd opgelost toen hij de trap af ging naar het mededelingenbord.

MEDEDELING

VISHRAM COÖPERATIEVE BEWONERSCORPORATIE BV

GEBOUW A

NOTULEN VAN DE ALGEMENE VERGADERING VAN GEBOUW A

OP 16 AUGUSTUS

ONDERWERP: UITSLUITING VAN EEN LID VAN DE CORPORATIE

Bij voldoende aanwezige leden begon de vergadering volgens schema rond 7 uur 30.

De heer Ramesh Ajwani (2C) zat de vergadering voor en bracht de zorgen van de leden ter tafel.

PUNT 1 VAN DE AGENDA:

Zoals vermeld in paragraaf 35, uitzetting van leden, van de Maharashtra Coöperatieve Corporatieswet van 1960, en tevens de punten 51 tot en met 56 van de Gemeentelijke Verordeningen, stellen wij dat een corporatie met een resolutie gesteund door een meerderheid van niet minder dan driekwart van de stemgerechtigde leden...

...of zijn flat gebruikt heeft voor immorele doeleinden of regelmatig misbruikt heeft voor onwettige doeleinden.

Op deze gronden werd voorgesteld door de heer Ajwani dat Yogesh Murthy, bewoner van 3A (voorheen bekend als 'Masterji') uit de corporatie zal worden gezet, aangezien hij regelmatig in gebreke is gebleven bij het betalen van zijn schulden en zich heeft ingelaten met twijfelachtige en immorele activiteiten in zijn woning.

Ibrahim Kudwa (4C) steunde dit voorstel.

Ondanks herhaaldelijk verzoek – en diverse malen aankloppen – bleek de heer Murthy niet bereid zichzelf tegenover de corporatie te verdedigen.

Unaniem werd de resolutie aangenomen om de heer Murthy uit de corporatie te zetten en hem te verzoeken om zijn woning binnen dertig dagen te ontruimen...

De vergadering werd gesloten om 8 uur 30 met dank aan de voorzitter.

De volledige lijst van handtekeningen van de leden is bijgevoegd. Veertien van de zestien deeleigenaren van de corporatie hebben het formulier getekend.

Kopie (1) aan de leden van gebouw A van Vishram Coöperatieve Bewonerscorporatie BV,

Kopie (2) aan de heer Ashvin Kothari, secretaris van Vishram Coöperatieve Bewonerscorporatie BV,
Kopie (3) aan de hoofdambtenaar van het Bureau Bewonerscorporaties, Mumbai.

Hij lag in het donker en voelde het gewicht van twee verdiepingen mensen boven hem en drie onder hem, die hem na tweeëndertig jaar uit zijn huis hadden gezet, die hem niet eens meer als een mens beschouwden – iemand die licht en water nodig heeft.

Hij had meteen Parekh gebeld.

'Dit is uitgesproken *van dattem*,' zei de advocaat. Ten eerste. Uitzetting uit een corporatie is een ernstige zaak – het ontzeggen van het fundamentele recht op onderkomen – en uitsluitend afdwingbaar aan criminelen en pornografen. De hoofdambtenaar van Corporatiezaken zal het niet toestaan waar het een eerbiedwaardig leraar betreft. Punt twee.' De advocaat schraapte zijn keel. 'Punt twee. Krachtens de Basisvoorzieningenwet van 1955 is het afsnijden van waterleiding of elektriciteit zonder gerechtelijk bevel een misdrijf. De secretaris van uw corporatie kan gevangenisstraf krijgen. Ik zal een briefje dicteren dat u aan genoemde secretaris moet overhandigen.'

'Ik pak even een pen, meneer Parekh.'

'Geef me het nummer van die *van-dattem*-secretaris,' zei de advocaat, 'dan bel ik hem zelf. Ik heb elke dag met een tiental corrupte secretarissen te maken.'

Aan het begin van de zomer was er sprake geweest van stroomonderbrekingen in Mumbai, en als voorzorg had hij kaarsen gekocht. Een ervan stond op de teakhouten tafel te branden. De was droop, de zwarte pit was zichtbaar. Hij dacht aan het lichaam van Purnima dat blakerde op haar uitvaartbrandstapel. Hij dacht aan de ingelijste prent van Galilei boven zijn spiegel.

Hij stak zijn vuist op; in het zwakke licht van de kaars wierp hij een schaduw op de muur. De aarde in de oneindige ruimte. Een stip erop was de stad Mumbai. Een stip daarop was de Vishram Corporatie. En die stip was van *hem*.

Zijn arm begon te trillen, maar hij ontspande zijn vuist niet.
Plotseling gingen de lichten weer aan. Het water stroomde in de wasbak. Hij spoelde de zwarte mieren door het toilet en waste zijn handen en reciteerde onderwijl de magische mantra, *Mofa, Mofa*.
Meneer Parekh had het weer geflikt.

BOEK ZEVEN

LAATSTE MAN IN TOREN

2 SEPTEMBER

Meer dan van elk ander deel van de stad waar hij woonde hield Shanmugham van zijn tocht over de Bandrabrug. 's Nachts, met het glanzend zwarte water van de Mahim Creek, de gloed van de borden van het Lilavatiziekenhuis voor hem, de vierkante lichten van de sloppen als gaten in het duister onder hem, was het alsof hij boven een filmset zweefde.

Nu, in de namiddag, zag hij de wazige blauwe pieren van de half voltooide Worli SeaLink in de verte in het water staan als een brug van deze wereld naar de volgende. Zweet droop van zijn helm in zijn ogen en brandde.

Hij droomde van sinaasappelsap op gemalen ijs met heel veel suiker en een vleugje rode masalapoeder erover. Hij hoopte een stalletje met vers vruchtensap te vinden in de buurt van het advocatenkantoor.

Hij parkeerde zijn motor bij het station, zette zijn helm af en schudde zijn haar stevig uit, waarbij hij zweetdruppels rondsproeide als een hond die een bad heeft genomen.

Tussen de vervallen panden bij het station zocht hij naar het advocatenkantoor. Het glimmen van een opengeklapt scheermes in een kapperszaak trok zijn blik. Befaamde Kapsalon. Dat was de aanwijzing waar het kantoor was.

Hij ging aan de overkant van de weg staan wachten.

Naast hem stond een man in een houten stalletje omringd door tomaten, komkommers en gekookte aardappels in emmers water. Met stapels witbrood en een kom boter op zijn tafel sneed hij de groenten fijn. Een rij kartonnen bordjes in het Engels hing aan een draad aan het dak van het stalletje:

NIET OM KREDIET VRAGEN

NIET AFDINGEN OP ONZE CONCURRERENDE PRIJZEN

NIET VRAGEN OM PLASTIC TASJES

NIET VRAGEN OM EXTRA TOMATENSAUS

NIET LANG BLIJVEN STAAN NA HET NUTTIGEN

Shanmugham keek jaloers naar al die verboden. De sandwichverkoper was dan misschien arm, maar hij kon wel zijn eigen wetten stellen. *Maar ik moet doen wat de baas zegt. Hij gooit een stok en ik moet hem apporteren.* Hij vroeg zich af of hij snel een geroosterde sandwich zou bestellen.

Een oude man met een paraplu liep, licht hinkend met zijn linkerbeen, langs de Befaamde Kapsalon en ging het gebouw ernaast binnen. Shanmugham hield op met denken aan eten.

Een halfrond matglazen bovenlicht liet grijs licht door in het trappenhuis van het pand van de Loyola Trust, een duif zat zijn vleugels op te schudden aan de andere kant.

Masterji hield stil op zijn klimtocht naar het advocatenkantoor om de pijn uit zijn linkerbeen te schoppen. Hij keek naar het onrustige silhouet van de vogel. Hij dacht: *waar zijn de regens gebleven?*

Hij haalde zijn zakdoek tevoorschijn, bette zijn snor die doornat was en stopte de vochtige lap weer in zijn zak.

De bloedarme Ganesha zat in zijn schemerige nis op de overloop. Het kleine votieflampje verbrandde olie tot de lucht van vleescurry. De vier beveiligingsmensen in kaki zaten weer te kaarten onder het beeld van Ganesha. Hun chappals, schoenen en sokken lagen op een hoop te dutten tegen de muur.

Binnen de melkweg van de stad herken je soms een autonoom zonnestelsel: zoiets als deze mannen die praktisch in stilte zaten te kaarten op deze schemerige overloop en alleen maar pauzeerden om te eten of de pit van de olielamp te vervangen. Rijk zouden ze nooit worden, maar zij hadden hun eeuwigdurende middag van kaarten en gezelschap. Terwijl Masterji om de handen en voeten van de bewakers heen liep, die op een ander kaartspel, uitgespreid op de grond leken, vroeg hij zich af of ze hier een Geen-ruzie-boek bijhielden.

PAREKH EN ZONEN

ADVOCAAT

'JURIDISCHE HAVIK MET ZIEL & GEWETEN'

De manieren in het advocatenkantoor waren inmiddels sterk verbeterd. De bediende met het rode potlood achter zijn oor glimlachte en zei: 'Ik wil de airconditioning wel aanzetten, meneer, u zweet zo. De beroerdste tijd van het jaar, hè? De regens houden op en het is weer midzomer.' Hij nam Masterji's zwarte paraplu aan, schudde hem uit en zette hem in een groene plastic emmer met paraplu's in andere kleuren.

Er verscheen een glas water op een bruin dienblad, de bediende boog voor Masterji.

'Ik heb hier het koudste glas water in heel Mumbai voor u, meneer. Het koudste.'

Verwacht hij er een fooi voor? Andere ondergeschikten liepen rond in het kantoor met hun mappen en glimlachten naar Masterji. Hij herinnerde zich het gevoel – dat had hij één keer gehad op de markt in Vakola – dat hij voor een miljonair werd aangezien. Nippend van het ijskoude water overwoog hij het raadsel van zijn toestand, toen de bediende zei: 'U kunt naar meneer Parekh toe, meneer.'

Met gebogen hoofd zat Parekh mobiel te bellen, de drie zilveren slierten over zijn kale hoofd glansden in het licht. Het gouden medaillon zat onder zijn overhemd gestopt en bolde op tussen de tweede en derde knoop.

Parekh keek op en staarde door zijn dikke bril Masterji aan, die besloten had te gaan zitten.

'U hebt me gebeld, meneer Parekh. U zei dat er goed nieuws was en dat ik voor de middag bij u langs moest komen.'

Alsof hij het zich nu herinnerde knikte de advocaat, verzamelde zijn slijm en ontlaadde het in de kwispedoor.

'U bent niet mijn enige cliënt, Masterji. Op elk willekeurig moment lever ik strijd tegen een tiental sloppenratten.'

Masterji knikte met gepaste ingetogenheid. Een bediende kwam binnen met thee voor de advocaat. Zo verstreken er een paar minuten, Parekh las een getypte brief en keek schuins op zijn mobiel telkens als er met luid gebel een sms-bericht binnen kwam. Voeten bonsden op het lage plafond. De spleten tussen de houten planken werden breder.

De deur van het kantoor ging open en een assistent – of was het zijn zoon? – liep op de advocaat toe. Parekh pakte een document van hem aan, tuurde erop en gooide het weer naar hem toe.

'Dit is niet het juiste goede nieuws. Niet van belang voor de zaak van Masterji.'

De assistent verdween, Masterji wachtte, voeten bewogen over het plafond.

'Ik moet één ding bekennen, Masterji,' zei Parekh. 'Ik had mijn twijfels, die avond toen ze de stroom hadden afgesloten bijvoorbeeld. Of toen uw mede-eiser, die meneer Pinto, bedreigd werd. Maar u bent trouw aan uzelf gebleven. U hebt bewezen dat u de baas bent over uw stukje aarde.'

Masterji knikte. 'Wij mannen van onze generatie hebben veel ellende meegemaakt. Oorlogen, noodtoestanden, verkiezingen. Wij weten te overleven.'

'Klopt,' zei Parekh. 'Mannen van een zekere generatie, dat zijn u en ik.'

De assistent kwam na een paar minuten terug met een ander document en deze keer wist de oude leraar dat het van belang was voor zijn zaak. Parekh keek Masterji aan, zijn wenkbrauwloze ogen schitterden.

'Het goede nieuws is niet gering.'

Masterji glimlachte. 'Wat is het goede nieuws?'

Parekh bladerde nog in het document en zei: 'Een schikking. Het zal een vermaarde schikking worden. Shah versus Murthy.'

'Maar wie is er met die schikking aangekomen?'

Meneer Parekh wendde zich tot zijn assistent of zoon, alsof hij de grap waardeerde.

'O, Masterji,' zei hij. 'De projectontwikkelaar natuurlijk. En in feite – onder ons gezegd, Masterji – hebben we meneer Shah voor de gek gehouden.' Hij veegde zijn lippen af. 'Want uw zaak stond aanvankelijk zwak. Dat kunnen we nu openlijk zeggen.'

'Mijn zaak zwak?'

'Natuurlijk.'

Masterji keek van Parekh naar de ander en toen weer naar Parekh.

'Hoe kunt u een schikking treffen zonder met mij te overleggen? Ik heb het deel-eigendomsbewijs. Ik ben eigenaar van mijn flat.'

Parekh glimlachte bedroefd. 'Nee, meneer. Dat bent u niet. In wezen, meneer, bent u, noch enig ander lid van enige geregistreerde coöperatieve bewonerscorporatie waar dan ook in deze staat, strikt gesproken de eigenaar van zijn of haar flat. Uw corporatie is de eigenaar van uw flat. U bezit een deel-eigendomsbewijs van die corporatie. Als de corporatie besluit uw flat te verkopen, hebt u geen recht om u te verzetten. In welk verband...' hij draaide zich om, om zijn keel te schrapen. De zoon of assistent declameerde: 'Dhiraj T. Kantaria en anderen versus Gemeentelijke Corporatie & Co., 2001 (3) Bom. C.R. 664; 2002 (5) Mh. L.J. 779; 2004 (6) LJSOFT 42.'

De advocaat veegde zijn lippen af en zei: 'Precies.'

'Maar Mofa...' mompelde Masterji. 'Mofa, Moja?'

De advocaat streek met zijn hand over zijn drie zilveren lokken. 'Het begrip Mofa Act dient niet licht te worden opgevat.' Hij schudde zijn hoofd. 'Dertig jaar lang hebt u uw leerlingen onderwezen overeenkomstig de Dharma. Laten wij nu twee docenten voor u zijn, Masterji. Zelfs advocaten die twintig, dertig jaar lang dit eerbiedwaardige beroep uitoefenen begrijpen niet wat de Mofa Act is, eerlijk gezegd. De gewone man kan de subtiliteiten van de Mofa Act niet begrijpen. Omdat men dient te bedenken hoe Mofa zich verhoudt tot MMRDA en BMC.

'MHADA,' herinnerde de ander hem. 'MHADA.'

'Zeer juist. In deze stad is er altijd MHADA. Ergens op de achtergrond. Soms op de voorgrond. We moeten niet vergeten dat de regering elke dag ULCRA kan intrekken. De Urban Land Ceiling Regulation Act. Dat moeten we allemaal overwegen voor we met de Mofa Act aankomen. Begrijpt u? Maakt u zich geen zorgen. Wij begrijpen het wel namens u.'

Masterji zag niet alleen twee intimiderende advocaten voor zich, maar de alomvattende aanwezigheid van gezag. *Hebben mijn leerlingen mij al die jaren zo gezien?* Onder dat lage plafond zat een oude leraar verpletterd onder begrip.

Deze advocaat met zijn verstopte gouden medaillon en deze jonge man, zoon of assistent, waren boeven die munten wisselden in de tempel van de wet. Daarom had Parekh om het telefoonnummer van de secretaris gevraagd; al die tijd hadden die twee contact met elkaar gehad.

Masterji keek naar de foto van Angkor Wat en vroeg: 'Hebt u met meneer Shah gesproken? Achter mijn rug om?'

'Meneer Shah nam contact met *mij* op. Zijn assistent kwam hier – een aardige Tamil-knul, hoe heette hij? Shatpati? Shodaraja?' De advocaat tikte tegen een tand. 'Geen visitekaartje, maar hij heeft me zijn nummer gegeven. Ik kan opnieuw gaan onderhandelen. Er een nog betere schikking voor u uitpersen.'

'Ik wil geen betere schikking.'

'We bezorgen u de *beste* schikking.'

'Ik wil *geen* schikking. Ik ga naar een andere advocaat.'

'Luister, Masterji.' Meneer Parekh boog zich naar hem over. 'De anderen zullen om een voorschot vragen en uw tijd verspillen en hetzelfde vertellen. Eerlijk gezegd, meneer, ik begrijp niet wat u wilt.'

'Dat zeg ik toch? *Niets.*'

Opeens leek de airconditioning het niet meer te doen: meneer Parekh veegde zijn nek af met een zakdoek.

'Meneer, die vastgoedmensen hebben het op ons, oudere burgers gemunt. De politici en de politie worden door hen betaald, dat weet u vast wel. Onlangs hebben ze een gekozen lid van het gemeentebestuur doodgeschoten. Op klaarlichte dag. Hebt u het niet in de krant gelezen? Oude mannen moeten elkaar steunen in deze nieuwe wereld.'

'Bent *u* me nu aan het bedreigen?' vroeg Masterji. 'Mijn eigen advocaat?'

Meneer Parekh niesde in een zakdoek en zei: 'Ik bedreig u met de feiten van de menselijke natuur, meneer.'

In plaats van een Angkor Wat achter het hoofd van de advocaat zag Masterji nu een beeld van het hooggerechtshof van Bombay: een gotisch gebouw met een hoog zwevend dak, antiek en massief, als een presse-papier zittend op de stad en voor de bewoners het symbool van het gezag van de wet. Nu sidderde dat hooggerechtshof met zijn hoge dak, en de solide gotische bogen werden snippers papier die neerdwarrelden op de schouders van een oude leraar. Mofa. MHADA. ULCRA. MSCA. ULFA. Mahamaulfacramrsamama-ma-ma-ma-ma... zacht, zacht, viel ze op hem neer, de armzalige wet van India.

Op dat moment hoorde hij meneer Parekhs jonge collega zeggen: 'U hebt zelfs uw aanvangskosten niet bij hem in rekening gebracht, vader. Al die fotokopieën die we moesten maken. U hebt een geweten, daar komt dat door. Alle oudere burgers zijn uw familie.'

Dus hij is de zoon, dacht Masterji. Dat hij over dit feit beschikte – ondergeschikt en zonder belang voor zijn problemen – vervulde hem op geheimzinnige wijze met kracht. Hij legde zijn handen op de armleuningen en stond op.

'Wacht eens even,' zei de jongere Parekh, die begreep dat de vogel op het punt stond te vliegen. 'Als u zomaar opstapt, hoe zit het dan met wat u ons schuldig bent? En al die fotokopieën die we voor u gemaakt hebben?'

Achter zich hoorde hij de protesterende stem van de jonge man: 'Hou hem tegen, vader, nu. Vader, ga achter hem aan.'

De groene emmer viel om toen Masterji zijn paraplu eruit haalde en er spatte water over zijn enkels.

Langs de bewakers en hun blinde godheid liep hij, de oude trap af, langs de duif die in het bovenlicht zijn veren opschudde.

Purnima, bad hij, *daal af en til me op uit het land der levenden.*

Zijn vrouw antwoordde terwijl hij het Loyola Trust Building uit rende in een aroma van versgefrituurde aardappels.

Hij bleef staan bij een frituurkraampje.

Seconden later loste een bal in deeg gefrituurde *vada pav*, gekocht voor vier rupee, op in Masterji's ingewanden. Olie, aardappel, cholesterol, onverzadigde vetten vertraagden de draaikolk in zijn buik.

Hij veegde het vernederende olielaagje van zijn lippen en vond een kruidenierswinkel waar hij kon bellen met een gele, in plastic verpakte munttelefoon. Gaurav zou nu op zijn werk zijn. De enige plek waar die jongen misschien los was van de invloed van zijn vrouw. Met de paraplu onder zijn arm belde hij Vittal in de schoolbibliotheek en vroeg naar het nummer van Gauravs bank, de Canara Cooperative Society. Met een tweede rupee belde hij de bank en vroeg naar meneer G. Murthy, junior vestigingsmanager.

'Met mij. Je vader. Ik bel vanuit Bandra. Er is net iets heel ergs gebeurd.'

Stilte.

'Wat is er, vader? Ik ben aan het werk.'

'Kun je nu praten? Het is dringend, Gaurav. Nee, dit is een munttelefoon. Ik zal jou bellen vanaf ditzelfde nummer. Tien minuten.'

Hij zei tegen de kruidenier dat hij de telefoon voor hem vrij moest houden, liep snel naar de frituurkraam en kocht nog een *vada pav*.

Kauwend op de gefrituurde aardappels liep hij terug naar het kantoor van Parekh. Bij de kapsalon zag hij een bekend donker gezicht weerspiegeld in een van de spiegels.

Hij draaide zich om en zag een man in een krakend wit overhemd voor het Loyola Trust Building staan.

Hij staarde naar meneer Shahs linkerhand. De metalen tralies van het gebouw kreunden toen er duiven op neerstreken.

'Meneer Masterji...' Shanmugham stak zijn hand uit. 'Doe u zelf dit niet aan. Dit is de laatste kans.'

Masterji huiverde bij het zien van die hand. Zonder een woord te zeggen liep hij weg van het kantoor van zijn ex-advocaat.

'Neem een andere advocaat,' zei Gaurav toen zijn vader hem door de munttelefoon alles had uitgelegd. 'Er zijn er duizenden in de stad.'

Masterji merkte dat de stem van zijn zoon anders klonk, bereid tot luisteren.

'Nee,' zei hij tegen Gaurav. 'Dat werkt niet. De wet werkt niet.'

Hij hoorde de tong van de projectontwikkelaar trillen in het slijm van Parekh. Net als de stemvork die hij in de les gebruikt had voor een geluidsproef. Corruptie was natuurkunde geworden, de exacte frequentie was ontdekt door meneer Shah. Als hij een andere advocaat zou nemen, zou die dikke tong hem ook inregelen.

'Mijn laatste hoop is Noronha. Bij de *Times*. Ik heb hem de ene brief na de andere geschreven en hij schrijft maar niet terug. Als ik hem zou kunnen bereiken, jongen...'

Weer stilte. Toen zei Gaurav: 'Ik heb een relatie bij de *Times*. Ik zal kijken of we Noronha kunnen bereiken. Ga intussen naar huis en doe de deur op slot, vader. Als ik van mijn relatie gehoord heb, bel ik jou.'

'Gaurav,' zei hij en zijn stem werd dik van dankbaarheid, 'dat zal ik doen, Gaurav. Ik ga naar huis en wacht tot jij belt.'

Er stond een koe vastgebonden naast de frituurkraam, een gezond beest met een zwarte vlek als een komeet op haar voorhoofd. Ze was net gemolken en een man met ontblote borst in een dhoti droeg een beschimmelde emmer naar binnen, de verse melk erin leek op radioactieve vloeistof. Naast de koe zat een vrouw in een saffraangele sari gehurkt havergort tot ballen te kneden. Naast haar werden twee kinderen gewassen door een andere vrouw. Een half dorp samengeperst in een barst in het wegdek. De koe kauwde op gras en broodvruchtenschillen. Rondbuikig en grootogig, glanzend van gezondheid zoog het diesel- en uitlaatgassen op, fijnstof en zwaveldioxide, vermaalde die in haar vier magen en distilleerde goede melk uit slechte lucht en water vol bacteriën. Aangetrokken door het magnetisme van al die blozende gezondheid stak de oude man zijn vinger uit naar haar buik vol strontkoeken. De levende organen van het beest trilden in hem door en zeiden: Al die kracht in mij is ook kracht in jou.

Ik ben goed geweest voor anderen. Ik heb dertig jaar lesgegeven.

De koe tilde haar staart op. Ze poepte op de weg. Als ze Masterji tegen de koe hadden zien praten en haar zijn ellende vertellen, zouden mensen die in de stad geboren waren misschien denken dat hij een dwaze oude man was, maar zij die uit de dorpen kwamen wisten beter: de vrouw in de saffraangele sari herkende de toewijding in zijn daad en stond op. De twee kinderen volgden haar. Al snel was het voorhoofd van de koe overdekt met mensenhanden.

Giri zette het eten op tafel. Witte rijst, spinaziecurry, curried beans en *pappad* rondom een *hilsa*-vis, geroosterd en in stukken gehakt met zout en peper en opgediend in een porseleinen schaal. De kop van de vis lag erbovenop met zijn bek open, alsof hij naar adem hapte tussen zijn eigen lichaamsdelen.

Het water liep Shah in de mond bij de hilsa. Hij liep om de eettafel heen in zijn huis in Malabar Hill met een zijden lap in zijn hand, een zakdoek die Rosie voor hem had gekocht, een van de kleine porties van zijn eigen geld die ze aan hem teruggaf, geparfumeerd en verpakt in damastpapier. Hij wreef het tussen zijn vingers.

Hij had door de flat gebeend sinds Shanmugham was teruggekomen van het advocatenkantoor, zwetend van het slechte nieuws. Frisse lucht. Hij liep naar het raam. Beneden, in de goot voor zijn flatgebouw, schooide een man in vodden naar lege flessen. Zelfs daar beneden zag Shah begeerte. Die bedelaar met zijn juten zak, als die het verhaal tot nu toe te horen zou krijgen, zou hij verstomd staan over die oude leraar. Een man die niets wil, die geen geheime ruimten in zijn hart heeft waarin een klein beetje meer geld gepropt kan worden, wat is dat voor man?

'Ik heb alle soorten onderhandelingstactieken meegemaakt, Giri. Ik kan ze indelen. Zeggen dat je ziek bent. Blind. Dat je je geliefde dode hond Timmy of Tommy mist, die in die flat gewoond heeft. Maar de tactiek van gewoonweg nee blijven zeggen, die heb ik nog nooit meegemaakt.'

'Ja, baas,' zei Giri. 'Wilt u nu gaan eten?'

'We hebben hier te maken met het gevaarlijkste op aarde, Giri. Een zwakke man. Een zwakke man die een plek heeft gevonden waar hij zich sterk voelt. Hij gaat niet weg uit Vishram. Dat begrijp ik nu wel.'

Giri raakte zijn meester aan.

'Ga zitten. Anders wordt de hilsa koud, en waarvoor heeft Giri zich dan zo uitgesloofd?'

Shah keek naar de vis en hij kreeg een visioen van de oude leraar, net zo in moten gesneden en gehakt, gezouten, gepeperd, op de eettafel. Hij huiverde en frummelde weer met het zijden doekje.

Alles wat Shanmugham tot nu toe gedaan had was een jongen met een hockeystick sturen om met die oude man te praten, meneer Pinto. Daar was niets crimineels aan. Hij had de Vishram Corporatie alleen maar een cadeautje uit de werkelijkheid gestuurd. Hij had aangenomen dat dat genoeg zou zijn voor een flatgebouw vol oudere mensen. Sociale dieren.

Nu stond Shanmugham in de kelder op instructies te wachten. Hij kon hem zien staan bij de buitenspiegel van een auto of in de lift, terwijl hij zijn dreigementen oefende: 'Oude man, we hebben je alle kansen gegeven en nu kunnen we niets anders dan...'

De zijde werd warm tussen Shahs vingers.

Een vuile handel, de bouw, en hij was groot geworden met het vuilste deel ervan. Renovatie. Als je van vis houdt, moet je wel eens wat graten slikken. Hij verontschuldigde zich niet voor wat hij gedaan had om dit te bereiken. Maar het was niet bedoeld dat het zo zou gaan met het Shanghai, niet nadat hij 206.000 rupee per vierkante meter had geboden voor een oeroud gebouw.

De warme zakdoek viel op de grond.

Boven de schrijftafel in zijn studeerkamer hing het cadeau van Rosie, de ingelijste zwart-witposter met de drie fasen van de bouw van de Eiffeltoren. Shah plaatste al zijn vingers op de gepolijste mahonietafel en zag, als door een periscoop, het konijnengangenstelsel van geldnetwerken dat eronder liep, hij ging de diepste, meest geheime paden na waarlangs de Confidence Group zijn geld sluisde en volgde de voorbijschietende serienummers van rekeningen op de Kanaaleilanden en de Malediven. Hij was meester van geziene en ongeziene dingen. Gebouwen die boven de grond oprezen en geldstromen die eronder bewogen.

En waarom had hij die dingen boven en onder de aarde gebouwd?

Nu geloofde iedereen dat India een rijk land zou worden. Hij had dat tien jaar geleden al geweten. Hij had toekomstplannen gemaakt. Wegwezen uit de sloppenrenovatie. Beginnen met glanzende wolkenkrabbers bouwen, winkelcentra, misschien ooit een hele buitenwijk, zoals de Hiranandani's in Powai. Iets nalaten, een nieuwe naam, de Confidence Group, stichter Dharmen Vrijesh Shah, zoon van een eerste vrouw uit Krishnapur.

En een stomme oude leraar zou dat in de weg staan? Een van de buren had Shanmugham verteld dat de zoon van Masterji contact met haar had opgenomen. Hij had haar verteld dat zijn vader van plan was de volgende dag naar de *Times of India* te stappen. Om te zeggen dat de Confidence Group hem bedreigde.

De projectontwikkelaar sloeg met beide vlakke handen tegen

zijn schedel. Waarom had hij van alle goede bewonerscorporaties in Vakola, van alle corporaties die *snakten* naar zo'n aanbod, uitgerekend deze uitgekozen?

Noodlot, toeval, bestemming, geluk, horoscopen. Een man had zijn wilskracht, maar overal om hem heen waren duistere krachten aan het werk. Dus zocht hij bescherming in de astrologie. Zijn moeder was gestorven toen hij klein was. Was hij niet vanaf het begin voorbestemd voor het ongeluk? De zoon van een eerste vrouw. Krishnapur, de lucht van de koeienstront hing in zijn neusvleugels. Hij was ertegen in opstand gekomen, maar het was er nog, de dorpsmodder, het dorpsfatalisme.

Hij kon Vishram nu niet meer laten zitten. Hij zou zijn gezicht verliezen in Vakola. J.J. Chacko zou overal langs de snelweg reclameborden neerzetten om hem te honen.

En dat betekende dat hij met die oude man maar één ding kon doen. Er was maar één ding dat het Shanghai mogelijk kon maken. Shah dacht aan de gehakte hilsa.

Als een projectontwikkelaar vroeger een probleem had, belandde dat probleem in stukken in het natte beton, het werd onderdeel van het gebouw dat het had willen tegenhouden. Een beetje calcium was goed voor de fundamenten. Maar die dagen waren voorbij: de wetteloze dagen van de jaren 1980 en '90. Vishram was een middenklassenflatgebouw. De man was leraar. Als hij plotseling overleed, zou er meteen een verdachte zijn. De politie zou de volgende morgen al naar Malabar Hill komen en aan zijn deur bellen.

Aan de andere kant zaten de handen van de politiemensen goed onder de smeer. Hij zou vrijuit kunnen gaan als de klus goed gedaan werd: wetenschappelijk, geen vingerafdrukken. Zijn reputatie in Vakola zou zeker stijgen; diep vanbinnen bewondert iedereen geweld. Het was een risico, een groot risico, maar hij zou ermee weg kunnen komen. Hij bukte en raapte het zijden doekje op.

Terwijl het weer opwarmde tussen zijn vingers hoorde hij gesnurk.

De deur van de kamer van zijn zoon stond op een kier. Satish' dikke benen lagen tegen elkaar opgetrokken op het bed. Shah sloot de deur achter zich en ging naast zijn zoon zitten.

Nu hij zijn zoon daar zo zag, een ademend ding tussen warme, losgewoelde lakens, dacht Shah aan de vrouw met wie hij dit nieuwe leven gemaakt had. Rukmini. Hij had haar nog nooit gezien voor de trouwdag; ze was hem per bus toegestuurd uit Krishnapur nadat hij geweigerd had om terug te komen voor het huwelijk. Ze waren hier in de stad getrouwd. Hij bewonderde haar moed: ze had zich binnen een paar uur aangepast aan de grote stad. Op de avond van de trouwdag maakte ze ruzie met de man van de kruidenierswinkel over de prijs van witte suiker. Na al die jaren glimlachte Shah nog bij de herinnering. Dertien jaar lang had ze zijn huishouden gedaan, zijn zoon opgevoed en de scepter gezwaaid over zijn keuken terwijl hij schreeuwde tegen zijn collega's en linkerhanden in de woonkamer of aan de telefoon. Ze leek net zo min een mening te hebben over het bouwvak als hij over koken. Toen was ze op een avond – hij wist niet meer wat ze moest hebben gehoord – naar de slaapkamer gekomen, had de muziek van Kishore Kumar afgezet en gezegd: 'Als jij andere mensen en hun kinderen blijft bedreigen, kan er op een dag wel eens iets met je eigen kind gebeuren.'

Toen zette ze de muziek weer aan en liep de kamer uit. De enige keer dat ze ooit iets over zijn werk had gezegd.

Shah raakte het donkere lichaam op het doorwoelde bed aan. Hij voelde de toekomst van zijn zoon als een koorts. Drugs, alcohol. Gevangenis. Een spiraal van ellende. Allemaal vanwege *zijn* karma.

Hij had het gevoel alsof hij over iets voorvaderlijks gestruikeld was dat half begraven lag, als een pot goud in de achtertuin: schaamtegevoel.

'Baas.' Het was Giri, als een silhouet tegen het verblindende licht door de open deur. 'De hilsa.'

'Gooi maar weg. En doe de deur dicht, Giri, Satish slaapt.'

'Baas. Shanmugham... is boven gekomen. Hij vraagt of u hem iets te zeggen hebt.'

De almira van zijn vrouw stond open, de geur van haar trouwsari en de oude kamferballen hing in de lucht van de slaapkamer. Masterji zat als een yogi op de vloer.

Mevrouw Puri schreeuwde een deur verder tegen haar man, de secretaris stampte boven zijn hoofd met zijn zware voeten. Toen hoorde hij voeten van overal in het flatgebouw naar de deur onder hem lopen. Ze praatten met de Pinto's. Hij hoorde stemmen aanzwellen en toen zei meneer Pinto: 'Goed dan. Goed. Maar laat ons dan met rust.'

Een paar minuten later werd er aangebeld.

Toen hij opendeed stond er een kleine, magere vrouw met een rood notitieboek. Een blauw elastiek was er dubbel omheen gebonden.

'Meneer Pinto heeft dit aan zijn hulp gegeven om aan u te geven, Masterji.'

'En waarom geef jij het me dan, Mary?'

Mary keek naar haar voeten. 'Omdat ze het niet zelf aan u wilde geven.'

Masterji pakte het rode boek aan en schoof het elastiek eraf. Het Geen-ruzie-boek was aan hem teruggegeven met een geel Post-it-briefje op het omslag: *Alle schulden vereffend, rekening gesloten.*

'Niet boos zijn op meneer Pinto,' fluisterde Mary. 'Ze hebben hem ertoe gedwongen. Mevrouw Puri en de anderen.'

Masterji knikte. 'Ik neem het hem niet kwalijk. Hij is bang.'

Hij wist niet of hij Mary aan moest kijken. In al die jaren had hij, behalve over dingen die rechtstreeks met haar werk te maken hadden, nog geen tien woorden met de schoonmaakster van zijn corporatie gewisseld.

Ze glimlachte. 'Maar maakt u zich geen zorgen, Masterji. God zal ons beschermen. Ze proberen mij ook mijn huis uit te gooien. Ik woon bij de nullah.'

Masterji keek naar Mary's handen, die onder de striemen zaten. Hij herinnerde zich een jongen op school wiens moeder voddenraapster was. Haar handen zaten vol met rattenbeten en lange schrammen.

Hoe konden ze zo'n arme vrouw haar hut uit gooien? Hoevelen werden er gedwongen hun huis te verlaten – wat werd deze stad aangedaan uit naam van de vooruitgang?

Hij sloot de deur achter Mary en drukte zijn voorhoofd tegen het koele hout. Niet boos worden. Purnima zou het niet willen.

De telefoon ging over. Hoewel hij een telefoontje van Gaurav verwachtte, liep hij op de telefoon af zoals hij zich dat nog maar net aangeleerd had, angstvallig.

Hij nam de hoorn op en hield hem tegen zijn oor. Hij haalde opgelucht adem.

Gaurav.

'Goed nieuws, vader. Ik heb Noronha weten te bereiken. Mijn relatie heeft me met hem in contact gebracht. Ik heb de toestand uitgelegd: de bedreigingen, de telefoontjes, het geweld tegen meneer Pinto...'

Masterji was zo opgewonden dat hij de hoorn van zijn ene naar zijn andere oor overbracht.

'En dat bedrog van vandaag bij de advocaat? Dat heb je toch niet weggelaten?'

'Dat ook, vader. Noronha wil ons spreken.'

'Geweldig, geweldig.'

'Vader, Noronha komt alleen naar ons luisteren. Hij kan niets beloven.'

'Begrijp ik,' zei Masterji. 'Begrijp ik helemaal. Ik wil alleen maar de kans om wat tegen die meneer Shah te doen. Tot nu toe is de stand honderd-nul in zijn voordeel. Ik wil hem een flinke stomp in zijn maag verkopen. Meer vraag ik niet van Noronha.'

'Hij kan ons morgen om vijf uur op het kantoor van de *Times of India* ontvangen. In de hal, kun je daarnaartoe komen? Ja, ik kom meteen van mijn werk naar het Victoria Terminus.'

'Dank je wel, jongen. Uiteindelijk heb je toch je familie, wat is er anders? Ik wist dat ik op je kon rekenen. Tot morgen dan.'

Masterji lag in bed met zijn voeten te trappelen als een jongetje.

In meneer Shahs huis in Malabar Hill had Giri de keuken geveegd, het gas uitgedraaid, de post opengemaakt en de brieven gesorteerd. Het laatste wat hij moest doen voor hij wegging was het vervalsen van de handtekening van zijn werkgever.

Giri haalde zijn bifocale bril tevoorschijn – een cadeau van zijn baas op zijn vijftigste verjaardag – en ging aan tafel zitten met de poster van de Eiffeltoren-in-uitvoering achter hem. Hij knipte de bureaulamp aan en schoof de tweede la open, waarin de chequeboeken lagen. Giri's handschrift, dat de handtekening van zijn meester uit 1978 exact kon namaken, was aanzienlijk authentieker dan dat van Shah, dat in de loop der jaren van karakter was veranderd. Om die reden had Shah al lang het tekenen van de maandelijkse rekeningen aan hem toevertrouwd. Giri haalde ze een voor een uit een blauwe kartonnen map. De elektriciteitsrekening. De maandelijkse onderhoudsbijdrage van de corporatie. Een verzoek op vrijwillige basis om vijfduizend rupee voor de installatie van waterreservoirs in het pand. 'Vrijwillig.' Giri snoof. Dat betekent dat je geld geeft als je dat wilt. Hij verfrommelde het papier en gooide het in de prullenmand.

Daarna bestudeerde hij de rekening van de creditcard van zijn baas voor hij er een cheque voor uitschreef. Hij nam een andere creditcardrekening door en tekende een tweede cheque voor 'dat mens in Versova', die hij weigerde een nauwkeuriger naam te gunnen.

Hij knipte de bureaulamp uit.

Bijna negen uur. Hij zou een uur lang in de trein zitten naar Borivali, waar hij met zijn moeder in een flatje met één slaapkamer woonde. In de keuken verwisselde Giri zijn blauwe *lungi* voor een bruine polyester broek en trok een wit overhemd aan over zijn *banian*.

Satish was weg uit zijn slaapkamer. Giri trok de lakens recht.

Meneer Shah lag in bed met zijn arm om dat gipsen bouwwerk dat al die weken naast het beeld van de dansende Nataraja had gestaan. Giri probeerde de maquette uit de armen van zijn meester te wrikken en gaf het op.

Hij draaide het licht in de flat uit en deed de deur open, waar hij Shanmugham trof, met zijn armen over elkaar.

'Wanneer krijg ik antwoord van de baas?' vroeg de linkerhand. 'Als we die oude leraar zijn armen en benen willen breken, moeten we het nu doen.'

3 SEPTEMBER

Het was nog geen vier uur. Masterji bleef staan bij de Florafontein om zijn gezicht af te vegen met een zakdoek; koel water klaterde omlaag langs het oude, gevlekte marmer, langs de godinnen en bomen en dolfijnen.

Hij passeerde het bronzen beeld van Dadabhai Naoroji en liep door de schaduw van gebouwen met galerijen naar het kantoor van de *Times of India*. Hij verwachtte half dat Shanmugham achter hem zou lopen en bleef blikken over zijn schouder werpen, en daarom zag hij het pas toen hij er pal voor stond.

Victoria Terminus.

Het was jaren geleden sinds hij het grootse spoorwegstation gezien had, het indrukwekkendste gotische gebouw van de stad. Demonen, koepels, topgevels en waterspuwers overwoekerden de krankzinnige massa gekleurde steen. Stenen bulldogs ontvluchtten de centrale koepel, rammen, wolven, pauwen, andere naamloze hysterische beesten dromden allemaal het station uit, in stilte krijsend boven het verkeer en de herrie. De waanzin werd nog vermenigvuldigd door een kordon van palmbomen als waaiers om het gebouw, dartele, zinnelijke, heidense bomen die de waterspuwers plaagden, bijna kietelden.

Het hart van Bombay – als dat er is – ben ik, ben ik!

Het pand van de *Times of India* lag net om de hoek; hij had nog een uur. Hij stak de straat over. In de koele zuilenhal van het station zag hij stenen wolven boven op de kapitelen van de zuilen, als op het punt om de mensen beneden te bespringen. Op een van de zuilen van het station zag hij een aanplakbiljet, met plakband vast-gemaakt, voor een jongen die vermist werd in de stad, als een echt slachtoffer van de denkbeeldige wolven van de architectuur. De let-ters, in het Hindi, waren uitgelopen en hij kon ze met moeite lezen en dacht aan de eenzame ouders die de jongen zochten en hoe ze de onverschillige politie om inlichtingen smeekten, tot ze de trein terugnamen naar Bhopal of Ranchi, uitgeput en verslagen.

Eens was hij net zo'n migrant geweest als degenen die door de deur van het station de stad binnen stroomden, mannen en vrou-wen uit Bihar en Uttar Pradesh die alles wat ze bezaten in bundels van textiel meedroegen. Ze stapten vanuit de schaduw van de ste-nen wolven en knipperden met hun ogen in het rauwe licht van Mumbai. Maar in hun bundels zat niet wat in de zijne had gezeten: een opleiding. Hoeveel van hen zouden eindigen zoals die jongen op het aanplakbiljet – in elkaar geslagen, ontvoerd of vermoord? Zijn hart liep over van medelijden met hun kleinere strijd.

'Point! Point! Point!'

De taxichauffeurs die voor het station wachtten eisten dat hij zich naar Nariman Point zou laten brengen. Hij schudde zijn hoofd, maar het geschreeuw ging maar door. Hij kon hun wilskracht voe-len als iets lichamelijks, een stormram die de zijne probeerde te verbrijzelen.

Toen hij de hal van het gebouw van de *Times of India* binnen kwam, keek hij aan tegen een reusachtige muurschildering van Ja-waharlal Nehru en Indira Gandhi die een exemplaar van de *Times* doornamen. Hij ging zitten wachten. Nog een halfuur. Mensen stroomden de hal in en uit. *Hoeveel*, vroeg hij zich af, *komen er voor Noronha?* Hij voelde de vertrouwde trots om een leerling die het goed gaat, zoiets als een scheut van een groeihormoon dat een jon-ge boom doet oprijzen en een oude leraar zin geeft in een nieuwe ronde leven.

Hij vond een stoel. Hij begon weg te dutten. Toen hij zijn ogen opendeed, zag hij Gaurav in een blauw zakenoverhemd, broek met vouw en een das, die hem bij zijn schouder schudde.

'Sorry, jongen, ik was moe.' Masterji stond op van zijn stoel.
'Zullen we naar binnen gaan en Noronha opzoeken?'
De woorden lagen daar op Gauravs tong. *Ik. Heb. Noronha. Niet. Gebeld. Ik. Heb. Hem. Niet. Gebeld,* maar toen ze eruit kwamen, waren ze veranderd in: 'Ja. Maar ik wil eerst iets eten, vader.'
'Maar onze afspraak dan?'
'We hebben tijd, vader. Tijd genoeg. Nu heb ik honger.'
Vader en zoon liepen naar de McDonald's tegenover het Victoria Terminus-station. Masterji ging zitten aan een tafeltje buiten en wachtte tot Gaurav naar buiten kwam met zijn eten. Hij wilde dat hij zijn Rubik's Cube bij zich had. Iemand had een reclamefolder op het tafeltje laten liggen.

ONGEDULD IS NU EEN DEUGD

HOGESNELHEID BREEDBAND-INTERNET

512 KBPS VANAF 390 RUPEE PER MAAND

Hij keerde hem om en krabbelde met een blauwe balpen op de achterkant en schreef woorden boven de krabbels:

Politie
Media
Wet en Handhaving
Maatschappelijk werk
Familie
Leerlingen en netwerken

Toen streepte hij 'Wet en Handhaving' en 'Maatschappelijk werk' en 'Politie' door.
Gaurav kwam het restaurant uit met een ijsbeker met chocoladesaus. Hij verzwolg hem met een plastic lepel.
Bij zijn zoon thuis sprak Masterji Hindi, zodat Sonal hem kon verstaan; nu ging hij over op een mengsel van Engels en Kannada, de taal van hun voorouders.

'Hoe laat zei Noronha dat hij ons zou ontvangen, jongen?'

Gaurav verslond zijn ijs met een bijna gelijktijdige samentrekking van tong en slokdarm.

'Hij ontvangt ons niet, vader. Die Noronha van je.'

'Wat bedoel je?'

Gaurav sloot een oog en groef in de chocolademodder onder de slinkende vanille.

'Dit is geen verhaal voor zijn krant.'

'Waarom niet? Een gepensioneerde neemt het op tegen een grote projectontwikkelaar. "Laatste Man in Toren Bestrijdt Projectontwikkelaar." Dat klinkt volgens mij als een verhaal.'

Gaurav haalde zijn schouders op, hij at door van zijn ijs.

Masterji staarde zijn zoon met open mond aan. 'Heeft die relatie van je Noronha echt gesproken? Heb je wel een relatie bij de *Times*?'

Gauravs lepel schraapte de laatste chocolademodder van de bodem van de beker.

'Ik heb zitten wachten tot je zou bellen, vader. Dagen en dagen. Ik zei tegen Sonal: Er is gedonder in Vishram. Tante Sangeeta belt me voortdurend. Mijn eigen vader belt niet. Maar als je dan belt, wat zeg je dan?'

Gaurav verfrommelde zijn beker.

'Neem contact op met Noronha. Maak een afspraak. Ik heb echt een relatie bij de *Times*, vader, ik lieg niet tegen je. Ik kreeg het nummer van Noronha en ik heb de telefoon opgenomen om hem te bellen en ik dacht: mijn vader behandelt me als personeel. Niet als zijn enige kind dat nog in leven is.'

Een rood motje fladderde rondom Masterji's hand, als een luchtdeeltje dat hem ergens voor wilde waarschuwen.

'Gaurav, ik belde je omdat ik nergens anders... Jij bent de laatste.'

'Vader, wat wil je van de Confidence Group?'

Masterji had Gaurav nog nooit zo vastberaden gehoord of gezien. Hij voelde de kracht die uit hem stroomde.

'Niets.'

De jongen trok zijn bovenlip smalend op. Purnima deed dat vroeger ook.

'Je liegt, vader.'

'Lieg ik?'

'Zie je dan niet wat er achter dat niets zit? *Jij*. Jij denkt dat je een groot man bent, omdat je tegen die Shah vecht. Een tweede Galilei of Gandhi. Je denkt niet aan je eigen kleinzoon.'

'Ik denk *wel* aan Ronak. Die man, meneer Shah, heeft de Pinto's bedreigd. Op klaarlichte dag. Wil jij dat Ronak opgroeit in een stad waar hij op klaarlichte dag kan worden bedreigd of onder druk gezet? Gaurav, luister. Dhirubhai Ambani zei dat hij voor iedereen een *salaam* zou maken om de rijkste man van India te worden. Ik heb nooit voor iemand een *salaam* gemaakt. Dit is een stad geweest waar een vrij man zijn waardigheid kon behouden.'

Gaurav keek verstoord. Afgezien van het vet dat zich erop verzameld had, leken zijn scherpe trekken en ovale gezicht op die van zijn vader, maar als hij zijn wenkbrauwen fronste, doorsneed een donkere, schuine vore zijn voorhoofd, als een boekenlegger die zijn moeder daar had achtergelaten.

'Misschien *had* je ook meer mensen moeten groeten, vader.'

Maandenlang had hij zich nu al ingebeeld dat hij tegen Purnima praatte en dat hij uit de verte zachte antwoorden hoorde, maar nu was het of zijn vrouw pal voor hem zat te praten.

'Misschien had Sandhya niet met de trein hoeven gaan als je meer geld had verdiend. Misschien had ze dan veilig in een taxi gezeten op de dag dat ze eruit geduwd werd. Ze was mijn zus, ik denk ook aan haar.'

'Jongen. Jongen.' Masterji leunde op het stuk papier waarop hij had zitten schrijven. 'Jongen.'

'Alle andere ouders in de Vishram Corporatie hebben aan hun kinderen gedacht. Maar *jij* niet. Zo is het altijd geweest. Toen ik op school van jou natuurkunde kreeg, gaf je mij meer straf dan de anderen.'

'Ik moest de andere jongens laten zien dat ik niemand voortrok.'

'Mijn leven lang ben ik bang voor je geweest. Jij en die stalen liniaal waarmee je op mijn knokkels sloeg. *Omdat ik 's middags sliep.* Is dat een misdaad? Jij hebt het leven van mijn moeder tot een hel gemaakt. Ruzie maken met haar over elke vijf rupee die ze uitgaf. Weet je niet meer wat ze op haar sterfbed zei, toen ik vroeg of ze een goed leven had gehad? Ze zei: Ik heb een gelukkige jeugd gehad, Gaurav. *Een gelukkige jeugd,* vader – en daarna niets meer.'

'Laat je moeders naam hierbuiten.'

'Je leerlingen gingen voor jou altijd voor. Altijd. Niet dat ze van je hielden.' Hij grinnikte. 'Ze gaven je altijd bijnamen op school. Smerige bijnamen.'

'Zo is het genoeg.' Masterji stond op. 'Ik ga zelf wel naar Noronha.'

'Ga maar. Ga. Denk je dat je lievelingetje *Noronha* je zal ontvangen? Heeft hij gereageerd op je brieven of je telefoontjes? Hij was degene die jou al die bijnamen gaf op school. Ga maar. Maar voordat je gaat, wil ik je een advies geven. Laat me voor één keer eens een leraar voor jou zijn, vader.'

(*Waarom zegt* iedereen *dat?* vroeg Masterji zich af.)

'Weet je waar je hier mee te maken hebt, vader? Met de bouw. Allemaal maffia. Tante Sangeeta vertelt me dat je het heerlijk vindt om te praten over vloedgolven en meteoren in je lessen. Maak je zorgen om messen, vader, niet om de oceaan. Heb je die grote posters bij de bouwplaatsen niet gezien? "Uw eigen zwembad, sportzaal, tv, trouwzaal, airconditioning." Als je zulke dromen verkoopt, kun je iedereen vermoorden die je wilt. De vervaldatum is over nog maar een paar dagen. Als je nee blijft zeggen tegen meneer Shah, dan vinden we je op een ochtend in een goot. Je. Bent. Helemaal. Alleen.' Gaurav stond op. 'Ik moet nu weer naar mijn werk. We kunnen geen lange pauzes nemen op de bank, of het komt in ons volgende functioneringsrapport.'

Masterji las de woorden die hij op het papier geschreven had:

Media
~~De wet~~
~~Maatschappelijk werk~~

Het papier waaide de drukke straat op.

Hij liep weg van de McDonald's en ging voor Victoria Terminus staan. Hoog boven in het gebouw hield een waterspuwer hem in de gaten. Hij stak zijn tong uit en zei: *Ik heb leerlingen in hoge posities.* Hij wendde zijn blik af. Een andere waterspuwer grijnsde: *Ik doe geen beroep op Noronha.* En een derde gnuifde: *Een leraar heeft zo zijn relaties.*

Toen werd de hele steenmassa van het Terminusstation weggeblazen; er had een trompet geklonken op een paar centimeter van Masterji's oren. Leden van een muziekkorps die geen dienst hadden kwamen over het wegdek aan lopen; een man met een tuba gaf zo nu en dan een stoot weg om de mensen te waarschuwen dat ze opzij moesten. Ze droegen rode overhemden met gouden epauletten en witte broeken met een zwarte streep erlangs, en ze waren in gehavende laarzen gestoken. Opeens stonden ze allemaal om Masterji heen met hun zilverachtige instrumenten; meegesleurd door de stoten op de tuba liep hij erachteraan. De overhemden van de muzikanten zaten onder de zweetplekken en hun lijven waren ingezakt. Hij liep achter de man met de tuba, hij keek recht in de wijde mond ervan en begon de blutsen en deuken op de huid ervan te tellen.

Misschien omdat ze zijn aanwezigheid in hun midden opmerkten, maakten de muzikanten zich van hem los toen ze in de buurt van de Crawford Market kwamen, door opeens gezamenlijk rechts af te slaan. Masterji bleef in een rechte lijn lopen, als een dier dat voortgesleept wordt aan zijn halsband. Zijn lichaam was ten prooi gevallen aan traagheid maar hij had zijn hals en ogen volledig onder bedwang toen hij zag dat de klok op de Crawford Market kapot was. Het wegdek werd schemerig. Nu liep hij op de Mohammad Ali Road. De donkere rotskloof van beton en oude stenen versterkte het verkeerskabaal. Aan beide zijden sloten dikke gebouwen het licht uit, terwijl de JJ Flyover, die op zuilen zijn gegroefde lijf draaide en kronkelde als een jagende alligator, zijn schaduw uitgoot over de weg beneden.

Iemand raakte hem van links aan.

Drie geiten waren uit een steeg gekomen en een ervan schuurde tegen zijn linkerbeen.

Dagloners sliepen op de straat, onbewust van de bewegende voeten om hen heen. De houten karren die ze de hele dag hadden getrokken stonden naast hen, vanonder een ervan staken de poten van een hond uit, alsof de kar zijn dierlijke vingers in de avondkoelte ontspande. Een oude man zat naast stapels kranten, op hun plaats gehouden door stenen, elke steen leek de kristallisatie van een of andere harde waarheid in de krant. Masterji stopte om naar de kranten te kijken.

Ze hebben iemand van het gemeentebestuur doodgeschoten. Het stond in de krant.

Hij herinnerde zich dat de Bhendi Bazaar, een van de ronselplekken van de maffia, net om de hoek lag. Elk van die ongeschoren mannen langs de weg die niks anders te doen hadden dan thee slurpen, zou het voor meneer Shah doen. Er zou een mes in zijn hals gestoken worden. Erger nog: zijn knieën zouden verbrijzeld worden. Hij zou invalide gemaakt worden. Blind.

Zweetdruppels dropen vanuit zijn nek helemaal tot onder aan zijn ruggengraat.

Had Gaurav soms gelijk en was het alleen zijn trots die hem ervan weerhield om tegen meneer Shah te zeggen: 'Ik accepteer uw bod. Laat me nu met rust!'

Rook waaide in zijn richting vanaf de houtskool-kebabgrills voor de oneindige rij goedkope restaurants langs de Mohammad Ali Road. Masterji liep een restaurant binnen dat zo smerig was dat hij wist dat hij zijn één-rat-regel had overtreden nog voordat hij naar binnen gegaan was. Een kleine gehurkte gestalte bij de deur vouwde zijn benen op om hem door te laten.

Hij ging zitten op een van de gemeenschappelijke banken waar arbeiders zaten te wachten op thee en brood en biscuits op vochtige, vuile borden.

'Wat?' vroeg de ober en hij veegde met een vuile rode lap over de tafel om de indruk te wekken dat hij hem schoonmaakte.

'Thee. En gooi er alle suiker ter wereld in. Begrepen?'

'Alle suiker ter wereld,' zei de ober. Hij grinnikte.

Hij kwam terug met een glas thee en een pak melkbiscuits. Hij stond aan het eind van de tafel, scheurde het pak open en liet de biscuit *tonktonktonk* op een roestvrijstalen schaal vallen.

De andere klant aan de tafel – Masterji merkte hem nu pas op –, een uitgemergelde man van middelbare leeftijd in een vuil blauw overhemd, leek een moslim, vanwege zijn baard. Masterji vermoedde dat hij een van degenen was die een kar hadden getrokken op de weg – hij meende dat hij zelfs de man z'n houten kar kon herkennen tegen de deur van het café. De arbeider pakte een biscuit van de roestvrijstalen schaal en kauwde. Toen hij hem ophad, zuchtte hij, pakte een tweede en kauwde. Uit iedere beweging van zijn benige kaken sprak vermoeidheid, de permanente vermoeidheid van mannen die niemand hebben die voor ze zorgt als ze werken en niemand die voor ze zorgt na hun werk. Het magere lijf zond een rauwe, dierlijke stilte uit. Middelbare leeftijd? Nee. Zijn haar was grijzend aan de randen, maar de jeugd was pas onlangs uit zijn gezicht verdreven. Zevenentwintig of achtentwintig op z'n hoogst. Masterji keek naar die jonge man met zijn ingevallen, geschokte ogen en nauwelijks genoeg kracht om één melkbiscuit tegelijk op te tillen. *Dit is zijn dagelijks leven. Die kar trekken en hier komen voor die biscuits,* dacht hij.

De vermoeide moslim staarde terug naar Masterji. Hun ogen ontmoetten elkaar als vreemde talen en ten slotte sprak de arbeider, zonder zijn lippen te bewegen.

Heb je nooit eerder gemerkt hoeveel mensen er helemaal alleen zijn?

Toen hij het restaurant uit liep stak Masterji de ober een briefje van vijf rupee toe en wees op de schaal biscuits die nog steeds een voor een gegeten werden.

Buiten reed een auto met een enorme plastic Red Bull erop langzaam over de weg. De stier verspreidde neonlicht en uit zijn snuit galmde een populair Hindi-nummer, toen de auto stilhield om gratis blikjes Red Bull uit te delen aan de toeschouwers. Het ritme van het liedje liep synchroon met Masterji's bloed. Tot dit moment was hij zich alleen bewust geweest dat hij *tegen* iemand vocht: die projectontwikkelaar. Nu voelde hij dat hij *voor* iemand vocht. In het donkere, vuile dal onder het betonnen viaduct sloofden en ploeterden halfnaakte arbeiders zonder veel hoop dat het er beter op zou worden voor hen. Toch ploeterden ze, ze vochten. Zoals Mary vocht om haar hut bij de nullah te behouden. En schoonmaaksters zoals zij overal in Vakola vochten om hun hut te behouden.

Gloeiende stroken licht vanachter de gebouwen vielen op de weg en de mensen dromden erbinnen alsof het de enige plekken waren waar ze door het verkeer heen konden breken. In die lichtstroken zagen de zwoegende koelies eruit als symbolen: hiëroglifen van een toekomst, een overweldigende toekomst. Masterji staarde naar het licht achter de smerige gebouwen. Het zag eruit als een ander Bombay dat wachtte op zijn geboorte.

Hij wist dat Ronak een plek had in dit nieuwe Bombay. Mary en alle andere schoonmaaksters hadden er een plek in. Elk van de eenzame, verloren, gebroken mannen om hem heen had er een plek in.

Maar voorlopig was vechten hun gezamenlijke plicht.

Weer hoorde hij de tuba: het muziekkorps had rechtsomkeert gemaakt alsof het de weg was kwijtgeraakt en liep nu in de richting van het Victoria Terminus om de horden nieuwe migranten te verwelkomen met zijn getoeter.

Masterji liep achter het muziekkorps aan in de richting van Victoria Terminus en voelde – voor de eerste keer sinds de dood van zijn vrouw – dat hij niet alleen was in de wereld.

4 SEPTEMBER

Oval Maidan bij zonsondergang.

Overal stof, en de zon die prachtige dingen met het stof deed: ze elektrificeerde het tot een gouden wolk waarin het steen van de gotische torens, het verzengde groen van de rij palmbomen en het levende bruin van de mensen door elkaar gemengd werden.

Toen ze langs de Maidan reden braken de spijlen van het hek de cricketwedstrijden in grote rechthoekige panelen, als filmstroken die tegen een muur waren gehangen om te analyseren.

'Voel je je beter, oompje?'

'Je bent een lieve meid, Rosie. Lief dat je naar het ziekenhuis bent gekomen.'

Shah had zijn hoofd op Rosie gevlijd en keek toe hoe de chauffeur, die hen had opgehaald uit het Breach Candy-ziekenhuis (waar Rosie in de wachtkamer een nummer van het blad *Filmfare* had doorgebladerd terwijl er röntgenfoto's van hem gemaakt werden), nu in trage cirkels om het stadscentrum reed.

'Ik weet waaraan je denkt, meneer Confidence.'

'Waaraan dan?'

'Geld. Het enige wat jou bezighoudt.'

Haar vingers gleden zijn zak in.

'Je telefoon gaat over, oompje.'

'Laat maar.'

'Je hebt vijftien oproepen gemist.'

'Dan maar zestien. Mijn werk kan me niet schelen. Niets kan me schelen.'

'Waarom praat je zo, meneer Confidence?' Ze glimlachte naar hem. *Mijn Shanghai*, dacht Shah. *Weg.*

Hij had het gevoel of er een hand zijn buik was binnen gedrongen en de adem operatief had verwijderd.

In de binnenspiegel zag hij zijn zwart geworden tanden en dacht: *bij lange na niet genoeg.* Noch zijn verwoeste tanden, noch de ziekte in zijn borst, noch het bloed dat hij opgaf waren bij lange na genoeg straf. Voor de zonde der middelmatigheid. De enige werkelijke zonde op deze wereld. Hij had in Krishnapur moeten blijven en koeienstront ruimen uit het familiekrot.

Vingers streken door zijn haar, hij voelde een adem over zijn gezicht.

'*To-re-a-dor. To-re-a-dor.*'

'Laat me met rust, Rosie.'

Ze ontfutselde hem de blauwe map met röntgenfoto's en liet de grijnzende, lichtende schedel eruit glijden.

'Dus dit ben je echt, oompje.'

Hij pakte haar de foto af en hield hem tegen het licht. Hij haalde een pen tevoorschijn en begon over de schedel heen te tekenen.

'Niet doen!'

Hij sloeg Rosies vingers weg. Hij trok nog wat lijnen over de lichtende schedel en liet hem haar zien.

'Dat is mijn Shanghai, Rosie. Gotische stijl, vleugjes Rajput, artdecofontein. Mijn levensverhaal in één gebouw. Waarom blijft die oude leraar er nee tegen zeggen? In China, weet je wat ze daar nu al met een man als hij gedaan zouden hebben?'

Ze greep naar de röntgenfoto, hij hield zijn hand hoger om haar te ontwijken.

'Leraren zijn het ergste soort mensen, Rosie. Ze zijn zo lang bezig geweest met kinderen slaan dat ze wreed zijn geworden. Verwrongen geesten.'

'Anders dan projectontwikkelaars natuurlijk.'

En al wenste hij dat ze dit soort grappen niet maakte, toch moest hij grinniken.

Ze lachte om haar eigen grapje en liet zijn röntgenfoto weer in de map glijden. Een hees gegiechel, Shah huiverde ervan. Een van de dingen van Rosie waar hij verzot op was: haar stem had nooit een slipje aan.

'Kom hier,' zei hij, hoewel die meid al naast hem zat. 'Kom *hier*.' Hij kuste haar in haar hals.

Het was voor het eerst dat hij zoiets deed in de auto; Parvez, zijn chauffeur, deed of hij het niet merkte.

Shah deed wat hij in dagen niet gedaan had. Hij vergat het Shanghai.

Bij het volgende verkeerslicht stopten ze naast een bus beschilderd met reclame voor een nieuwe Bollywoodfilm – *Dance, Dance*.

'Wat voor verhaal zit hierachter, Rosie?' vroeg Shah, met zijn vingers op het glas tikkend. 'Waarom verspilt die Punjabi zo veel geld aan die flop?'

Het was een film die tot veel speculaties in de kranten had geleid. Het was een ongewoon geval: de film was bedoeld als comeback voor Praveena Kumari, een filmster uit de jaren tachtig. Mevrouw Kumari was op het toppunt van haar roem weggegaan uit Bollywood om zich in Amerika te vestigen. Zichtbaar ouder en dikker geworden was ze nu gecast in een big-budget-film, een geheide flop. De filmproducent was een Punjabi met een kop als een walnoot, berucht om zijn sluwheid en krenterigheid. Dat hij zo veel geld zou verspillen (want de productie was overvloedig en de publiciteit ook) was die maand *het* gespreksonderwerp in Bombay, dat andere kwesties verdrong, zoals een mogelijke wijziging in de regeringssamenstelling in Delhi, de verslechterende situatie in Afghanistan of nieuwe landelijke cijfers over ondervoeding bij kinderen.

O zeker, Rosie kende 'het verhaal erachter'. Ze leunde voorover en fluisterde in het oor van de projectontwikkelaar: 'Ze heeft in al die jaren het pijpen niet verleerd.'

Shah grinnikte. Het kon kloppen. Die oude walnoot die Kumari in haar eerste film had gecast, was haar nooit vergeten en zodra ze hem intercontinentaal belde – 'ik wil weer stralen in films, oompje' – had hij een miljoenenproject aan haar dikke voeten gevlijd.

Hij lachte zo hard dat hij moest hoesten.

'Hier is je Shanghai,' zei Rosie en gaf hem de map met de röntgenfoto.

Ze had hem aan het lachen gemaakt; hij was kwetsbaar.

'Ik wil graag met jou naar jouw huis,' zei ze. 'Ik wil zien waar je eet en slaapt.'

Meteen draaide Parvez in de richting van Malabar Hill.

Een kwartier later stond Giri met een blauwe schoonmaakdoek over zijn schouder aan de eettafel, zijn hand op het broodmes, en keek naar het meisje met de korte rok.

Shah stond buiten op het terras, Rosie bekeek in de woonkamer de maquette van het Shanghai dat naast de dansende Nataraja stond.

Daarna gluurde ze in de slaapkamers. Giri liep achter haar aan om te zorgen dat ze niets stal. Hij wist van de diefstal in de sportschool in Oshiwara. Toen ze de keuken in liep, ging hij in de deuropening staan en sloeg zijn armen over elkaar.

To-re-a-dor. Het meisje maakte lage altgeluidjes en deed de houten kastjes in de keukenmuur open. *To-re-a-dor.* Giri keek met open mond toe.

Hij maakte plaats, de baas was de keuken binnen gekomen. Aan zijn gezicht zag Giri dat hij met Shanmugham gepraat had over de ellende in Vakola.

Shah ademde uit en zei: 'Goed, Rosie, je hebt het huis gezien. Kom, we gaan.'

Ze draaide zich om met stralende ogen.

'Waarom? Hebben we haast?'

'Mijn zoon komt zo thuis. Het is toch Satish z'n tijd, Giri?'

'Waarom moet ik dan weg? Ik wil hem ontmoeten. Ik heb zoveel over hem gehoord.'

'We gaan naar de flat in Versova, Rosie. Nu meteen.'

'O, dus je wilt me wel naaien maar je wilt niet dat je zoon me ziet, is dat het?'

Ze opende en sloot een ander keukenkastje.

Hij trok haar handen van de kastplanken, die worstelden zich los en openden een ander deurtje.

'Genoeg nu, Rosie. Ik kom net van het ziekenhuis en ik ben moe.' *To-re-a-dor* – ze stak haar handen erin en tikte op de potten en pannen. *To-re-a-dor!*

Shah keek toe hoe ze in de kasten van zijn vrouw snuffelde, speelde met het vaatwerk en het keukengerei van zijn vrouw.

Steeds harder zong ze in die vreemde taal, tot Shah met zijn dikke armen boven haar hoofd reikte en – alsof hij een val dichtsloeg voor een dier – de paneeldeuren tegen haar neus klapte.

Ze was te verrast om zelfs maar te huilen, ze boog zich voorover en begon te jammeren en te spuwen. Een bloeddruppel viel van haar neus.

'Spuug maar in de gootsteen,' zei Shah. 'De auto vertrekt over vijf minuten naar Versova.'

Terwijl ze haar neus waste gaf Giri haar de blauwe doek die over zijn schouder hing. 'Neem die maar, juffrouw. Neem maar. En niet huilen, alstublieft. Dan moet Giri ook huilen.'

Rosie deinsde terug; Shah had haar witte arm gepakt met zijn rechterhand. Met de andere toetste hij Shanmughams nummer in.

'Ik heb besloten,' zei hij, toen er werd opgenomen.

Zijn vingers knepen van onder naar boven in Rosies arm, hij hoorde de stem van zijn linkerhand trillen van opwinding.

'Ik heb die man uit Andheri, chef. Dat is die man die me hielp bij het afhandelen van het Sionproject. De jongen die we gebruikt hebben om die andere oude man bang te maken, meneer Pinto, is niet bruikbaar voor iets meer dan dreigementen. Maar die knul uit Andheri is perfect. Geen strafblad.'

'Shanmugham, hou je mond en luister naar me.'

En toen, terwijl hij nog steeds Rosies arm vasthield, vertelde hij zijn linkerhand wat hij wilde dat er in de Vishram Corporatie gedaan moest worden.

Een stilte. Toen zei de stem aan de telefoon: 'Baas, weet u het *zeker*? We betalen ze ervoor. *Waarom*?'

'Shanmugham,' zei Shah, 'ik heb je gevonden in een sloppenwijk in Chembur. Klopt?'

'Jawel, baas.'

'En als je nog één keer zo'n vraag stelt, dan stuur ik je daarnaar terug.'

Hij hing op en wendde zich tot Rosie. Er zat een roze pleister op haar neus, Giri had de pleisters voor Satish' footballblessures tevoorschijn gehaald. Ze keek naar de keukenvloer.

'Zie je nou wat ik door jouw schuld met je mooie gezichtje moest doen, Rosie? Kom, we gaan naar Versova. Ik heb honger. Kom mee.'

Ze draaide zich om. Haar ogen stonden grauw en de vingers van haar rechterhand beefden. Shah zette zich schrap. Zou hij komen, de klap? Maar een verlangen groter dan genoegdoening – de beloofde kapsalon, haar toekomstige onafhankelijkheid – ontspande haar vingers.

'Goed,' zei ze. 'Laten we dan gaan.'

Shah grijnsde. Hij stuurde zijn chauffeur een sms om de auto voor te rijden en leidde Rosie de flat uit, op weg naar toast, strand en bed.

Giri bleef in de keuken en veegde de water- en bloedvlekken weg.

BOEK ACHT:

EINDDATUM

29 SEPTEMBER

Een favoriet filmdeuntje neuriënd (*...geet amar kar do*) liep Masterji met een pak verse melk de trap op naar zijn flat en trof daar juffrouw Meenakshi aan, wachtend voor zijn deur. Het meisje liet hem een stel sleutels zien.

'Ik vertrek vandaag.'

Masterji knikte. 'In dat geval moet u binnenkomen, juffrouw Meenakshi. Thee? Biscuits?'

Ze droeg een wit T-shirt en een spijkerrokje dat het grootste deel van haar knieën onbedekt liet. Ze ging op de bank zitten terwijl hij melk op de gasbrander zette en in de keuken een stuk gember fijnhakte.

'Masterji, uw leven kan in gevaar zijn en u praat over thee en biscuits?'

Hij stak de brander aan met een lucifer.

'Wat zal die man, die Shah, doen, juffrouw Meenakshi? Onze generatie heeft dingen meegemaakt die ik u niet kan uitleggen. Weet u iets van PL 480? Tijdens de oorlog van 1965 stopten de Amerikanen onze voedselvoorziening om Pakistan te helpen. PL 480 was hun graanprogramma, en dat staakten ze. Eerste minister Lal Bahadur Shastri vroeg iedere Indiër om een maaltijd op te geven om ons land te helpen de oorlog te winnen. Dit probleem stelt niks voor.'

De woonkamer vulde zich met de lucht van aangebrande melk. Masterji kwam uit de keuken met twee koppen dampende gemberthee.

Juffrouw Meenakshi nipte van haar thee. 'U bent hier helemaal alleen, Masterji. Begrijpt u het echt wel? Er kan een man met een pistool aan uw deur komen en u doodschieten. Dat is wel eerder gebeurd.'

Masterji zetten zijn kop op de teakhouten tafel.

'Nee, Ik ben niet alleen, juffrouw Meenakshi.'

Hij zou schaduwen op de muur willen werpen om het haar uit te leggen.

'Er zijn meer partijen betrokken bij dit conflict dan alleen maar meneer Shah, mijn buren en ik. Er zijn miljoenen bij betrokken. Zelfs als u weg bent uit Vishram, bent u er nog bij betrokken.'

Ze wachtte tot hij het uit zou leggen. Hij glimlachte en roerde in de prut in het theekopje.

Het meisje veegde met haar handen over haar rok en zei: 'U vroeg wat public relations was, Masterji. Ga naar de krant. Vertel ze uw verhaal.'

'Ik heb een leerling van me bij de *Times* geschreven... en dat leverde niks op.'

'Niet de pucca kranten. Een roddelblad. Mijn vriend werkt voor de *Sun*, Masterji – de krant waar u...' Ze glimlachte. 'Ik heb hem verteld wat er hier gebeurd is, en hij zei meteen: "Dat is een verhaal!" Hij zal u interviewen. De krant zal een foto van u plaatsen. Dan wordt u beroemd. De mensen zullen u gaan volgen op Facebook.'

Masterji stond op.

Iedereen wil iets van me, dacht hij. *Shah wil mijn huis afpakken en zij mijn verhaal.*

Hij liep naar het raam en opende het. Een klimplant in een pot was van de flat van de secretaris tot op zijn raam omlaag gegroeid, de weelderige groene ranken blokkeerden een deel van zijn uitzicht. Hij begon de ranken eraf te trekken.

Jufrouw Meenakshi besefte dat dit een teken voor haar was om weg te gaan.

'Ik vraag het u nog een keer, Masterji,' zei ze bij de deur. 'Gaat u uw verhaal vertellen? Elke dag wordt het gevaar voor uw leven groter.'

Hij bleef bij het raam staan tot ze achter hem de deur sloot. Dus nu was ze weg, ze zou binnenkort verhuizen uit het pand, dat meisje dat hem eens zo gestoord had. Hij kon in zichzelf de man niet meer vinden die maar een meter of wat van waar hij nu stond de vriend van juffrouw Meenakshi met bovenmenselijke kracht een duw had gegeven. Misschien was dat de reden dat ze naar dit gebouw gezonden was: om hem in verwarring te brengen op het moment dat Shah zijn aanbod deed.

Een autoriksja reed het terrein op. Hij zag het meisje erin stappen met haar koffers en tassen.

Ze had gelijk. De einddatum kwam dichtbij en meneer Shah zou binnenkort iemand hierheen sturen.

Met een glimlach bleef hij ranken afbreken van de klimplant, die nu rook naar rauwe, versterkende sappen.

30 SEPTEMBER

Ondanks de loopneuzen, hoge temperaturen en de ontstoken bindvliezen die weersverandering met zich meebracht, moest Ram Khare nog steeds toegeven dat het de ideale tijd van het jaar was om van het leven te genieten.

Het was bijna oktober. De zon viel nu andere mensen in andere steden lastig. De avonden werden aangenaam. Dus deed hij wat hij een keer per jaar deed en nodigde de bewakingsmensen uit de hele buurt uit voor een rondje *chai*.

Ze verzamelden zich rondom zijn hokje in grijze of kaki uniformen, rookten beedi's of speelden met sleutelhangers. Khare, die mogelijk als gastheer gewetensvoller was dan als bewaker, zorgde ervoor dat iedereen een vol theeglas had voor hij er zelf een van het blad nam dat de *chai-wallah* had neergezet.

'Vertel eens, Ram Khare, wat gebeurt er tegenwoordig in de Vishram Corporatie? Zijn er nog hockeysticks of messen langsgekomen?'

De andere bewakers hadden het nieuws over de oude meneer Pinto en de jongen met de hockeystick gehoord. Toen Ram Khare om zich heen keek, bleek hij tegenover een geïmproviseerd tribunaal van zijn collega's te zitten. Hij zette zijn theeglas neer en ging voor ze staan.

'Hoor eens, werd meneer Pinto binnen de muur of *buiten* de muur bedreigd?'

'Dat is waar,' zei een van de bewakers. 'Hij kan niet elk stukje aarde in de gaten houden, hè?'

'Maar die Masterji van jullie, is dat een goede of een slechte man?'
vroeg een andere bewaker. 'Geeft hij goede *bakshees*?'

Khare snoof. 'In de zestien jaar, acht maanden en negenentwintig dagen dat ik hem ken, heeft hij nog nooit een fooi gegeven.'
Algemene verontwaardiging. Laten ze hem uit zijn raam gooien,
in elkaar trappen, doodschieten – noem maar op!

Aangezien de heilige samenvatting in het venster van zijn hokje
lag, moest Ram Khare in alle eerlijkheid benadrukken: 'Maar hij
liet wel mijn Lalitha tot zijn lessen toe. De bewoners waren er niet
blij mee dat de dochter van een bewaker samen met hun kinderen
les kreeg, maar hij zei: "Niks mee te maken. Ze is een leerling zoals
alle andere."'

Een doordringend gefluit kwam van het hek voor Toren B; de
bewakers draaiden zich om.

Een vrachtwagen zette zich achterwaarts in beweging het terrein
op, op aanwijzingen van de bewaker van die toren met zijn fluitje.

'Vrienden, het is slecht gegaan in de Vishram Corporatie,' zei
Ram Khare, en hij hief zijn thee op om een dronk uit te brengen,
'maar vanaf vandaag gaat het nog *slechter*.'

Mevrouw Puri en Ibrahim Kudwa keken vanuit haar raam.

Houten bedden en Godrej-kasten die de trappen van Toren B af
waren gedragen werden achter in de vrachtwagen geladen. Toen
kwamen er schrijftafels met oude kranten eroverheen en persoonlijke bagage in plastic verpakt.

Ze hadden hun tweede termijn van het geld van de Confidence
Group ontvangen (bij verrassing op het schema *vooruit* betaald
door meneer Shah), en de gezinnen van Toren B vertrokken een
voor een naar hun nieuwe woning.

Mevrouw Puri had het nieuws een paar weken geleden gehoord
van Ritika, haar vriendin in Toren B.

'Op een ochtend stond het geld gewoon op onze rekening bij de
Punjab National Bank,' had Ritika gezegd. 'Meer dan een maand
voor tijd. De eerste termijn had hij al betaald zodra we voor de ont-

ruiming hadden getekend. We hebben nu twee derde van het geld –
al die nullen op onze afschriften, Sangeeta. Iedereen is meteen een
aanbetaling voor een gloednieuwe woning gaan doen. Niemand wil
één dag langer dan nodig in de Vishram Corporatie blijven.'
Het vertrekschema was opgehangen aan het hokje van Ram Khare, zodat de bewoners van Toren A het konden zien. Het laatste
gezin zou Toren B verlaten tegen vijf uur 's middags op Gandhi
Jayanti, 2 oktober.
'Zou de projectontwikkelaar niet acht weken huur betalen voor
de tijd dat ze een nieuwe woning zochten?' vroeg Kudwa.
'Dat staat ook al op de bank. Sommigen trekken eerst in een huur-
woning. Dat zou ik niet doen. Waarom zou je huren als je meteen
in je eigen huis kunt trekken?' Mevrouw Puri glimlachte bedroefd.
'Weet u, Ibby, ik heb u altijd gezegd dat Shah zou betalen. Alle nieuwe projectontwikkelaars zijn zo, zeggen ze. Eerlijke mensen.'
Ibrahim Kudwa stak beide handen in zijn baard en krabde.
'Het is erg vreemd, mevrouw Puri. Mensen vóór tijd betalen. Er
zit hier een plan achter.'
'Plan, Ibby? Wat voor plan kan die projectontwikkelaar hebben?'
'Ik weet het niet precies...' Ibrahim Kudwa krabde heviger in zijn
baard. '...maar er is hier iets gaande.' Hij pakte een *India Today* op
die op de grond lag en veegde hem schoon, toen pakte hij een *Femina* op en deed er hetzelfde mee.
Mevrouw Puri zei dat Ibby de tijdschriften moest laten liggen
en bood hem een glas melk met rozensiroop aan. Terwijl hij zat te
drinken ging ze bij Ramu kijken, die onder zijn blauwe vliegtuigdekbed lag.
's Avonds ging ze op bezoek bij Ritika, die aan het vertrekken
was. De twee vrouwen gingen bij het hek van Toren B staan kijken
hoe de werkmannen de koffers in de vrachtwagen laadden. Ritika
hield een grote rode gebaksdoos vast die de secretaris van Toren B
aan elk vertrekkend gezin gaf als afscheidscadeau van de projectontwikkelaar. Mevrouw Puri zag dat deze rode doos twee keer zo
groot was als de eerdere.

'Wil je een almira, Sangeeta, voor niks?' vroeg Ritika. 'We kunnen dat oude ding niet meenemen.'

'Kan die niet mee naar Goregaon? Waarom niet?'

'We gaan niet naar Goregaon,' zei Ritika. Ze klopte op haar rode doos. 'We gaan eerst naar Bandra bij mijn schoonfamilie logeren. Volgend jaar verhuizen we naar Kolkata. Wat is anderhalve crore in deze stad, Sangeeta? Niks. Ramesh heeft om overplaatsing gevraagd. We kunnen een mooie grote woning bij het Minto Park krijgen voor hetzelfde geld. Hij is opgegroeid in Bengalen, weet je.'

Mevrouw Puri voelde zich meteen beter. Was dat nou geluk hebben, in Calcutta gaan wonen?

'Waar hebben *wij* nou een almira voor nodig, Ritika? Wij gaan binnenkort ook verhuizen.'

'O, ik hoop het zo, Sangeeta. Ik hoop het zo.'

De twee oude schoolvriendinnen omhelsden elkaar en toen verliet Ritika de Vishram Corporatie voorgoed.

Toen ze weer naar het flatgebouw liep, kwam Ram Khare op mevrouw Puri af en zei: 'Die man wil u spreken. Die van Confidence.'

Shanmugham zat op zijn rode motor net buiten het hek.

Ze wilde dat ze tijd had gehad om zich op te maken, op z'n minst een beetje rouge.

Ze ging achter op zijn Hero Honda zitten; ze reden naar de snelweg waar ze stopten voor het rode licht.

Eindelijk. Onder vier ogen met meneer Shah.

Mevrouw Rego was in een restaurant in Juhu geweest, Masterji was uitgenodigd in zijn paleis in Malabar Hill, ze dacht dat een vijfsterrenhotel voor haar wel het minimum zou zijn. Waarschijnlijk het Hyatt, hier in Vakola. Bij de Italiaanse koffie met gebak zou meneer Shah haar een zoethoudertje aanbieden. Voor het werk dat ze gedaan had met mevrouw Rego. En nog een beetje meer als ze Masterji kon overhalen.

Natuurlijk waren Masterji en mevrouw Rego naar hem toe vervoerd in de Mercedes. Niet zo. Dat zou ze de projectontwikkelaar toch moeten melden. Haar *teleurstelling*.

Tot haar verrassing sloeg Shanmugham links noch rechts af bij het verkeerslicht maar reed rechtdoor naar het spoorwegstation. De motor stopte voor Vihar. Dat kende ze: een sjofel Zuid-Indiaas restaurant waar ze wel theedronk als ze met de trein vanuit de stad naar huis ging. Ze borstelde haar haar toen ze van de motor stapte. Ceremoniële snoeren met verse *moosambi* en sinaasappels, hoog vastgebonden, heetten gasten welkom op het eetterras buiten. Meneer Shah zat aan een tafel te praten met de man in kaki die ze herkende als die agent, Karlekar, die een keer in Vishram was geweest. De agent glimlachte naar haar en vertrok met een rode doos in zijn hand.

Shah zat naast een plastic tas vol met gebaksdozen, hij dronk thee uit een glas. Hij wierp haar een blik toe toen ze ging zitten.

'De einddatum is vlakbij, mevrouw Puri.'

'Of ik dat niet weet, meneer Shah. Ik heb vanaf de eerste dag tegen de mensen gezegd dat ze uw aanbod moesten tekenen. Als we de einddatum nog een dag of twee kunnen verschuiven, dan zal ik mijn best doen om...'

Shah nam een laatste slok. Ze nam aan dat er bij een ober wel iets voor haar besteld was.

De projectontwikkelaar zette zijn glas neer, liet zijn tong over zijn tanden glijden en spuugde in het glas.

'Wat er mankeert aan deze stad is hetzelfde als waar het in uw corporatie aan mankeert. Geen wilskracht. Een voor een bent u bij me gekomen en hebt me hulp aangeboden. Eerst de secretaris. Toen die meneer Ajwani van u. En nu doet u het. En een voor een hebt u me teleurgesteld. Die leraar heeft nog steeds niet getekend. Ik wil niet dat mensen als u lijden, mevrouw Puri. Goede, betrouwbare, hardwerkende mensen. Ik ben in het leven net zo begonnen als u. Toen ik naar Mumbai kwam, had ik zelfs geen schoenen aan mijn voeten. Ik was een bedelaar, net als u. Nee, ik wens u en uw buren geen ellende toe. Maar principes zijn principes. Toen ik naar uw corporatie kwam, heb ik u mijn woord gegeven dat ik de einddatum met geen minuut zou verlengen. Ik ben eigenaar van Toren B. Ik zal een muur bouwen midden op het binnenterrein en mijn Shanghai aan die kant bouwen. Een half Shanghai, maar het zal er komen. En dan bouw ik een andere, grotere toren ergens anders in Vakola.'

Shanmugham, die naast hen zat, haalde zijn zwarte boek tevoorschijn alsof hij van plan was het gesprek te noteren. Shah griste het boek weg en sloeg een van de pagina's met zijn keurige, kleine handschrift op en liet hem aan mevrouw Puri zien.

Hij tikte op de pagina. 'Dit is Vishram, de Torens A en B.'

Hij vouwde de pagina, scheurde hem doormidden en hield de ene helft omhoog.

'Dit is Toren A.'

En hij duwde het stuk papier in de drab in zijn theeglas.

Sangeeta Puri's mond ging open, tranen kwamen in haar ogen. Shah glimlachte naar haar.

'Waarom zit u te snikken? Om het idee dat u voor eeuwig in Vishram moet blijven? Is dat oude gebouw zo'n hel voor u?'

Mevrouw Puri knikte.

'Ja. Ik moet elke dag mijn zoon z'n billen schoonmaken. Dat is voor mij de toekomst zonder uw geld.'

'Goed,' zei Shah. 'Goed. Die oude leraar dwingt u de billen van uw zoon schoon te maken. *Ik* weet dat. Weet *hij* het ook? Hebt u hem duidelijk gemaakt wat het betekent om dag in dag uit, de rest van je leven de billen van een kind schoon te moeten maken?'

Ze schudde haar hoofd.

'En nog iets. Hij heeft een zoon in Marine Lines die ruzie met hem heeft. Ik heb gehoord dat u goed contact hebt met die knul.'

'Hij is als een zoon voor me,' zei ze.

'Gebruik hem dan. Weet u niet hoeveel pijn een zoon zijn vader kan doen?'

Op de terugweg wees mevrouw Puri Shanmughams aanbod af om haar ergens af te zetten. Ze nam een taxi naar Vishram. Ze controleerde of Ramu sliep, ging naar de flat van Kudwa en belde aan.

'Gaurav.' Mevrouw Puri vocht tegen haar tranen. 'Ik wil Gaurav spreken. Je spreekt met zijn tantetje Sangeeta uit de Vishram Corporatie. Dank je wel, Sonal.'

Ze belde met haar mobiel in de woonkamer van Ibrahim Kudwa. Ze kon niet in haar eigen huis bellen, haar Ramu zou ervan overstuur kunnen raken.

De tafellamp was aan en hield de helft van Ibrahim Kudwa's gezicht uit de avondschemer. Hij zat met gekruiste voeten op de bank naar mevrouw Puri te kijken. Mumtaz was in de slaapkamer met de deur dicht Mariam aan het voeden.

'Wacht,' zei Kudwa. 'Praat niet met Gaurav, Sangeeta-ji. Doe het niet.'

'Waarom niet, Ibby?' vroeg ze terwijl ze de telefoon een paar centimeter van haar oor hield. 'Ik heb toch verteld wat meneer Shah zei? De einddatum is bijna bereikt. We moeten dit doen.'

'Meneer Shah bedondert ons. Ziet u dat niet? Het is toch duidelijk?'

Kudwa stond op van de bank en liep naar mevrouw Puri toe. Hij hoorde door haar mobiel de telefoon overgaan; Gauravs nummer was al gekozen. Hij wierp een blik in de richting van de dichte slaapkamerdeur en liet zijn stem zakken tot fluistersterkte.

'U kent zijn reputatie, Sangeeta-ji.'

Mevrouw Puri zag schilfers roos op de schouders van haar buurman en rook eau de cologne. Ze knikte.

'We hebben het er in het parlement over gehad,' zei Kudwa. 'Hij betaalt, maar hij stelt zijn betalingen altijd zo lang mogelijk uit. Dus waarom betaalt hij Toren B op tijd? Waarom betaalt hij ze zelfs *eerder* dan nodig? Daar heb ik de hele dag over nagedacht in mijn internetcafé. Nu snap ik het. Het is zo duidelijk. Maar sommige vallen werken zo: je moet ze zien om erin te kunnen lopen. Als de mensen die achterblijven zien dat hun buren het geld krijgen, worden ze gek van jaloezie. Ik heb het nu over *ons*. Hij maakt goede mensen tot slechte mensen. Hij verandert ons karakter. Omdat hij wil dat wij zelf Masterji aandoen,' zei Kudwa, 'wat andere projectontwikkelaars mensen zoals hij aandoen in zulke situaties.'

Mevrouw Puri fronste haar wenkbrauwen, alsof ze erover na wilde denken. Maar het was te laat.

Er klonk een klik uit haar telefoon en toen zei een stem: 'Ja? Tantetje Sangeeta, bent u dat?'

'Gaurav,' zei ze, 'de projectontwikkelaar heeft net met me gepraat. Ja, die meneer Shah. We raken alles kwijt.' Toen ze naar Ibrahim Kudwa keek liepen de tranen haar in de ogen.

'Ik ben toch als een moeder voor je geweest, Gaurav? Al die jaren lang. Nu moet jij mij helpen, Gaurav, jij bent mijn andere zoon, jij bent mijn enige hulp in dit flatgebouw waar niemand van me houdt, niemand om me geeft...'

Naast haar stond Ibrahim Kudwa zijn hoofd te schudden en op zijn gebit te zuigen waarna hij mompelde: 'Oy, oy, oy.'

1 OKTOBER

Toen Masterji 's morgens de trap af kwam zag hij de secretaris iets op het middelste bord van het mededelingenbord hameren. Zonder een woord tegen Masterji sloot Kothari de glazen deur, duwde hem in het slot en liep met zijn hamer zijn kantoor in.

Masterji ging voor het mededelingenbord staan. Hij las de nieuwe mededeling, sloot zijn ogen en las die een tweede keer, met bewegende lippen.

Aan de bewoners van de Vishram Corporatie Toren A

IK, GAURAV MURTHY, ZOON VAN Y.A. MURTHY, VERKLAAR VIA DEZE MEDEDELING DAT IK GEEN VADER HEB. Ik ben te schande gemaakt door de bewoner van Vishram flat 3A. Nadat hij mijn vrouw en mij beloofd had dat hij het voorstel zou ondertekenen, heeft hij het niet gedaan. Dit is niet de eerste keer dat hij tegen ons gelogen heeft. Vele sieraden van mijn moeder en ook bankcertificaten op haar naam, bestemd voor mij en mijn zoon Ronak, zijn ons nooit overhandigd. Mijn zoon Ronak, mijn vrouw en ik zullen de Samskara-riten voor de eerste sterfdag van mijn moeder zelf uitvoeren. Wij verzoeken u allen ons niet in verband te brengen met de daden van de huidige bewoner van Vishram Corporatie 3A.

Getekend
Gaurav B. Murthy
Joydeep Corporatie 5A, Marine Lines, Mumbai

Hij ging onder het mededelingenbord zitten. Door de open deur van het kantoor van de secretaris zag hij Kothari aan zijn bureau achter zijn Remington een boterham eten. Boven op de overloop kon hij de straathond ruiken; hij hoorde diens moeizame ademhaling.

Ik bestrijd meneer Shah niet meer, dacht hij. *Ik bestrijd mijn eigen buren.*

Door zijn tranen heen zag Masterji een mug op zijn onderarm neerstrijken. Hij was zwak en afgeleid geweest; hij had zijn kans gezien. Hij keek naar de gevlekte buik, de trillende pootjes terwijl de steeksnuit zijn huid doorboorde. Geen seconde ging verloren in een berekenende wereld. Niet zijn buren bestreed hij – maar *dit.*

Hij sloeg op zijn onderarm; de mug werd een vlek bloed van een ander op zijn huid.

Hij liep de trap op naar zijn flat en ging in bed liggen, zijn gezicht bedekt met zijn onderarm. Hij probeerde te bedenken welke beledigingen die bebaarde arbeider op de Crawford Market allemaal te verwerken moest hebben gehad.

Het was avond voor hij zijn kamer uit kwam.

Hij liep de trappen af en probeerde niet aan het mededelingenbord te denken. Hij liep het hek uit naar de markt en daar kreeg hij zijn tweede schok die dag.

Zijn verhaal stond in de krant.

Ramesh Ajwani stond met zijn rug gewend naar de oceaanbries om zijn exemplaar van de *Mumbai Sun* te beschutten. Hij las een artikel op pagina vier.

OUDE MAN IN TOREN ZEGT NEE TEGEN PROJECTONTWIKKELAAR

Bewoners van de Vishram Corporatie in Vakola zitten klem in een merkwaardige 'situatie' waarin een gepensioneerde leraar uitgespeeld wordt tegen alle andere leden van zijn corporatie en ook tegen de mach...

Hij sloeg de krant dicht en vouwde hem op zijn knieën op. Wat een slecht nieuws. Maar het was een aangename avond en Ramesh Ajwani was in het hart van de stad Bombay. Hij haalde diep adem, blies Masterji uit zijn lijf en keek om zich heen. Marine Drive. De hele gemeenschap van Mumbai was hier aan de rand van het water komen zitten. Ajwani zag vertegenwoordigers van ieder ras in de stad om hem heen: soennitische moslima's in boerka met hun beschermende mannen, Bohravrouwen met neepmutsen op die elkaar chaperonneerden, kleine Marathivrouwtjes, jasmijnslingers in hun haar gevlochten, kralensnoeren van wervels op hun vetloze ruggen die glansden bij elke beweging van hun opgewonden lijven, twee breedgeschouderde sadhus, saffraankleurige gewaden golfden, ze reciteerden in het Sanskriet voor de golven, gillende kluitjes studenten van Elphinstone, met honkbalpetjes getooide verkopers van frituurdingetjes en gekoeld water.

Ajwani glimlachte.

Een buitenlander in een hemd en blauwe korte broek, zonverbrand en zwetend, was als een grote roze baby aan het joggen over het wegdek, zo langzaam dat zijn Indiase verzorger hem te voet kon bijhouden.

Ajwani zag hoe vier jongemannen in polyester overhemden de buitenlander stonden aan te gapen. Een moment geleden hadden ze staan kletsen en kakelen en commentaar leveren op elke auto en jonge meid die langskwam. Nu keken ze zwijgend toe.

Hij begreep het.

Hun hele leven hadden de jongemannen gedroomd over beter eten en betere kleren, en nu keken ze naar het ontstellende zweet, de ontstellende naaktheid van die rijke buitenlander. Is dit het eindpunt, vroegen ze zich af: een leven van onvrijwillige zware arbeid dat uitloopt op dit: nog een leven van zware arbeid, vrijwillig?

De stad der overvloed speelde zijn gebruikelijke kat-en-muisspelletjes met migranten, ze liet ze in de ene adem succes en geld opsnuiven en bij de volgende adem vraagtekens zetten bij de waarde van succes en de zin van geld.

De makelaar draaide zijn hoofd heen en weer om de spanning te verlichten.

Een man in zwart-wit drong door de menigte en ging naast de makelaar op de muur langs de oceaan zitten.

'Leuk dat ik u hier zie,' zei Ajwani. 'Voor het eerst dat we elkaar in de stad treffen.'

'Ik was in Malabar Hill toen u belde. Wat doet u hier?' vroeg Shanmugham en hij keek naar de krant op Ajwani's schoot.

De makelaar grinnikte. 'Ik kom zo nu en dan wel in de stad. Zaken, weet u.' Hij knipoogde. 'Aan Falkland Road. Pretzaken. *Meiden.*'

Shanmugham wees op de krant. 'Hebt u het verhaal gezien?'

De makelaar sloeg de pagina's om. 'In de trein sloeg ik de krant open en van schaamte sloeg ik hem meteen weer dicht. Je wilt in de *Sun* over andermans corporaties lezen, niet over die van jezelf.'

Hij keek het artikel weer even door en sloeg de krant dicht.

'De Confidence Group wordt in het openbaar belachelijk gemaakt. Als *ik* in uw positie zat...' Ajwani kraakte met zijn knokkels. 'Ik bleef maar hopen dat Masterji onderhand wel wat overkomen zou zijn. Niks. Zelfs de telefoontjes zijn opgehouden. Wat mankeert die baas van u?'

Shanmugham draaide zich om, om naar de oceaan te kijken. Marine Drive wordt van de golven van de Indische Oceaan afgeschermd door een rij donkere vierpotige stenen die op versteende zeesterren lijken en kilometers ver langs de kust liggen. Een man in vodden sprong van vierpoot naar vierpoot als een zilverreiger over de tanden van een nijlpaard. Hij sjorde er afgedankte waterflessen tussenuit die hij in een zak gooide.

Hij sprak alsof hij zich tot de voddenraper richtte.

'Ik heb de baas gevraagd: het is de einddatum, wat moeten de mensen in Vishram doen? En hij zei: ze moeten zichzelf helpen. Zoals ik mezelf geholpen heb. Kent u zijn levensverhaal?'

Dat kende Ajwani niet. Dus vertelde Shanmugham, terwijl de bries van over zee aanwaaide, het verhaal hoe meneer Shah blootsvoets naar Bombay was gekomen.

Ajwani deed één oog dicht en keek in de richting van Malabar Hill.

'Dus zo worden mensen rijk. Het is een mooi verhaal. Hebt *u* er ook naar geluisterd, Shanmugham?'

De Tamil draaide zijn gezicht naar de makelaar. 'Wat wilt u daarmee zeggen?'

Ajwani schoof dichterbij. 'Ik weet dat bij veel renovatieprojecten de linkerhand slimmer is dan zijn baas. Hij roomt tien, vijftien procent van elk project af. En hij geeft wat van het geld aan degenen in het renovatieproject die zijn vrienden waren.' Ajwani legde zijn vingers vol ijzeren en plastic ringen op die van Shanmugham.

'Waarom lost *u* het probleem in Vishram niet op? Toon wat initiatief, doe het zelf, doe het *vanavond*. Ik kan u op mijn beurt helpen: ik kan u laten zien hoe je een stukje van het Shanghai kunt afromen. Mensen als u en ik worden niet rijk met beleggingsfondsen of spaartegoeden op de bank, vrind.'

Shanmugham schudde de hand van de makelaar van de zijne. Hij stond op, hij klopte het stof van de onderkant van zijn broekspijpen. 'Wat er nu met die Masterji van u moet gebeuren, zult u zelf moeten doen. Vóór 3 oktober, middernacht. Bel me hierna niet meer.'

Ajwani vloekte. Hij verfrommelde de krant, hij gooide hem naar de viervoeters; geschrokken keek de voddenraper op.

Masterji besefte dat hij zoiets geworden was als goede kool, rijpe *chikoo's* of rozige appels uit de Verenigde Staten, dingen waar mensen op de markt naar zochten.

Terwijl hij zijn rondjes liep om melk en brood te kopen, volgden vreemden hem en zwaaiden; drie jonge mannen stelden zich voor. Ze zeiden dat ze oud-leerlingen van hem waren. Da Costa, Ranade, Savarkar.

'Natuurlijk, ik ken jullie nog wel. Goeie jongens, alle drie.'

'We zagen u in de krant staan, Masterji. Er stond vanmorgen een lang artikel over u in.'

'Ik heb het artikel nog niet gelezen, jongens. Die journalist heeft niet met mij gesproken. Ik weet niet wat hij geschreven heeft. Ik had begrepen dat het maar kort was, een centimeter of acht of tien.'

Toch hadden die paar centimeter tekst als een klaroenstoot onmiddellijk die leerlingen bij elkaar gekregen, terwijl hij ze al die maanden niet had kunnen vinden.

'We zijn er trots op dat u zich niet door de projectontwikkelaar laat koeioneren, meneer. Hij moet u fors betalen als hij wil dat u weggaat.'

'Maar ik *wil* dat geld niet, jongens. Ik zal het nog eens uitleggen. India is een republiek. Als iemand in zijn huis wil blijven, dan heeft hij de vrijheid om dat te doen. Als hij weg wil, dan...'

De drie luisterden, ten slotte zei een van hen: 'U had het op school over Romeinen, meneer. Die ene, die dat van de zon wist.'

'Anaxagoras. Een Griek.'

'U bent net zo hard als welke Romein ook, meneer. U bent net als die vent in de film... Maximus de Gladiator.'

'Welke film is dat?'

Daar moesten ze om lachen.

'Maximus Masterji!' zei er een, en alle drie liepen ze in beste stemming weg.

Masterji zag zijn verhaal – de interpretatie van zijn daden, die hij tot nu toe veilig in zijn bewustzijn had opgeslagen – uit zijn handen glippen. Hij was deel van de markt geworden: zijn verhaal, in drukletters, werd door de verkopers gebruikt om hun koopwaar te bedekken. De okra werd in hem verpakt, vers brood gaf zijn geur aan hem af.

'Masterji!' – het was Mary. Ze had een exemplaar van de *Sun*.

'U staat in de Engelse kranten.' Ze grijnsde en liet haar grote voortanden zien. 'We zijn allemaal zo trots op u. We hebben het elkaar laten zien in de nullah, al kunnen we het niet lezen. Als mijn zoon uit school komt, zal ik hem het aan ons laten voorlezen.'

'Ik heb het niet gelezen, Mary,' zei hij.

'Niet gelezen?' Mary drong verontwaardigd aan dat hij de krant moest aannemen. Ze bladerde tot bij het artikel met de foto van de Vishram Corporatie.

OUDE MAN IN TOREN ZEGT NEE TEGEN PROJECTONTWIKKELAAR

Masterji nam het vluchtig door:

...slechts één man, Yogesh Murthy, gepensioneerd leraar aan de school in de buurt, heeft zich verzet tegen het gulle aanbod van de gerenommeerde... 'het is een kwestie van individuele vrijheid om ja te zeggen, nee, of loop naar de bliksem...'

Door zichzelf zo te beschrijven als de kleine man in deze situatie hoopt Murthy mogelijk de sympathie van sommigen te winnen, maar hoe eerlijk is het beeld dat hij schetst? Een van de bewoners van de corporatie, die niet bekend wenst te worden, zei: 'Hij is de meest egoïstische man ter wereld. Zijn eigen zoon praat niet meer tegen hem...'

'...werd bevestigd door vele anderen met wie uw verslaggever sprak. Volgens een van meneer Murthy's voormalige leerlingen, die niet genoemd wenst te worden: 'Hij had geen geduld en stond altijd klaar om te straffen. We gaven hem scheldnamen achter zijn rug. Om te zeggen dat we hem met genegenheid herinneren zou de grootste...'

Mary bukte om de krant op te rapen, hij was uit Masterji's handen gevallen.

Masterji keek omlaag en zag een vogel, kleiner dan een handpalm, die over de grond scharrelde als een tot leven gekomen klont bruine suiker. *Dit maakt het alleen maar erger*, dacht hij, terwijl hij het gedwarrel van de vogel volgde. *Mijn buren gaan me hier de schuld van geven.*

Een jongetje met een zwart amuletsnoer om zijn hals begon wankelend in bochtjes om Masterji heen te draaien, met zijn handen zijwaarts fladderend als een kip. De uienverkoper kwam achter hem aan hollen: 'Rotjong!' Hij greep het ventje en kneep hem, de gekastijde jongen schreeuwde vol dramatische emotie: 'Pa-pa-jee!' Een paar tellen later was hij aan zijn vader ontsnapt, weer gepakt en brulde nu: 'Ma-maa-jee!' Om te zorgen dat hij zou ophouden met huilen bood Masterji hem een stuk brood aan. 'Wil je dit wel?' Een heftige knik van zijn koppetje; de jongen knabbelde. Masterji stond erop dat Mary de rest van het verse brood voor haar zoon zou meenemen.

Al meer dan dertig jaar had hij op Gandhi Jayanti zoete, zachte dingen uitgedeeld aan de kinderen van de Vishram Corporatie.

Hij bleef staan bij de witgeverfde banyan voor Ibrahim Kudwa's internetcafé. Arjun, Kudwa's assistent, had een foto van de Mahatma in een holte van de banyan gezet, en hij en de heilige hindoeman, die daar soms langskwam, klapten tezamen in hun handen en zongen Gandhi's lievelingsgezang:

Ishwar Allah Tero Naam
Sabko Sanmati de Bhagavan

Ishwar en Allah zijn beide uw namen
Schenk iedereen die wijsheid, Heer

De nationale driekleur was gehesen boven het Speed-Tek Internetcafé; Masterji zag hem weerspiegeld in het getinte raam van een rijdende auto, de andere kant op wapperend, als een donkere meteoor boven Vakola.

Midden in de nacht werd Ashvin Kothari wakker en snoof de lucht op.
'Wat is dat voor lucht?'
Hij knipte zijn bedlamp aan. Zijn vrouw lag naar het plafond te staren.
'Ga weer slapen.'
'Wat is het?'

'Ga weer...'

'Het is iets wat jullie vrouwen doen, hè?'

De secretaris volgde de geur de trap af tot op de derde verdieping. Iets bruins, zojuist met de hand aangebracht, vingerafdrukken nog zichtbaar, bedekte Masterji's deur. Een vlieg zoemde eromheen.

De secretaris sloot zijn ogen. Hij rende de trap op naar zijn flat. Zijn vrouw zat op de bank op hem te wachten.

'Neem het mevrouw Puri niet kwalijk,' zei ze. 'Ze heeft het me gevraagd en ik vond het goed.'

De secretaris ging zitten met zijn ogen dicht. 'O Krishna, Krishna...'

'Laat hij maar ruiken wat we van hem denken, meneer Kothari. Dat hebben wij vrouwen besloten.'

'Krishna...'

'Het is de stront van Ramu, dat is alles. Doe nou niet zo melodramatisch. Masterji heeft toch met de *Mumbai Sun* gepraat? Beroemd is ie. Hij wil dat mevrouw Puri het de rest van haar leven zelf schoonmaakt, toch? Laat hem dan maar één ochtend Ramu's stront opruimen, eens kijken of hij dat zo leuk vindt. Laat hij het maar schoonmaken met diezelfde *Sun*.'

Met zijn vingers in zijn oren reciteerde haar echtgenoot, zoals zijn vader hem jaren geleden in Nairobi geleerd had, de naam van Heer Krishna.

Met zakdoeken, sari's en hemdsmouwen over hun neus dromden ze op de trappen om te zien wat er met de deur van 3A was uitgespookt. Voorovergebogen was Masterji zijn deur aan het schrobben met een nat Brillosponsje. Naast hem stond een emmer water en om de paar minuten kneep hij het Brillosponsje erin uit.

Zijn verantwoordelijkheidsgevoel dreef de secretaris weer de trap af en hij verspreidde de toeschouwers. 'Ga weer naar bed, alstublieft,' fluisterde hij. 'Anders komt de hele buurt erachter en dan praten ze over ons.'

De deur van 3C ging open.

Als Masterji had geschreeuwd, zou mevrouw Puri terugge-schreeuwd hebben. Als hij op haar af gestormd was om haar te slaan, zou ze hem van de trap geduwd hebben. Maar hij zat op zijn knieën de groeven en randen uit te schrapen waarin Ramu's uit-werpselen hard waren geworden, hij wierp een blik op haar en ging weer aan het werk, alsof het haar niet aanging.

Een man drong zich vanachter mevrouw Puri naar voren en stapte de gang op.

Sanjiv Puri zag wat er op Masterji's deur zat; hij begreep het.

'Wat heb je gedaan, Sangeeta?' Hij keek zijn vrouw aan. 'Wat heb je mijn naam, mijn reputatie aangedaan? Je hebt je eigen zoon ver-raden.'

'Meneer en mevrouw Puri,' fluisterde de secretaris. 'Alstublieft. Straks horen de mensen het.'

Sangeeta Puri deed een stap naar haar man toe.

'Het is allemaal *jouw* schuld.'

'Mijn schuld?'

'Jij zei maar steeds dat we geen kinderen konden nemen tot jij een baan als manager had. Dus moest ik wachten tot ik vierendertig was. Daarom is Ramu achtergebleven. Hoe ouder een vrouw is, hoe groter dat gevaar is. En nu moet ik de rest van mijn leven zijn stront opruimen.'

'Sangeeta, dat is *gelogen. Gelogen.*'

'Ik had Ramu tien jaar eerder willen krijgen. *Jij* had het over de ratrace. *Jij* klaagde dat de migranten alle banen kregen, maar *jij* hebt nooit teruggevochten. *Jij* werd niet vroeg genoeg manager zo-dat ik een gezond kind kon krijgen. Het was niet het Boze Oog, *jij* was het.'

Masterji staakte het schrobben.

'Als u zo schreeuwt maakt u Ramu wakker, Sangeeta. Niemand heeft dit gedaan. Er valt wel eens wat kalk van het plafond, omdat dit een oud gebouw is. Dat is wat er hier gebeurd is, zeg ik u. Gaat u nu allemaal weer slapen.'

De secretaris knielde neer en bood aan om te helpen met schrobben, maar Masterji zei: 'Ik doe het zelf.'

Hij sloot zijn ogen en herinnerde zich het licht vanachter de gebouwen aan de Crawford Market. Die arbeiders onder de JJ Flyover die karren trokken deden elke dag werk dat erger was dan dit.

2 OKTOBER

De terreinmuur was donker na Mary's morgenronde met de groene tuinslang. Waterdruppels sidderden aan de hibiscusplant; Ramu pookte tegen de stengel met een stok. Zijn moeder liep naar hem toe vanaf het zwarte kruis waar ze een tijdje had gestaan en riep hem. De hibiscusplant schudde. Ze kwam dichterbij en zag wat hij aan het doen was.

'...wat is de bedoeling van...'

De jongen wou zich niet omdraaien. Hij had zijn lippen naar binnen gezogen, hij bleef met dat ding in de wortel van de plant prikken. Mevrouw Puri trok hem weg en keek hem aan met ongelovige ogen.

'Doe die arme worm geen pijn, Ramu. Doet hij jou pijn?'

Hij schudde zijn moeders handen van zich af en dreef zijn houten stok weer in de opgekrulde regenworm die kronkelde onder de druk maar zich niet ontrolde. Mevrouw Puri had het gevoel of iemand met een stok in haar zij porde.

'Oy, oy, oy, Ramu van me, het is de geboortedag van Gandhi. Wat zou hij zeggen als hij je zag?'

Hij moest iemand hebben horen praten in het trappenhuis of in de tuin. Hij wist wat er die nacht gebeurd was.

'Als Masterji geen ja zegt, krijgen we ons nieuwe huis nooit. Weet je nog, Ramu, de houten kast in dat mooie nieuwe flatgebouw in Goregaon... die frisse geur, het zonlicht op het hout?'

Hij draaide zich niet om. Ze zag dat hij de regenworm in twee worstelende stukken had gesneden.

'Ik beloof je: hierna *niks* meer om Masterji boos te maken. Ik beloof het. Doe die worm geen pijn.'

Maar hij draaide zich niet om.

'Ramu, maak je ruzie met je moeder?'

Masterji, die door het hek was gekomen, liep naar de hibiscusplant. 'Fijne Gandhi Jayanti,' zei hij tegen de vrouw die nog maar een paar uur geleden uitwerpselen op zijn deur had gesmeerd.

Ze zei niets.

De jongen liet zijn stok vallen en liep op hem af; de oude leraar sloeg zijn armen om de zoon van zijn buren en fluisterde: 'Geen ruzie maken met mammie, Ramu. Over een paar uur is de einddatum. Daarna zijn je mammie en ik weer vrienden.'

Hij liet de twee achter en ging naar boven naar zijn flat.

Toen hij voor het raam van de woonkamer stond hoopte hij iets van de viering van Gandhi Jayanti te zien. Traditioneel was het een grote dag in de corporatie. Een oude foto van Mahatma Gandhi, die voor zulke gelegenheden bewaard werd in het bureau van de secretaris, werd dan boven het wachthokje gehangen. Een zwarte Sony-cassettecombinatie liet oude filmsongs schallen vanuit het raam van Ibrahim Kudwa.

Zijn telefoon ging. Het was juffrouw Meenakshi, zijn ex-buurvrouw. Ze belde vanuit haar nieuwe huis in Bandra.

De respons op het verhaal over hem – dat haar vriend geschreven had – was 'fantastisch' geweest! Of Masterji iets voelde voor een follow-up? Of hij een blog wou bijhouden? Geen blok, een *blog*.

'Dank u voor uw hulp, juffrouw Meenakshi, en doet u de groeten aan uw vriend. Maar mijn antwoord blijft nee.'

Hij legde de telefoon neer. Hij liep terug naar het raam.

Er was weer een vrachtwagen gestopt voor Toren B; bedden en tafels waren naar beneden gedragen uit de flat en werden ingeladen. De laatste bewoners vertrokken. De resterende kinderen van Toren B speelden bij de vrachtwagen cricket met de kinderen van Toren A.

Hij sloot zijn ogen, hij stelde zich de woonkamer weer voor vol met de buurkinderen. Weer vuile cricketbats en stralende jonge gezichten.

'Vandaag zullen we zien hoe geluid zich met verschillende snelheden verplaatst in vaste stoffen en vloeistoffen,' hij strekte zijn benen, 'hier, in deze kamer. En jij, Mohammad Kudwa, hou wel je mond tijdens het experiment. Nee, ik ben niet vergeten wat je de vorige keer deed...'

Toen hij wakker werd uit zijn dutje was de vrachtwagen verdwenen.

De veiligheidstralies die verwijderd waren van wat Vishram Toren B was geweest, hadden roestige spookschaduwen rondom de vensters en balkons achtergelaten, als wenkbrauwen die in een pijnlijke ceremonie geplukt waren. Duiven vlogen de kamers in en uit die nu niemands kamers meer waren, alleen maar de gebruikte patroonhulzen van oude dromen. Gele linten waren kriskras om de voet van het gebouw gewikkeld:

DE CONFIDENCE GROUP (HOOFDKWARTIER: PAREL)
HEEFT DIT PAND IN BESLAG GENOMEN
BESTEMD VOOR DE SLOOP

Met de laatste brief van Deepa tussen haar vingers lag mevrouw Pinto in bed en riep het gezicht en de stem van haar dochter op uit de textuur van het papier. Het stereogezoem van avondseries op tv-toestellen op bijna iedere verdieping van het gebouw drong haar gedachten binnen, alsof het langegolf-berichten waren van haar dochter in Amerika.

De deur van de flat schraapte open, ze hoorde de trage voetstappen van haar man.

'Waar zat je zo lang?' riep ze. 'Je hebt me alleen gelaten.'

Haar man ging aan de eettafel zitten, luidruchtig ademend, en schonk zich een glas in uit een kan met gefilterd water.

'De einddatum is bijna verstreken, Shelley. Ik dacht echt dat hij uiteindelijk ja zou zeggen, Shelley. Ik dacht het echt.'

Ze praatte zachtjes.

'Wat zal de Confidence-man nu met hem doen, meneer Pinto?'

'Er kan van alles gebeuren. Het zijn geen christenen. Die project-ontwikkelaars.'

'Dan moet je Masterji redden, meneer Pinto. Dat ben je hem verschuldigd.'

'Wat bedoel je?'

'Al die keren dat je hem bedrogen hebt, meneer Pinto. Je bent het hem verschuldigd.'

'Shelley Pinto.' Haar man ging rechtop zitten aan zijn kant van het bed. 'Shelley Pinto.'

'In het Geen-ruzie-boek. Toen je boekhouder was bij de Britannia Biscuit Company bedroog je mensen op het werk. Ik denk dat je Masterji ook bedrogen hebt.'

'Dat is gelogen, Shelley. Hoe durf je zo tegen je man te praten?'

'Ik ben al zesendertig jaar je vrouw. Die ene keer toen jij en Masterji naar Lucky Biryani in Bandra gingen. Jij kwam die avond heel tevreden thuis en ik dacht: *hij heeft Masterji vast weer bedrogen.* Heb je geen cijfers veranderd in het Geen-ruzie-boek, zoals je dat bij de Britannia Biscuit Company deed?'

Ze hoorde bedveren kraken; ze was alleen in de slaapkamer. Meneer Pinto had de televisie aangezet.

Ze liep naar de bank en ging naast hem zitten.

'*Wij* hoeven hem niet te redden, meneer Pinto. Dat doen de anderen wel. Wij moeten ons alleen rustig houden.'

'*Wat* gaan ze dan doen?'

Ze gebaarde dat hij het geluid van de televisie harder moest zetten.

'Sangeeta en Renuka Kothari kwamen vandaag zeggen: als we allemaal afspreken om iets te doen – een kleinigheid – zouden jij en meneer Pinto het er dan mee eens zijn?'

'Wat voor kleinigheid, Shelley?'

'Ik weet het niet, meneer Pinto. Ik zei dat ze het ons niet moesten vertellen.'

'Maar wanneer gebeurt het dan?'

'Ik heb ze gezegd dat ze me *niets* moesten vertellen. Zet de televisie eens wat zachter.'

'Wat zei je dan?'

'Zet de tv zachter.'

'Ik hou van hard,' zei meneer Pinto. 'Ga jij maar naar de tuin.'

Mevrouw Pinto stapte op 'de diamant' en liep de trap af.

Ze dacht aan 1,4 crore rupee van het geld van meneer Shah, het getal was een deel van de donkere wereld om haar heen. Ze daalde nog twee treden af. Nu dacht ze aan honderdduizend dollar die ze naar Tony zond en nog eens honderdduizend dollar, naar Deepa. Haar ogen vulden zich met licht en de muur gloeide als een plaat geslagen goud.

Toen ze weer een trap afgedaald was, stootte haar voet tegen iets warms en levends. Het rook niet naar hond.

'Hou op met dat porren met uw voet.'

'Waarom zit u op de trap, Kothari?' vroeg ze.

'Mijn vrouw wil niet dat ik televisiekijk, mevrouw Pinto. Renuka heeft de kabel doorgesneden. Na eenendertig jaar huwelijk. Wat is een thuis zonder tv?'

Ze ging een tree boven hem zitten.

'Wat een vreemde toestand. Maar u kunt wel bij ons kijken.'

'Al eenendertig jaar mijn vrouw. En toch doet ze dit. Ziet u nu wat er met onze corporatie gebeurt?'

'Als ik mag vragen, meneer Kothari... *waarom* heeft ze uw kabel doorgesneden?'

'Omdat ik een kleinigheid niet wil doen. Dat wat zij en de anderen met Masterji willen doen. Weet u wat dat voor kleinigheid is?'

'Ze hebben me niet verteld wat het was. Ik dacht dat het uw idee was.'

'Mijn idee? O nee, het was van Ajwani.'

De secretaris probeerde het zich te herinneren. Was het wel Ajwani's idee? Het deed er niet toe, als een van die wespennesten die soms op de muren van de corporatie groeiden was het idee van 'een kleinigheid' uit het niets ontstaan, binnen een paar uur opzwellend tot elk huishouden in Vishram een van de cellen ervan geworden leek. Allemaal wilden ze dat het nu gebeurde. Zelfs zijn eigen vrouw.

'Die kleinigheid... is die schadelijk voor Masterji?'

'Ik weet net zomin als u, mevrouw Pinto, wat die "kleinigheid" is. Het is Ajwani's idee. Hij heeft connecties in de sloppen. Ze willen alleen dat ik hem de reservesleutel van Masterji's flat geef. Dat kan ik niet doen, mevrouw Pinto. Dat is tegen de regels.'

Mevrouw Pinto zoog de donkere lucht van het trappenhuis op.

'Zal meneer Shah de einddatum echt niet opschuiven?'

De secretaris ademde uit.

'Elke keer als ik een auto of een autoriksja hoor, mors ik thee uit mijn kopje. Het kan die Shanmugham zijn die komt zeggen: *Sorry, het is afgelopen.*'

'Dan krijgen we de dollars niet.'

'Dollars?'

'Rupees.'

'Waarom ziet Masterji het niet net zoals wij?'

'Hij komt niet eens bij ons eten. Hij vindt zichzelf te goed voor meneer Pinto en mij. Nadat die arme meneer Pinto door Masterji's schuld zijn been gebroken heeft. Hij vindt zichzelf heel wat omdat hij tegen die Shah in gaat. Hij is bij de krant wezen praten over zijn eigen corporatie.'

'Na al die keren dat hij bij u thuis kwam eten. Ondankbaarheid is de zwaarste zonde, zei mijn vader altijd.' Hij wachtte even. 'Mijn vader was de geweldigste man die ik ooit heb gekend. Als hij in Afrika was gebleven, was hij miljonair geworden. Een vorst. Maar de buitenlanders gunden hem zijn succes niet. Is dat niet het eeuwige verhaal van ons volk?'

Mevrouw Pinto legde haar koude hand op de zijne. 'Loopt er iemand de trap op?' fluisterde ze.

De secretaris tuurde in het trapgat. 'Het is die hond maar.'

Met zijn hand veegde hij het zweet van zijn voorhoofd.

'Waarom maakt u geen duplicaat van Masterji's sleutel? Mevrouw Pinto legde haar hand op de schouder van de secretaris. 'Dat zou niet tegen de regels zijn. Dan houdt u gewoon de sleutel in uw bezit. Geef alleen het duplicaat aan Ajwani.'

'Dat zou ik kunnen doen.' Kothari knikte. 'Dat is niet tegen de regels.'

'Mijn man gaat wel mee, als u dat wilt.'

'Nee, mevrouw Pinto. Het is mijn verantwoordelijkheid. Ik ga naar Mahim, dus niemand zal me herkennen.'

'Bandra is ver genoeg.'

'U hebt gelijk.' Hij glimlachte. 'In al die jaren hebben we nooit zo gepraat, mevrouw Pinto.'

'In het parlement wel. Maar niet zo. Ik heb u altijd bewonderd. Ik heb nooit gedacht dat u geld van de corporatie gestolen hebt. *Ik* niet.'

'Dank u, mevrouw Pinto.'

Ze stond op, met haar hand tegen de muur.

'Het is voor ons eigen bestwil, bedenk dat wel. Die Confidence-Shah is geen christen.'

Kothari gaf de straathond een por zodat mevrouw Pinto erdoor kon, en ze liep verder de trap af.

In de onderste la van zijn bureau bewaart de secretaris van de Vishram Corporatie een kistje met de reservesleutels van alle flats in het gebouw. In noodgevallen uit te lenen aan de rechthebbende; geen sleutel mag langer dan vierentwintig uur het kistje uit.

Een paar vingers rommelden door de sleutels. Eén sleutel werd eruit gehaald. Daarna sloot de man die de sleutel gestolen had de deur van het kantoor van de secretaris achter zich.

Er grauwde iets naar hem van achter het zwarte kruis; de straathond keek op van zijn bak met channa.

Kothari kocht een dubbelbeboterde sandwich op de markt; hij at ervan in de autoriksja die hem naar het station bracht en likte zijn vingers af toen hij uitstapte.

Voldaan doezelde hij weg in het boemeltje naar Churchgate, tot de stank van het grote zwarte riool buiten Bandra hem wekte.

Kothari fatsoeneerde zijn losse lok zodat die zijn kaalheid verborg en stapte op het perron. Een roze handpalm schoot op hem af vanuit een donker jasje: 'Kaartjekaartje.'

Hij overhandigde zijn eersteklas kwartaal-treinpasje aan de kaartjescontroleur, en terwijl de man met het jasje de geldigheid van de pas controleerde, declameerde hij:

Doe als ge wilt, boze koning;
Ik daarentegen ken goed en slecht
En zal u nooit volgen,
Sprak de deugdzame demon Maricha
Toen de heer van...

Behalve die ene keer toen hij dacht dat hij de cel in zou gaan omdat hij zijn voorlopige aanslag vergeten was te betalen, had de secretaris zich nog nooit zo gevoeld.

De late stralen van de zon, onderschept door bomen en winkelpuien rondom het station, vielen om zijn voeten als klauwsporen op boombast. Hij liep een van de stegen naast het Bandrastation in. Aan beide kanten zag hij bananen, bloemkolen, appels, glanzend en bloeiend in het gouden licht. Als een andere vreemde vruchtensoort bungelden reusachtige kartonnen sleutels, geel en wit, aan de takken van de volgende banyanboom; elk droegen ze het opschrift

RAJU SLEUTELSMID
MOBIELE TELEFOON: 9811799289

Onder hem zat de sleutelsmid op een grijs kleed, zijn gereedschap en sleutels voor zich uitgespreid. Hij werkte met een mes waarmee hij uit een stuk ijzer een nieuwe sleutel sneed en deed een oog dicht als hij hem vergeleek met een andere die hij uit zijn borstzak had gehaald.

'Kun je een duplicaat voor me maken?' vroeg de secretaris. 'Hij is voor het huis van mijn schoonmoeder – in Goregaon.'

De sleutelsmid wuifde dat hij opzij moest gaan zodat zijn schaduw naast hem zou vallen.

Kothari voelde de sleutel opgloeien in zijn hand.

'Ik had wat vrije tijd vanwege Gandhi Jayanti, dus ik dacht: laat ik het maar regelen... ga maar naar het huis van mijn schoonmoeder in Goregaon, dan kun je het zelf zien. Daar staat het flatgebouw. Bij de Topi-wala-bioscoop.'

'Hoor eens,' zei de sleutelsmid, 'ik heb nog zes bestellingen voor die van jou.'

Bijna twee uur later deed Ajwani zijn deur open en zag de secretaris staan met iets in een zakdoek gewikkeld in zijn hand.

Hij glimlachte en stak zijn hand ernaar uit, maar de secretaris hield hem achter zijn rug.

'Luister, Ajwani, als u hiervoor iets extra's krijgt van Shah – en dat weet ik – dan wil ik er de helft van. Ik heb vandaag al het werk gedaan.' Vlak bij Ajwani's oor fluisterde hij: 'Ik wil een groot raam in mijn woonkamer in Sewri. Om volledig zicht op de flamingo's te hebben. Een heel groot raam.'

Ajwani grijnsde. 'U bent een vent aan het worden, Kothari. Goed, ieder de helft.'

Hij reikte achter de rug van de secretaris en pakte het ding in de zakdoek; in ruil overhandigde hij de secretaris een groot, zacht pak.

'Watten,' zei hij. 'Deel ze uit aan iedereen in de corporatie. Voor negen uur vanavond. Ik ga nu de jongens opzoeken.'

De secretaris wendde zijn gezicht af en hield de baal watten tegen zijn oor. 'Vertel me *niet* wat er gaat gebeuren.'

Voor de Vishram Corporatie kwamen de straatlantaarns knipperend tot leven. Mevrouw Puri deed op de markt inkopen, verse, vitaminerijke spinazie waarmee ze de trage neuronen van haar zoon zou stimuleren.

Geknars van remmen scheurde over de markt. De Tata Indigo, die van de hoofdweg was geraakt, vertraagde, maar niet snel genoeg; een krankzinnig gekrijs en gespartel van levende ledematen onder de wielen.

'Je hebt hem vermoord!' schreeuwde iemand naar de chauffeur. 'Op Gandhi Jayanti nog wel!'

Twee mannen kwamen een kruidenierszaak uit, een ervan, die een blauwe lungi droeg, bond hem op rond zijn knieën. 'Trek hem uit zijn auto en sla hem in elkaar!' gilde hij.

De Indigo scheurde weg, de mannen van de winkel keerden terug naar hun werk.

De gele straathond, zovele maanden de ongenode en niet verwijderde gast van de Vishram Corporatie, lag in een plas donker, kleverig bloed bij de markt. Een kraai hipte naast het beest. Hij pikte in zijn ingewanden.

Mevrouw Puri schermde Ramu's gezicht af met haar hand. Hij kromp ineen. Ze klemde hem tegen haar zij, liep met hem terug naar Vishram en liet hem daar achter bij mevrouw Saldanha.

Ze trommelde Ram Khare uit zijn wachthokje.

Ram Khare kwam aan met water in de channa-bak die Ramu bij het zwarte kruis had neergezet. De hond was te zwak om te drinken. Ze lieten het beest in de goot zakken, zodat het waardig, misschien wel op zijn gemak, kon overlijden.

'Vraag de vuilnismannen of ze hem meenemen als ze hier morgenochtend komen, Ram Khare. We kunnen het lijk niet hier laten liggen.'

Ze ging terug en legde Ramu uit dat het niet hun lieve straathond was. Nee, dit was een andere hond die een beetje op hun hond leek. Ramu klaarde op. Zijn moeder beloofde dat ze morgenochtend hun gele hond channa uit de bak zouden zien eten. Beloofd.

Ze was hem aan het instoppen met het Lieve Eendje toen de secretaris aanklopte.

'Doe vanavond uw deur goed op slot, mevrouw Puri,' zei hij.

Ze kwam aan de deur en fluisterde: 'Gaat het echt gebeuren? *De kleinigheid?*'

Kothari zei niets; hij overhandigde haar een plastic zakje met watten en liep de trap af. Mevrouw Puri ging in het trappenhuis staan luisteren hoe hij bij de Pinto's aanklopte.

'Doe uw deur vanavond goed op slot, meneer Pinto.'

'Dat doen we elke avond.'

'Doe hem vanavond extra goed op slot. Stop watten in uw oren, als u die in huis hebt. Niet? Neem hier dan wat van. Het zit in het zakje. Doe het 's nachts in. Begrijpt u?'

'Nee.'

'Doe het maar. Het is een kleinigheid, meneer Pinto.'

Ze hoorde Kothari's voetstappen weer een trap afdalen en toen zijn stem: 'Doe uw deur vanavond goed op slot, mevrouw Rego.'

Net toen hij wegliep van de deur van mevrouw Saldanha zag de secretaris Mary voor zijn kantoor staan. Ze staarde hem aan.

'Wat wil je?' vroeg hij.

'Ik maak elke avond rond deze tijd uw kantoor schoon,' zei ze. 'Ik wilde de bezem pakken.' En toen voegde ze eraan toe: 'Ik heb niks gehoord.'

'Maak het kantoor morgen maar schoon, Mary. Neem de rest van de dag maar vrij.

Ze bleef staan.

'Mary.' De secretaris ging zachter praten. 'Als het Shanghai gebouwd wordt, nemen ze jou aan. Daar zal ik voor zorgen. En dan krijg je een uniform. Een goed loon. Ik zorg ervoor. Begrijp je?'

Ze knikte.

'Ga nu naar huis,' zei Kothari. 'Maak er een fijne avond van met je zoon.'

Hij bleef kijken tot ze het hek uit liep en links afsloeg naar de sloppen.

Er hing een nachtelijke stilte in Vishram zoals ze in geen decennia hadden gehoord. De verlaten Toren B met het gele lint eromheen met *Bestemd voor de sloop* leek onbeweeglijkheid uit te scheiden. De Pinto's konden, liggend in bed, weer eens het brullen van de vliegtuigen boven Vakola horen.

'Daar,' fluisterde meneer Pinto.

'Ja,' fluisterde mevrouw Pinto, 'ik hoorde het ook.'

Masterji was weer op zijn kamer. Hij waste zijn gezicht in de wasbak.

'Misschien gebeurt er vannacht niks,' fluisterde mevrouw Pinto. 'Ga slapen, Shelley.'

'Hij is opgehouden met rondlopen. Hij is naar bed,' zei ze. Ze spitste haar oren.

'Maar er loopt iemand boven hem.'

Iets na middernacht werd de secretaris wakker.

Hij had gedroomd dat hij voor een tribunaal van vier rechters stond. Ze droegen de gebruikelijke zwarte toga's en witte pruiken van de magistratuur, maar ze hadden elk een flamingogezicht. De rechtbankvoorzitter, die groter was dan de anderen, droeg een sjaal van goudbont. Het gezicht van die flamingorechter was zo vreselijk dat de secretaris er niet naar kon kijken; in de hoop op medeleven wendde hij zich tot de lagere rechters. Alle drie lazen ze hardop, maar het enige wat hij kon horen was één woord dat eindeloos herhaald werd: *Verordening, Verordening.* De rechtbankvoorzitter zette zijn pruik recht en zei: 'Menselijke wezens zijn alleen maar individueel menselijk, als ze samenkomen, dan worden ze...' Zijn drie mederechters waren al aan het kwetteren, '...*vogelachtig.*' De drie hieven een hoog kakelend gelach aan. Toen schikte de opperflamingo zijn gouden sjaal, want het was een ijdele rechter, en sprak met een diepe stem die de secretaris herkende als die van zijn vader: 'Nu dan de uitspraak betreffende Ashvin Kothari, secretaris, Vishram Corporatie Toren A, gevestigd in de stad Mumbai, die een duplicaat heeft vervaardigd van een sleutel die aan zijn hoede was toevertrouwd, teneinde een inbraak in zijn eigen corporatie mogelijk te maken, en dat nog wel op de feestdag Gandhi Jayanti. In overeenstemming met de geldende wetten, en teneinde geen aanstoot te geven, zal de uitspraak van dit hof worden voorgelezen in het Engels, Marathi, Hindi, Urdu, Punjabi, Gujarati...'

Kothari opende zijn ogen. Hij knipte zijn lamp aan, zodat hij op de klok kon kijken. Zijn vrouw naast hem begon te brommen.

In het donker liep Kothari over het kleed in zijn woonkamer. Met zijn hand hield hij zijn haarsliert op z'n plaats toen hij zich op de bank liet zakken.

Niemand zou *hem* erop kunnen aanspreken. Ajwani had 'een kleinigheid' geregeld.

Toch wilde hij om hulp schreeuwen, of naar het politiebureau bij de snelweg hollen en agent Karlekar alles vertellen voor er in de nacht iets verschrikkelijks zou gebeuren en ze in de ochtend Masterji zouden vinden met gebroken benen of erger, veel erger...

Zijn vrouw snurkte in bed. Kothari knielde, hield zijn oor tegen het tapijt en luisterde. Het enige wat hij kon horen was zijn eigen stem die fluisterde:

'Doe als ge wilt, boze koning;
Ik daarentegen ken goed en slecht...'

Kort na twee uur hoorden de Pinto's Masterji's deur weer opengaan.

Het was net als wanneer je iemand in een ander huis hoort vrijen, het krakende bed en het gezucht, en je probeert het buiten je oren te sluiten. Ze wilden het niet horen.

Iets liep de trap op. *Tweemaal* iets.

'De jongens zijn er.'

'Ja.'

De twee oude lijven bewogen in bed, volgden de voetstappen; een reeks snelle voetstappen en toen een kreet van pijn. Bot had de tafel geraakt.

'De teakhouten tafel.'

'Ja. O, nee.'

Er volgde nog meer gestommel, de tafel viel om, een gil.

'Dieven!'

Niemand verroerde zich. Niemand bewoog. De twee Pinto's grepen elkaars hand vast. Iedereen in het gebouw, op dezelfde manier uitgestrekt, moest de kreet gehoord hebben. De Pinto's konden de harten warm voelen worden in elke luisterende slaapkamer – hetzelfde 'eindelijk'.

Er klonk gedempt geworstel, en toen een geluid als van meppen, alsof iemand naar een rat sloeg die de kamer rondrende. Toen, snijdend door de nacht, geen menselijke kreet maar het janken van een dier.

De Rubik's Cube redde hem.

Een van de jongens trapte erop, gleed uit en sloeg met zijn knie tegen de teakhouten tafel die omviel.

Masterji werd wakker.

Hij had meteen de blauwe *Geïllustreerde Geschiedenis der Natuurwetenschappen* gegrepen – had binnen in hem iets verborgens hierop liggen wachten, dit moment geoefend? – en was zijn slaapkamer uit gerend; voor ze hem ook maar gezien hadden had hij de eerste met het boek op zijn hoofd geslagen. Schreeuwend – *Dieven!* – en met een kracht die hij bij daglicht niet zou kunnen opbrengen, had hij een van de jongens een duw gegeven, die achteruitwankelde tegen de andere die bij de telefoon viel. De *Geïllustreerde Geschiedenis der Natuurwetenschappen* rees hoog op en kwam neer op de schedel van de jongen, die begon te janken. Een aftocht volgde, de twee jongens renden de open deur door waarbij er een struikelde en de trap af tuimelde. Inmiddels wilden ze alleen nog wanhopig overleven nu ze beseften dat ze niet waren gestuurd om een weerloze oude man te bedreigen en bang te maken, zoals ze was gezegd, maar een waar monster. Ze renden het binnenterrein op en sprongen over het hek.

Masterji schoof de bank tegen de deur om die te barricaderen tegen een tweede aanval. Purnima, neuriede hij, Purnima. Hij schoof de stoel tegen de bank.

Toen kreeg hij het gevoel dat het fout was geweest om dit te doen. Hij moest in staat zijn naar binnen en naar buiten te lopen als er nog een aanval kwam, en de deur moest open zijn. Hij schoof de bank en de stoel weer op hun plaats.

Hij liet water in een pan lopen, zette het gas aan en bracht water aan de kook. Hij zou het over hun hoofd gooien als ze terugkwamen. Op zijn knieën inspecteerde hij de gasfles. Zou hij die in hun gezicht kunnen laten ontploffen? *Purnima*, dacht hij, *Purnima*. Hij probeerde het gezicht van zijn vrouw op te roepen, maar er kwam geen beeld op in zijn hoofd, hij herinnerde zich niet meer hoe ze eruit had gezien. Gaurav, riep hij, Gaurav, maar zijn gezicht herinnerde hij zich ook niet meer... Hij zag alleen duister en toen, opdoemend uit dat duister, mensen, mensen van verschillende rassen die in witte overhemden dicht tegen elkaar aan stonden. Hij herkende ze: het waren de forenzen in de lokale trein.

Nu drong er een zonnestraal door in de coupé en hun uiteenlopende gezichten lichtten op als een enkel menselijk licht dat in kleuren was gebroken. Hij zocht naar het gezicht van de dagloner van de Crawford Market; hij kon hem niet vinden maar er waren anderen net als hij. De trillende groene kussens en de groengeverfde wanden van de wagen lichtten op om hen heen. 'Rustig, Masterji,' zeiden de stralende mannen in de witte overhemden, 'want wij zijn allemaal met je.' Hij begreep nu dat niet hij de twee jongens had neergeslagen, *zij* hadden dat voor hem gedaan. Achter het rooster wendden de gezichten in de gele tweedeklascoupé zich tot hem en zeiden: 'Wij zijn ook met je.' Ze stonden opeengepakt om hem heen, hij voelde handen zijn hand zoeken en elk gemompel, elk gefluister, elke schok van de trein zei: *Je bent nooit geboren en je zult nooit sterven; je kunt niet kwetsen en niet gekwetst worden; je bent onoverwinnelijk, onsterfelijk, onverwoestbaar.*

Masterji schoof de grendel weg, liet zijn deur open en ging slapen.

3 OKTOBER

'Meneer.' Nina, de hulp van de Pinto's wendde zich tot haar werkgever. 'Gaat u zelf maar kijken wie het is.'

Meneer Pinto die net klaar was met zijn ontbijt van een masalaomelet van drie eieren, opgediend met toast met boter en tomatenketchup, slofte met zijn bruine leren sandalen over de vloer naar de deur.

Hij zag wie er aan de deur was en draaide zich om. 'Nina,' riep hij, 'kom terug.'

Masterji stond voor de deur.

'Vannacht was ik er zeker van dat meneer Shah erachter zat,' zei Masterji. 'En ik voelde me veilig tot vanmorgen. Maar toen ik wakker werd dacht ik: die jongens hebben de deur niet opengebroken. Ze hadden een reservesleutel. Wie heeft ze die reservesleutel gegeven?'

Meneer Pinto draaide zich om en gebaarde naar de tafel.

'Kom met ons ontbijten. We hebben de omelet van drie eieren. Uw lievelingseten. Nina, nog een omelet, nu meteen. Kom, Masterji, ga aan tafel zitten.'

'Wist u wat er vannacht zou gaan gebeuren?' vroeg Masterji. 'Heeft de secretaris tegen iedereen gezegd dat ze zich stil moesten houden toen ik schreeuwde? Dat is nog iets wat ik vanmorgen pas bedacht. Niemand kwam me te hulp.'

Meneer Pinto gebaarde hulpeloos. 'Wat ons betreft: eerlijk, we hebben niets gehoord. We sliepen. Vraag maar aan Shelley.'

Mevrouw Pinto stond op van de ontbijttafel, ging naast haar man staan en nam zijn hand in de hare.

'We wilden u redden, Masterji,' zei ze met haar kraakstem. 'Ze zeiden dat we u zouden redden als we ons stilhielden.'

'Shelley, hou je mond. Ga weer zitten. We wisten van niks, Masterji. We danken God dat u ongedeerd bent. Kom nou binnen en ga eten...'

'U liegt, meneer Pinto.'

Masterji trok de voordeur los uit meneer Pinto's greep en sloot hem zelf. Hij duwde zijn voorhoofd tegen de deur. Rajeev en Raghav Ajwani, in hun schooluniform, probeerden langs hem heen te sluipen.

Masterji hoorde beneden stemmen en ging de trappen af. Er zaten drie vrouwen in de witte plastic stoelen.

Mevrouw Puri praatte tegen de vrouw van de secretaris; mevrouw Ganguly, getooid in goud en zijde, kennelijk op weg naar een huwelijksplechtigheid, luisterde toe.

'Wat maakt het uit dat de zusters van de Speciale School willen dat Ramu voor David de Overwinnaar van Goliath speelt in de optocht? Wat kan het mij schelen dat David christen was en wij hindoes zijn? Jezus en Krishna: twee huidskleuren, dezelfde God. Mijn leven lang ben ik vrolijk kerken in en uit gelopen.'

'U hebt gelijk, Sangeeta,' antwoordde de vrouw van de secretaris. 'Wat is er in de grond voor verschil?'

Masterji keek van mevrouw Puri naar mevrouw Kothari en naar mevrouw Ganguly om een gezicht te vinden dat schuld onthulde onder zijn blik. Niemand besteedde ook maar enige aandacht aan hem. *Kijk ik naar goede of naar slechte mensen?* dacht hij.

Mevrouw Puri sloeg een vlieg van mevrouw Kothari's schouder en ging door.

'Heb ik niet in de St. Antony gebeden en toen in de St. Andrew en toen in Mount Mary, dat de dokters het mis zouden hebben over Ramu? Net zoals ik in de SiddhiVinayak-tempel heb gebeden, mevrouw Kothari.'

'U bent een ruimdenkend mens, Sangeeta. Een mens van de toekomst.'

'Wist u allemaal wat er vannacht zou gaan gebeuren?' vroeg Masterji. 'Ben ik het enige menselijk wezen in dit flatgebouw?'

Mevrouw Puri praatte door tegen de vrouw van de secretaris. 'Ik maak geen onderscheid tussen hindoe en moslim en christen in dit land.'

'Helemaal waar, Sangeeta. Als je maar een goed hart hebt, zeg ik altijd.'

'Voor honderd procent mee eens,' sloot mevrouw Ganguly zich erbij aan. 'Ik stem *nooit* op de Shiv Sena.'

Nu zag Masterji Tinku Kothari, de zoon van de secretaris. De dikke jongen was in een plastic stoel geperst met zijn miniatuurcarrombord en speelde in zijn eentje, waarbij hij om beurten de zwarte en beige schijven raakte. Met zijn vingers gespannen om de blauwe *striker* weg te schieten stopte hij even en keek schuins naar Masterji.

Hij gniffelde. Zijn geleiachtige vlees golfde onder zijn strakke groene T-shirt met het gouden opschrift *Kom naar Ladakh, land der kloosters*. De grijnzen van Tibetaanse monniken op het T-shirt van de jongen werden breder.

De blauwe striker joeg de carromschijven uit elkaar. Een zwarte schijf stuiterde over de rand van het bord en rolde door het parlement tot hij Masterji's voet raakte. Hij huiverde.

Hij liep de trap op naar zijn woonkamer en wachtte op zijn oude vriend. Kon Shelley die koppige oude boekhouder nu maar overhalen om te komen aankloppen en één woord te zeggen. 'Sorry.'

Eén woord maar.

Hij wachtte een halfuur. Toen stond hij op en pakte het Geenruzie-boek, dat nog steeds met een blauw elastiek eromheen boven op *De Tocht van de Ziel na de Dood* op de boekenplank lag.

Hij schoof het elastiek eraf. Hij scheurde de bladen van het Geenruzie-boek er een voor een uit, scheurde toen elk blad in vieren en scheurde daarna elke snipper in kleinere snippers.

Beneden in 2A wendde meneer Pinto aan zijn eettafel zich naar het raam en zag de sneeuwbui van papiersnippers: dat was er over van een vriendschap van tweeëndertig jaar.

Schuurgeluiden begonnen op het binnenterrein. Mary veegde de confetti in een plastic zak. Masterji keek toe. Hij wachtte tot ze naar hem op zou kijken, hij wachtte op één vriendelijk gezicht in zijn corporatie. Maar ze keek niet.

Hij begreep het: ze schaamde zich. Ook zij had geweten wat er zou gebeuren.

Een schaduw viel over Mary's gebogen rug; een havik gleed over haar heen een van de open ramen van Toren B binnen.

'Kom naar *deze* toren!' riep Masterji.

Vanuit zijn raam keek hij toe hoe de havik, als op zijn bevel, Toren B uit kwam en terugvloog.

En niet alleen jij.

Duif, kraai, kolibrie, spin, schorpioen, zilvervisje, termiet en rode mier, vleermuizen, bijen, steekwespen, wolken malariamuskieten.

Kom, jullie allemaal, en bescherm me tegen de menselijke wezens.

De cricketpartij bij de Tamiltempel was afgelopen. Een goede wedstrijd voor Timothy: zijn moeder had hem niet betrapt bij het spelen en hij had deze middag de meeste runs gehaald.

Kumar, de grootste van de jongens die met Timothy speelden, had geen goede wedstrijd gehad. Zijn dienst als schoonmaker bij 'Konkan Kinara', een goedkoop restaurant bij het Santa Cruz-station, zou zo beginnen en hij liep over het braakland rondom Vakola naar zijn huis in een van de sloppen achter het Bandra-Kurla-complex. Hij strompelde vanavond, met de cricketbat in zijn hand sloeg hij tegen het hoge gras aan beide zijden van het modderpad. Een paar passen voor hem liep Dharmendar, de fietsenmakersknecht, met zijn handen in zijn zakken en staarde naar de grond.

Uit het hoge gras sprong een klein, donker schepsel in een blauw safaripak op hen af.

'Oom Ajwani,' zei Kumar.

De makelaar sloeg Dharmendar op zijn hoofd. 'Zoiets simpels.'

Nog een klap. 'Je hoefde alleen maar een oude man bang te maken. Een oude man van eenenzestig.'

Ajwani's voorhoofd zwol op en zijn schedel trok zich terug. De pezen in zijn nek stonden gespannen. Zijn speeksel sproeide rond toen hij begon te schelden.

Kumar liet zijn cricketbat zakken en ging naast Dharmendar staan, om zijn deel van de verantwoordelijkheid aan te geven. Hij boog zijn hoofd, Ajwani verwaardigde zich niet er een klap op te geven. Hij veegde zijn handen af aan zijn safaripak, alsof ze vuil geworden waren door de aanraking van zo'n onwaardig wezen.

'Jullie hadden de sleutel, jullie moesten naar binnen gaan, een hand op zijn mond leggen en hem de boodschap geven. En dat konden jullie niet.'

'Hij was... heel fel, oom Ajwani.'

De makelaar keek dreigend. 'En nu spelen jullie *cricket*.'

'Neem ons niet kwalijk, oom,' zei Kumar. 'Wij zijn niet geschikt voor dit soort werk.'

Een vliegtuig met het rood-wit van Air India steeg op naar de hemel. Door het gebrul heen vloekte Ajwani en spuwde in het gras.

'Hoeveel jongens zitten er niet te wachten op zo'n klus? Een kans om snel wat te verdienen. Het begin van een carrière in het onroerend goed. En dan moet ik net jullie twee uitkiezen. Kumar, heb ik geen onderkomen in de sloppen voor jouw gezin gevonden? Had je op een andere manier voor tweeënhalfduizend rupee per maand een dak boven je hoofd kunnen vinden?'

'Nee, oom.'

'En jij, Dharmendar, heb ik je moeder niet een baan als werkster in de Silver Trophy Corporatie bezorgd? Ben ik daar niet persoonlijk met de secretaris gaan praten?'

'Ja, oom.'

'En dan laten jullie me zo in de steek. Vluchten voor een man van eenenzestig...' Hij schudde zijn hoofd. 'En nu krijgen we de politie hier. Voor mij.'

'Neem ons niet kwalijk, oom.'

'Waar is die sleutel gebleven die ik jullie heb gegeven?' Ajwani gebaarde met zijn vingers om de sleutel.

'We zijn de sleutel verloren,' zei Kumar.

'Toen we naar buiten holden, oom.'

'De sleutel verloren!' schreeuwde Ajwani. 'Als de politie me komt arresteren, moet ik ze jullie namen geven en zeggen dat het jullie idee was.'

'We gaan wel voor u de cel in, oom. U bent als een vader voor...'

'Ach, hou toch je mond,' zei Ajwani. 'Hou je mond.'

Bijna stikkend van walging liep hij terug naar de markt en stak de straat over naar zijn kantoor.

Toen Mani terugkwam in Renaissance Vastgoed trof hij zijn baas aan liggend op het veldbed in de achterkamer met een voet uitgestrekt en spelend met de kokosnoten in de mand.

'Waarom, Mani? Waarom heb ik die klus aan die jongens gegeven? Ik ken zo veel mensen langs de snelweg. Ik had naar een echte *goonda* moeten gaan. Iemand met ervaring.'

'Jawel, meneer.' Mani ging in een hoek naar de baas zitten kijken.

'Ik ben mislukt in alles wat ik heb aangepakt, Mani. Ik heb aandelen Infosys gekocht in 2000. Vier dagen laten stortte de Nasdaq in. Zelfs onroerend goed koop ik op het verkeerde moment. Ik ben gewoon een komiek in mijn eigen voorstelling.' Tranen schoten hem in de ogen, zijn stem brak. 'Ga weg, Mani.'

'Jawel, meneer.'

'En zorg voor mijn kinderen als de politie komt om me te verhoren, Mani.'

'Jawel, meneer.'

De makelaar pakte het zwarte kromme mes op, sneed een kokosnoot open, dronk de melk op, ging toen op de grond liggen en deed vijfentwintig push-ups in een poging om zijn moreel op te krikken.

Om drie uur, toen Mani de achterkamer weer binnen kwam, lag hij nog op het veldbed naar het plafond te kijken.

'Hoe hij die twee waardeloze jongens heeft aangepakt, Mani. Een man van eenenzestig die zoiets doet, die heeft pit. Ook in een vijand bewonder ik moed.'

Nu hij Masterji zoiets vreselijks had aangedaan, voelde Ajwani zich meer dan ooit gehecht aan die onbuigzame, schijnheilige oude leraar die hij al die jaren niet had gemogen of vertrouwd.

Elke morgen witheet van woede wakker worden. Op je eenenzestigste weer een jonge man worden. Hoe moest dat voelen? Ajwani balde zijn vuist.

Om vier uur belde hij het kantoor van de secretaris.

Kothari's stem klonk ontspannen. 'U hoeft zich geen zorgen te maken. Hij is niet naar de politie gegaan.'

'Gaat hij geen klacht tegen ons indienen?'

'Nee.'

'Ik snap het niet...'

'Ik heb er de hele morgen over nagedacht,' zei de secretaris. 'Net als u zat ik te beven in mijn kantoor. Maar de politie is niet gekomen. Waarom heeft Masterji ze niet gebeld?'

'Dat vroeg ik aan u, Kothari.'

'Omdat,' de stem aan de telefoon zakte tot een gefluister, 'hij weet dat hij de schuldige is. Niet naar de politie gaan, wat betekent dat? Een volledige bekentenis. Hij neemt de verantwoordelijkheid op zich voor alles wat er misgegaan is in deze corporatie. En dan te bedenken dat wij die man respecteerden. Luister nu, Ajwani. Gisteren was de einddatum. Om middernacht. Klopt?'

'Ja.'

'Maar er is niemand gekomen van het kantoor van de projectontwikkelaar. Om te zeggen dat het afgelopen is en dat de Confidence Group geen belangstelling meer heeft voor Toren A.'

'Wat betekent dat?' fluisterde Ajwani terug. 'Geeft Shah ons meer tijd? Hij zei dat hij dat nooit zou doen.'

'Ik weet niet wat het betekent,' zei de secretaris. 'Maar hoor eens, wij hebben allemaal getekend en op het formulier een datum vóór 3 oktober gezet. Klopt? Als Shanmugham morgen komt en zegt dat het afgelopen is, kunnen we altijd zeggen: "Maar we *hebben* de formulieren getekend. *U* bent gisteren niet gekomen."'

Ajwani herademde. Ja, het zou nog kunnen. Er was nog niets verloren.

'Maar dit betekent...'

'Dit betekent,' ging de secretaris voor hem verder, 'dat we iets nog eenvoudigers moeten proberen met Masterji. *Vannacht.*'

'Niet vannacht,' zei Ajwani. 'Ik heb een dag nodig. Ik moet dingen plannen.'

De stem aan de andere kant van de lijn zweeg even.

'En u noemt *mij* een man van niks, Ajwani?'

'Waarom moet *ik* alles doen? Doe het deze keer zelf!' schreeuwde de makelaar. Hij ramde de telefoon op de haak.

Jullie stinken. Ja, jullie.

Hij kon ze ook vanuit zijn kamer ruiken. Hij stak de kaars aan, hij brandde een wierookstokje, hij spoot parfum in de kamers, maar hij rook ze nog steeds.

Ik ga zo ver mogelijk naar boven, dacht Masterji.

Dus klom hij de trap op en ging weer het terras op. Aan de rand keek hij naar beneden op het zwarte kruis, dat door mevrouw Saldanha met slingers versierd werd.

Ze bidt vast dat ik dood zal gaan, dacht hij.

Hij liep rondjes op het terras. Na een tijdje zag hij kleine gezichten naar boven kijken op het terrein beneden: Ajwani, mevrouw Puri en de secretaris stonden naar hem te kijken.

Degenen die hem de nacht daarvoor in zijn kamer hadden willen overvallen, stonden nu van beneden naar hem te staren, alsof *hij* iets was om bang voor te zijn. Wat zou een kindergezicht met een zaklantaarn monsterlijk zijn voor een giftige spin. Hij glimlachte.

De glimlach vervaagde.

Ze wezen naar hem en fluisterden in elkaars oor.

Ga meteen naar beneden, hield hij zich voor. Als je hierboven blijft, geef je ze alleen maar een reden om je iets ergers aan te doen.

Een halfuur later was hij daar nog steeds, met zijn handen samengeklemd op zijn rug liep hij rondjes over het terras, net zomin in staat op te houden met bewegen als die daar beneden in staat waren om niet meer te kijken.

BOEK NEGEN:

DE EENVOUDIGSTE KLEINIGHEID

4 OKTOBER

Wit en roze stonden ze op een metalen blad voor de afbeelding van de Madonna achter glas, hun afzonderlijke vlammen smolten samen tot een fors vuur dat zwaaide, afwisselend in antwoord op de zeebries en op de zingzang van de knielende boetelingen. Dikke, zwart geworden pitten staken uit de smeltende kaarsen als een bot uit een wond.

Witte en roze was droop als luidruchtig gesmolten vet op de metalen plaat eronder, stolde toen tot witte vlokken die rondwaaiden als sneeuw.

'Hoe lang gaat mammie vandaag bidden?'

De Madonna stond op een terras met de zee van Bandra achter zich en de stenige grijze gotische gevel van de kerk van Mount Mary voor zich.

Sunil en Sarah Rego wachtten bij de muur om het terras; mevrouw Puri stond naast hen, woelde door Ramu's haar en spoorde hem aan om de woorden te zeggen (die hij ooit zo goed gekend had): 'Heilig rooms-katholiek'.

Het was mevrouw Puri's idee geweest om hierheen te gaan: het zwarte kruis op het binnenterrein had hen in de steek gelaten. Het had het ene gebed na het andere en de ene bloemslinger na de andere verslonden en niets gedaan om Masterji van gedachten te doen veranderen.

Dus had ze hen allemaal in twee autoriksja's laten klimmen, de walmen van de Khar-onderdoorgang trotseren en hierheen komen, naar de beroemdste kerk van de stad.

Mevrouw Rego zat op haar knieën voor de Madonna, haar handen gevouwen, haar ogen dicht, haar lippen aan het werk.

Sunil had een behoorlijke tijd gebeden, nu leunde hij over de rand van het terras en las hardop de heilige woorden die langs de treden waren geschilderd.

'Dat woord is "Rozenkrans". En dat daarnaast is "Offer". En dat woord is "Penitentie". Dat is een groot woord. Dat kan mammie gebruiken om tante Catherine mee te overtroeven.'

Mammie had zich een halfuur lang niet bewogen. Degene die naast mevrouw Rego zat te bidden stond op: een oude vrouw in een paarse sari vulde het gat op en raakte drie keer met haar voorhoofd de grond.

'Is er iemand ziek? Is het pappie op de Filippijnen?'

'Stil, Sarah,' fluisterde Sunil.

'Waarom bidt mammie anders zo lang?'

Een halfuur later liepen ze alle vijf de heuvel af naar de muziektent van Bandra. Ze kochten vier borden *bhelpuri* bij een straatverkoper en gingen in de schaduw van het paviljoen zitten. Sunil en Sarah verorberden hun eten, terwijl mevrouw Puri wat van haar bhelpuri naar Ramu's mond lepelde.

Mevrouw Rego vroeg: 'Waarom is er vandaag niemand van de Confidence Group komen vertellen dat het afgelopen was?'

'Meneer Shah zal wel bezig zijn met het papierwerk voor zijn halve Shanghai. Ik denk dat hij Shanmugham morgen stuurt.'

Ramu kauwde op zijn eten. Zijn moeder lette op hem en duwde zachtjes de losse gepofte rijst in zijn mond.

'Weet u dat iedereen in Toren B vorige week de laatste termijn betaald heeft gekregen?'

'Zo snel?'

'Eerder dan afgesproken, alweer. Ritika belde me. Die man, die meneer Shah, die houdt zich aan zijn woord.'

Mevrouw Puri voerde haar zoon nog een lepel.

'Weet u wat *Kala Paani* betekent? Vroeger noemden ze de oceaan zo. De mensen waren bang om de zee op te gaan. Ajwani zegt dat we nu allemaal op de *Kala Paani* zitten. Meneer Shah zegt dat ook. We moeten de grens overschrijden. Zoals hij deed toen hij naar Mumbai kwam, zonder schoenen aan zijn voeten.'

'Hoe weet u dat?' Mevrouw Rego's stem daalde. 'Hebt u hem gesproken?'

Mevrouw Puri knikte.

'Hebt u over geld gepraat?'

'Nee. *Mij* probeerde hij niet om te kopen.'

Mevrouw Rego keek de andere kant uit.

'Het is een kleinigheid,' zei mevrouw Puri. 'En dan is deze nachtmerrie over, voor ons allemaal. We kunnen meneer Shah nu meteen bellen. Voordat Shanmugham komt.'

'We hebben die kleinigheid al geprobeerd. Het beviel me niks. Misdadigers in mijn corporatie.'

Mammie glimlachte en veegde Ramu's mond af.

'Er is een nog eenvoudiger kleinigheid. Een duwtje maar. Maar het moet wel *nu* gebeuren.'

Mevrouw Rego fronste haar voorhoofd; ze probeerde te begrijpen wat haar buurvrouw had gezegd.

'Georgina! Wat doe jij in Bandra?'

Een vrouw in een groene jurk kwam op hen af, een lange, kale buitenlander met een sikje kwam achter haar aan.

Ze stelden zich voor. De vrouw in de groene jurk was Catherine, de zus van mevrouw Rego, en dat buitenlandse geval bij haar was haar Amerikaanse man Frank, de journalist. Zijn artikelen stonden in heel veel vooruitstrevende tijdschriften.

'We hebben over je corporatie gelezen in de krant, Georgina,' zei Frank tegen zijn schoonzus. 'En over die oude leraar van jullie. In de *Sun*.'

Mevrouw Rego had weinig belangstelling gehad voor haar bord bhelpuri. Nu begon ze te eten.

Frank wreef zich in zijn handen. 'Ik weet wel waarom hij dat doet. Het is een demonstratie, hè? Tegen projectontwikkeling. Tegen *ongeplande* projectontwikkeling.'

413

Mevrouw Rego at bhelpuri. Mevrouw Puri stond op en keek de buitenlander aan.

'Het is geen demonstratie. Hij is *gek*.'

De Amerikaan deinsde terug.

'Nee, ik denk dat het een demonstratie is.'

'Wat weet u ervan? U woont niet in Vishram. Gisteren liep hij op het terras. Rondjes, alleen maar rondjes. Met een Rubik's Cube in zijn hand. Wat betekent dat anders dan "ik ben volkomen gek geworden"? En wij horen hem toch, mijn man en ik, naast ons. Hij praat tegen zijn vrouw en dochter alsof ze nog leven.'

Mevrouw Puri keek naar Ramu. De jongen speelde met mevrouw Rego's kinderen.

'Niks geen demonstratie,' fluisterde ze. 'Pure waanzin.'

Het bord met bhelpuri viel mevrouw Rego uit handen. Ze begon te snikken.

Catherine hurkte naast haar zus en wreef haar over haar rug.

'Frank, moet je het nou over die afschuwelijke man hebben? Moet je mijn zus van streek maken?'

'Wat heb ik nou gedaan?' De man keek om zich heen. 'Ik zei alleen...'

'Hou je mond, Frank. Soms ben je zo gevoelloos. Niet huilen, Georgina. We halen wel een ander bord voor je. Kom, kijk me aan.'

'Ik krijg dat geld niet, het is niet eerlijk,' snikte mevrouw Rego. 'Het is niet eerlijk, Catherine. Je hebt me weer overtroefd. Dat doe je altijd.'

'O, Georgina...'

Mevrouw Rego's kinderen kwamen elk aan een kant van haar staan en hielden koesterend haar handen vast.

'Mammie,' fluisterde Sunil, 'de kinderen van tante Catherine zijn stom. Dat weet je wel. Sarah en ik gaan heel veel geld voor je verdienen, en dan kun je haar weer overtroeven. Niet huilen, mammie.'

Een uur later maakte mevrouw Puri het hek van de Vishram Corporatie open voor haar Ramu.

Mevrouw Rego en haar kinderen liepen achter Ramu naar binnen.

'De hele Vishram Corporatie staat machteloos tegenover een vogel,' zei mevrouw Puri, toen ze voor de keuken van mevrouw Saldanha stond.

Het kraaiennest was gebouwd boven het keukenraam van mevrouw Saldanha; al dagen waren er takjes en veren uitgevallen. Mary had geweigerd er iets aan te doen, het bracht ongeluk als je de eieren eruitgooide. 'Ik ben ook een moeder,' had ze teruggezegd toen mevrouw Saldanha haar beschuldigde dat ze haar taken verwaarloosde.

Nu waren de eieren uitgekomen. Twee bloedrode open snavelmondjes krijsten de hele dag wanhopig. De moederkraai hipte van jong naar jong en pikte ze stuk voor stuk troostend, maar met geheven snavels bleven ze gillen om meer, veel meer.

'We zeggen tegen de secretaris dat hij de zeven-soorten-ongedierte-man moet bellen,' zei mevrouw Rego, terwijl ze naar de grond bleef kijken.

Die man, die in de buurt van het station werkte, werd vaak naar Vishram gehaald om een wespennest of bijennest weg te halen; hij schraapte het weg met een stok en spoot dan een wit antiseptisch middel op de muur.

'Bel niemand,' zei mevrouw Puri. Ze pakte mevrouw Rego's arm beet om haar tegen te houden.

'We doen het meteen. Let maar op.'

Ze haalde haar mobiel tevoorschijn en toetste in. Ajwani was thuis. Hij kwam naar beneden in een banian over zijn broek en krabde aan zijn onderarmen. Hij woonde weliswaar recht boven het nest, maar op de tweede verdieping.

'Het is maar een kraai en wij zijn mensen,' hield mevrouw Puri hem voor.

Ajwani herinnerde zich een lange stok die hij gebruikte om spinnenwebben van het plafond te halen.

Een paar minuten later leunde hij uit het keukenraam van zijn vrouw en mikte met de stok naar het kraaiennest, als een biljarter. Zijn zoons stonden aan beide kanten van hem en gaven aanwijzingen.

De secretaris kwam uit zijn kantoor om te kijken. Mevrouw Saldanha ook.

Mevrouw Puri stuurde Ramu de trap op; hij had orders om op de eerste verdieping op haar te wachten.

'Doe het snel,' riep ze naar Ajwani, 'de moeder heeft het door.'

Ajwani duwde tegen het nest met de stok. De kraai vloog op met gespreide klauwen. Ajwani duwde nog eens, het nest tuimelde over de rand, de twee jongen krijsten wanhopig. 'Iets naar links, vader,' zei Raghav. De makelaar gaf een laatste por, het nest viel op de grond, takjes en bladeren raakten verstrooid.

Een van de jongen was stil, maar het andere stak zijn snavel door het ingestorte nest. 'Waarom houdt hij zijn bek niet?' zei de secretaris. De kraai liet Ajwani, die zijn raam had gesloten, met rust en vloog omlaag naar haar levende jong. Kothari stampte op de kop van het jong en het zweeg. De kraai vloog weg.

'Een kleinigheid toch?' zei mevrouw Puri.

Plotseling begon iemand in het trappenhuis te schreeuwen.

Allemaal keken ze omhoog, naar het dak. Daar liep Masterji, zijn handen ineengeklemd achter zijn rug, rondje na rondje.

Een paar uur daarvoor had hij aan zijn raam gestaan, in de tuin zag hij Mary's groene tuinslang in bochten om de hibiscusplanten liggen.

Alles wat zo eenvoudig had geleken, die avond op de Crawford Market, werd nu zo verwarrend.

Er klapperde iets tegen de keukenmuur: Purnima's oude kalender.

Masterji zocht tussen de gekreukelde kleren bij de wasmachine, haalde er een overhemd uit dat nog fris rook en trok dat aan.

Op de markt genoot Shankar Trivedi tussen de kippenkooi en de suikerriet-maalmachine van zijn tweede scheerbeurt die dag. Zijn gezicht was gul ingezeept rondom zijn zwarte snor. Hij hield een brandende sigaret in zijn rechterhand, terwijl de kapper hem met nauwgezette halen van zijn open scheermes ontmaskerde.

'Trivedi, ik ben het.'

Het oog van de priester wendde zich naar de stem.

'Ik probeer u al dagen te vinden. Het is morgen. De sterfdag van Purnima.'

De priester knikte en nam een trek van zijn sigaret.

Masterji wachtte. De kapper oliede, masseerde en krulde de weelderige snor van de priester. Hij strooide talkpoeder in Trivedi's nek, gaf een laatste *flap* met zijn kappershanddoek en bevrijdde zijn klant uit de blauwe stoel.

'Trivedi, hoort u me niet? Morgen is de herdenking van het overlijden van mijn vrouw.'

'Heb ik gehoord... heb ik gehoord...'

De frisgeschoren priester, nu een conglomeraat van prettige luchtjes, nam een lange trek van zijn sigaret.

'Houdt u zich wel rustig, Masterji.'

'Komt u morgen bij me thuis, 's morgens?'

'Nee, Masterji. Ik kan niet.'

Trivedi trok drie keer aan zijn sigaret en gooide hem op de grond.

'Maar... u zei dat u het zou doen... Ik heb het aan niemand anders gevraagd, omdat u...'

De priester klopte geurig talkpoeder van zijn rechterschouder.

De morele evolutie van een hele buurt leek samengevat in dat gebaar. Masterji begreep het. Trivedi en de anderen hadden begrepen dat de waarde van hun eigendom zou stijgen – de makelaars moesten het over twintig procent per jaar hebben gehad – als de glasgevels van het Shanghai zouden verrijzen. Misschien wel vijfentwintig procent. En onmiddellijk betekende de dertig jaar oude band met een natuurkundeleraar voor Trivedi en de anderen niets meer dan talkpoeder op hun schouders.

417

'Ik heb uw zoons lesgegeven. *Drie* zoons.'

Trivedi stak zijn hand uit naar Masterji, maar de oude leraar deed een stap achteruit.

'Masterji. Begrijp me niet verkeerd. Overhaaste conclusies zijn makkelijk, maar...'

'Wie was de eerste die zei dat de aarde om de zon draait? Anaxagoras. Staat niet in de lesboeken, maar ik heb het ze geleerd.'

'Toen uw dochter stierf heb ik de laatste ceremoniën uitgevoerd. Waar of niet, Masterji?'

'Zeg nu alleen maar of u de sterfdagceremonie voor mijn vrouw wilt uitvoeren, Trivedi.'

De kapper met zijn bolle toet had met zijn kin op de blauwe stoel het amusement gevolgd. Trivedi richtte nu zijn oproep tot hem.

'Zeg hem dat *iedereen* in Vakola weet dat hij onder zware geestelijke druk staat. Ik ben er huiverig voor om iets bij hem thuis te doen. Wie weet wat me daar kan overkomen?'

'Geestelijke druk?'

'Masterji, u verliest gewicht, uw kleren zijn niet schoon, u praat in uzelf. Vraag het aan *wie dan ook.*'

'En wat dacht u van degenen die uitwerpselen op mijn deur smeerden? En die geboefte betaald hebben om me te overvallen? Die zichzelf mijn buren noemen? Als ik onder druk sta, hoe zit het dan met hen?'

'Masterji, Masterji.' Trivedi wendde zich weer tot de kapper voor wat steun. 'Iemand heeft u overvallen. Mensen maken zich zorgen over uw geestelijke stabiliteit als u zoiets zegt. Verkoop 3A. Geef het op. Het wordt uw dood. Het wordt de dood van ons allemaal.'

Ik had mijn verhaal beter moeten vertellen, dacht Masterji op de terugweg naar de Vishram Corporatie. *Ajwani en de anderen hebben hem overtuigd dat ik mijn verstand aan het verliezen ben.*

Hij zag Mary's dronken vader met glimmende zilveren knopen op zijn rode overhemd in de goot bij de Hibiscus Corporatie liggen als iets oneetbaars dat door de buurt was uitgespuugd.

De eerste oprechte man die ik vandaag gezien heb, dacht Masterji toen hij glimlachend in de goot keek.

Hij deed een stap in de richting van de goot en bleef staan. Hij herinnerde zich dat er een betere plek was om naar te ontsnappen.

Terug in Vishram liep hij op het dak, telkens rondjes draaiend, en wenste zo ver mogelijk boven hen allemaal te zijn.

Mani, Ajwani's assistent, wist dat zijn baas niet gestoord wilde worden. Toen hij voor de glazen deur van Renaissance Vastgoed had gestaan, had hij mevrouw Puri en de makelaar meer dan een half-uur met elkaar zien praten. Er was iets belangrijks gaande; hij had opdracht gekregen om mevrouw Puri's Ramu buiten het kantoor bezig te houden.

Aan de andere kant: het was *wel* een meisje.

Hij duwde de glazen deur open en stak zijn hoofd om de hoek.

'Meneer...'

'Mani, heb je niet gehoord wat ik zei?' Ajwani's gezicht vertrok.

Mani stapte alleen opzij om zijn baas te tonen wat er was opgedoken.

Ajwani's frons werd een mooie glimlach.

Hoewel ze vandaag een zwarte salwar-kameez droeg was het dezelfde vrouw die in die hemelsblauwe sari was gekomen op de dag dat Shanmugham met de details van meneer Shahs voorstel was gekomen.

'Juffrouw Swathi. Ga zitten, ga zitten. Dit is mijn buurvrouw, mevrouw Puri.'

Het meisje was bijna in tranen.

'Ik ben al eerder voor u langs geweest, meneer. Ik moet u nu spreken, het is dringend.'

'Ja?' De makelaar leunde voorover met gevouwen handen. Mevrouw Puri zuchtte.

Ze had Ajwani bijna overtuigd, en dan gebeurt er *dit*.

Het meisje herinnerde de makelaar eraan. Hij had haar geholpen een woning te vinden in de Hibiscus Corporatie. Ze zou er vandaag intrekken. Hij wist het nog, hij wist het nog.

Er was een lift geweest in het Hibiscusgebouw toen ze er met hem geweest was, maar toen ze er vandaag heen ging, deed de lift het niet. De eerste drie maanden zou hij niet gerepareerd worden, zei de huisbaas. 'Hoe moeten mijn ouders nu de trap op, meneer Ajwani? Moeder heeft vorig jaar een nieuwe heup gekregen.'

Ajwani trok zich terug in zijn stoel. Hij wees met een vinger achter zijn hoofd.

'Ik heb u gezegd dat u Informatie moet eerbiedigen, juffrouw Swathi. U had op dat moment naar die lift moeten vragen. De huisbaas staat in zijn recht als hij het voorschot houdt wanneer u het huurcontract opzegt.'

Ze begon te snikken.

'Maar we hebben dat geld nodig, hoe kunnen we anders iets anders gaan zoeken?'

Ajwani maakte een wegwerpend gebaar.

'Ik neem aan dat u het ook wilt hebben over de bemiddelingskosten die u mij betaald hebt.'

Ze knikte.

'Zestienduizend rupee. Net als de huisbaas heb ik wettelijk het recht om het te houden.'

Ajwani's voet verliet zijn slipper en opende de onderste la van het bureau. Hij boog zich en haalde een bundel bankbiljetten naar boven, waarvan hij briefjes van vijfhonderd aftelde. Mevrouw Puri keek toe.

De makelaar telde ze nog eens, waarbij hij tweeëndertig keer zijn rechter wijsvinger natmaakte met zijn tong, daarna schoof hij het stapeltje bankbiljetten over de tafel.

'Ik zal de huisbaas bellen. Ga naar huis, juffrouw Swathi. Bel me morgen, rond vier uur.'

Door haar snikken heen keek het meisje hem verrast aan.

'Zeldzaam in deze moderne tijden, juffrouw Swathi. Zoals u zich om uw ouders bekommert.'

Mevrouw Puri wachtte tot het meisje weg was en zei: 'Daarom bent u nou nooit rijk geworden, Ajwani. U verspilt uw geld. U had die 16.000 rupee moeten houden.'

De makelaar wreef over zijn metalen en plastic ringen. 'Met vrouwen lukte het me wel in het leven. Met geld nooit.'

'Word dan nu rijk, Ajwani. Doe voor één keer in uw leven als meneer Shah. Wat u vandaag met een stok deed, doe dat morgen weer op het terras.'

Daar waren ze gebleven.

'Ik ben niet bang,' zei Ajwani. 'Denk dat niet.'

Mevrouw Puri wou net iets zeggen, zag Mani en hield zich in.

De makelaar keek naar zijn assistent. 'Ga buiten met Ramu spelen,' zei hij. 'Je moet die jongen niet alleen buiten laten.'

Mani zuchtte. Hij ging voor het kantoor staan en wees naar langsrijdende auto's en vrachtwagens. Ramu hield de pink van zijn linkerhand vast. Hij snikte nog na over het kopje van het kuiken dat verpletterd was onder oom Kothari's voet.

Na een halfuur vertrok mevrouw Puri met haar zoon.

Terwijl hij de dikke vrouw nakeek, dacht Mani: *waar hebben ze het nou toch over gehad?*

Toen hij de glazen deur openduwde, trof hij het kantoor verlaten aan. Vanuit de achterkamer achter de Katrien Duck-klok klonk het geluid van een kokosnoot die opengehakt werd.

Sanjiv Puri had, liggend naast Ramu's blauwe vliegtuigdekbed, eerst cartoons van hagedissen, witte muizen en spinnen getekend en begon nu, als een logische voortzetting, politici te tekenen.

Hij bracht de laatste details aan van het wuivende zilveren haar van zijn favoriet, ex-president Abdul Kalam, en keek op.

Het licht was aan in de woonkamer; zijn vrouw was thuisgekomen met zijn zoon.

'Ramu.' Hij legde zijn schetsboek neer en stak zijn armen uit.

Mevrouw Puri zei: 'Straks kun je met je vader spelen. Ik moet nu met hem praten.'

Ze sloot Ramu's slaapkamerdeur achter zich en begon op gedempte toon te spreken.

'Je kunt morgen niet naar de optocht van Ramu.'

'Waarom niet?'

'Blijf tot laat op kantoor. Eet daar wat. Ga internetten. Kom niet thuis vóór tien uur.'

Hij bleef naar haar kijken toen ze naar de eettafel liep waar ze Ramu's pasgewassen kleren begon op te vouwen.

'Sangeeta...' Hij ging naast haar staan. 'Wat gebeurt er waardoor ik niet vóór tien uur mijn eigen huis in kan?'

Ze keek hem aan, zei niets, en hij begreep het.

'Je bent gek. Als zij het doen, Ajwani en de secretaris, dan doen ze maar. Waarom moet jij je handen eraan vuilmaken?'

'Niet zo hard.' Mevrouw Puri knikte met haar hoofd in de richten van *je weet wel wie*. 'Ajwani gaat het doen. Kothari houdt zich de hele dag ergens schuil, dus als Shanmugham 's morgens komt, kan hij hem niet vertellen dat de Confidence Group het voorstel heeft ingetrokken. En als hun brief niet persoonlijk aan de secretaris van een corporatie is overhandigd, kunnen ze niet zeggen dat hun voorstel is ingetrokken. Zo is de wet. 's Avonds zal Ajwani het doen. Ik zal hem bellen als Masterji naar het terras gaat. Dat is alles.'

'Maar als er iets misgaat... dan is het een kwestie van de *cel* in gaan.'

Ze stopte, een blauwe handdoek hing over haar onderarm. 'En de rest van mijn leven in dit flatgebouw wonen is *beter* dan de cel in gaan?' Ze draaide de handdoek om en begon hem op te vouwen.

Haar man zei niets.

Ramu stak zijn hoofd uit zijn kamer en mammie en pappie glimlachten en zeiden dat hij weer naar bed moest gaan.

'Mijn vingers stinken nog,' fluisterde ze. 'Die man heeft me mijn vingers laten bevuilen. Mijn zoon z'n eigen... *Dat* heeft hij me laten doen. Dat kan ik hem nooit vergeven.'

Meneer Puri fluisterde: 'Maar morgen is Ramu's optocht.'

'Prachtig toch?' zei mevrouw Puri, en ze duwde de handdoeken opzij om met Ramu's ondergoed te beginnen. 'Niemand zal me verdenken op een dag als morgen. Ik moet in de aula blijven om te helpen bij het onttakelen van de optocht. Iemand zal zich dat herinneren. Iemand zal de tijden door elkaar halen. Ik vraag je niet om iets te doen. Blijf alleen weg van huis. Dat is alles.'

Meneer Puri liep naar de bank, waar hij tijdschriften en kranten op de grond smeet, hij liep de keuken in waar hij dingen van de koelkastdeur trok, en riep toen: 'Nee. Ik doe het niet.'

Zijn vrouw stond daar, met Ramu's ondergoed tegen haar borst gedrukt. Ze keek hem recht aan.

'Nee.' Hij deed een stap in haar richting. 'Ik laat je hier morgen niet alleen. Ik blijf hier. Met jou.'

Ze liet het ondergoed vallen, legde haar vingers om de hals van haar man en – 'Oy, oy, oy' – kuste hem op zijn kruin.

Ramu deed zijn slaapkamerdeur op een kier open en staarde naar het vertoon van affectie tussen mammie en pappie.

Mevrouw Puri bloosde, ze duwde de jongen weer zijn kamer in en vergrendelde de deur vanbuiten.

'Hij is nu niet op zijn kamer,' zei ze met haar oor tegen de muur om elk geluid op te vangen. 'Dus dan is hij nog op het dak. Hij klom er gisteren op en vandaag weer. Morgen zal hij vast ook wel gaan. Dan zal Ajwani het moeten doen. Daarboven.'

'Kothari?'

'Hij zal zeggen wat wij willen dat hij zegt. Als het allemaal voorbij is. Zoveel heeft hij me beloofd.'

Meneer Puri knikte. 'Het zou kunnen lukken,' zei hij. 'Zou kunnen.'

Het schetsboek waarin hij hagedissen en politici had zitten krabbelen lag op de tafel. Hij scheurde er een blad uit.

'Hier. We moeten het opschrijven. Hoe laat hij naar het dakterras gaat en hoe laat hij weer terugkomt. Daar hebben we morgen wat aan.'

'Ramu! Niet tegen die deur duwen!' Mevrouw Puri verhief haar stem, de slaapkamerdeur hield op met rammelen.

'Opschrijven?' vroeg ze aan haar man.

'Waarom niet? Zo doen ze dat in de film. In Engelse films. Ze maken altijd de dag ervoor een plan. We moeten het serieus nemen,' zei meneer Puri, alsof hij degene was die het hele idee verzonnen had.

Hij legde zijn oor tegen de muur.

'Zijn deur gaat open.' Hij draaide zich om naar zijn vrouw en fluisterde: 'Hoe laat is het?'

Dus ik heb je alweer teleurgesteld, Purnima – Masterji trok zijn schoenen uit, liep naar zijn bed en ging liggen met zijn arm over zijn gezicht.

Hij hield zijn tranen in.

Zijn overhemd was nat van het rondjes lopen op het terras; toen hij zich omdraaide in bed plakte het aan zijn rug en hij rilde. Een man die zijn vrouw overleeft moet haar herdenkingsceremonie uitvoeren. Maar ze hadden allemaal samengezworen om hem zelfs die laatste troost af te pakken.

Hij beet in zijn onderarm.

Het was nu zo duidelijk dat meneer Pinto *gewild* had dat iemand hem die avond buiten de muur om het terrein bedreigde. Zo duidelijk nu dat hij en Shelley het geld wilden. Zo duidelijk dat de secretaris al die tijd had gelogen over verantwoordelijkheid en flamingo's; hij wilde geld. Hij had ze jarenlang bedrogen, hij had van het geld van de corporatie gestolen. Zo duidelijk dat mevrouw Puri geld voor zichzelf wilde, niet voor Ramu.

Hij verstopte zijn gezicht in zijn deken en ademde in. Het spelletje dat hij als kind speelde: als jij hen niet kunt zien, kunnen zij jou niet zien. Je bent veilig in dit duister met je eigen ademhaling.

Kijk naar beneden, hoorde hij fluisteren.

Wat is er daar beneden? fluisterde hij terug.

Kijk me aan.

Onder zijn deken voelde Masterji zich wegglijden, valluiken waren opengegaan onder zijn bed.

Nu stond hij weer op het terras van de projectontwikkelaar in Malabar Hill naar de donker wordende oceaan te kijken. Hij hoorde slagen, als bijlslagen. Het water stortte zich op Breach Candy, tegen de oorspronkelijke muur die de vloed verhinderde de grote Breuk van Bombay binnen te stromen.

Hij zag zijn horens uit het donkere water oprijzen: de stier in de oceaan, de witte stier van de oceaan die zich op de muur stortte.

Nu zag hij hoe de oorspronkelijke breuk in de zeemuur weer openging en hoe de wateren binnenstroomden – golven sloegen over hoogwaardig vastgoed, vaagden flatgebouwen en wolkenkrabbers weg. Nu zet de boze witte stier, met zijn horens vooruit uit de golven opdoemend, zijn aanval in. De golven hebben de rand van de torens bereikt en zijn er binnengestroomd. Spieren van water rammen het Brabourne-stadion en tegen de Cricket Club of India, de hoef van een vloedgolf heeft de universiteit van Bombay vertrapt...

Een vingerknip in het donker en een stem zei: 'Sta op.'

Hij opende zijn ogen, hij was te zwak om te bewegen. Weer die vingerknip: 'Opstaan.'

Ik kan niet meer naar bed gaan. Als ik ga liggen, vervloek ik mijn buren en mijn stad opnieuw.

Hij opende de deur en liep de trap af. Maanlicht drong door de achtpuntige sterren van het traliewerk, het leek net zo helder als de maan die hij die nacht, zo veel jaren geleden, in Simla had gezien.

Gespietst door een manenstraal leunde hij tegen de muur.

De Republiek, het Hooggerechtshof en de Geregistreerde Co-operatieve Bewonerscorporatie mogen dan frauduleus zijn, maar de gangen van dit gebouw waren niet wetteloos; iets waaraan hij eenenzestig jaar had gehoorzaamd regeerde hem hier nog steeds.

Hij ging terug naar zijn woning, hij sloot de deur achter zich.

Masterji opende de groene almira van zijn vrouw, knielde voor de plank met de bruidssari en dacht aan Purnima.

Laag, wit en bijna vol schoof de maan over Vakola.

Ajwani kon niet thuis blijven op zo'n avond. Hij had langs de snelweg gelopen, onder een lantaarn gezeten en was weer verder gelopen voor hij een autoriksja naar Andheri nam, waar hij was gaan eten.

Het was over elven. Na een biertje in een goedkope bar ging hij over de snelweg terug in een autoriksja. De nachtlucht zweepte in zijn gezicht. Hij reed langs opeengepakte, doosachtige krotten langs de snelweg. Tientallen levens openbaarden zich binnen een paar seconden aan hem: een vrouw die haar lange haar kamde, een jongen met een witte muts die een boek las bij een sterke tafellamp, een stel dat naar een serie op de televisie keek. De autoriksja snelde over een betonnen brug. Onder hem daklozen die sliepen, zich wasten, kaartspeelden, kinderen te eten gaven, in de verte staarden. Zij waren de gevangenen van de Noodzaak; hij ontvluchtte.

Morgen om deze tijd ben ik anders dan zij allemaal, dacht hij en zijn handen werden donkere vuisten.

5 OKTOBER

Toen Masterji zijn ogen opende zat hij nog steeds gekniel voor de open groene almira. Zonlicht was de kamer binnen gekomen.

Het was een nieuwe dag: de verjaardag van Purnima's dood.

Mijn benen gaan pijn doen, dacht hij, en hij zocht iets om zich aan vast te houden toen hij zich overeind hees.

Hij stapte over het ondergoed rondom de wasmachine en ging de woonkamer in.

Het was de eerste sterfdag van zijn vrouw, maar Trivedi had geweigerd de ceremoniën uit te voeren. Waar kon hij heen om dat nog op het laatste moment te regelen?

Terwijl hij zijn tanden poetste kwam het hem voor dat het gezicht in de spiegel, verrijkt door wijsheid van de schuimende tandpasta, hem een reeks tegenargumenten bood: Wat maakte het uit dat Trivedi nee had gezegd? Waarom een tempel, waarom een priester? Natuurkundige experimenten kon je zelf thuis doen, het bestaan van de zon en de maan, de rondheid van de aarde, de verschillende snelheden waarmee geluid zich verplaatst in vaste en vloeibare stoffen, dat kon allemaal gedemonstreerd worden in een kleine kamer.

Dat is waar, erkende hij terwijl hij zijn gezicht en mond waste aan het aanrecht, helemaal waar.

Hij ving de zwakke straal van de kraan op in zijn handpalm. Water maakte blijkbaar deel uit van alle religieuze hindoeceremoniën. De christenen gebruikten het ook. Moslims gorgelden en wasten zich voor hun *namaaz.*

Hij schepte een handvol water en liep naar het raam. Zonlicht was ook verbonden met godsdienst. Hij deed het raam open en sprenkelde water in de richting van de ochtendzon. Gewoonlijk werd er iets gezegd ter begeleiding van het sprenkelen. Mensen gebruikten daar heilige talen voor. Sanskriet. Arabisch. Latijn. Maar hij sprak de woorden in het Engels. Hij zei: 'Ik mis je, mijn vrouw.'

Hij sprenkelde nog wat water.

'Vergeef me dat ik geen betere echtgenoot ben geweest.'

Hij sprenkelde het laatste water naar het licht.

'Vergeef me dat ik je niet heb beschermd tegen de dingen waartegen ik je had moeten beschermen.'

Er was een waterdruppel aan Masterji's vingertop blijven hangen, hij straalde als een parel in het ochtendlicht.

De druppel met zijn regenboogkleuren sprak tegen hem en zei: *Ik ben waar jij van gemaakt bent. En uiteindelijk ben ik dat waartoe je terugkeert.* In die tussentijd waren er ingewikkelde dingen die een man moest doen. Trouwen. Lesgeven. Kinderen krijgen. En dan waren zijn verplichtingen vervuld en werd hij weer tot waterdruppels, vrij van het leven en zijn regenboog van beperkingen. De dood zei tegen Masterji: *Vrees mij niet. Purnima, je vrouw, is mooier dan ooit, ze is een druppel lichtend water. En Sandhya, je dochter, is naast haar.*

De klimplant was vanuit de flat van de secretaris weer tot aan Masterji's raam gegroeid; teer, doorschijnend in het ochtendlicht, het bleke, blinde topje opgekruld, duidelijk op zoek naar hem, zoals Sandhya's babyvingertje de eerste keer dat hij dicht bij haar was gekomen.

Hij drenkte het met de waterdruppel.

Gewoonlijk werd er iets voor anderen gedaan bij herdenkingsrituelen. Toen hij de begrafenisceremonie voor zijn vader uitvoerde in Suratkal, hadden ze dampende rijstballen op een hartlelieblad achtergelaten voor de kraaien.

Hij daalde af naar het binnenterrein waar mevrouw Puri in haar handen klapte om de maat aan te geven voor Ramu; met een zwaard van goudfolie in zijn hand liep de jongen, met roodgeverfde wangen, vier afgepaste stappen, zwaaide zijn zwaard en boog voor een denkbeeldig publiek. Masterji wist het weer: de jaarlijkse optocht.

'Succes, Ramu,' zei hij.

Ondanks zijn moeders strenge blik haalde Ramu met zijn gouden zwaard uit naar Masterji.

Ajwani werd wakker en merkte dat hij gearresteerd was.

Twee samoerai hadden zijn armen om die van hen geklemd. 'Taekwondo-tijd, pappa.' De kleine Raghav hield zijn vuist vlak voor zijn vaders gezicht. 'Je hebt je verslapen.'

In stralend witte tenues, verfraaid met Koreaanse symbolen en een Indiaas vlaggetje in de rechter bovenhoek stelden de jongens zich voor de eettafel op in schop- en stompposities. Ajwani had wel geen echte vechtsportopleiding maar hij begreep de basisprincipes van kracht en snelheid goed genoeg.

'Hey-a! Hey-a!'

De twee schopten; vader keek geeuwend toe vanaf de bank.

'Harder. Veel harder.'

Toen gingen ze alle drie aan de groene eettafel zitten om te ontbijten met hun moeders toast.

Daarna stelden Rajeev en Raghav zich met hun blauwe dassen en witte schooluniformen op voor de lepel haaienleverolie die hun vader voor hen ophield. Hij maakte zijn vingers nat onder de keukenkraan, veegde haaienleverolie van de lippen van de jongens en besprenkelde hun gezicht om ze aan het lachen te maken.

'Goed zo. En nu naar school.'

Ajwani's vrouw, zwaar en donker, bakte iets in zonnebloemolie in de keuken. Ze riep: 'Neem je vanavond wat basmatirijst mee?'

'Als ik eraan denk,' riep hij terug. Hij depte zijn oksels met Johnson's babypoeder voor hij zijn bruine safaripak aantrok en de deur achter zich dichttrok.

Halverwege de trap bleef hij staan en deed steunend op de leuning een reeks push-ups.

Iets na tien uur kwam Masterji terug van de markt met een doos zoetigheid.

Hij liep het hek van de Vishram Corporatie voorbij naar de Tamiltempel. Die herinnerde hij zich van de avond toen hij door de sloppen was gelopen om meneer Shahs nieuwe gebouwen te zien.

De tempelschrijn was gesloten en twee oude vrouwen in sari zaten op de vierkante veranda, waar in het midden een boom stond.

Hij zette de doos zoetigheid voor de oude vrouwen neer. 'Denk alstublieft aan mijn overleden vrouw Purnima, die een jaar geleden gestorven is.'

De oude vrouwen scheurden de plastic verpakking van de zoetigheid en begonnen te eten. Hij ging bij ze op de veranda zitten. Door de traliedeur met het glimmende hangslot kon hij in de schemerige tempel het kleine zwarte beeld van Ganesha zien, met olie en *kumkum* gezalfd en half begraven onder de goudsbloemen.

Hij keek toe hoe de vrouwen schrokten, hij voelde hoe hun vullende magen haar vlucht nieuwe brandstof gaven. Hun boeren en grommen waren een bede voor Purnima's ziel. Door de traliedeur keek hij naar Ganesha, een ver familielid van de rode god in Siddhi-Vinayak. Een vrolijke god, Ganesha, altijd in voor een beetje plagerij, en toen hij de wind hoorde, dacht Masterji dat hij iemand hoorde fluisteren: 'Ik heb al die tijd aan jouw kant gestaan, ouwe atheïst.'

Er zat een blinde man voor de tempel met een blad waarop bloemen in vier kleuren lagen, tot kleine slingers gevlochten. Een paar rode bloemblaadjes waren van zijn blad gewaaid en dreven op een verzakt putdeksel waarop zwart water stond. Masterji dacht aan de mooie bronzen schaal met drijvende bloembladen die hij in het huis van Gaurav had gezien.

Waterbuffels naderden de tempel, overdekt met stof en mest, hun donkere, uitpuilende buiken gespikkeld van de vliegen.

Hij leunde tegen de muur van de tempel en zag door de kokospalmen heen meneer Shahs twee flatgebouwen. De bouw leek voltooid, een doorlopende rij vensters glinsterde langs de zijkant van elk gebouw. Weldra zouden de gebouwen de hoek van de ondergaande zon opvangen en oplichten als tweelingkometen. Hij herinnerde zich het blauwe zeil dat de constructies bedekt had toen hij ze voor het laatst had gezien, dat moest in juni of juli geweest zijn. Hij werd zich bewust van het verstrijken van de tijd en hij besefte dat de einddatum nu echt verstreken was. Vijf oktober.

'Het is afgelopen,' zei hij zacht. Toen stond hij op en zei in de richting van meneer Shahs twee gebouwen: 'U hebt verloren.'

De boom op het plaatsje begon te schudden. Er zat een jongen tussen de takken en een meisje hield haar blauwe rok op om op te vangen wat hij naar beneden gooide.

'Wat doe je daarboven, jochie?'

De jongen grijnsde en opende half zijn hand, waarin drie groene vruchtjes lagen.

'En wie ben jij?' vroeg hij aan het meisje.

Ze praatte in haar rok.

'Wat was dat?'

'Zusje.'

Masterji sloot een oog tegen de zon en keek naar de jongen. 'Gooi er een naar mij, dan zal ik de priester niet vertellen dat je zijn fruit steelt.'

De jongen liet een van de vruchten uit zijn hand glijden, Masterji ving hem op en kauwde erop. Citrusachtig en zuur, het deed hem denken aan dingen waarvoor ooit in bomen was geklommen. Dat was vóór zijn draadceremonie in Suratkal, toen hij veertien was, een hele dag bezig met Sanskriete gezangen voor een heilig vuur en oogknipperen en hoesten in de rook van het hout, tot aan het slot de magere, geriatrische kraaiachtige priester de formule vol wijsheid voor brahmaanse jongens op de grens der volwassenheid uitsprak: 'Dit betekent dat er niet meer in bomen wordt geklommen om fruit te plukken, mijn jongen. Niet meer met stenen naar honden gooien, mijn jongen. Geen meisjes meer plagen, mijn jongen.' Waarop de priester afrondde met: 'En nu ben je een man.'

Maar dat was niet waar geweest. Pas nu, eenenzestig jaar oud, voelde hij zich eindelijk een man.

'Help me eens naar beneden, opa,' zei de jongen, en Masterji hield hem om zijn middel vast toen hij uit de takken klom. De jongen en zijn zusje verdeelden de buit, Masterji keek toe en wenste dat Ronak hier was.

Hij dacht aan die avond op de Crawford Market, toen hij het licht achter de flatgebouwen had gezien en gezworen had meneer Shah te bevechten.

Maar die strijd was voorbij. De einddatum was verstreken en die projectontwikkelaar zou ergens anders heen gaan. Wat werd hij geacht hierna te doen?

De nasmaak van de citrus proefde bitter op zijn tong. Hij hield zijn handen voor zijn gezicht en sloot zijn ogen.

Mevrouw Puri bracht mascara aan en knipperde met haar wimpers om de kleur te verdelen. In een hoek zat Ramu ook met zijn wimpers te knipperen.

Mevrouw Puri bokste met hem op weg naar beneden, rum-pum-pum-pum-pum-pum, tot aan 1B en drukte op de bel.

Toen mevrouw Rego opendeed, hield mevrouw Puri op met boksen met Ramu en vroeg: 'Zei u niet dat u vanavond naar uw zus toe ging? Die in Bandra woont?'

'Nee... dat heb ik u niet verteld.'

Mevrouw Puri glimlachte.

'Dan *moet* u naar haar toe gaan, mevrouw Rego. En dan moet u ook mijn Ramu meenemen.'

'Maar... ik heb de jongens beloofd dat ik met ze naar het strand zou gaan. Ze spelen cricket bij de Tamiltempel.'

'Het is een gunst die ik van u vraag, als mijn buurvrouw. Heb ik u in al die jaren ooit gevraagd om op Ramu te passen?'

Mevrouw Rego keek van Ramu naar zijn moeder en wachtte op een verklaring.

'Ramu moet David, de Overwinnaar van Goliath, spelen in de schooloptocht. Ik moet langer blijven om te helpen met het afbreken van de versieringen, tot negen uur.

'Maar Ramu kan wel met mij hier blijven.'

Mevrouw Puri legde haar hand op de schouder van haar buurvrouw.

'Ik wil dat u naar het huis van uw zus gaat. Iets eenvoudigs, toch?'

De vijf-seconden-regel. Als kinderen in Bandra hadden mevrouw Rego en haar zus Catherine dat gespeeld elke keer als er een kippenpootje of een stuk mango op de grond gevallen was. Oprapen voor je tot vijf geteld hebt en dan hoefde je niet bang te zijn voor bacteriën. Dan gebeurde je niks. Nu herinnerde ze zich dat weer.

Mevrouw Rego zei: 'Dat doe ik graag voor u,' – een, twee, drie, vier – en sloot de deur.

'Flink zijn, Ramu. Ik moet je achterlaten bij communistische tante. Mammie moet de andere mammies helpen met opruimen na de optocht. Wie neemt dat anders op zich?'

Ramu verstopte zich in zijn vliegtuigdekbed en ging mokken met het Lieve Eendje.

Mevrouw Puri zat naast haar zoon en keek op haar mobiel, die net had gepiept. Ajwani had haar een sms gestuurd: 'Ga stad in. 6 uur terug.'

Ze wist precies naar welk deel van de stad hij ging.

Falkland Road.

Haar broer Vikram had bij de marine gezeten en in de mess kregen ze elke week flessen Old Monk-rum uitgedeeld. Die gaf het bloed hitte. Mannen die roekeloze lichamelijke daden moesten uitvoeren hadden hitte nodig.

Voor haar geestesoog zag ze Ajwani over het terras kruipen, dan razendsnel achter Masterji opduiken tot het moment kwam voor de duw. Hitte: die had een man nodig voor zulke dingen. Als hij naar Falkland Road moest voor zijn hitte, dan moest dat maar.

Een arm gleed onder het vliegtuigdekbed uit en klemde de armbanden om mevrouw Puri's onderarm tegen elkaar, tot haar pols met goud gepantserd was als die van een krijger. Ze schudde haar arm en de armbanden rinkelden terug; de fijne muziek dreef Ramu, stralend als een zonsopgang, uit zijn deken.

Hij schoof ze op en neer over haar onderarm, de gouden armbanden van zijn moeder. Haar vlees werd warm en de haartjes op haar onderarm schroeiden door de wrijving. Mevrouw Puri wilde haar arm terugtrekken. Ze glimlachte en liet haar zoon verder spelen.

Mumtaz Kudwa belde haar man kort na twaalven om te zeggen dat ze mevrouw Puri aan mevrouw Rego had horen vragen of ze die avond op Ramu wilde passen. En toen had de secretaris aangeklopt om te zeggen dat niemand naar buiten mocht na negen uur.

'Wat gaan ze deze keer met Masterji doen?' vroeg Kudwa aan zijn vrouw.

'Ik weet het niet,' zei ze. 'Ik dacht dat ze jou dat wel verteld zouden hebben.'

'Ze houden mij er altijd buiten. Ze hebben het me ook niet verteld toen ze de duplicaatsleutels lieten maken... Wat vind je dat ik moet doen, zal ik naar Sangeeta-ji gaan en vragen wat er aan de hand is?'

Mumtaz begon iets te zeggen maar stokte en hield het bij de oude formule: 'Dat moet je zelf weten. Jij bent de man in huis.'

Typisch, dacht hij, terwijl hij in zijn internetcafé Mariams haar streelde, typisch. Een man heeft het recht om te verwachten dat zijn vrouw zo nu en dan een besluit voor hem nam, maar Ibrahim Kudwa niet. Na zijn huwelijk was hij even eenzaam als ervoor.

Op de hoek van zijn tafel lag de zwarte helm van zijn nieuwe Bajaj Pulsar. Hij wilde dat hij maar geluisterd had naar Mumtaz en tot de einddatum gewacht had voor hij de motor kocht; als ze het geld niet kregen, hoe moest hij dan elke maand aflossen?

Was jij maar ouder, dacht hij, terwijl hij Mariam op zijn knie liet wippen. *Kon jij je vader maar zeggen wat hij moest doen.*

Hij keek naar de helm.

Nu zag hij het weer over zijn tafel kruipen: het zwarte moeras.

Hij hoorde zijn buren achter hem staan en naar hem schreeuwen dat hij zijn arm erin moest steken.

De kleine Mariam huilde. Haar vader had met zijn vuist op zijn bureau geslagen en geschreeuwd: 'Nee.'

Hij drukte Arjun, zijn assistent, op het hart dat hij de deur dubbel op slot moest draaien, sloot zijn internetcafé en ging naar huis met zijn dochter.

Tenzij hij het tegenhield, zou er vanavond iets verschrikkelijks gebeuren met zijn corporatie.

Nadat hij om twee uur in zijn kantoor geluncht had, nam Ajwani de trein naar de stad. Hij had zijn exemplaar van de vastgoedadvertenties van de *Times of India* meegenomen om onderweg te lezen.

Hij stapte uit bij Charni Road. Grant Road zou dichterbij geweest zijn, maar hij wilde de oceaan zien voor hij de meisjes opzocht.

Hij stak Marine Drive over naar de zeemuur en ging erop staan. Op een voddenraper beneden tussen de vierpotige stenen na was hij alleen.

Zijn leven lang had hij gedroomd van iets groots – de *Kala Paani* oversteken naar een nieuw land. Zoals Vasco da Gama. Zoals Columbus.

'Gewoon een duw,' zei hij hardop. Hij oefende met een denkbeeldig lichaam dat hij van de zeewering op de rotsen duwde, en toen nog een keer.

Bij Chowpatty Beach stak hij de straat over om stil te houden bij Café Ideal voor een ijskoude pul tapbier. Toen het op was, schrok hij van een zin die dwars over de vastgoed-pagina van de *Times of India* geschreven stond: 'Gewoon een duw'. Hij scheurde de krant in snippers en vroeg de ober ervoor te zorgen dat hij de prullenbak in ging.

Buiten hield hij een taxi aan en zei: 'Falkland Road.'

Marine Drive wordt overspoeld door licht van de oceaan en de wijde hemel, maar even schakelen, drie bochten in de weg en de zeebries is verdwenen, de hemel trekt zich samen en oude gebouwen verduisteren het uitzicht. Als je diep genoeg dit andere Bombay bent binnengedrongen, kom je bij de Falkland Road.

Ajwani liet de taxi stoppen en betaalde met drie briefjes van tien rupee van een bundeltje in zijn zak.

'Ik heb niet terug,' zei de chauffeur.

Ajwani stelde hem gerust. Een of twee rupeemunten deden er na vandaag niet meer toe.

Hij stopte het bundeltje biljetten weer in zijn zak, klopte erop en voelde zich beter. Geld hebben maakte alles zoveel eenvoudiger als je ouder werd.

Er waren bevriende hotels bij het Santa Cruz-station en langs de hele snelweg, maar het zou niet gunstig voor een man zijn om genot te zoeken op plaatsen waar hij herkend kon worden. In vroeger tijden – o, vijf, zes jaar geleden – ging Ajwani naar Juhu waar hij een of twee keer per maand een knappe jonge actrice bezocht. Toen gingen de vastgoedprijzen omhoog in Juhu. Zelfs die bezemkasten werden te duur voor die actrice en andere leuke meiden zoals zij. Ze pakten hun boeltje en trokken naar het noorden, naar Versova, Oshiwara, Lokhandwala. Ajwani's tochten werden langer. Toen stegen ook in het noorden de vastgoedprijzen. De meisjes verhuisden naar Malad, te ver voor hem. En daarmee zou het nog niet afgelopen zijn. Vroeg of laat zou je helemaal naar Pune moeten rijden voor een pijpbeurt. Vastgoedspeculatie maakte Bombay kapot.

Goddank, dacht Ajwani, *hebben we altijd nog Falkland Road.*

Vergrijzende panden van vele verdiepingen stonden aan beide zijden van de straat, stuk voor stuk min of meer instortend. Sommige vensters waren eruitgepuild en mannen in banians zaten in de open gaten naar beneden te kijken. Ajwani liep langs kunstgebitzaken met gipsen gebitten in de etalage, schemerige restaurants, even vettig als de biryani die ze serveerden en bioscopen met bonte filmaffiches (collages van gewelddadigheden en welwillende decolletés), waarvoor jonge migranten in de rij stonden, verwelkend onder de hitte en het geschreeuw van de portiers. Rotzooi lag tussen de gebouwen gepropt en slingerde over de straat. Als om een contrast te vormen stond er een rij zilverkleurige koetsjes in de vorm van zwanen, het soort waarmee toeristen pleziertochtjes bij de Gateway of India maakten, geparkeerd bij het afval. Paarden noch koetsiers waren in de buurt, maar er leunden vrouwen op de koetsjes en maakten smakgeluiden in de richting van Ajwani.

Hij grijnsde terug.

Zo vroeg op de dag zou het stil zijn in Kamathipura, en de tweede verdieping van het discrete gebouw achter het Taj Hotel zou dicht zijn, en Congress House zou misschien geen herenbezoek toestaan. Maar in Falkland Road werden altijd zaken gedaan. De vrouwen wachtten in lichtblauwe deuropeningen, hurkten op drempels en stapten naar voren van de zilverkleurige koetsjes en keken spottend naar Ajwani.

Een meisje in een groene onderjurk zat voorovergebogen in een lichtblauwe deuropening, sigarettenrookslierten stegen op langs haar gezicht als bakkebaarden.

Hij stond op het punt haar aan te spreken, toen hij een metalig geluid hoorde en lichtflitsen achter de prostituee zag.

Hij glimlachte naar de warmgroene onderjurk om te beduiden dat hij terug zou komen en liep een paar passen de steeg achter haar bordeel in.

In het steegje klonk, zoals in alle andere rondom de rosse buurt, druk gehamer van ijzer en het gesis van witblauwe acetyleenvlammen. Kenmerkend voor de economie van de stad is dat de metaalbewerkersbuurt geconcentreerd is in het netwerk van steegjes rondom Falkland Road – het beuken van staal en seks gecombineerd binnen hetzelfde postcodegebied. Ajwani had de metaalwerkplaatsen al vaak genoeg in het voorbijgaan gezien.

Nu liep hij langs de oplichtende en sissende werkplaatsen als een man die opeens een nieuw land binnen gekomen was. Voor een van de ateliers had de metaalbewerker zijn roestige beschermkap opgelicht en staarde naar hem.

Ajwani wendde zich af van zijn blik. Hij liep dieper de steeg in. Strengen glimmende linten leidden naar een bolvormige groene moskee aan het eind. Een scherpe industriële stank. Achter een kier in een blauwe deur hurkte een man met een beschermkap op de vloer, hij verhitte een staaf in een vlam. Metalen tralies voor ramen lagen opgestapeld voor een andere werkplaats. Een metaalwerker stond op de tralies te kloppen, een klant in een grijs pak luisterde.

'...een bloempatroon in de ijzeren staven is normaal, dat is gratis. Maar wat u nu wilt, twee verstrengelde bloemen... Ik doe er twee rupee per kilo bij...'

'O, dat is te veel,' zei de klant. 'Veel te veel, veel te veel.'

Plotseling draaide zowel werkman als klant zich om, ze keken Ajwani aan.

Hij liep naar het eind van de steeg. Vlak voor de groene moskee zag hij een buffel aan een boom gebonden staan; de rusteloze kop en horens van het beest doken op uit de diepe schaduw en trokken zich er dan weer in terug.

Er ging een deur open in wat hij had aangezien voor de muur van de moskee. Er dook een stuk roestige dakbedekking uit op. Twee mannen met ontblote borst droegen het voor Ajwani langs. Hij zag zijn eigen schaduw over het golfijzer rimpelen.

Hij staarde naar de verdwijnende schaduw, hij huiverde.

'Het is niet alleen maar een duw,' zei hij hardop en draaide zich om, om zich te verzekeren dat de buffel hem niet gehoord had.

Ajwani sloop de werkplaatsen langs tot aan de hoofdweg. De prostituees, op de zilveren koetsen geleund, maakten smakgeluidjes naar hem toen hij wegliep van Falkland Road. Met zijn ogen vol acetyleen en zijn schedelholten vol dampen, strompelde de makelaar terug in de richting van Marine Drive.

Hij hoorde nog steeds hamerslagen uit de werkplaatsen die ver achter hem lagen, zijn neus brandde nog, alsof de werkelijkheid hem er roodgloeiend in geduwd had. Hij hield stil om op adem te komen. Voor hem, door het beperkte perspectief, schoven de samengeklonterde gebouwen als een enkele bliksemschicht van steen en metselwerk in de richting van Chowpatty Beach. Die duik in de topografie van de stad had een overeenkomstig effect op Ajwani's geest; alle andere gedachten vielen weg en legden een enkele, enorme waarheid bloot.

...het is niet 'alleen maar een duw'. Het is een mens vermoorden.

Een rubberbal trof het gezicht van de demon die op de muur van de Tamiltempel geschilderd was.

Masterji opende zijn ogen en stond op in de schaduw van de vruchtenboom. Hij besefte dat hij in slaap was gevallen. Terwijl hij in zijn ogen wreef, hoorde hij een vrouwenstem uitbarsten: 'Rakesh, is dat een manier om te werpen? Kijk je geen tv?'

Masterji verborg zich achter de boom; hij had de stem herkend.

'Ja, tante. Sorry.'

'Ik ben je tante niet.'

Een stuk of zes jongens groepten rondom mevrouw Rego. Sunil en Sarah waren bij haar en ook Ramu, die een rood overhemd droeg, make-up op zijn gezicht en een gouden zwaard in zijn hand. De optocht moest afgelopen zijn. Waarom was mevrouw Puri er niet? Waarom had ze Ramu uitgerekend bij mevrouw Rego achtergelaten? Maar hij had niet meer het recht om vragen te stellen over hun leven.

'...jongens, beloofd is beloofd, ik weet het, maar vandaag kan ik echt niet. Ik *ga* met jullie naar het strand, en daar krijgen we allemaal suikerrietsap. Ik hoop dat jullie intussen allemaal geen rottigheid hebben uitgehaald en...'

'Tante, niet naar het strand en ook nog een preek? Dat is toch niet eerlijk?'

'Het spijt me, Vikram. Ik ga een keer met jullie allemaal.'

De partij cricket ging verder nadat mevrouw Rego was vertrokken. Een van de jongens zat achter de bal aan tot op het binnenplein van de tempel.

'Masterji,' zei hij, 'ik ben de zoon van Mary, Timothy.'

Hij nam de oude leraar bij de hand en troonde hem mee om hem aan de andere jongens te laten zien. Meteen renden twee ervan weg.

'Wat gebeurt er?' vroeg Masterji.

'O, dat is Kumar, dat is een rare jongen. Dharmendar ook.'

Timothy glimlachte.

'Gaat u met ons naar het strand, Masterji? Mevrouw tante Rego zou met ons gaan.'

'Waarom wil je naar het strand?'

'Wat dacht u? Om daar cricket te spelen.'

'Gaan jullie dan alleen.'

'Iemand moet voor de bus betalen. En voor suikerrietsap erna, Masterji.'

'Aha,' zei hij. 'Misschien neem ik jullie binnenkort wel mee. Als je deze vraag kunt beantwoorden: Waarom zijn er getijden op het strand?'

'Nergens om.'

'Voor alles is een reden.' Masterji wees op de jongen die naar Timothy had geworpen. 'Hoe heet jij?'

'Vijay.'

'Weet jij de reden, Vijay?'

Hij raapte een rode steen op, liep naar de muur van de Tamil-tempel en trok een cirkel boven de wijd open mond van de demon.

'Dit is de aarde. Onze planeet. In de oneindige ruimte.'

Masterji zag schaduwen op de muur – hij voelde vlakbij zweet en warmte – en besefte dat ze zich allemaal achter hem verzameld hadden.

'Is onze aarde zo klein?' vroeg iemand.

Net toen hij wou antwoorden stopte Masterji en zei: 'Ik kan hier wel een school opzetten. Een avondschool.'

'Avondschool?' vroeg Timothy. 'Voor wie?'

De jongens keken elkaar aan. Masterji keek naar hen en glim-lachte, alsof het antwoord voor de hand lag.

De zon was tussen twee wolkenkrabbers op Malabar Hill geglipt, het dichtstbijzijnde gebouw was een flikkerend silhouet geworden, een ding van afwisselend donker en licht, als de onderste nog zicht-bare stenen trede van een *ghat* die in een rivier afdaalde.

Ajwani zat op de zeemuur van Marine Drive naar de vierpotige stenen onder hem en de eromheen spoelende golven te kijken.

Hij had al ruim een uur zitten nadenken, sinds hij hierheen gekomen was van Falkland Road. Het was hem nu allemaal duidelijk. *Dit* was dus de reden dat Shah Toren B eerder dan afgesproken uitbetaalde. Om iedereen in Vishram tot wanhoop te drijven. Hierom had hij niets gedaan toen het verhaal in de krant kwam. Hij wilde dat *zij* het deden.

'En hij liet Shanmugham mij zijn levensverhaal vertellen,' zei Ajwani hardop, tot verrassing van een jonge Japanner die naast hem was gaan zitten om foto's van de stad te nemen.

Ajwani dacht na over de bijzonderheden van meneer Shahs verhaal. Hij had nu het gevoel dat er iets van de informatie niet klopte. Als Shah naar Mumbai was gekomen met maar twaalf rupee en tachtig paisa en zonder schoenen aan zijn voeten, hoe had hij dan een kruidenierszaak in Kalbadevi kunnen openen? Er was een vader in het dorp, hij moest hem geld gestuurd hebben. Mannen hebben verantwoordelijkheidsgevoel tegenover de zoons van hun eerste vrouw. Ajwani sloeg met zijn hand tegen zijn voorhoofd. Die self-made miljonairs hielden altijd een deel van het verhaal achter. De waarheid was zo duidelijk als de oceaan.

'Het is een kat-en-muisspel geweest. Vanaf het begin.'

En de kat was al die tijd Dharmen Shah geweest.

Ik zit in de val, dacht Ajwani toen hij over de zeemuur naar het station Churchgate liep. Mevrouw Puri en de secretaris wachtten op hem. Hij, meer dan wie ook, had deze corporatie van niks zo ver gekregen. Hij kon ze nu niet laten zitten. Hij keek naar beneden en dacht: *kon ik maar daar beneden, bij de krabben, tussen de rotsen bij de brekende golven leven.*

In het station betaalde Ajwani vijf rupee voor een wit plastic bekertje oploskoffie. Zijn maag had hulp nodig. Al die industriële rook van de metaalwerkplaatsen. Nippend van zijn koffie liep hij naar zijn perron; de boemeltrein naar Borivali stond op vertrekken. Nu had hij industriële rook plus oploskoffie in zijn maag. Met elke schok en ruk van de trein voelde hij zich beroerder.

Hij vervloekte zijn noodlot. Van alles wat je kon oplopen in Falkland Road – al die afschuwelijke namen waarover hij zich al die jaren zorgen had gemaakt, gonorroe, syfilis, prostaatontsteking, aids – had hij dit moeten oplopen: een geweten.

Je staat aan de Kala Paani, hield hij zichzelf voor. Je moet hem oversteken. Jij moet er zo een zijn die dingen bereikt in het leven.

Een medereiziger zat naar hem te staren. De man, hagedisachtig, fors, dikke wenkbrauwen, massieve lippen, klemde een leren tasje in zijn krachtige onderarmen, zijn ogen puilden uit toen ze zich op Ajwani concentreerden.

De hagedisman geeuwde.

Toen hij zijn mond sloot, had hij het gezicht aangenomen van de directeur van de Confidence Group. In een oogwenk zat de treinwagon vol Shahs.

'Frisse lucht, alstublieft, frisse...' Ajwani drong zich door de menigte naar de open deur van de rijdende trein. 'Alstublieft, geef me lucht.'

Migranten hadden zich provisorisch gevestigd op het braakland langs de spoorlijn, ze hadden er een moestuin van gemaakt die ze inzaaiden en begoten. Ajwani hield zich vast aan de stang in het open treinportier. Achter de groene veldjes zag hij de blauwe tenten waar ze in woonden. De aanblik was louterend; zijn maag wilde naar hen roepen.

Hij begon over te geven op de rails.

De lichten gingen aan op de markt toen de secretaris zijn voeten veegde op de kokosmat voor het kantoor van Renaissance Vastgoed.

'Kom binnen, meneer,' had Mani gezegd. Ajwani had hem verteld wat hij moest doen als Kothari kwam.

Hij leidde de secretaris langs de Katrien Duck-klok naar de achterkamer en liet hem op het bed zitten.

'Je baas is er niet?' zei de secretaris, naar het lege veldbed kijkend. 'Ik heb me de hele dag schuilgehouden in het huis van mijn schoonmoeder. In Goregaon. In de buurt van het Topi-wala-gebouw. Ik ben net terug in Vakola. Waar is hij?'

Mani haalde zijn schouders op.

'Hij neemt zelfs de telefoon niet op. Misschien moet ik maar buiten op hem wachten.'

'Het is toch beter als u hier wacht, meneer?' Mani's ogen glinsterden, zoals gewoonlijk half op de hoogte van wat zijn baas uitspookte.

De secretaris ging op het veldbed in de achterkamer zitten kijken naar de mand vol met kokosnoten en vroeg zich af of de makelaar ze geteld had. Een paar minuten later ging de deur knarsend open.

'U?' vroeg mevrouw Puri toen ze de achterkamer binnen kwam. 'U hoort hier helemaal niet te zijn.'

'Ik maakte me aldoor zorgen om u, mevrouw Puri. Ik kwam kijken of alles in orde is,' zei de secretaris.

'U kunt ons maar beter hier alleen laten, Kothari. Het enige wat we van u willen is een alibi.'

De secretaris van de Vishram Corporatie schudde zijn hoofd. 'En mijn verantwoordelijkheid tegenover u dan, mevrouw Puri? Mijn vader zei: "Een man die alleen voor zichzelf leeft, is een beest." Ik wil ervoor zorgen dat alles goed met u is. En vertelt u me nu maar waar Ajwani is.'

'In de stad,' zei mevrouw Puri. 'Falkland Road.'

'Op een dag als vandaag?'

'Vooral op een dag als vandaag. Zo'n soort man is hij.'

'Laat me nu wachten tot hij terug is. Dat is mijn verantwoordelijkheid. Zeg nu niet dat ik weg moet gaan.'

'Eigenlijk bent u helemaal niet zo'n slechte secretaris,' zei mevrouw Puri en ging op het veldbed zitten.

Kothari schopte de tenen mand in de richting van mevrouw Puri die hem terugschopte en het werd een spelletje tussen hen. Iemand klopte op de deur van de achterkamer.

Toen de secretaris opendeed, zag hij Sanjiv Puri.

'Wat doe *jij* hier?' siste zijn vrouw. Haar man liep naar binnen, Ibrahim Kudwa kwam achter hem aan.

'Hij belde aan en vroeg naar je.'

'Ik weet wat er aan de hand is,' zei Kudwa. 'Niemand heeft het me verteld maar ik ben niet zo dom als u denkt. En ik weet dat u het me niet verteld hebt omdat u dacht dat een moslim u niet zou willen helpen.'

'Er is niets aan de hand, Ibby.'

Kudwa ging naast haar op het veldbed zitten. 'Behandel me niet als een kind. Ajwani gaat *iets* doen. Vanavond.'

De secretaris keek de Puri's aan.

'Waarom zouden we het verborgen houden voor Ibrahim?'

'We weten dat het gevaarlijk is, Ibby. Daarom hebben we u erbuiten gehouden.' Mevrouw Puri stak haar hand uit naar zijn onderarm en streelde die. 'De enige reden. We weten dat u om Mumtaz en de kinderen moet denken.'

Haar man ging beschermend voor haar staan. 'Gaat u nu de politie over ons vertellen?'

'Nee!' Ibrahim Kudwa kromp ineen. Hij klopte op zijn borstzak, propvol met hartvormige maagzuurpillen. 'U bent mijn *vrienden*. Kent u me onderhand dan nog niet? Ik wil u redden. Hoe kan Ajwani dit ongestraft doen?' Hij smeekte, met gevouwen handen. 'Ram Khare zit vanuit zijn wachthokje te kijken. Iemand die op straat langskomt kan het zien. Masterji kan gaan schreeuwen. Het is een valstrik – ziet u dat dan niet? De projectontwikkelaar heeft u allemaal in de val gelokt. Vanaf de dag dat hij het geld aan Toren B voortijdig betaalde heeft hij gewild dat jullie dit zouden doen.'

'En hij heeft *gelijk*, Ibby,' zei mevrouw Puri. 'Die man kwam Mumbai binnen gelopen met niets aan zijn voeten en kijk hem nou eens. En kijk *ons* eens. We hadden dit al veel eerder moeten doen.'

'Niet zo hard,' zei de secretaris. 'Praat maar met Ajwani als hij hier is, Ibrahim. Ik hoef dat geld niet. Ik wil alleen voorkomen dat er iemand in de cel belandt. Dat is mijn heilige verantwoordelijkheid hier.'

De lynx-lijnen verbreedden zich rondom zijn ogen, hij grinnikte.

Hij pakte het grote kromme mes van de mand en schraapte ermee langs de noten.

'Ajwani is hier deskundig in. Ik weet niet precies hoe het moet.' Kothari koos een grote kokosnoot, die nog vastzat aan het verbindingsweefsel van de boom waar hij van afgehakt was, hield hem in zijn uitgestrekte hand, en stak het mes erin. Drie aarzelende tikken, en toen had hij het door. *Tsjak, tsjak, tsjak.* Het witte vlees van de kokosnoot kwam bloot, verse melk droop eruit.

'Ik niet,' zei Kudwa, wijzend op de maagzuurpillen in zijn doorschijnende overhemdzakje. 'Zwakke maag.'

'Neem maar, Ibrahim. We nemen allemaal. Het is goed voor zwakke magen.'

Kudwa nam een slok, bood de kokosnoot toen aan mevrouw Puri aan die een slok nam en hem doorgaf aan haar man. Toen hij klaar was, stak de secretaris zijn mes erin en sneed het witte vlees van de kokosnoot los, dat hij aan mevrouw Puri aanbood.

'Er is, waarom zouden we het verspillen?'

'Goed dan.'

Mevrouw Puri schepte het kokosvlees er met haar handen uit en gaf de kokosnoot aan Kudwa door die hetzelfde deed en de witte smurrie van zijn vingers likte.

De secretaris mikte de kokosnoot in de hoek. Kudwa wees naar het mes dat hij net op de kokosnoten had gelegd.

'Gaat Ajwani het daarmee doen...?'

De secretaris schoof de mand met zijn voet weg.

'We weten er niets van, Ibby. We zijn hier alleen om Ajwani wat steun te geven.'

'Zo is het,' zei de secretaris. 'We zeggen dat we hier bij hem waren toen het gebeurde.'

Zo zaten ze daar in de achterkamer. De slagen van de Katrien Duck-klok vanbuiten gaven aan dat het kwart over zeven was.

Kudwa strekte zijn benen.

'Wat zit u te neuriën, Ibrahim?'

Met steelse vingers schoof de secretaris de strip met hartvormige maagzuurpillen uit Kudwa's borstzak en bestudeerde ze.

'"Hey Jude".'

De secretaris stopte de maagzuurpillen terug in Kudwa's borstzak. 'Wat is dat?'

'Kent u dat niet? Hoe is dat mogelijk?'

'Ik ben meer in Mohammad Rafi, Ibrahim.'

'Luister,' zei Kudwa. 'Het is een eenvoudig nummer. Let op, ik doe het voor.' Hij begon in zijn handen te klappen en te zingen.

'Wat een mooie stem toch, Ibby,' zei mevrouw Puri.

Hij bloosde.

'O nee, nee, Hij is nu vreselijk, Sangeeta-ji. Ik oefen niet. Maar u had hem eens op school moeten horen...' Kudwa zwaaide zijn hand boven zijn hoofd om vergane successen aan te duiden.

'Zal ik doorgaan met "Hey Jude" of wilt u iets in het Hindi?'

Hij wachtte op antwoord van mevrouw Puri. Ze stond bij de deur van de achterkamer en zei tegen Mani: 'Doe de buitendeur dicht. En neem onder geen beding de telefoon op. Begrepen?'

Na het donker kwam Masterji thuis en bleef staan in het trappenhuis van de Vishram Corporatie. Zijn rode vingers tastten naar de muur.

Bij de trapleuning, waarover zijn dochter altijd naar beneden gleed als ze op weg naar school was (haar vader die boven stond te roepen: 'Niet doen, straks val je,'), zei hij hardop: 'Ik ga een avondschool opzetten. Voor de jongens die cricket spelen bij de tempel.'

Onmiddellijk voelde hij iets wat hij bijna vergeten was, een gewaarwording van angst. Morgen moet ik me op diabetes laten controleren, prentte hij zich in. Het is alleen maar een kwestie van pillen slikken en uitkijken met zoetigheid. Het komt best goed.

Hij liep verder de trap op naar de vijfde verdieping, waar hij de deur opende die naar het dakterras leidde.

Vuurwerk ontplofte in de verte. *De bruiloft van een rijk man*, dacht Masterji. Of misschien was het een obscuur feest. Lichtende vuurpijlen en molens en kurkentrekkers schoten door de nachthemel. Masterji legde zijn beide handen op de korte muur van het terras. Hij hoorde een flard van iets wat volgens hem feestmuziek was.

We hebben meneer Shah verslagen, wilde hij roepen, zo hard dat de feestgangers het konden horen en harder zouden gaan feesten.

Hij wenste dat hij daarnaartoe kon, waar de vuurpijlen opschoten, zweven boven het vuurwerk, boven Santa Cruz, boven de kerken en stranden van Bandra, boven de tempel van SiddhiVinayak en de verduisterde renbaan van Mahalakshmi, tot hij zou landen op de Crawford Market. Daar zou hij uitkijken naar die baardige dagloner en naast hem in slaap vallen, en deel uitmaken van al diegenen die vannacht niet alleen waren.

Meneer Pinto hoorde de telefoon niet, maar het gerinkel drong door de watten heen en bereikte de gevoeliger oren van zijn vrouw. Ze schudde hem bij zijn schouder tot hij de watten uit zijn oren haalde en naar de hoorn greep; misschien wel de kinderen die uit Amerika belden.

Een ogenblik dacht hij dat de dreigtelefoontjes weer begonnen waren. Het was dezelfde stem.

'Pinto? Kent u me niet? Ajwani.'

Meneer Pinto ademde uit. 'U laat me schrikken.' Hij keek op de klok. 'Het is kwart over acht.'

('Is het Tony?' fluisterde mevrouw Pinto. 'Deepa?')

De schriele stem aan de telefoon zei: 'Niemand anders neemt op, Pinto. Het zal allemaal op u neerkomen.'

'Waar hebt u het over, Ajwani? U maakt me bang.'

'Weet u waar ik ben? In Dadar. Ik kan niet weg uit het station. Mijn hand beeft. Het duurde een uur voor ik kon bellen.'

'De secretaris heeft gezegd dat we vannacht in bed moesten blij-

ven en watten in onze oren doen, Ajwani. We kijken tv. Goeienavond.'

'...Pinto... zeg tegen ze dat het een vergissing is, Pinto. U moet ze
zeggen dat het een vergissing is.'

'Waar hebt u het over?'

'Zeg ze dat ze het niet moeten doen. We kunnen samen in het
flatgebouw blijven wonen, net als vroeger. Zeg het tegen mevrouw
Puri. Tegen de secretaris.'

Meneer Pinto legde de telefoon neer.

'Wie was dat?' vroeg zijn vrouw.

'Ik wil *niet*,' zei hij, 'dat je me vanavond nog eens de telefoon laat
opnemen. *Niet*.'

Hij legde de hoorn naast de telefoon.

Hij keek met Shelley naar hun lievelings-Hindi-serie, waarin zo
overdreven geacteerd werd en er zo vaak werd ingezoomd dat de
afwezigheid van geluid het begrip van de plot maar heel licht hin-
derde.

Meneer Pinto sloeg zijn armen over elkaar voor de tv en keek. Op
een stukje papier naast de bank had hij geschreven:

$ 100.000 x 2

En

$ 200.000 x 1

De Katrien Duck-klok buiten sloeg negen uur. In de achterkamer
van het kantoor van Renaissance Vastgoed zong Kudwa 'A Hard
Day's Night', terwijl de secretaris ritmisch op zijn dijen sloeg.

'Ajwani komt niet.' Mevrouw Puri stond op van het veldbed en
streek haar sari glad. 'Er is iets met hem gebeurd.'

'Nou en?' Kudwa stopte met zingen. 'Het is toch afgelopen?'

Zonder elkaar aan te kijken hielden mevrouw Puri en haar man
elkaars hand vast.

'We mogen deze kans niet missen, Ibby. Het is voor Ramu.'

'Ik kan het u twee niet alleen laten doen.' De secretaris stond op. 'Ik zal ervoor zorgen dat niemand het ziet. Dat is mijn verantwoordelijkheid. En u, Ibrahim, gaat u naar de politie?'

Ibrahim Kudwa knipperde met zijn ogen, alsof hij de woorden van de secretaris niet begreep. 'U bent al negen jaar mijn buren,' zei hij.

De secretaris omhelsde hem. 'U bent altijd een van ons geweest, Ibrahim. Vanaf de eerste dag. Ga nu naar huis, slapen.'

Kudwa schudde zijn hoofd.

'Negen jaar samen. Als u de cel in gaat, ga ik ook de cel in.'

Ze besloten dat de Puri's als eersten zouden vertrekken. De achterdeur, die vanuit de achterkamer in een zijsteeg uitkwam, sloot zich achter hen.

Kothari's mobiel ging een paar minuten later af.

'Masterji is op het terras. Ram Khare zit niet in zijn hokje. Kom.'

Ze vertrokken via de achterdeur. Ze staken de markt over. Onderweg naar de corporatie zei Kudwa: 'Misschien moeten we het hem toch nog eens vragen. Of hij wil tekenen.'

Ze bleven allebei stilstaan. Links van hen was een vlieger neergekomen en op de weg in elkaar gezakt.

De secretaris liep door maar Ibrahim Kudwa niet. De heilige hindoeman zat te slapen tegen de witgeverfde banyan voor zijn internetcafé. Een gecyclostyleerd reclamebiljet zat boven zijn hoofd geplakt:

KRACHTIG GEURENDE FENYL.

ONTSMET. VERFRIST UW HUIS.

KOOP RECHTSTREEKS.

170 RUPEE VOOR VIJF LITER.

Kon ik maar, zo dacht Kudwa, *op dit moment de zuiverende lucht van ontsmettingsmiddel inademen.* Hij keek op en zag de donkere ster van de vorige kerst boven zijn café.

'Denkt u... dat ze verwachten dat ik helemaal naar de corporatie toe kom?'

'Waar hebt u het over, Ibrahim?'

'Ik bedoel: verwachten mevrouw Puri en meneer Puri dat ik helemaal daarnaartoe kom? Of zouden ze begrijpen dat ik ze ook steun als ik tot hier kom en dan terugga?'

'Ibrahim, *ik* verwacht van u dat u helemaal met me meegaat. We moeten zorgen dat meneer en mevrouw Puri veilig zijn. We *doen* niets.'

De deur van het internetcafé trilde. Kudwa begreep dat hij vanbinnen niet dubbel op slot zat. Hoe vaak had hij Arjun niet gezegd dat iemand van buitenaf het slot kon forceren en de computers stelen als hij niet...

'*Ibrahim.* Ik heb u nodig.'

'Ik kom.'

Vishram was in zicht toen de twee mannen opgemerkt werden.

'Trivedi. Hij komt deze kant uit. We moeten teruggaan.'

'Die zegt morgen niets. Ik ken die man.'

Trivedi, zijn borst ontbloot op zijn sjaal na, glimlachte naar de mannen en liep door.

Toen ze bij het hek kwamen, keek de secretaris op en zei: 'Hij is *niet* op het terras.'

Ze ontsloten het hek en liepen op hun tenen over het binnenterrein. De secretaris schoot voor een paar tellen zijn kantoor in en liet Ibrahim Kudwa handenwrijvend bij het mededelingenbord achter.

'Waar hebt u die voor nodig?' vroeg hij toen Kothari opdook met een rol plakband.

'Ga naar het kantoor,' fluisterde de secretaris, 'en neem de hamer mee. Hij ligt naast de typemachine.'

Mevrouw Puri stond hen op te wachten boven aan de trap. Haar man stond achter haar.

'Hij is net van het terras gekomen en hij heeft zijn deur dichtgedaan. Jullie hebben er te lang over gedaan.'

'Blazen we het af?' vroeg Kudwa. 'Een andere keer?'

'Nee. Hebt u de sleutel, Kothari?'

Het plakband was niet het enige wat de secretaris uit zijn kantoor had gehaald. Hij stak de duplicaatsleutel van 3A in het sleutelgat en worstelde ermee. Ze hoorden het geluid van een televisieserie uit de kamer van de Pinto's.

'Zullen we hem nog één keer vragen of hij wil tekenen?'

'Hou uw mond, Ibrahim. Blijf daar en hou de deur in de gaten.'

De deur ging open. Masterji was gaan slapen in zijn woonkamer met zijn voeten op de teakhouten tafel, de Rubik's Cube lag naast zijn stoel.

Kudwa kwam binnen achter de anderen en sloot de deur. De secretaris liep naar de stoel, nam een stuk plakband en drukte dat op Masterji's mond.

De slapende man werd ervan wakker. Hij trok het plakband van zijn mond.

'Kothari? Hoe komt u binnen?'

'U *moet* nu akkoord gaan, Masterji. Nu meteen.'

'Denk aan Gaurav,' zei mevrouw Puri. 'Denk aan Ronak. Zeg ja. *Nu.*'

'Verdwijn,' zei de oude man. 'Verdwijn allemaal uit mijn...'

De secretaris kwam in beweging voor hij de zin kon afmaken; hij scheurde weer een stuk plakband af en probeerde het over de mond van de oude man te plakken. Masterji duwde de secretaris weg. Meneer Puri stond verstijfd bij de deur.

'Kothari, blijf van hem af,' waarschuwde Ibrahim Kudwa.

Masterji herkende de stem van zijn beschermer, stond op en draaide zich in zijn richting.

'Ibby,' zei mevrouw Kudwa. 'Ibby.'

Ineens hief Ibrahim Kudwa de hamer die hij uit het kantoor van de secretaris had meegenomen op, haalde uit en sloeg Masterji op zijn kruin. Meer verrast dan iets anders viel die met zo veel kracht terug in zijn stoel dat hij omsloeg, en zijn hoofd kwam hard op de grond neer. Daar lag Masterji, niet in staat te bewegen, al zag hij alles helder. Ibrahim Kudwa staarde met open mond, de hamer viel uit zijn hand. *Ik moet de hamer pakken*, dacht Masterji, maar de secretaris schoot naar voren en raapte hem op. Nu voelde hij een gewicht op zijn borst; Kothari drukte een knie op zijn borstkas, draaide de hamer ondersteboven en ramde hem met beide handen tegen zijn voorhoofd. Het deed pijn. Hij wilde schreeuwen, maar hij hoorde alleen gekreun uit zijn mond komen. Nu zat er iets of iemand op zijn benen en hij kon ze niet meer bewegen; hij was zich ervan bewust dat Kothari op zijn voorhoofd ramde met de hamer, telkens weer. De slagen kwamen ergens ver weg neer, als stenen die op het oppervlak van een meer vielen waarin hij in de diepte lag. Hij dacht aan een regel uit de *Mahabharata*: '...het hart van koning Dhritharashtra was als een bosmeer, warm aan de oppervlakte maar ijskoud op de bodem.' Kothari stopte en haalde diep adem. *Die arme man z'n armen moeten onderhand wel pijn doen,* dacht Masterji. Hij was ervan overtuigd dat hij nog nooit iemand zo snel had zien bewegen als Kothari met die hamer, behalve de jongen bij de McDonald's in Linking Road, als die frieten uit de hete olie tilde, ze in de metalen bak kiepte en de lege frituurmand weer in de olie doopte. Toen trof de hamer zijn voorhoofd opnieuw. 'Kothari. Wacht.' Nu kwam Sanjiv Puri uit de slaapkamer met een groot, donker ding dat hij op Masterji's gezicht liet zakken. Toen het donkere ding zijn neus raakte, begreep Masterji het. Ja. Het kussen van zijn bed. Het drukte op zijn neus en plette zijn snor: hij begreep dat Sanjiv Puri erop was gaan zitten. Zijn benen spartelden, niet om zich te bevrijden maar om hem sneller naar de bodem van het meer te trekken. Hij lag nu in heel koel, donker water.

'Hij is bewusteloos. Sanjiv, genoeg. Sta op.'

Sanjiv Puri keek naar zijn vrouw, die op Masterji's benen zat, en toen naar Ibrahim Kudwa, die alles met open mond aanzag.

'Snel. Pak jij zijn voeten, Kothari pakt zijn hoofd,' zei mevrouw Puri tegen haar man. 'Ibby, raap die hamer op. Laat hem hier niet achter.'

Kudwa wreef over zijn armen en bleef staan. 'Oy, oy, oy,' zei hij.

'Wacht,' zei Sanjiv Puri. 'Eerst wat meer plakband over zijn mond. Voor het geval hij bijkomt.'

Kothari deed het. Toen tilden de twee mannen Masterji's lichaam op en liepen in de richting van de deur. Meneer Puri kromp ineen: 'Ik heb op iets getrapt.' Zijn vrouw schopte de Rubik's Cube uit de weg.

Ze deed de deur open voor de mannen en controleerde de gang.

'Wacht op de lift. Ik heb op de knop gedrukt.'

'Die doet het nooit, we nemen de trap, we zijn met twee sterke mannen. Hij is een stuk lichter geworden.'

'Vanmorgen deed hij het. Wacht.'

Mevrouw Puri stompte weer op de knop, en nog eens.

Sanjiv Puri had de lift al opgegeven en was begonnen met Masterji's voeten (zijn uiteinde van het versufte lichaam) naar de trap te verslepen, toen de machinerie klikte – het knarsen en piepen begon – en er een lichtcirkel naar hen opsteeg.

Zijn vrouw hield de deur van buiten af open tot de drie lichamen binnen waren. De secretaris wist de knop voor de vijfde verdieping te bereiken. De twee mannen zagen in de ronde, witte lamp tegen het dak van de lift drie kleine, donkere vormen. Wespen, die lang geleden naar het licht gevlogen moesten zijn, zes onverteerde vleugels.

Toen ze de vijfde verdieping bereikten, zette meneer Puri zich schrap om tegen de liftdeur te duwen, maar die zwaaide uit eigen beweging open. Ondanks haar gewicht was zijn vrouw via de trap eerder boven dan zij.

Terwijl ze het lichaam de lift uit droegen, duwde zij de deur naar het dakterras open.

'Zo krijgen we hem nooit daarboven,' zei de secretaris, naar de steile, smalle trap kijkend.

'Eén trede tegelijk. Het lukt jullie wel,' zei mevrouw Puri boven hen. 'Eén trede tegelijk.'

De twee mannen legden het lichaam neer en verwisselden van plaats. Sanjiv Puri, de sterkste van de twee, nam deze keer het hoofd. De secretaris volgde met de voeten. Eén trede tegelijk. Duiven schoten weg over het terras toen ze bovenkwamen.

'Mevrouw Puri...' hijgde de secretaris, 'kijk of er niemand beneden in het parlement zit...'

De muur om het terras was een meter hoog. Mevrouw Puri keek omlaag.

'Hij heeft zijn ogen open. Hebt u de hamer hier?'

'Nee, die ligt nog in de kamer.'

'Waarom hebt u hem niet meegenomen?'

'U hebt niet gezegd...'

'Hou op,' zei mevrouw Puri. 'Maak het karwei af.'

De twee mannen strompelden met het lichaam, dat was gaan kronkelen, naar de rand van het terras; ze telden tot drie, tilden het op en duwden.

'Waarom gaat hij er niet overheen?'

'Hij is weer wakker. Hij houdt zich vast aan de rand. Harder duwen. Duwen.'

Mevrouw Puri zag de worsteling aan en ging meedoen, ze perste haar rug en billen tegen de steen die haar geluk zo lang had geblokkeerd.

Nu hij zijn ogen opendeed kon hij niet uitmaken of hij dood of levend was. Deze mannen leken demonen te zijn, hoewel zachtzinnig, die zijn lichaam verdreven uit een plaats tussen leven en dood, waar het vast was komen te zitten.

Dat was omdat hij goed noch slecht geweest was, sterk noch zwak genoeg. Hij was zijn handen kwijtgeraakt, zijn benen kwijtgeraakt, hij kon niet spreken. En toch zat alles wat hem te doen stond hier, in zijn hoofd. Hij dacht aan Gaurav, zijn zoon, zijn vlees en bloed. 'Help me,' zei hij.

En toen besefte hij dat wat zijn overgang blokkeerde uit de weg geruimd was, en hij viel; zijn lichaam was aan zijn korte aardse vlucht begonnen – en beëindigde die bijna onmiddellijk – voordat Yogesh Murthy's ziel vrijgemaakt was voor zijn veel langere vlucht over de oceanen van de andere wereld.

Beneden op de grond lag het, armen en benen gespreid, een volmaakte imitatie van een zelfmoordlichaam.

Losse haarslierten vielen langs de zijkanten van Kothari's kale hoofd. Hij schikte ze weer tot een haarflap.

'We moeten teruggaan en die hamer vinden, mevrouw Puri. En waar is Ibrahim? Is die nog in de kamer? Wat doet hij daar? Mevrouw Puri, luistert u wel?'

'Hij leeft nog,' zei ze. 'Hij beweegt, daar beneden.'

De secretaris was buiten adem. Dus rende Sanjiv Puri de trap af naar de vijfde verdieping, nam de lift en stormde de ingang uit. Hij stond bij het lichaam, draaide het hoofd omhoog en schudde eraan. De beweging was gestopt. Het was alleen maar een doodskramp.

Een aura van donkere vloeistof omringde het hoofd, mevrouw Puri dacht dat ze iets uit de schedel zag komen. Het was gebeurd.

'Plakband...' siste ze naar haar man vanaf het terras. 'Het plakband over zijn mond. Snel. Ram Khare komt terug.'

Een bijzondere avond. Gewoonlijk had hij een kwart liter Old Monk-rum op zijn kamer, maar vanavond was hij een café binnen gegaan en had gezegd: 'Whisky. Royal Stag.'

Waarom niet? Het was de avond van vijf oktober. De ruzie in zijn corporatie moest nu toch voorbij zijn. Zelfs als je bedacht dat de projectontwikkelaar een dag uitstel had gegeven, dat was gisteren. Iedereen die zijn woord had gegeven dat hij de einddatum niet zou verlengen, zou zijn gezicht verliezen als hij dat na vandaag nog deed.

Het televisiescherm in het café vertoonde een film met Praveena Kumari, een befaamde seksbom uit de jaren tachtig die nu haar comeback maakte in een film die *Dance, Dance* heette. Ram Khare was nooit fan van haar geweest. Niet weelderig genoeg.

Hij dronk zijn whisky op en vroeg er nog een.

Als ik eerlijk ben, dacht hij, *moet ik toegeven dat ik aldoor hoopte dat Masterji de projectontwikkelaar zou verslaan. Waar vind ik een baan in een andere corporatie op mijn leeftijd?*

Nu had hij honger.

Een goed maal *chow-mein*, gebakken in een grote zwarte wok in een kraampje langs de weg, bemand door Gurkha's. Ram Khare ging zitten op een bank naast de wok en at met een plastic vork, nadat hij scherpe groene saus en ketchup over de chow-mein had gespoten. Toen het op was, spoelde hij zijn mond en keerde terug naar Vishram.

Hij had het hek ontgrendeld en liep naar zijn hokje, toen hij een menselijk wezen zag liggen naast de ingang van de corporatie.

Catherine D'Mello-Myers flat in de Bandra Reclamation was een warm, anarchistisch hol vol linkse academische tijdschriften en buitenlands speelgoed.

Haar drie kinderen en hun twee neefjes hadden in de keuken en de badkamer rondgedold voor ze ze naar de tv-kamer had laten komen, waar ze het Sony PlayStation hadden aangezet.

Nu zat ze aan de eettafel met haar zus en die lieve imbeciele jongen met zijn groene bord met GEEN LAWAAI. Zijn zwaard was een stuk verfrommeld karton op de grond geworden.

Catherine had haar zus nooit zo gezien.

Mevrouw Rego zat aan de tafel met haar rechterhand op een zwarte mobiele telefoon.

Frank, Catherines Amerikaanse echtgenoot, keek vanuit hun slaapkamer. Hij knikte met zijn hoofd naar de kinderen die zaten te gillen achter hun PlayStation.

Ze keek hem geërgerd aan.

Sommige dingen konden mannen niet begrijpen. Haar zus had dit nooit eerder gedaan – hier komen op zo korte termijn, met haar kinderen en de zoon van die buurvrouw.

Catherine wist dat ze nooit genoeg gedaan had voor die arme Georgina.

Ze begreep dat er een belangrijk gesprek gevoerd moest worden via die mobiele telefoon. Haar taak was de kinderen bezig te houden tot dat telefoontje gepleegd was. En Frank kon doodvallen.

'Kom, Ramu,' zei ze, en trok de imbeciele jongen weg bij haar zus. Ze raakte hem aan en trok haar hand bijna meteen terug. 'Georgina,' fluisterde ze, 'ik geloof dat hij het in zijn broek gedaan heeft.'

De jongen deed zijn lippen van elkaar en begon een zacht, hoog gejammer uit te stoten.

Mevrouw Rego pakte haar mobiel en toetste een nummer.

'Bent u dat, mevrouw Puri?' vroeg ze toen er werd opgenomen.

Catherine schoof dichterbij om te luisteren.

'Nee, het is meneer Puri,' zei een mannenstem. 'Mijn vrouw zal u over een halfuur bellen. De politie is haar wat vragen aan het stellen, er heeft een betreurenswaardig incident plaatsgevonden in het gebouw. Alles goed met Ramu?'

Frank opende de deur van de slaapkamer om weer een bericht te seinen en zag mevrouw Rego instorten en snikken, terwijl haar zuster over haar heen gebogen op haar rug stond te kloppen en fluisterde: 'Georgina, kom, kom...'

Shanmugham boog voor de gouden Ganesha boven de deurpost en liep door de open deur van het huis van zijn werkgever in Malabar Hill.

Hij hoorde Kishore Kumars 'Ek Aise Gagan Ke Tale' op een cassetterecorder.

De woonkamer was verlaten. Een schaal vol afgekauwde korsten stond op de eettafel, hij herkende de tandafdrukken van zijn werkgever in de toast.

De lucht van *gutka* leidde hem naar de slaapkamer.

Dharmen Shah lag in een nest van drukwerk met een potlood op een notitieblok te krabbelen. De gipsen maquette van het Confidence Shanghai stond naast de bedlamp.

'Wat?'

Shanmugham wist niet hoe hij het moest zeggen. Hij voelde een vreemde vrees om zichzelf te beschuldigen met ieder woord dat hij zou kunnen zeggen.

Shah keek op van zijn berekeningen en zag de hand van zijn assistent gebald omhoogkomen.

De vuist opende zich.

'Hoe?'

'Hij is gevallen, meneer. Van het dakterras. Ongeveer een uur geleden. Zelfmoord, zeggen ze.'

Shah opende zijn rode mond. Met zijn ogen dicht duwde hij zijn hoofd achterover in het witte kussen. 'Ik had gedacht dat het een duw van de trap zou worden, of een nachtelijke afranseling. Dat is alles.'

Hij liefkoosde het zachte kussen.

'Ik was vergeten dat we met brave mensen te maken hebben, Shanmugham.'

De dikke man klom van het bed, overal papier verspreidend.

'Jij rijdt terug naar Vakola. Vraag bij je contact op het politiebureau na hoe het staat met hun onderzoek. Ik zal de astroloog in Matunga bellen om een gunstige datum te vragen voor het begin van de sloop.'

7 OKTOBER

MUMBAI SUN

ZELFMOORD IN SANTA CRUZ (OOST)?

Van een onzer verslaggevers

De heer Yogesh Murthy, gepensioneerd leraar aan de befaamde St. Catherine-school in de buurt, zou gisteravond zelfmoord hebben gepleegd door van het dak van de Vishram Corporatie in Vakola, Santa Cruz (O) te springen.

Hoewel er geen vermoeden van een misdrijf bestaat, verklaart de politie van Santa Cruz dat ze in dit stadium geen enkele mogelijkheid uitsluit. Er wordt onderzoek verricht.

Er wordt echter aangenomen dat de overledene in een diepe depressie is geraakt na de dood van zijn vrouw, bijna precies een jaar geleden. Buurtbewoners zeggen dat hij steeds meer buiten zinnen raakte als gevolg van diabetes en ouderdom, dat hij zich terugtrok in zijn kamer, in zichzelf praatte, asociaal gedrag ging vertonen en ruziemaakte met zijn hele corporatie over een renovatievoorstel, waar hij zich als enige tegen keerde. Dr. C.K. Panickar, klinisch psychiater in het Lilavatiziekenhuis in Bandra, meent dat hij de klassieke symptomen van dementie vertoonde. 'Paranoia, passief-agressieve ontwikkeling en zelfs schizofrenie kunnen niet uitgesloten worden, gezien het gedrag van de betrokkene in zijn laatste dagen,' veronderstelt hij.

De overledene laat een zoon achter, Gaurav, woonachtig in Marine Lines, en een kleinzoon, Ronak.

EPILOOG

MOORD EN VERWONDERING

15 DECEMBER

De kleine donkere man in het blauwe safaripak liep tussen de groentekraampjes door, teleurgesteld dat niemand deze ochtend naar hem keek alsof hij een moordenaar was.

Bijna twee maanden lang hadden de watermeloen- en ananasverkopers gepraat over hoe die makelaar uit Vishram, Ajwani, die daar aan de overkant van de straat in dat vastgoedkantoortje met die glazen deur, had geregeld dat een van zijn onderwereldcontacten Masterji vermoordde; nee, hoe hij het zelf gedaan had, hoe hij op zijn tenen, beschermd door de duisternis, Vishram binnen geslopen was en de oude leraar in zijn dikke armen naar het terras had getild. Dan draaiden ze zich om en zagen Ramesh Ajwani staan, altijd met een glimlach, en die vroeg: 'Wat doen de brinjals vandaag?'

En dan begonnen ze te pingelen, want dat je een moordenaar bent, betekent niet automatisch dat je korting op de brinjals krijgt.

Hij was de eerste verdachte geweest. Nagarkar, de hoofdinspecteur, had hem op de ochtend na de dood op het bureau ontboden; hij wist dat Ajwani contacten had met duistere figuren overal in Vakola. (Het soort klanten dat hij had, betaalde smeergeld om vergunningen los te krijgen!) Een halve dag lang had de inspecteur hem onder handen genomen onder het portret van Heer SiddhiVinayak. Maar zijn verhaal bleef overeind. Een tiental mensen wist nog dat ze de makelaar voor station Dadar hadden gezien op verschillende tijdstippen van de avond waarop Masterji was overleden; hij zou een aanval van indigestie hebben gehad en daar niet aanspreekbaar hebben liggen kronkelen.

'Als jij het niet gedaan hebt, wie dan wel?' vroeg de inspecteur. 'Denk je echt dat ik geloof dat het zelfmoord was?'

'Ik weet het niet,' zei Ajwani. 'Ik kwam na middernacht thuis. Ik was niet lekker. Toen was de politie er al.'

De secretaris was de volgende die op het bureau moest komen. Maar drie getuigen zeiden dat hij in het vastgoedkantoor van Ajwani was geweest op het moment van Masterji's dood. Een ervan was Mani, de assistent van de makelaar, en de andere twee waren Ibrahim Kudwa en meneer Puri, twee buren van hem, allebei respectabele mannen. Iedere bewoner van Vishram, zo bleek, kon bewijzen dat hij of zij om die tijd ergens anders was geweest. De enigen die in het flatgebouw waren toen Masterji van het dak viel, was een oud echtpaar, de Pinto's, die nauwelijks in staat leken iets te zien of zich te verplaatsen.

De projectontwikkelaar? Nagarkar wist dat Shah een slimme man was, te slim om erbij betrokken te zijn als hij meteen verdacht zou worden. Zo werd Masterji de hoofdverdachte in zijn eigen moord. Veel mensen, zowel in Vishram als in de hele omgeving, getuigden dat de leraar al een tijdje seniel en onvoorspelbaar aan het worden was geweest. De dood van zijn vrouw en zijn diabetes hadden hem depressief gemaakt. Uiteindelijk besloot de inspecteur, die niet van onopgeloste mysteries hield, dat het zelfmoord moest zijn geweest.

Ajwani wist dat dat niet zo was. Een week lang had hij met niemand anders in Vishram gesproken. Toen verhuisde hij zijn zoon en vrouw naar een huurflat bij het station. Hij wilde niet meer bij die mensen wonen.

Hoe ze het gedaan hadden wist hij niet precies. Misschien hadden meneer en mevrouw Puri het alleen gedaan, de secretaris kon ze geholpen hebben. Misschien was het gewoon een duw geweest. Maar nee, iets in hem wist dat Masterji zich verzet zou hebben. Een geboren vechter, die oude man. Ze moesten hem verdoofd hebben, of misschien een klap gegeven, maar wat ze ook gedaan hadden, er was niets aan het licht gekomen, ofwel omdat de schedel door de val verbrijzeld was, ofwel omdat de arts die het lijk had onderzocht onbekwaam of ongeïnteresseerd was geweest.

Twee keer per dag ging hij naar de groente- en fruitmarkt, als het kon drie keer. Hij onderhandelde over wortels en guaves en beledigingen, dat maakte deel uit van zijn boetedoening. Hij hoopte dat de kooplui op een dag om hem heen zouden komen staan en met hun vingers in zijn ribbenkast porren, hem met tomaten en aardappels bekogelen en chili's in zijn ogen duwen. Hij wilde bezoedeld en beschuldigd van moord naar huis terugkeren.

Twee maanden lang na zijn dood verschafte Masterji de markt van Vakola een duistere bekoring, een laagje as over de etenswaren. Daarna kwamen er weer andere schandalen en mysteries. De kooplui vergaten hem, Ajwani was gewoon weer een klant geworden.

Hij wandelde weg van de markt met zijn handen op zijn rug, tot hij hamers steen en bakstenen hoorde weghakken.

Arbeiders krioelden over de Vishram Corporatie als zwarte mieren over een suikerklontje. Het dak was ingestort, mannen zaten op de naakte balken en stonden overal op de trappen, attaqueerden hout met zagen en ramden op muren en balken. TNT kon niet gebruikt worden in een zo dichtbevolkte wijk, er moest door mensenhanden gesloopt worden. De mannen die aan het Confidence Excelsior en het Fountainhead hadden gewerkt waren nu Vishram aan het versplinteren, strippen en vernielen, de vrouwen droegen het puin in bakken op hun hoofd en stortten het achter in een vrachtwagen.

Om de paar uur reed de vrachtwagen de weg af en stortte zijn inhoud als ondergrond in de funderingen van het Ultimex Milano. Het metalen geraamte onder de verf en de pleisterlaag zou naar werkplaatsen rondom Falkland Road vervoerd worden, om uit elkaar gehaald te worden voor hergebruik. Zelfs na haar dood was de Vishram Corporatie nog van nut voor Vakola en Mumbai.

Bij elke mokerslag op Vishram dampte het gebouw en stootte witte wolken uit zijn flanken, als een kwade man in de *Tom & Jerry*-tekenfilms waar Ajwani's zoons 's morgens naar keken. Het leek op een langzame foltering, voor alle ellende die het gebouw meneer

Shah had opgeleverd. Een paar van de christelijke arbeiders hadden het zwarte kruis willen redden, maar het was verdwenen, waarschijnlijk geplet in de funderingen van het Milano. Weldra zou er van de Vishram Corporatie alleen nog de oude banyan overblijven, en elke keer als er wind stond, streken de bladeren langs het verlaten wachthokje, als een kind dat een dood ding tot leven wilde wekken.

Ajwani leunde tegen de boom en betastte de stam.

'Rijke man! Waar hebt u gezeten?'

Een lange, magere man was op hem af gekomen en klopte wit stof van zijn witte overhemd en zwarte broek.

'U hebt de papieren van de Confidence Group niet getekend,' zei Shanmugham, 'en zonder die handtekening kunnen we u het geld niet geven.'

Ajwani deed een stap weg van de boom.

Shanmugham hief een been en klopte wit stof van zijn broek.

'Anderhalve crore rupee. U bent nu allemaal rijk, en wat krijg ik, meneer Ajwani? Niks.'

Meneer Shah had hem geen bonus of extraatje gegeven. Zelfs geen schouderklopje, niet eens wat een hond zou krijgen als hij een stok had geapporteerd. Het enige wat de baas had gezegd, was: 'Nu wil ik dat jij ervoor zorgt dat de sloop geen dag te lang duurt, Shanmugham. Tijd is geld.'

Maandenlang had die man rode dozen met gebak uitgedeeld aan de bewoners van Vishram, waar bleef *zijn* rode doos?

Hij kwam dichter bij de makelaar staan en praatte zachter.

'Ik heb nagedacht over wat u zei. Die dag in uw achterkamer, toen we daar bij die kokosnoten zaten. Over hoe sommige slimme linkerhanden er echt in slagen om...'

Shanmugham schrok. De makelaar liep bruusk weg, zwaaiend met zijn armen alsof hij op het punt stond het op een rennen te zetten.

'Kom terug, meneer Ajwani! Als u uw papieren niet tekent, krijgt u uw geld niet!'

Wat mankeerde die man?

Met één oog dicht keek Shanmugham naar de bladeren van de oude banyan; zonlicht droop door de donkere kruin als ruwe witte honing. Hij raapte een steen op en gooide hem naar het licht.

16 DECEMBER

De lift ging open, de chai-jongen stapte naar buiten de parkeergarage in met een dienblad vol theekoppen.

Hij bleef staan en keek.

De lange man in het witte overhemd deed het weer. Hij stond voor zijn Hero Honda-motor tegen de achteruitkijkspiegel te praten.

'Meneer Shah, ik weet dat u hebt gezegd dat ik het niet meer over een bepaalde gebeurtenis moet hebben, maar gisteren kwam ik die makelaar tegen en ik...'

De lange man sloot zijn ogen en probeerde het nog eens.

'Meneer Shah, het ware verhaal achter... Ik weet dat u zei dat ik het er nooit meer over mocht hebben, maar ik...'

De chai-jongen liep op zijn tenen om hem heen, hij droeg zijn blad met ochtendthee naar de chauffeurs die aan het andere eind van de parkeerkelder stonden te wachten.

Een kwartier later stond Shanmugham voor zijn werkgever. Giri was in de keuken iets aan het snijden.

Aan zijn werktafel met de poster van de Eiffeltoren achter zich was de baas elke pagina van een stapel documenten aan het tekenen.

'Heb ik je gevraagd om boven te komen, Shanmugham?' zei hij zonder op te kijken. 'Ga naar beneden en wacht op me. We moeten zo meteen naar Juhu.'

De linkerhand bewoog niet.

Shah keek op, hij had een zilveren pen tussen zijn vingers.

'We zijn net gebeld, Shanmugham. Satish is gearresteerd. Hij heeft weer hetzelfde gedaan met de bende. Deze keer in Juhu.' Hij beschreef een cirkel met de pen in zijn hand. 'Ze hebben de bus van een of andere politicus ondergespoten. Giri heeft het geld in de envelop gestopt. Deze keer zullen we het niet uit de krant weten te houden.'

Shanmugham zei wat hij bijna twintig minuten in de kelder had staan oefenen: 'Meneer, wat betreft de moord in de Vishram Corporatie. Ik heb daar een tijd over zitten nadenken. Het was geen zelfmoord. In Vakola zeggen ze dat of Shah, of een van de buren het gedaan heeft. En u hebt het niet gedaan, aangezien ik het niet gedaan heb. Dus hebben de buren het gedaan.'

Shah keek niet op.

'De kranten zeggen dat het zelfmoord was. Ga beneden wachten. We moeten naar Juhu.'

Shanmugham praatte tegen de poster van de Eiffeltoren boven het hoofd van zijn baas. 'De politie is misschien wel geïnteresseerd, meneer, als iemand ze vertelde dat de mensen in Vishram het gedaan hebben. Misschien heropenen ze de zaak wel. Bekijken ze de foto's van het lijk wat nauwkeuriger. Dat zou de bouw kunnen vertragen.'

De zilveren pen viel op de tafel.

Shanmugham huiverde. In een andere kamer ging Shahs mobiele telefoon over. Giri kwam binnen met de mobiel, veegde hem af aan zijn lungi en legde hem op het bureau van zijn werkgever.

Shah luisterde met gesloten ogen naar de stem aan de telefoon.

'Ik ben onderweg. Ik begrijp het. Ik ben onderweg.'

Hij wreef de telefoon langs zijn onderarm en stak hem uit naar Giri.

Giri bleef even op de drempel staan kijken naar de twee mannen. Toen ging hij terug naar de keuken om verder te gaan met brood snijden.

Shahs kaak kwam in beweging. Hij begon te lachen.

'O, jij bent een zoon van me, Shanmugham. Een echte zoon.'

Hij klopte twee keer op het bureau.

'Luister naar me: er ligt al een lijk in de fundering van het Shanghai en er is daar genoeg ruimte voor nog een. Begrijp je?'

Shah grinnikte. Shanmugham begreep dat hij één scherpe tand had, maar deze man had er een hele mond vol van.

'*Begrijp* je?'

Shanmugham kon zich niet bewegen. Hij voelde zijn kleinheid in het hol dat hij was binnengelopen: het vastgoedhol.

'Shanmugham, waarom verspil je mijn tijd?'

'Het spijt me, meneer.'

'Ga naar de kelder en wacht in de auto. We moeten de jongen uit het politiebureau zien te krijgen.'

En Shanmugham daalde af naar de kelder.

Op zijn minst, dacht Shah, *levert dit me zes goede jaren op.* Aan wat hij geschreven had op het notitieblok op de tafel:

Beige marmer.

Rooster voor vensters. (Patroon Fabergé-ei, tot een rupee extra per kilo smeedijzer betalen. Niet meer.)

voegde hij toe:

Linkerhand.

Hij streek zijn kleding glad voor de spiegel, spuugde op zijn vinger, inspecteerde de kleur van zijn inwendige en ging naar beneden.

Juhu. Twee half voltooide torens als tweelingspoken achter een scherm van bomen, ze vervaagden niet en werden evenmin scherper.

Dharmen Shah was misselijk van flatgebouwen.

Hij wendde zich tot zijn zoon en vroeg: 'Hoe vaak ben je nog van plan om dit te doen?'

'Om wat te doen?' Satish keek uit het raam van de rijdende auto.

Hij droeg een lichtgroen overhemd, het overhemd van zijn school-uniform dat hij had uitgetrokken lag in een plastic zak bij zijn voeten.

'Je familienaam te schande maken.'

De jongen lachte.

'Maak ik *jouw* naam te schande?' Hij keek zijn vader recht aan. 'Ik lees de kranten, vader. Ik heb gezien wat er in Vakola gebeurd is.'

'Ik heb geen idee wat jij gelezen hebt. Die oude leraar heeft zich van kant gemaakt. Hij was gek.'

De jongen sprak langzaam. 'In de bende zijn we allemaal zonen van projectontwikkelaars. Als je ons nu niet deze dingen laat doen,' zei hij, 'hoe kunnen we dan goede projectontwikkelaars worden als we volwassen zijn?'

Shah zag de platina ketting om de hals van zijn zoon, de jongere generatie had dat liever dan goud.

Satish vroeg of hij in Bandra kon uitstappen, hij wilde lunchen bij Lucky's. Zijn vader had hem op het bureau in Juhu zijn credit-card afgepakt, nu gaf hij hem terug aan de jongen met een briefje van vijfhonderd rupee erbij.

Satish raakte zijn voorhoofd met het biljet aan bij wijze van een *salaam*. 'Ooit, vader, zullen we trots op elkaar zijn.'

Op het trottoir bij de Dargah van Mahim zag Shah een tiental bedelaars voor een goedkoop restaurant zitten wachten op gratis brood en curry. Elk vuil gezicht, vermoeid, levendig, sluw, leek te stralen. Een blinde man hield zijn gezicht naar de hemel gericht met een uitdrukking van stomme extase. Een meter of wat verder-op leek een man met tranende rode ogen, zijn hoofd in zijn handen, het angstigste wezen ter wereld.

Shah zag hun gezichten langsglijden.

Was er maar niet zo weinig verkeer geweest die avond toen de oude leraar naar het huis in Malabar Hill was gekomen. Had hij die leraar maar een op een kunnen spreken, dan zou de kwestie meteen geregeld zijn. Dan zou er geen bloed gevloeid hebben.

Dus waarom hadden ze elkaar niet ontmoet?

Hij kreeg een visioen van een knalrood gordijn en een schim die erachter bewoog. Toen het rode gordijn werd weggerukt, zag hij de gezichten van de bedelaars buiten zijn auto. Zijn leven lang had hij zulke gezichten gezien en gedacht: *Klei. Mijn klei.* Hij had ze in vorm gekneed in zijn renovatieprojecten, hij was rijk aan ze geworden. Nu kwam het hem voor dat die glanzende, geheimzinnige gezichten de duistere krachten in zijn leven waren. *Zij hebben deze dingen doen gebeuren. Niet om mijn Shanghai te laten verrijzen. Om hun stad te laten verrijzen. Ze hebben me voor hun doeleinden gebruikt.*

Een van de bedelaars lachte. Een koor van fijnstofdeeltjes gilde binnen in Dharmen Shahs longen; hij hoestte, telkens weer, en spuwde in een hoek van de Mercedes.

Een halfuur later lag hij zonder overhemd op een koud bed. Op de enige plek ter wereld waar persoonlijke service deprimerend werkt.

'We hebben het formaat van het bed aangepast aan dat van uw postuur.' De stem van de radioloog.

Zo familiair gaan artsen alleen om met chronisch zieken.

Hij lag met zijn gezicht omlaag, de vetplooien van zijn borst en buik drukten tegen het koude harde kussen. Een röntgenapparaat bewoog boven hem en nam foto's van de achterkant van zijn schedel.

Het röntgenapparaat kwam tot stilstand en de radioloog ging naar een andere ruimte, mompelend: 'Ik weet niet of de foto's goed zijn, want u bewoog...'

Zonder overhemd, als een schooljongen, wachtte Shah op een driepotig krukje.

'Het spijt me, we hebben de foto's niet. U hebt vijf minuten.'

Hij liep naar de wachtkamer van de polikliniek van het Breach Candy-ziekenhuis. Rosie zat op hem te wachten in haar kortste korte rokje.

'Oompje.' Ze klapte. 'Mijn oompje.'

Haar neus was nog blauw, een streepje bleke huid liet zien waar het verband dagenlang moest hebben gezeten.

'Ik dacht dat je niet zou komen, Rosie,' zei hij terwijl hij naast haar ging zitten. 'Echt niet.'

'Natuurlijk zou ik je niet alleen laten in het ziekenhuis, oompje.' Ze liet haar stem zakken en vroeg: 'Is mijn rok kort genoeg?'

De andere patiënten die bij radiologie wachtten staarden naar de dikke man met het welgevormde, schaars geklede meisje dat haar armen om hem heen had. Shah wist dat ze staarden en het kon hem geen reet schelen. Schaamteloos was hij toen hij gezond was, schaamteloos zou hij blijven nu hij ziek was.

'Het hele ziekenhuis krijgt het er warm van.'

'Dat is de bedoeling, oompje.' Ze knipoogde. 'Ze zetten de airco zo laag.'

Hij fluisterde in haar oor.

'Ga maar naar huis, Rosie. Een ziekenhuis is geen plek voor een meisje als jij.'

Rosie deed geen moeite om te fluisteren.

'Mijn vader was de zoon van een eerste vrouw. Dat heb ik je toch nog nooit verteld, hè oompje? Zijn moeder stierf aan bloedkanker toen hij acht was. Dit land is vol zonen van eerste vrouwen die als verliezers eindigen. Ik ben graag in de buurt van een winnaar.'

Ze kuste hem op zijn wang.

De vochtplek bleef achter op Shahs wang en hij herkende wat het was: ambitie. Dat meisje wilde niet alleen een kapsalon, ze wilde alles: al zijn geld, al zijn panden. Een huwelijk.

Hij wilde lachen – een meid die hij uit de gevangenis gehaald had! – en toen herinnerde hij zich het verhaal dat Rosie hem verteld had. De actrice en de Punjabi producent. 'Ze heeft in al die jaren het pijpen niet verleerd.'

Dat er toch niets nederigs, niets onwaardigs in het leven is. Een man vindt misschien geen liefde in het sacrament van het huwelijk, maar hij had het gevonden bij een vrouw met wie hij paarde op de bank in zijn kantoor, zoals een zaadkorrel, uitgespuwd door een rioolpijp, zich voedend met rioolwater, kan uitgroeien tot een grootse banyan.

'Meneer Shah?' Een gebogen vinger wenkte hem weer de röntgenruimte in.

Mij maak je niks wijs, dacht Shah, toen het röntgenapparaat zijn werk weer deed. *Jij gaat niemand redden.* Het was alleen maar de bureaucratie van de uitroeiing, de eerste ronde van papierwerk. De kou van het metalen bed drong door diverse lagen botervet heen. Hij huiverde.

'Moet ik mijn ogen dichtdoen of niet?'

'Dat maakt niet uit. Ontspan u.'

'Dan doe ik ze dicht.'

'Zoals u wilt. Ontspannen.'

Hij kon nog Rosies vingers warm op de zijne voelen. Hij kon haar benen ruiken aan zijn broek. Hij dacht weer aan het oude, leegstaande landhuis waar hij elke dag langskwam op weg naar Malabar Hill, de groene jonge boompjes die door de stenen bladsculpturen drongen. Het was of elk boompje een boodschap was: *Vertrek uit Mumbai met Rosie, zoek een stad met schone lucht, maak nog een zoon, een betere – je hebt nog tijd, je hebt nog...*

Shah ademde diep in en sloot zijn ogen.

...Hij zag de haviken weer rondcirkelen met open klauwen zoals ze die zonovergoten ochtend in het huis van dokter Nayak gedaan hadden, boven de Cooperage, in gevecht verwikkeld, de mooiste schepsels in een mooie wereld.

De haviken vervaagden en hij zag een eiland in de Arabische Zee, hij zag het zoals hij het eens, jaren geleden, gezien had op een retourvlucht uit Londen, het toestel was vertraagd door de drukte op het vliegveld en vloog in cirkels. Daar beneden leek de stad in het zonlicht een in zilver gedrukte postzegel, scherp afgetekend en glanzend en zo makkelijk te doorgronden. Hij zag alles, van Juhu tot Nariman Point, Bombay, de Parel van de Parel in de Kroon. Hij zag Zuid-Bombay en Colaba, zo volgepakt met spiegelende gebouwen dat het land glom. Hij zag Chowpatty Beach, de twee groene ovalen van de cricketstadions, het gebouw van Air India en erachter het Express-gebouw, en de torens van de Cuffe Parade...

Het toestel draaide naar rechts. Nu zag hij de stad, theatraal omwald door groenrode rotswanden en hoogvlakten. De hemel aan de ene kant van de rotsen was donkerblauw en zwaar, aan de andere kant helder. Als iemand die rotsen overstak, zou hij schone lucht vinden, hij zou ademhalen.

Het slijm in zijn borst borrelde. Het verkoos de schone kant van de rotsen.

Dharmen Shah stuurde het vliegtuig terug naar de vuile kant van de rotsen.

Het toestel hing nu boven Vakola. Hij zag zijn Shanghai, de meest zilveren tussen de zilveren torens, en ernaast nog een Shahtoren, en daarnaast...

Zijn zieke lichaam begon te bewegen op de koude bank, ondanks de instructies van de radioloog, nam meer vierkante centimeters voor zichzelf in, droomde, zelfs hier, van landwinning en warme ruimte.

Er was weer een terroristische dreiging voor de stad en de metaaldetector bij de ingang van de Infiniti Mall in Andheri (West), die al maanden geleden was geïnstalleerd en sindsdien niet geactiveerd was, werd eindelijk aangezet.

Hij reageerde zo enthousiast – bij iedereen piepte hij drie keer – dat iedere man en vrouw die het winkelcentrum binnen ging een hoog terroristisch risico werd. Snel fouilleren en tassen doorzoeken herstelden hun naam en goede reputatie en stelden hen in staat de lift te nemen naar de Big Bazaar-supermarkt op de eerste verdieping, of de Landmark-boekhandel op de tweede.

'Zesendertig rupee voor een bord bhelpuri!'

Meneer Kothari, voormalig secretaris van de Vishram Corporatie Toren A, ging aan een tafel in het atrium van de horecaplaza zitten met een volgeladen bord bhelpuri. Tinku, zijn bord in één hand, schoof een stoel van een tafeltje ernaast bij en ging naast zijn vader zitten.

'Een winkelcentrum, vader, wat verwacht je anders?' Hij begon het eten naar binnen te scheppen.

'Vroeger was hier niks dan vogels en bomen.' Kothari keek het atrium rond. 'Andheri.'

Alsof ze bezworen waren door zijn nostalgie, vlogen er een paar mussen de horecaplaza binnen.

Met zijn mond vol gepofte rijst en stukjes ui zat Tinku te staren.

'Kijk eens wie daar is, vader.'

'Wie? O, niet op letten. Eet door.'

'Vader, ze komen hierheen.'

'Je kunt niet eens rustig van je bhelpuri genieten. Waar je zesendertig...'

Er gleed een stukje tomaat uit Kothari's mond toen hij glimlachte, hij zoog het weer naar binnen.

'Bent u uw oude buren nu al vergeten?' vroeg Ibrahim Kudwa toen hij naar hun tafel toe liep met de kleine Mariam in zijn armen. Mumtaz, die achter hem liep, droeg twee boodschappentassen. Kudwa schoof een metalen stoel naar hun tafel.

'Ik zei net tegen Tinku dat ik u eens moest bellen – en kijk eens wie we daar hebben.'

'Je ziet er goed uit, jongen.' Kudwa klopt Tinku op zijn rug. 'Gezond.'

De dikke jongen kromp ineen. Hij wist wat dit betekende.

Kothari tikte Mariam op haar wangen toen haar vader vroeg: 'Waar woont u tegenwoordig?'

'Hier. In Andheri West.

'Maar...' Kudwa fronste zijn wenkbrauwen, '...er zijn geen flamingo's in Andheri West.

'Flamingo's waren iets voor grote mannen als mijn vader. Dat grut daar is goed genoeg voor mij.' Kothari wees naar de mussen die rondhipten op de horecaplaza. 'Wij zitten in de Capriconius Corporatie. Achter de HDFC Bank aan de Juhu-Versova Verbindingsweg. Een goede plek. Goede mensen.'

'Ze willen daar ook dat pappa secretaris wordt,' zei Tinku en zijn vader bloosde.

'U wat bhelpuri, Ibrahim? Mumtaz misschien? Een hapje voor Mariam?'

'O nee,' zei Kudwa. 'Ik slik drie maagzuurpillen per dag alleen maar om te kunnen slapen. De vrouw heeft al het eten vanbuiten verboden.' Hij keek haar glimlachend aan. 'In onze corporatie hebben we ook goede mensen. Sterker,' hij wees op een van de boodschappentassen die zijn vrouw droeg, 'ik heb een cadeau gekocht voor de zoon van de buren. Een verrassing.'

Hij straalde van genoegen. Hij zag dat Kothari een nieuwe gouden halsketting droeg, hij probeerde zich te herinneren of de man ooit goud had gedragen in zijn Vishram Corporatie-tijd.

'Maar waar woont u dan, Ibrahim?'

'Bandra Oost. We hebben een familiezaak in ijzerwaren. Ik ben een partnerschap met mijn broer aangegaan. Er zit geen toekomst in technologie, geloof me. Hamers. Spijkers. Schroeven. Als u die ooit eens in het groot nodig hebt, kom dan naar Kalanagar. Ik schrijf het adres voor u op.' Hij draaide zich om naar Mumtaz, ze zette haar tassen neer, haalde een balpen tevoorschijn en schreef op een papieren servet.

Toen ze gedaan had wat haar man vroeg, legde Mumtaz de pen neer en keek naar Kothari.

'Is er nieuws van de projectontwikkelaar? De tweede betaling is al drie weken te laat.'

'Ik heb zijn kantoor gebeld en een bericht ingesproken.' Kothari vouwde het papiertje met Kudwa's telefoonnummer op. 'Als hij deze termijn en de volgende niet betaalt, stappen we naar de rechter.'

'Wat een oplichter blijkt die man te zijn. Meneer Shah. We vertrouwden hem.'

'Alle projectontwikkelaars zijn hetzelfde, Ibrahim, ouderwetse en nieuwerwetse. Maar de eerste termijn is wel gekomen en hij heeft ons acht weken huur betaald terwijl wij naar een nieuwe woning uitkeken. Hij betaalt echt wel. Hij stelt alleen graag uit.'

'Waar is mevrouw Puri tegenwoordig, Ibrahim? Hebt u een idee?'

'Goregaon. Gokuldam. In die nieuwe toren daar. Mooie woning, nieuw houtwerk. Ze hebben een dag-en-nacht verpleeghulp voor de jongen aangenomen.'

'Dat is de toekomst. Goregaon. Zo veel ruimte.'

Kudwa schudde zijn hoofd. 'Het blijft onder ons, maar de jongen zijn gezondheid is opeens heel erg achteruitgegaan... Ik weet niet wat ze zal doen als hij... Gaurav komt voortdurend bij haar langs, zegt ze. Hij is inmiddels als een zoon voor haar.'

Kothari plantte zijn plastic lepel in zijn eten.

'En mevrouw Rego?' vroeg hij. 'Iets gehoord?'

'We hadden nooit nauw contact,' zei Kudwa. 'De Pinto's wonen nu natuurlijk samen met hun zoon. Hij is terug uit Amerika. Hij was zijn zaak daar kwijt.'

'Iedereen komt terug uit Amerika.'

Ibrahim Kudwa verplaatste Mariam naar zijn linkerarm en tikte op de tafel om aandacht.

'Ajwani heeft geweigerd het geld aan te nemen, hebt u dat gehoord? Geen rupee.'

Kothari zuchtte.

'Die man – zijn leven lang was hij geobsedeerd door geld. Hij zat in zijn vastgoedkantoortje met een pak bankbiljetten in zijn la om zich rijk te voelen. En als hij dan echt een meevallertje krijgt, dan zegt hij nee. Een man van *niks*. Pucca niks.'

Kothari at nog wat bhelpuri.

Mumtaz Kudwa pakte haar boodschappentassen op, haar man kwam overeind met Mariam.

'Het leven is goed,' zei hij. 'Volmaakt is het niet, maar met geld is het beter.'

'Het is precies zoals u zegt, Ibrahim. Tot ziens, Mumtaz. Dag, Mariam.'

In de lift naar beneden nam Kothari de rekening van het eten door dat hij en zijn zoon net gehad hadden, zijn lippen bewogen. '...de bhelpuri was maar zesentwintig rupee, Tinku. Ze hebben tien rupee gerekend voor water, maar we hebben geen flesje water gekregen.'

'Nee,' beaamde de jongen. 'We hebben helemaal geen water gekregen.'

Toen hij uit de lift stapte zei hij: 'We gaan die tien rupee terugvragen, Tinku.'

'Voor tien rupee? Helemaal naar boven?'

Ze stapten in de andere lift en stegen weer op naar de horecaplaza.

'Het gaat om het *principe*. Je moet in deze wereld opkomen voor je rechten. Dat heeft je grootvader me geleerd.'

Tinku was begonnen te geeuwen maar draaide zich verrast om; zijn onmuzikale vader was een beroemd Beatles-nummer aan het neuriën en sloeg met de rug van zijn hand tegen de lift.

23 DECEMBER

Elke avond wordt Juhu Beach overspoeld door slecht maar fanatiek gespeelde cricketwedstrijden, op zondagen zijn er misschien wel honderd wedstrijden gaande over de hele lengte van het zand. Allemaal zijn ze onderworpen aan een fatale beperking: de oceaan. Iedereen die een bal direct in het water slaat wordt uit verklaard – een algemene regel op het hele strand. Een goede, eerlijke klap op een slechte worp, en de slagman heeft zichzelf gediskwalificeerd. Om te kunnen overleven moet je de klassieke vormen opgeven. Alles wat krom, razendsnel en onorthodox is, doet het goed.

'Er zijn hier een miljoen man aan slag op dit strand. Speel met stijl. Laat zien wat je kunt,' riep mevrouw Rego.

Ze stond in haar grijze jas bij de wicket, als umpire-commentator-coach van de wedstrijd die gespeeld werd.

Timothy, Mary's zoon, was aan slag bij de stick-wicket; Kumar, de langste van de vaste club bij de Tamiltempel, nam een aanloop voor de worp.

Mary zat op het zand, de enige toeschouwer en cheerleader van de wedstrijd, en draaide zich even om, om naar de waterkant te kijken.

Het was laagtij en de zee had zich ver van de normale kustlijn teruggetrokken en een glazig, moerassig tussengebied achtergelaten. Weerspiegeld in het natte zand holden twee bijna naakte jongens rond in het moeras, ze sprongen in de golven en spatten elkaar nat. Hun donkere lichamen glansden zwart in het zonlicht, alsof ze overdekt waren met een olielaagje. In een soort privé-extase begonnen ze het water in en uit te rollen, nauwelijks nog in deze wereld.

Nu zag Mary een bekende gestalte langs de branding lopen. Zijn broekspijpen waren opgerold en hij droeg zijn schoenen over zijn schouder waar ze zijn overhemd bevuilden.

Ze zwaaide.

'Meneer Ajwani.'

'Mary! Wat leuk om jou te zien.'

Hij ging naast haar zitten.

'Ben je hier om je zoon te zien cricketen?'

'Ja, meneer. Ik vind het niet fijn als hij zijn tijd verspilt aan cricket, maar mevrouw – ik bedoel mevrouw Rego – stond erop dat hij hier zou zijn.'

Ajwani knikte.

'Hoe is het met je huis bij de nullah? Dreigt het weer gesloopt te worden?'

'Nee, meneer. Mijn huis blijft. Ik heb werk gevonden in een van de flatgebouwen bij het station. Een gebouw van Ultimex. Ik krijg beter betaald dan in Vishram, meneer. En ze hebben me een mooi blauw uniform gegeven.'

Ze doken allebei ineen. De rode bal vloog op vijf centimeter langs Ajwani's neus, hij scheerde over het glazige zand en ontplofte in de oceaan.

'Timothy is out!' riep mevrouw Rego.

Ze zag Ajwani naast Mary zitten.

Hij zag de vijandigheid in haar ogen – ze hadden elkaar niet meer gesproken sinds *die* avond – en hij wist meteen: zij was er ook bij.

'Laat me hier blijven, mevrouw Rego,' zei hij. 'Een van de regels van Juhu Beach is: je zegt geen nee tegen een vreemde die je wil zien spelen.'

Mevrouw Rego zuchtte en ging de bal zoeken.

De twee jongens die in het water hadden liggen rollen, renden nu naar de bal toe, hij kwam terug in een hoge rode boog, onder gejuich van de cricketers. Hoog in de lucht doorsneed een vliegtuig het traject van de bal, en de cricketers barstten uit in een tweede langdurig gejuich.

Het vliegtuig had de hoek van het afnemende licht gevangen en zag er stralend en vertrouwd uit voor het boven de oceaan verdween.

Het spel ging door. Mevrouw Rego bleef de jongens 'tips' geven over 'met stijl' slaan. Ajwani en Mary juichten onpartijdig alle batsmen toe.

De ondergaande zon trok meer mensen. De mensenlucht overheerste de zeelucht. Verkopers zwaaiden groene en gele fluorescerende draden door de donker wordende lucht om de aandacht van kinderen te trekken. Windmolentjes in feestkleuren werden op lange houten staketsels geplaatst om in de zeebries rond te tollen, groene plastic soldaten kropen over het strand en mechanische kikkers bewogen voort met kwaakgeluiden. Er stonden kleine mannen met zwarte bladen hangend om hun nek, vol met gepelde pinda's, geroosterd door levende kolen; tafels met kokosnoten en augurken werden opgezet onder parasols; jongens badderden in hun ondergoed en moslimvrouwen pootjebaadden in doorweekte zwarte boerka's. Lichtende machines vertelden je voor een paar rupee wat je woog en wat je lot was.

De cricketwedstrijd was verlopen. Dharmendar en Vijay hadden Timothy beloofd hem alleen maar in het zand te begraven en gingen over tot het krassen van borsten en geslachtsdelen in het zand boven op hem, en schreven er in het Engels FUK ME bij.

'Je zou het tenminste goed kunnen spellen!' Mevrouw Rego bleef zo lang mogelijk streng kijken, voordat ze de anderen ging helpen om de vastzittende jongen te redden.

De oceaan was diep violet, de schemer glansde boven Juhu.

'Kom, jongens, pak de bat en de bal en kom eens hier,' riep mevrouw Rego. 'Tijd voor een toespraak.'

'Toespraak? Waarom moet er altijd een toespraak komen, mevrouw Rego?'

'We moeten een toespraak houden over Masterji. Denk je dat

zijn zoon hem zal herdenken? Wij zullen dat moeten doen. Eigenlijk moet *jij* maar beginnen, Timothy.'

De jongens gingen in een halve kring om Timothy heen staan. Ajwani ging naast Mary zitten.

Timothy grijnsde. 'Ik heb Masterji een keer onder een boom bij de tempel zien zitten. Hij at al het fruit op...'

'Timothy!' zei mevrouw Rego.

De jongens klapten en floten. 'Mooie toespraak!'

'Ga zitten, Timothy.' Mevrouw Rego wees op Ajwani. 'Nu *u*.'

'Ik?' De makelaar wilde lachen, maar hij begreep dat ze het meende. Iedereen die hier zat – eigenlijk iedereen op dit strand – was min of meer betrokken bij de zaak. Zijn aandeel was groter dan dat van de meesten.

Hij veegde het zand van zijn broek en stond op. Hij keek de halve kring van vier jongens en twee vrouwen rond.

'Vrienden, wijlen onze Masterji...'

'Wijlen de heer Yogesh Murthy,' verbeterde mevrouw Rego hem.

'...wijlen de heer Yogesh Murthy was mijn buurman, maar ik weet niet veel over zijn leven. Ik geloof dat hij in het zuiden geboren is en na zijn huwelijk hier is gekomen, dacht ik. Waar hij ook vandaan kwam, hij kwam hier en werd een typische inwoner van deze stad. Wat bedoel ik daarmee?' Ajwani keek naar de oceaan. 'Ik bedoel dat hij een nieuw soort mens werd. Ik denk nu meer aan hem dan toen hij mijn buurman was.'

Hij hoopte dat ze het zouden begrijpen.

Mevrouw Rego stond op en iedereen keek naar haar.

'Jongens, ik zou zeggen: hiep-hiep-hoera voor meneer Ajwani, voor zijn mooie toespraak. En nu wil ik dat iedereen voor hem klapt. Klappen, jongens?'

'Hiep-hiep-hoera! Aj-waaa-ni!'

'Jongens, ik heb jullie nog wat te zeggen.'

'Altijd toch?' Gelach.

De halve cirkel verschoof zodat mevrouw Rego nu in het midden stond.

'Jongens, waar Masterji is geboren, waar hij gestudeerd heeft, dat is nu niet belangrijk. Belangrijk is dit. Hij deed wat in zijn ogen juist was. Hij had een geweten. Wat mensen ook tegen hem zeiden of hem aandeden, hij bedacht zich nooit en verraadde nooit zijn geweten. Hij was tot het einde toe vrij.'

'Genoeg, tante.'

'Hou je mond en noem me geen tante. En nu allemaal stil.'

Sommigen waren dat ook.

'Jongens, een paar jaar geleden ging ik naar Delhi en kwam een man tegen die nog nooit van zijn leven de oceaan had gezien en ik dacht: wat is zo'n leven waard? Wij zullen altijd de oceaan hebben, en daarom wonen wij in de ware hoofdstad van dit land. Het enige wat we nodig hebben zijn een paar meer goede mensen zoals Masterji, en dan is dit eiland, dit Mumbai van ons, een paradijs op aarde. Zoals het was toen ik nog een meisje in Bandra was. Als ik die jongens hier voor me zie zitten, dan weet ik dat er toekomstige Masterji's tussen jullie zijn, en dat deze stad weer zal worden wat ze was, de beste stad ter wereld. En daarom, heren van het cricket-team, om te voorkomen dat deze toespraak nog langer doorgaat, laten we allemaal opstaan, elkaar een hand geven en hiep-hiep-hoera roepen ter nagedachtenis van wijlen onze Masterji, en hem beloven dat we hem zullen gedenken en eren.'

'Hiep-hiep-hoera!' riepen ze samen.

De cricketers waren braaf geweest en nu wilden ze hun beloning. In de buurt was een suikerrietkraampje gelokaliseerd.

'U ook,' zei mevrouw Rego. Ajwani nam het aan. In een groepje liepen ze naar de suikerrietsapkraam aan het eind van het strand. Mevrouw Rego wuifde de protesten van de makelaar weg en betaalde voor iedereen. Ze telde de koppen om het juiste aantal glazen te kunnen bestellen. Opeens gaf ze een gil.

Er liep een hagedis over haar rok.

'*Wie* heeft dat gedaan?'

Timothy en Dharmendar keken elkaar aan en alle anderen giechelden. Ajwani zwiepte de plastic hagedis met een schop het strand op. Mevrouw Rego ging door met koppen tellen.

'Wat gaat u nu doen, meneer Ajwani?' vroeg ze, terwijl ze haar sap dronk.

'Eerst overwoog ik helemaal uit het vastgoed te gaan,' zei hij. 'Maar toen dacht ik: er zijn ook eerlijke mensen in dit vak. Laat ik daar maar bij horen.'

Met een oog dicht keek ze in haar glas en zette het toen weer op het kraampje.

'Is het waar wat ze zeggen, dat u het geld van de projectontwikkelaar geweigerd hebt?'

Hij likte zijn lippen af en zette zijn glas naast het hare.

'Eerst wel. Maar ik heb een gezin. Twee zonen. Een vrouw.'

Een baardige man liep op het suikerrietsapkraampje toe, hij tuurde naar mevrouw Rego en glimlachte toen.

'U bent toch die maatschappelijk werkster die goede dingen doet in de sloppen?'

Mevrouw Rego aarzelde, toen knikte ze.

'Ik heb u gezien in uw kantoor, mevrouw,' zei de baardige man. 'Ik kom ook uit Vakola. Ik woonde in een krot, op de plaats waar de Ultimex Group nu zijn toren bouwt. Ultimex Milano.'

Ajwani en mevrouw Rego staarden naar de baardige man. Hij droeg een wit moslim-schedelkapje.

'Bent u... die geluksvogel? De man van de eenentachtig lakh?'

'Door Allahs gunst, meneer, u mag wel zeggen dat ik dat ben. Ik heb nu geen geld bij me. Ik heb een flat met twee slaapkamers in Kurla gekocht, in een pucca flatgebouw. En ook een kleine Maruti-Suzuki.'

'U ziet er bepaald niet ongelukkig uit,' zei mevrouw Rego.

'Waarom zou ik ongelukkig zijn?' De geluksvogel lachte. Mijn kinderen hebben nooit een echt thuis gehad. Vier dochters heb ik. Het lot is veel mensen goedgezind tegenwoordig. Er is hier in Juhu een man, die woont in een sloppenwijk, en die heeft drieënzestig lakh aangeboden gekregen door een vastgoedontwikkelaar om te verhuizen. Het is een relatie van een relatie van me en ik ben gekomen om met hem te praten. Over hoe je met die projectontwikkelaars om moet gaan.'

De arbeiders bij het suikerrietkraampje hadden het opgevangen en vroegen de geluksvogel nu om bijzonderheden, een krantenverkoper die in de buurt stond kwam ook meeluisteren. Een vent in een sloppenwijk? Drieënzestig lakh? In de buurt? Welke sloppenwijk? Welke vent? Weet je zeker dat het *drieënzestig* was?'

Mevrouw Rego en Ajwani keken naar de baardige man die sproeten op zijn grote neus had, misschien van de mazelen, en vroegen zich af of dat de tekenen waren waaraan je geluksvogels kon herkennen.

De jongens hadden hun suikerrietsap op en liepen vanaf het strand naar de grote weg. Vijay, opgepept door het sap, hield Dharmendars hoofd in een houdgreep.

Mevrouw Rego wilde dat ze geen sap gedronken had, de plotselinge dosis suiker maakte haar, zoals altijd, neerslachtig. Ze likte haar lippen af en spuugde wat er nog over was van het zoete sap uit – de mooiste vergoeding die deze stad aan die jongens kon bieden voor de dromen die ze niet zou verwerkelijken.

'Wat zal er van ze terechtkomen, meneer Ajwani? Zulke goeie jongens, allemaal...'

'Wat bedoelt u, wat er van ze terecht zal komen?'

'Ik bedoel, meneer Ajwani, al dat talent, al die energie. Hebben die jongens enig idee van wat er op ze wacht? Teleurstelling. Dat is alles.'

De makelaar bleef staan. 'Hoe kunt *u* dat nu zeggen, mevrouw Rego? U hebt altijd anderen geholpen.'

Ze bleef naast hem stilstaan. Haar gezicht trok samen tot iets kleiners, donkerder van pijn.

Ajwani glimlachte, de evenwijdige lijntjes op zijn wangen werden dieper.

'Ik heb iets geleerd over het leven, mevrouw Rego. U en ik zijn in de val gelopen, maar we *wilden* ook in de val lopen. Deze jongens zullen in een betere wereld leven. Kijk daar maar.'

'Waar?' vroeg ze.

Er kwam een bus langs met een reclame voor een film die *Dance, Dance* heette, autoriksja's en scooters reden er achteraan. Toen ze voorbij waren, zag mevrouw Rego een groep dabba-wallahs in witte uniformen met puntmutsjes die in een kring op het trottoir kaart zaten te spelen.

'Het licht is niet goed. Ik kan niet zien wat je...'

Na een tijdje zag mevrouw Rego, of dat dacht ze, waar haar voormalige buurman op wees.

Achter de verkeersstroom, aan de overkant van de straat, zag ze de terreinmuur van een oude Juhu-bewonerscorporatie, voorzien van drie generaties aan martelinstrumenten: primitieve gekleurde glasscherven van flessen die over de hele lengte in de muur gestoken waren, daaroverheen een laag roestig prikkeldraad waarvan de uiteinden in puntige knopen waren gerold, en daar weer overheen, opgerold in gigantische krullen, glimmender prikkeldraad met grote rechthoekige stukken metaal, zoals ze had gezien rond Amerikaanse militaire installaties in actiefilms, minder ruw bedreigend dan de roestige laag, maar onmiskenbaar dodelijker. Achter die elkaar overlappende lagen draad zag ze banyanbomen, stuk voor stuk in hun groei gestuit door de omheining, op één oud, grijs geworden exemplaar na, waarvan de luchtwortels zich door prikkeldraad en glasscherven heen hadden gewrongen en langs de muur omlaag dropen als oersoep, tot hun lichte, groeiende toppen, die bijna tot op het plaveisel vielen, langs een dakloos gezin streken dat in de schaduw rijst zat te koken, en met elke worteltop die het prikkeldraad verslagen had zei de oude banyan: *niets kan een levend wezen dat vrij wil zijn tegenhouden.*

Vakola, Mumbai
maart 2007 – oktober 2009

DANKBETUIGING

Robin Desser van Knopf heeft deze roman geredigeerd en er een betere van gemaakt.

Ik dank mijn oom, Udaya Holla uit Sadashivanagara, Bangalore, die zo veel jaar mijn belangen heeft behartigd.

Ik dank Drew MacRae, Ravi Mirchandani, Pankaj Mishra, Akash Shah en zijn gezin, Justice Suresh en Rajini, Shivjit 'Chevy' Sidhu, Vinay Jayaram, Vivek Bansal, William Green, Elizabeth Zoe Vicary, professor Robert W. Hanning, professor David Scott Kastan, Jason Zweig, S. Prasannarajan, Devangshu Datta, Sree Srinivasan, Robert Safian, Jason Overdorf en Ivor Indyk.